I FARAONI

* * *

DI PROSSIMA PUBBLICAZIONE

L'ULTIMO IMMORTALE

MAX GALLO

Napoléon

I CIELI DELL'IMPERO

Traduzione di
Gianni Rizzoni e Carla Ghellini Sargenti

MONDADORI

Il nostro indirizzo Internet è:
http://www.mondadori.com/libri

ISBN 88-04-46117-9

© Éditions Robert Laffont, S.A., Paris, 1997
© 1999 Arnoldo Mondadori Editore S.p.A., Milano
Titolo originale: *Napoléon. L'empereur des rois*
I edizione I Faraoni maggio 1999

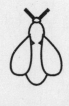

I CIELI DELL'IMPERO

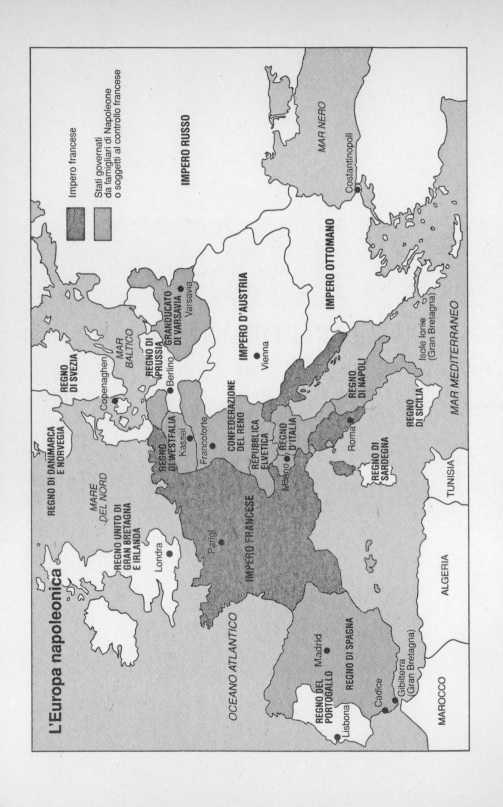

L'Europa napoleonica

Impero francese

Stati governati
da famigliari di Napoleone
o soggetti al controllo francese

OCEANO ATLANTICO

REGNO DEL PORTOGALLO
Lisbona

REGNO DI SPAGNA
Madrid
Cadice
Gibilterra (Gran Bretagna)

MAROCCO

ALGERIA

TUNISIA

MARE DEL NORD

REGNO UNITO DI GRAN BRETAGNA E IRLANDA
Londra

IMPERO FRANCESE
Parigi

REGNO DI DANIMARCA E NORVEGIA

REGNO DI SVEZIA

MAR BALTICO

Copenaghen

REGNO DI PRUSSIA
Berlino

REGNO DI WESTFALIA
Kassel
Francoforte

CONFEDERAZIONE DEL RENO

REPUBBLICA ELVETICA

REGNO D'ITALIA
Milano

IMPERO D'AUSTRIA
Vienna

GRANDUCATO DI VARSAVIA
Varsavia

IMPERO RUSSO

REGNO DI SARDEGNA

REGNO DI NAPOLI
Roma

REGNO DI SICILIA

MAR MEDITERRANEO

Isole Ionie (Gran Bretagna)

IMPERO OTTOMANO

MAR NERO

Costantinopoli

Per Marielle

Il mio padrone non ha viscere, il mio padrone
è la natura delle cose.

NAPOLEONE a Giuseppina, 3 dicembre 1806

Aveva l'esigenza di trasformare la confusione
in ordine, come tutti gli uomini della Storia
che non sono dei teatranti.

ANDRÉ MALRAUX, *Les chênes qu'on abat*

Parte prima

Tutto è andato come avevo previsto
gennaio - 25 novembre 1806

1

Il padrone adesso è lui, Napoleone Bonaparte. Da quel 2 dicembre 1805, da quel sole di Austerlitz che si è alzato sugli stagni ghiacciati dove sono annegati i soldati russi, alleati inutili delle truppe austriache già sbaragliate, Napoleone ripete a se stesso che è lui il padrone.

È il 28 dicembre 1805, un sabato. Ha appena lasciato il castello di Schönbrunn, a Vienna, e si sta dirigendo a Monaco. Nella berlina che corre verso l'abbazia di Melk, dove conta di trascorrere la notte, ha avvolto le gambe in una pelliccia, ma non dorme.

È lui il padrone.

Di tanto in tanto, dalla finestra della carrozza, scorge le sagome dei cavalieri della scorta. Gli tornano in mente le parole del proclama che ha dettato il giorno della vittoria, scandiscono ogni giro delle ruote: "Soldati, sono contento di voi. Nella giornata di Austerlitz avete confermato tutto quello che mi aspettavo dal vostro coraggio. Avete decorato le vostre aquile di una gloria immortale... Il mio popolo vi rivedrà con gioia, e vi basterà dire: io ero alla battaglia di Austerlitz, perché tutti rispondano: ecco un valoroso!".

È lui il padrone.

Gli sembra di poter fare tutto. Ha appena sbaragliato e disperso, come ha scritto nel proclama ai soldati, un esercito di 100.000 uomini al comando degli imperatori di Russia e d'Austria. Il re di

Prussia ha evitato una strigliata solo perché la vittoria di Austerlitz lo ha convinto che era meglio sottomettersi senza combattere.

Napoleone è il padrone.

Ha ricevuto Talleyrand al castello di Schönbrunn. Il ministro
degli Esteri è venuto di persona a portare gli atti del trattato di
Presburgo, che caccia gli austriaci dalla Germania sanzionandone
la disfatta.

— Sire — ha detto Talleyrand con la sua voce acuta — tutto
quello che la conquista vi ha dato è vostro, vi appartiene, ma voi
siete generoso...

Consultando le clausole del trattato, Napoleone ha constatato
che Talleyrand, di sua iniziativa, ha ridotto i risarcimenti di guerra che lui aveva preteso da Vienna.

— A Presburgo avete concluso un trattato che non mi piace per
niente, monsieur Talleyrand — si è irritato Napoleone scaraven-
tando il testo per terra.

È lui il padrone, ecco quello che Talleyrand avrebbe dovuto capire. Come sempre, il ministro si è rifugiato dietro la gentilezza,
l'abilità, le adulazioni e le argomentazioni.

— Mi rallegra l'idea che quest'ultima vittoria metta in condizione Vostra Maestà di assicurare la pace in tutta Europa e di garantire il mondo civile contro l'invasione dei barbari.

Napoleone lo ha ascoltato guardando il fuoco che arde nei grandi camini di Schönbrunn e illumina i rivestimenti di legno e le im-
mense tappezzerie.

— Ormai Vostra Maestà può schiacciare la monarchia austriaca
o risollevarla — ha ripreso Talleyrand. — Se deciderà di distruggerla, poi non sarà più possibile raccoglierne i cocci e ricomporli in un
unico blocco. Ma l'esistenza di questo blocco è necessaria, indispensabile per la sopravvivenza stessa delle nazioni civili. Si tratta
di un bastione sufficiente, oltre che necessario, contro i barbari.

Napoleone non ha risposto. È lui il padrone.

Più tardi, nella berlina che corre attraverso la campagna, pensa
che erano ormai molti anni che non provava più un simile sentimento di sovranità, di dominio del suo destino, di potere sulla
sorte degli uomini e sulla vita degli Imperi. Austerlitz è stata la sua
vera consacrazione imperiale. Come cinque anni prima, il 14 giu-

gno 1800, giorno della vittoria di Marengo, quando aveva avuto la convinzione che quella battaglia gli avesse assicurato il potere di primo console e che tutto sarebbe stato compromesso in caso di sconfitta nelle pianure d'Italia. Che valore avrebbe avuto, infatti, la sua corona di imperatore, se ad Austerlitz gli austriaci e i russi avessero battuto la Grande Armata?

La sua corona sarebbe rotolata nel fango.

Ma ha conquistato la vittoria. È lui il padrone. E come un Carlo Magno può, se vuole, modellare l'Europa a suo piacimento.

Sogna. Immagina. La berlina lo conduce a Monaco.

Il 31 dicembre 1805 arriva nella capitale della Baviera. Fa freddo, piove. La berlina percorre tutto lo spiazzo dinanzi all'austera facciata del palazzo reale, decorato soltanto da una statua della Madonna. I soldati della Guardia spalancano le porte di bronzo, e all'una e quarantacinque la carrozza penetra nel palazzo. Avanza lentamente, attraversa i quattro ampi cortili, sfiora le fontane e si ferma davanti alla scalinata da cui si accede agli appartamenti.

Gli ufficiali si precipitano. Le damigelle di compagnia dell'imperatrice lo stanno aspettando sulla scalinata.

Napoleone scende dalla vettura, si guarda intorno. Ricorda l'ultima lettera che ha scritto a Giuseppina. Si trovava nel palazzo di Schönbrunn, il 20 dicembre. Tutto era ancora in forse. L'Austria esaminava le clausole del trattato. Napoleone aveva scarabocchiato poche righe per Giuseppina con la sua scrittura irregolare.

> Non so cosa farò: dipende dagli eventi. Non ho volontà. Aspetto tutto dalla loro conclusione. Resta a Monaco, divertiti, non è poi così difficile quando si hanno intorno persone gentili e si vive in un paese così bello. Io, dal canto mio, sono molto occupato. Tra qualche giorno, tutto sarà deciso.
> Addio, cara amica, mille cose amabili e tenere.

Gli eventi hanno deciso. Il trattato è firmato. È lui il padrone. Sale la scalinata. Tutti s'inchinano davanti a lui. Coglie negli sguardi quel misto di ammirazione e servilismo e, forse per la prima volta, anche una sorta di timore. Come se la sua vittoria clamorosa sulla coalizione di Vienna e Pietroburgo avesse rivelato che lui appartiene a una razza consacrata, quella cui niente può resistere.

Percorre in fretta l'anticamera, la sala delle udienze, entra in una galleria decorata con dipinti italiani e fiamminghi dai colori scuri, raggiunge la camera da letto. In piedi, appoggiata al grande baldacchino dorato, c'è Giuseppina.

Sono molte settimane che non la vede. E lei non gli ha nemmeno scritto. Lui l'aveva rimproverata: le belle feste di Baden, Stoccarda e Monaco le avevano fatto dimenticare "i poveri soldati che vivono immersi nel fango, nella pioggia e nel sangue?". Così le aveva scritto. "Grande Imperatrice, neanche una lettera da parte vostra... degnatevi, dall'alto della vostra grandezza, di preoccuparvi un po' dei vostri schiavi."

Adesso è lì, seducente benché invecchiata, sorride stringendo le labbra per non lasciar vedere i denti ingialliti e cariati. Abbozza una riverenza un po' ironica ma, comunque, s'inchina.

Perché è lui il padrone.

Bisogna che tutti lo sappiano e lo accettino. Lui decide, e si deve obbedire. Si sente forte, capace di realizzare prodigi, quelli che faranno di lui il Carlo Magno della quarta dinastia. Per questo deve raccogliere intorno a sé e ai membri della sua famiglia gli Stati europei. Fare dei fratelli e dei suoi intimi tanti nuovi re.

Certo, se avesse un figlio...

Ma non ha figli.

All'Opera di Monaco, il 6 gennaio, mentre i cantanti sul palcoscenico interpretano *La clemenza di Tito*, non si lascia sedurre dalla musica di Mozart. Osserva di soppiatto Giuseppina. Non è stata in grado di dargli quell'erede che desiderava tanto, il figlio necessario per fondare la dinastia imperiale senza la quale l'opera da lui compiuta rischia, dopo la sua morte, di andare in frantumi.

Perché deve sempre trovarsi davanti nuove sfide, quando ha appena raggiunto una vetta?

Si rivolge a Giuseppina.

Ha deciso, le dice, di far celebrare quanto prima il matrimonio di Eugenio, il figlio di Giuseppina, con Augusta, la figlia del re di Baviera. Sarà il primo nodo di quella rete che intende tessere da un capo all'altro dell'Europa, come Carlo Magno. Adotterà Eugenio, anche se, nel contempo, lo escluderà dalla linea di successione al trono di Francia. Poi sceglierà uno o l'altro dei suoi fratelli per occupare i troni d'Europa. A Napoli, per esempio, perché non Giuseppe? È ora di farla finita con quei Borboni, quel re e quella regina di Napoli che tramano con gli inglesi. E poi, la regina di Napoli, Maria Carolina, non è sorella di Maria Antonietta? Non ha forse dichiarato all'ambasciatore di Francia che auspicava che il regno di Napoli fosse il fiammifero che avrebbe scatenato l'incendio destinato a distruggere l'Impero francese? Maria Carolina di Napoli scoprirà a proprie spese che giocando con il fuoco ci si brucia le dita.

Napoleone si alza, non aspetta la fine dello spettacolo e rientra a palazzo. Deve agire in fretta. Il tempo manca sempre.

Scrive a Eugenio Beauharnais per ordinargli di recarsi d'urgenza a Monaco. Strappa l'assenso al re di Baviera, che assegna una magnifica dote alla figlia. Augusta di Baviera riceverà il giorno delle nozze 50.000 fiorini. In più le vengono garantiti 100.000 franchi l'anno per le spese personali e una proprietà del valore di 500.000 franchi alla morte del marito.

Ecco Eugenio, viceré d'Italia, che si presenta all'imperatore con i suoi lunghi baffi, caratteristici degli ufficiali dei cacciatori della Guardia. Napoleone gli tira l'orecchio. Gli dà una leggera pacca sulla nuca, il suo modo abituale di manifestare affetto. Per piacere ad Augusta, deve tagliarsi quei baffi troppi lunghi, dice l'imperatore. Anche questo è un ordine.

È lui il padrone.

Confida a Cambacérès che ritarderà di alcuni giorni il suo arrivo a Parigi perché impegnato a concludere il matrimonio di Eugenio e Augusta:

— Quei giorni mi sembreranno lunghi, ma dopo essermi votato senza sosta ai doveri di soldato, mi rilassa piacevolmente occuparmi dei dettagli e dei doveri di un padre di famiglia.

Il 13 gennaio 1806, all'una del pomeriggio, nella spaziosa galleria del palazzo reale, Napoleone assiste alla firma ufficiale del contratto di matrimonio. Il giorno dopo, alle sette di sera, presiede nella cappella reale alla cerimonia religiosa seguita da un *Te Deum* e da un banchetto. Al braccio del re di Baviera, l'imperatrice Giuseppina è raggiante. E ancora bella. Napoleone fa da cavaliere ad Augusta.

— Vi amo come un padre — le dice — e spero che avrete per me tutta la tenerezza di una figlia.

La coppia deve tornare in Italia.

— Non affaticatevi durante il viaggio, e state attenta al nuovo clima del paese dove andrete. Riposatevi tutto il tempo necessario — mormora Napoleone. — Ricordate: non voglio che vi ammaliate.

Alla fine del banchetto, Napoleone si ritira nel suo studio.

Regna il silenzio della notte, dopo l'allegria rumorosa dei festeggiamenti, il fruscio degli abiti e delle uniformi, l'incanto e la bellezza delle donne, la grazia di Augusta e la gioia di Eugenio Beauharnais. Prova un profondo affetto per quel figliastro che è diventato suo figlio adottivo. Grazie a questo matrimonio, è stato stabilito un primo legame con le famiglie regnanti d'Europa. Massimiliano Giuseppe, re di Baviera, il padre di Augusta, è un Wittelsbach, e i suoi antenati figurano in tutte le dinastie europee.

"Come garantire il futuro della mia dinastia, nata dalla Rivoluzione, se non riesco a farla entrare, forzando le porte a colpi di vittorie militari, nelle case reali che dalla loro hanno la legittimità conferita dai secoli passati?"

Ma molti non capiscono i suoi disegni.

Napoleone trova sul tavolo una lettera di Murat, sicuramente dettata da sua moglie Carolina, sorella di Napoleone.

"Quando vi ha innalzato sul trono, la Francia ha creduto di trovare in voi un capo popolare, insignito di un titolo destinato a porlo al di sopra di tutti i sovrani europei" scrive Murat. "Oggi voi rendete omaggio a titoli che non sono i vostri, che sono in opposizione ai nostri, e state solo mostrando all'Europa quanto valore attribuite a ciò che manca a tutti noi, una nascita illustre."

"Osano forse contestare la mia strategia, Murat il valoroso e Carolina l'ambiziosa, la gelosa? Per attaccamento ai princìpi rivoluzionari, per inquietudine o per dispetto? Che importa! Sono io il padrone."

Napoleone risponde:

Monsieur principe Murat,
vi vedo sempre con fiducia al comando della mia cavalleria. Ma qui non si tratta di un'operazione militare, si tratta di un atto politico, e io

vi ho riflettuto a lungo. Il matrimonio di Eugenio e Augusta vi dispiace. A me invece conviene, e lo ritengo un grande successo, importante come la vittoria di Austerlitz.

È lui il padrone.

E quel matrimonio è solo il primo pedone che muove sulla scacchiera. Pensa di unire Olanda, Svizzera e Italia in un unico organismo. — I miei Stati federati — mormora — o, meglio, l'Impero francese.

Decide che il codice civile dovrà essere applicato anche nel regno d'Italia. Non è stato forse incoronato re d'Italia a Milano? Ed Eugenio non è viceré d'Italia?

Il 19 gennaio 1806 propone al fratello maggiore Giuseppe la corona del regno di Napoli, e le truppe francesi ricevono l'ordine di occuparlo. I Borboni si rifugiano in Sicilia sotto la protezione della flotta inglese.

Ormai in Italia rimane un solo sovrano ostile: papa Pio VII. Il pontefice protesta; indignato per l'occupazione di Ancona, territorio pontificio, da parte delle truppe francesi, scrive a Napoleone.

"Io mi sono sempre considerato il protettore della Santa Sede" lui gli risponde. "Mi sono sempre considerato, come i miei predecessori, i re carolingi, il figlio maggiore della Chiesa, l'unico che ha la spada per proteggerla e metterla al riparo dall'essere profanata dai greci e dai musulmani."

"Perché il papa non lo capisce?"

Napoleone s'indigna. Scrive al cardinale Fesch, suo zio, che lo rappresenta a Roma: "Sono religioso, ma non certo bigotto. Il papa mi ha scritto una lettera assolutamente ridicola, dirò di più, insensata". Napoleone fa fuoco e fiamme: Pio VII deve piegarsi.

"Per il papa" aggiunge "io sono Carlo Magno. Perché, come Carlo Magno, ho riunito le corone di Francia e di Lombardia, e il mio Impero confina con l'Oriente. Voglio che il Vaticano regoli la sua condotta con me tenendo presente questo fatto. Se si comportano bene con me, lascerò le cose come stanno, altrimenti ridurrò il papa a essere soltanto il vescovo di Roma... Non conosco in verità governo così irragionevole come quello della corte di Roma.

"Sono io il padrone."

Regnare, però, esige che chi comanda sia implacabile. Nessuna pietà, nessuna esitazione.

Al generale Junot, che nomina governatore generale degli Stati di Parma e Piacenza, dice: — Non è con le parole che si mantiene la pace in Italia. Fate come ho fatto a suo tempo a Binasco, durante la campagna d'Italia: date alle fiamme un grosso villaggio, ordinate la fucilazione di una decina d'insorti e organizzate colonne mobili per inseguire dappertutto i briganti e dare un esempio alle popolazioni di quei paesi.

E Giuseppe, il tortuoso Giuseppe, l'esitante Giuseppe sarà capace di applicare la necessaria fermezza? Napoleone convoca Miot de Mélito, in procinto di partire con il nuovo re di Napoli.

Gli parla con voce imperiosa:

— Direte a mio fratello Giuseppe che lo nomino re di Napoli, ma alla minima esitazione, alla minima incertezza, perderà il trono... Niente mezze misure, niente debolezze. Voglio che il mio sangue regni su Napoli a lungo quanto in Francia. Il Regno di Napoli mi è necessario.

Napoleone ricorda le reticenze del fratello al momento della sua consacrazione imperiale, il suo rifiuto di accettare la carica di viceré d'Italia, la sua gelosia di fratello maggiore che soffre la gloria del minore.

Napoleone si avvicina a Miot de Mélito.

— Tutti i sentimenti di affetto vengono comunque dopo la ragione di Stato — gli dice. — Riconosco come miei parenti solo quelli che mi servono... È con le mie dita e la penna che faccio dei figli... Non posso più avere parenti che vivono nell'ombra. Quelli che non si innalzeranno con me non apparterranno più alla mia famiglia. Voglio una famiglia di re o, meglio, di viceré...

Pochi giorni dopo Napoleone riceve una lettera da Giuseppe, re di Napoli.

"Una volta per tutte posso assicurare Vostra Maestà che troverò ben fatto tutto quello che voi farete" scrive Giuseppe. "Agite per il meglio e disponete di me come riterrete più conveniente per voi e per lo Stato."

Napoleone è davvero il padrone.

2

Parte da Monaco venerdì 17 gennaio 1806, al cadere della notte. Nella carrozza legge alcuni dispacci alla luce vacillante delle lampade a olio. Quando cambiano i cavalli alla stazione di posta, non scende nemmeno dalla carrozza. Mangia una coscia di pollo freddo, beve il suo Chambertin in un calice d'argento, poi sonnecchia.

Riflette sul fatto che ha trascorso gran parte della sua vita sulle strade, a cavallo o in una di quelle berline il cui dondolio non lo disturba. Al contrario, gli piace molto quella sensazione di movimento. Gli piacciono quelle lunghe tappe, a volte anche di una quarantina d'ore, che gli fanno sentire fisicamente il dominio che esercita su paesi e uomini.

Devono vederlo dappertutto, dovunque regna.

Sabato 18 gennaio, alle quattro del pomeriggio, quando arriva a Stoccarda, il re del Württemberg lo accoglie e fa gli onori del palazzo reale.

Dappertutto, nei salotti e nelle gallerie, uomini e donne curvi, sguardi curiosi e sottomessi. È giusto così. Napoleone ordina: domani, domenica, vuole assistere a una rappresentazione teatrale; lunedì, alle otto di mattina, andrà a caccia nelle foreste nei pressi di Stoccarda. Desidera che il re lo accompagni.

Poi si ritira nello studio allestito per lui. I corrieri da Parigi sono già arrivati.

Parigi è il centro, tutto si decide lassù. Le vittorie sono state riportate anche perché qualcuno lassù sappia che lui è invincibile. Infatti, l'umore dell'opinione pubblica, a Parigi, è mutevole. Il popolo parigino non è mai definitivamente conquistato.

Napoleone apre subito i dispacci di Fouché, ministro della Polizia generale.

"Sire, Austerlitz ha scosso la vecchia aristocrazia. Nel faubourg Saint-Germain non si cospira più." I nobili dell'Ancien Régime attendono con impazienza il ritorno dell'imperatore per precipitarsi alle Tuileries a mendicare favori. Ambiscono a titoli, posti, onori e benefici.

Napoleone ripiega la lettera di Fouché.

"Ecco come sono fatti gli uomini. Nessuno resiste al fascino esercitato del potere vittorioso."

Lunedì mattina, nei boschi che fiancheggiano il Neckar, cavalca da solo, lontano da tutti, davanti al re del Württemberg e agli altri cavalieri o nobili invitati alla battuta di caccia. La bruma gelida e l'oscurità l'avvolgono, a volte il cavallo s'impenna. Ma Napoleone tira le redini e gli conficca gli speroni nei fianchi. Doma il suo destriero come doma la Storia.

A mezzogiorno parte per Karlsruhe, poi attraversa Ettlingen, Rastadt, Lichtenau e raggiunge infine il Reno.

Napoleone ordina di fermare la berlina. Al di là del fiume scorge le luci di Strasburgo.

Osserva il fiume, una scia più chiara nella notte. Dalla sorgente alla foce, il Reno deve costituire la frontiera dell'Impero. Sulla riva destra creerà alcuni Stati che si uniranno in una grande Confederazione alleata, posta a protezione dell'Impero. Sui loro troni metterà sovrani, principi di cui sarà il protettore. Questi Stati gli forniranno sussidi e truppe. In questo modo disegnerà una nuova carta geografica della Germania, un nuovo volto dell'Europa, portando a compimento quello che la Rivoluzione francese aveva cominciato. E ricalcando le orme dell'Impero di Carlo Magno.

Tutti, a Vienna, Berlino, Pietroburgo, Londra o Roma, dovranno accettarlo.

"Io sono Carlo Magno, la spada della Chiesa, il loro imperatore."

Sono le parole che ha scritto al papa. E se Pio VII non si piega: "Lo ridurrò alla stessa condizione in cui si trovava prima di Carlo Magno".

Gli altri sovrani dovranno sottomettersi.

Napoleone risale sulla carrozza.

Alle sei di pomeriggio di mercoledì, 22 gennaio 1806, entra in Strasburgo illuminata. I soldati che presentano le armi e la folla gridano: — Viva l'imperatore!

Scende dalla vettura. Entra nel palazzo dei Rohan, dove ha soggiornato gli ultimi giorni di settembre del 1805. Si ferma un istante nella spaziosa galleria dove gli specchi riflettono la sua immagine.

Ricorda. Aveva lasciato Strasburgo martedì 1° ottobre 1805, dopo aver assistito alla sfilata della Guardia imperiale che, sotto una pioggia sferzante, attraversava il Reno sul ponte di Kehl, in marcia verso la Germania.

Sono passati poco più di tre mesi. Ha frantumato la terza coalizione, quella dei più potenti Stati d'Europa. Adesso non è più solo l'Imperatore dei Francesi, ma l'Imperatore dei Re.

Sale alcuni gradini, si volta verso gli aiutanti di campo e i generali che si affollano nella galleria. Venerdì, dichiara, intende passare in rivista le truppe. Partirà da Strasburgo sabato per poter essere a Parigi domenica 26 gennaio. Ha fretta di ritrovare il suo studio delle Tuileries, i documenti classificati secondo il ministero di provenienza, chiusi in cassetti di cui solo lui possiede la chiave.

— Sono nato e fatto per il lavoro — dice a Méneval che, nella camera del palazzo, gli presenta gli ultimi dispacci arrivati da Parigi.

Con un cenno Napoleone invita il segretario a leggerli e, mentre Méneval apre i plichi, si siede davanti al camino.

Ascolta un rapporto del ministro delle Finanze, Barbé-Marbois, che lo informa sulle difficoltà finanziarie dello Stato. Napoleone si irrita, estrae di tasca un foglietto su cui scrive le cifre di quella che lui chiama "la fortuna della Francia", la tesoreria pubblica e privata.

— Cos'è questa storia? — esclama.

È indispensabile riuscire a pagare quindici giorni di soldo alla Guardia imperiale. La Grande Armata, in Germania, deve ricevere tutto il denaro di cui ha bisogno. Ecco quel che conta, per il momento. Che cos'hanno combinato tutti quei grossisti riuniti? Gli Ouvrard, i Desprez, i Vanleberghe che dovevano approvvigionare l'esercito, ma hanno incassato i fondi senza far fronte ai loro impegni?

— Che razza di uomo è questo Barbé-Marbois? La furfanteria ha dei limiti, mentre l'idiozia non ne ha!

Napoleone si spazientisce, incalza Méneval. Appena a Parigi, lunedì, vuole subito presiedere una seduta del Consiglio di Stato e regolare la questione delle finanze.

— Occorre assolutamente — martella — che i signori Desprez, Vanleberghe e Ouvrard mi cedano tutto quello che possiedono, o li farò rinchiudere nel carcere di Vincennes.

Poi congeda Méneval il quale, prima di uscire, gli legge la lettera indirizzata all'imperatore dall'arcivescovo di Besançon, Le Coz. Il prelato scrive: "Siete il più perfetto degli eroi usciti dalle mani di Dio".

Napoleone richiama Méneval per informarsi:

— Siete sicuro che abbiano eseguito i miei ordini?

A Schönbrunn aveva ordinato di inviare a Parigi le bandiere strappate al nemico, per mostrarle al popolo e in seguito appenderle alle volte di Notre-Dame.

Méneval consulta i dispacci e riferisce. Il popolo ha salutato le bandiere con manifestazioni di gioia delirante. Lo segnalano gli informatori della polizia.

L'arcivescovo di Parigi ha dichiarato che quelle bandiere attestavano "la protezione del Cielo sulla Francia, i successi prodigiosi del nostro invincibile imperatore e l'omaggio che egli ha fatto a Dio delle sue vittorie".

Rustam e Constant, entrati nella camera durante quest'ultima lettura, annunciano che il bagno dell'imperatore è pronto. Lo aiutano a spogliarsi. Napoleone li provoca, pizzica loro l'orecchio.

È felice. Parigi lo aspetta.

Domenica 26 gennaio 1806. Alle dieci di sera la berlina dell'imperatore si ferma nel vasto cortile delle Tuileries. La Guardia presenta le armi, il governatore del palazzo, Duroc, si precipita a ricevere l'imperatore.

Salendo i gradini della scalinata, Napoleone impartisce i suoi ordini. Vuole vedere subito l'arcicancelliere Cambacérès, riunire il Consiglio di Stato, ricevere il ministro delle Finanze e parlare con il consigliere di Stato Mollien.

Poi, nel suo studio, appena solo con Constant, pronuncia un nome: Éléonore Denuelle de La Plaigne. Guarda la pendola. A mezzanotte, aggiunge. E adesso, si faccia pure scorrere l'acqua del suo bagno.

Ricorda il corpo di quella donna di diciannove anni, alta, capelli neri che le coprono le spalle, pelle bruna. È slanciata, vivace e sottomessa. Sa che Carolina Murat gliel'ha presentata proprio perché lui la scegliesse. Conosce troppo bene l'odio di sua sorella per Giuseppina, la sua abilità nel ferire quella che chiama "la vecchia", la sua smisurata ambizione e la speranza di vedere il fratello divorziare, per credere che l'incontro con Éléonore sotto l'egida di Carolina sia stato un puro caso.

Ma che importanza hanno le intenzioni di Carolina Murat? Éléonore ha la freschezza della gioventù. Ed è lei che desidera questa sera a Parigi, come per celebrare, stringendo tra le braccia quelle forme giovanili, la propria vittoria e il proprio vigore.

Dopo tutto, non ha ancora compiuto trentasette anni.

Sente i passi di Éléonore Denuelle nel "corridoio nero". È puntuale, come sempre.

Allora entra a sua volta nel salotto. Lei fa la riverenza.

— Sire... — mormora.

Lui le accarezza il braccio, la pizzica, la guida.

In amore, Napoleone è come in guerra. Non gli piacciono i lunghi assedi, ma gli assalti vittoriosi.

Éléonore si abbandona.

Napoleone si rialza, ride, le dà un buffetto sulla guancia, poi torna nel suo studio.

Sullo scrittoio, sistemato davanti alla finestra, un unico dispaccio. Devono averlo portato mentre era con Éléonore, nella stanza vicina. È una lettera di Fouché. Il ministro della Polizia generale riferisce le parole di un viaggiatore appena arrivato da Londra, secondo il quale William Pitt, l'avversario irriducibile, il nemico di qualsiasi tentativo di pace, sarebbe morto il 23 gennaio nella sua villa di Putney, coperto di debiti, sconvolto dalla vittoria di Austerlitz. Tanto che avrebbe ordinato, con un ultimo rantolo, di togliere la carta geografica dell'Europa appesa al muro della sua camera, mormorando: — Arrotolate quella carta, non ne avremo bisogno per almeno dieci anni. La mia patria! In che stato lascio la mia patria!

Alla testa del ministero lo sostituirà Fox

Napoleone cammina in lungo e in largo nello studio. È come se il destino gli mandasse un segno, togliesse gli ostacoli sulla sua strada e gli offrisse finalmente la possibilità di concludere la pace. Passa nella stanza dove tiene le mappe. Sul tavolo è aperta una grande carta geografica dell'Europa. Ci appoggia sopra i palmi delle mani. Vuole la pace con l'Inghilterra, ma occorre imporla controllando il continente, chiudendo i porti alle sue mercanzie, esigendo che ogni Stato vieti il commercio dei prodotti inglesi.

Si sposta intorno alla tavola. A sud, l'Italia formerà l'ala destra dell'Impero. Giuseppe è re di Napoli. Farà di Elisa una granduchessa alla quale verranno assegnati i territori di Massa e Carrara, e in seguito, forse, anche tutta la Toscana.

A Paolina Bonaparte, già principessa Borghese, concederà il ducato di Guastalla, un'importante piazzaforte sulle rive del Po. Poi si riserverà alcuni ducati, una ventina, che attribuirà come feudo ai suoi fedeli servitori: Talleyrand, principe di Benevento; Fouché, duca d'Otranto; Bernadotte, il marito di Désirée Clary (per questo riesce a perdonargli quel suo riserbo che a volte confina pericolosamente con il tradimento), diventerà principe di Pontecorvo.

Napoleone si rialza. Con il dito risale dall'Italia verso nord.

Berthier sarà principe di Neuchâtel, Murat granduca di Berg e Kleve. Il re di Baviera è già un alleato prezioso grazie al matrimonio di sua figlia Augusta con Eugenio. Basterà creare una Confederazione del Reno che raggruppi gli altri principi tedeschi. Più a nord, l'Olanda, l'ala sinistra dell'Impero, sarà assegnata a Luigi, fratello scomodo e geloso che forse troverà finalmente l'occasione per dimostrarsi riconoscente. In questo modo sua moglie, Ortensia Beauharnais, sarà regina d'Olanda.

Napoleone lascia la stanza delle mappe. Certo, ci vorranno settimane, mesi, per portare a compimento quello che ha appena concepito. Ma di una cosa è sicuro: quel che lui ha ideato si realizzerà, deve realizzarsi. Perché corrisponde all'interesse dei popoli. Questa organizzazione è un modello di razionalità, completa quello che la Convenzione ha cominciato. La Rivoluzione ha aperto la strada. Lui, Napoleone, la prolunga e rende possibile il suo progetto. Perché nasca una nuova Europa, basta associare il codice civile alla monarchia, conservare le forme dinastiche mentre si sconvolge la società.

È questo che fa, che intende fare: lui fonda. È il primo sovrano di una nuova stirpe. La quarta dopo Carlo Magno.

Nei giorni seguenti ritrova con una sorta di allegria il ritmo delle sue giornate. Alle sette è già al lavoro, poi va a caccia nel Bois de Boulogne o nella foresta di Marly, e nei dintorni del castello di Saint-Cloud e della Malmaison. Presiede le sedute del Consiglio di Stato, moltiplica i ricevimenti, le udienze diplomatiche, conosce il nuovo ambasciatore d'Austria, un uomo di trentacinque anni, nipote acquisito del cancelliere Kaunitz: Metternich.

L'uomo gli sembra intelligente, sottile, aperto, quasi di sicuro partigiano di un'alleanza con la Francia, nella linea del cancelliere Kaunitz, appunto.

Durante un'udienza Napoleone lo prende sottobraccio, lo interroga. Metternich, il quale ha compiuto parte dei suoi studi a Strasburgo, si esprime perfettamente in francese. Ha vissuto gli avvenimenti rivoluzionari della capitale alsaziana, gli spiega, e ne è ancora sconvolto.

— Io voglio unire presente e passato, i pregiudizi gotici e le istituzioni del nostro secolo — afferma Napoleone.

Lo capisce, Metternich? Per far ciò, continua Napoleone, ci vuole la pace. Ed è possibile. Lui la auspica. Ha tante cose da realizzare.

Visita i lavori che ha fatto iniziare al Louvre. Conferma la decisione di innalzare una colonna in place Vendôme sul modello di quella di Traiano a Roma, e un arco di trionfo in place du Carrousel. Quei due monumenti saranno dedicati alla gloria della Grande Armata. Poi sorgerà un secondo arco di trionfo alla fine dell'avenue des Champs-Elysées, di cui lui stesso poserà la prima pietra il 15 agosto, giorno della celebrazione in tutto l'Impero della festa di San Napoleone.

Quando decide di costruire edifici, di allestire fontane nei vari quartieri di Parigi, di realizzare un ponte sulla Senna, di attrezzare ampi viali lungo il fiume, di ordinare la pubblicazione del catechismo imperiale o di convocare i rappresentanti degli ebrei, affinché adattino i costumi della loro religione alla necessità della vita moderna, per esempio abolendo la poligamia, prova una sorta di gioia intellettuale e fisica.

Si sente attento, più attivo di tutti quelli che comanda. In pochi mesi è un po' aumentato di peso, e lo specchio gli rivela che le sue guance si sono riempite e la fronte si è allargata perché i capelli incominciano già a diradarsi, tanto che ha perso quel profilo tagliente, quel volto angoloso, e i suoi tratti sono più arrotondati. Ciononostante si sente sempre più colmo di rinnovata energia grazie ai successi, i progetti, le decisioni e le acclamazioni.

Già tre giorni dopo il suo ritorno a Parigi, mercoledì 29 gennaio 1806, si è recato per la prima volta al Théâtre-Français, dove rappresentavano *Manlius*, una commedia di un autore alla moda, Lafosse, e tutti i presenti si sono alzati quando il grande Talma era già in scena. L'attore si è inchinato mentre la sala applaudiva e gridava: "Viva l'imperatore!". E ogni volta che Napoleone fa la sua comparsa all'Opéra, o passa in rivista le truppe, ovunque si ripetono le stesse scene e le stesse acclamazioni.

Dappertutto, riferiscono le spie della polizia, la gente loda l'imperatore, celebra i suoi meriti. La fiducia regna sovrana. La Banca di Francia ha ripreso a effettuare pagamenti con tutti gli sportelli aperti, e la crisi finanziaria del dicembre del 1805 è già dimenticata.

Tutti sanno che Napoleone ha riportato a Parigi dalla campagna di Germania cinquanta milioni in oro, argento o lettere di credito sulle principali piazze finanziarie d'Europa.

E gli sono bastati pochi giorni per mettere ordine nell'organizzazione delle finanze.

Innanzi tutto ha ricevuto Barbé-Marbois, il ministro del Tesoro.

L'uomo è mortificato, offre la sua testa, dice. Napoleone scuote le spalle: — Cosa me ne faccio di una testa come la vostra? — gli risponde.

E poi prosegue: — Ho una profonda stima per il vostro carattere, ma siete stato ingannato da gente contro cui vi avevo messo in guardia. Avete affidato loro tutti i fondi a disposizione. Avreste dovuto sorvegliarne molto meglio l'impiego. Con grande dispiacere, mi vedo costretto a togliervi l'amministrazione del Tesoro.

Dopo una seduta del Consiglio di Stato, Napoleone trattiene il consigliere Mollien. Lo fissa, lo valuta.

— Siete pronto a prestare giuramento oggi stesso come ministro del Tesoro? — gli domanda.

Mollien, il quale era stato uno dei responsabili dell'amministrazione fiscale sotto l'Ancien Régime, sembra esitare.

— Non avete proprio voglia di essere ministro? — esclama Napoleone, con un tono in cui si mescolano irritazione e sorpresa.

Mollien presta giuramento il giorno stesso.

Governare è questo: analizzare, decidere, scegliere gli uomini e imporre loro la sua volontà. Scuotere le loro reticenze, dirigerli affinché diventino strumenti efficaci, docili, della politica che lui ha concepito.

Tutto questo, però, presuppone un lavoro senza sosta, una vigilanza continua, in qualsiasi istante, una volontà sempre tesa.

Napoleone spiega al fratello Giuseppe: — Ho dovuto faticare terribilmente per risistemare i miei affari e per far restituire il maltolto a una decina di briganti alla testa dei quali c'era Ouvrard, che ha ingannato Barbé-Marbois come il cardinale di Rohan era stato imbrogliato nell'affare del collier di Maria Antonietta. Con la differenza che qui si trattava di una cifra ben diversa, non meno di novanta milioni. Ero assolutamente deciso a farli fucilare senza processo. Grazie a Dio, sono stato rimborsato. Ciò non toglie che mi sono arrabbiato enormemente.

Infatti si arrabbia di frequente, scaraventa a terra i dispacci e, a volte, getta nel fuoco i libri che non gli piacciono.

Accetta sempre meno facilmente che qualcuno gli resista o non esegua subito, come lui pretende, gli ordini che ha impartito.

A Berthier, che si preoccupa dell'atteggiamento dei prussiani e vuole intervenire, dice brusco: — Attenetevi rigorosamente agli ordini che vi ho impartito, eseguite a puntino le istruzioni. Che tutti stiano all'erta e al loro posto. Io, e solo io, so che cosa si deve fare.

"Solo io."

La certezza di essere l'unico a vedere e a pensare giusto ormai lo pervade totalmente.

Non ha avuto ragione in ogni istante decisivo della sua vita? È questa convinzione a rendergli insopportabili le opposizioni e perfino le perplessità. Davanti a lui ci si deve piegare.

Ha impugnato la penna per correggere e precisare il testo del Catechismo imperiale.

"Onorare e servire l'imperatore è onorare e servire Dio stesso" ha fatto stampare. E disobbedire all'imperatore è un peccato mortale. Tutti gli devono "amore, obbedienza, fedeltà, il servizio militare, i tributi imposti per la conservazione e la difesa dell'Impero e del suo trono".

Alla lettura del testo alcuni consiglieri di Stato si sono sorpresi. Negli occhi di Fouché, vecchio giacobino, brilla un lampo ironico.

Napoleone chiude con un colpo secco il Catechismo. Non è uomo da nascondere il suo pensiero. Si alza e, prima di uscire dalla sala del Consiglio, conclude con il tono brusco dell'uomo abituato a comandare:

— Nella religione non vedo il mistero dell'incarnazione ma quello dell'ordine sociale. Collega al Cielo un'idea di eguaglianza che impedisce che il ricco venga massacrato dal povero.

Cerca con lo sguardo eventuali oppositori, ma tutti gli occhi si abbassano.

— La religione — aggiunge — è una sorta di inoculazione o un vaccino che, soddisfacendo il nostro amore del meraviglioso, ci garantisce contro i ciarlatani e gli stregoni. I preti sono molto meglio dei Cagliostro, dei Kant e di tutti i sognatori tedeschi.

Fa qualche passo, sembra parlare fra sé, come in una riflessione ad alta voce:

— Finora al mondo ci sono stati solo due poteri, quello militare e quello ecclesiastico... ma adesso l'ordine civile sarà rafforzato da un corpo di insegnanti. E ancor più dalla creazione di un grande corpo di magistrati... Il codice civile ha già operato al meglio. Ormai ognuno sa in base a quali principi organizzarsi e sistema di conseguenza le sue proprietà e i suoi affari.

"Ma il giudice supremo sono io."

È tutta la società che deve organizzare. Gli sembra, a volte, di essere la ragione del mondo, l'unico capace di mettere ordine nella vita dei popoli e degli Stati.

Non pensa ad altro quando, tra le sedute del Consiglio di Stato, le udienze, le ore che passa a dettare nel suo studio, va a caccia nell'aria pungente di quella primavera del 1806.

Un giorno, verso la fine di marzo, tornando da una lunga cavalcata nel bosco di Versailles, si precipita nello studio, convoca Méneval e, tutto d'un fiato, enuncia lo Statuto della famiglia imperiale, che costituisce la chiave di volta di quel Grande Impero che ha cominciato a costruire. Luigi è re d'Olanda, Giuseppe re di Napoli, le sue sorelle granduchesse in Italia, Murat granduca di Berg e Kleve, i Berthier, Bernadotte, Talleyrand e Fouché saranno alla testa dei loro feudi. Lui è il vertice della piramide.

"L'imperatore è il padre comune della sua famiglia" detta. La volontà di Napoleone è la sola legge per tutti i suoi parenti. Nessun contratto di matrimonio, nessuna adozione possono avvenire senza il suo consenso. Sotto di lui, nel nuovo ordine gerarchico, verranno i re, poi i principi ereditari, i principi vassalli e i titolari di un feudo.

Ecco finalmente un ordine gerarchico che soddisfa la sua ragione e gli accorda tutti i poteri. L'imperatore può persino ordinare ai membri della famiglia di allontanare da loro le persone sospette.

È proprio il padrone assoluto.

Il 1° aprile 1806 scrive al maresciallo Berthier, che ha appena nominato principe di Neuchâtel. L'uomo nutre da anni un amore tenace e appassionato per la marchesa Visconti, in onore della quale ha elevato, sotto la sua tenda, un vero e proprio altare su cui espone i ritratti della donna.

Vi invio "Le Moniteur", così potrete vedere che cosa ho fatto per voi. A una sola condizione, che vi sposiate. È una condizione che io pongo alla mia amicizia per voi. La vostra passione è durata troppo a lungo, è diventata ridicola... Voglio dunque che vi sposiate, in caso contrario non vi vedrò più. Avete cinquant'anni, ma appartenete a una stirpe in cui si vive ottant'anni, e questi trent'anni sono proprio quelli in cui le dolcezze del matrimonio vi sono più necessarie.

Come resistere all'imperatore? Berthier si piega e rompe con la marchesa Visconti per sposare Maria Elisabetta di Baviera-Birkenfeld, di trent'anni più giovane di lui.

Napoleone è soddisfatto. Non è il capo della sua "famiglia"?

A Eugenio, viceré d'Italia, scrive:

Figlio mio,
   voi lavorate troppo. La vostra vita è troppo monotona... Avete una moglie giovane incinta. Penso sia vostro dovere fare in modo di passare le serate con lei, di crearvi intorno una cerchia di amici. Perché non andate a teatro una volta la settimana in un palco spazioso? Ci vuole più allegria in casa vostra... Io conduco la vita che conducete voi, pur avendo una moglie vecchia che non ha bisogno di divertirsi, eppure partecipo di più io ai divertimenti e alle distrazioni di quanto facciate voi. Una donna giovane ha bisogno di distrarsi allegramente, soprattutto nella condizione in cui si trova.

Per Augusta, la moglie di Eugenio, aggiunge: "Riguardatevi molto nello stato in cui siete, e cercate di non darci una figlia. Voglio suggerirvi una ricetta infallibile per questo, anche se non ci crederete: è di bere tutti i giorni un po' di vino schietto".

Ricorda con piacere Augusta di Baviera. Lei gli scrive spesso. "Vostra moglie è più affettuosa di voi" dice a Eugenio. A volte, quando nei salotti di Giuseppina vede avanzare Stefania Beauharnais, la nipote dell'imperatrice, Napoleone ritrova il piacere provato quando aveva vicino Augusta.

Più invecchia, più gli piacciono le donne giovani, e Stefania ha solo diciassette anni nel 1806. È una fanciulla allegra, sbarazzina, con lineamenti regolari impreziositi dai lunghi capelli biondi.

A Napoleone piace molto contemplarla, scherzare con lei. Indovina, dagli sguardi che gli lanciano Giuseppina o Carolina Murat, quanto le due donne siano preoccupate e gelose.

Una sera, entrando nel salotto dell'imperatrice, trova Stefania in lacrime. Carolina ha preteso, gli dice, che lei rimanesse in piedi, conformemente all'etichetta imperiale che proibisce che ci si sieda davanti alle "principesse sorelle di Vostra Maestà".

Napoleone prende Stefania per la vita, la fa sedere sulle sue ginocchia e passa tutta la serata a sussurrare all'orecchio dell'adolescente, sotto gli sguardi corrucciati di Carolina Murat.

L'indomani, dato che lui è l'uomo che può tutto, decide di adottare la fanciulla: da quel momento in poi, detta al conte di Ségur, gran maestro di cerimonie, Stefania "godrà di tutte le prerogative del suo rango in tutti i circoli, alle feste e a tavola. Prenderà posto accanto a Noi, e nel caso in cui Noi non ci fossimo, siederà alla destra dell'Imperatrice".

"Così si fa capire chi decide tutto."

Pochi giorni dopo Napoleone sceglierà il marito di Stefania, Charles, il principe ereditario del Baden, già fidanzato ad Augusta prima di essere scartato a beneficio di Eugenio Beauharnais.

"È questo che voglio."

Anche Stefania deve sottomettersi. Parigi viene illuminata a festa per il suo matrimonio. Le cerimonie sono fastose. Napoleone assegna alla figlia adottiva una rendita di 1.500.000 franchi e un corredo di 500.000 franchi. Ma quando viene a sapere che Stefania rifiuta il suo letto al marito, le intima di lasciare subito Parigi per Karlsruhe.

"Siate affettuosa con l'elettore di Baden, è vostro padre" le dice. "Amate vostro marito per l'amore che ha per voi."

"Sono io a dettare i comportamenti dei membri della mia famiglia, ed esigo che mi obbediscano."

Tuttavia, ogni giorno, quasi ogni ora, deve ordinare, consigliare, redarguire, ricordare a quelli che ha nominato re o principi che sono soltanto dei vassalli, degli esecutori del pensiero imperiale, rotelle del Grande Impero.

Murat, per esempio, il munifico principe Gioacchino diventato granduca di Berg, pretende garanzie per i suoi figli. Ha dimenticato a chi deve il titolo di principe? E chi tiene da solo nelle mani il futuro dell'Impero e degli Stati federali che gli sono associati?

"Quanto alle garanzie per i vostri figli" replica Napoleone "è un ragionamento penoso che mi lascia indifferente. Mi sono vergognato per voi. Voi siete francese, spero, e così anche i vostri figli; qualsiasi altro sentimento sarebbe così disonorevole, che vi prego di non parlarmene mai più."

Napoleone si interrompe. La cecità di quegli uomini che ha coperto di titoli, onori e denaro lo sorprende e lo indigna. Per loro prova soltanto disprezzo e commiserazione. Ha il presentimento

che si distaccherebbero da lui se fosse sconfitto o anche solo indebolito. Perciò deve tenerli saldamente in pugno, stimolarli, sorve-
gliarli, obbligarli.

Aggiunge, sempre per Murat:

"Sarebbe davvero straordinario se, dopo tutti i benefici che il
popolo francese vi ha concesso, voi pensaste a dare ai vostri figli i
mezzi per nuocergli! Ve lo ripeto, non parlatemi più di questa faccenda, è una cosa troppo ridicola."

Quelli che attorniano Napoleone, però, sono tutti come Murat
e sua moglie Carolina Bonaparte, tutti avidi, preoccupati più della
loro sorte che di quella dell'Impero. Perfino la madre dell'imperatore, che pure è coperta d'oro, reclama una rendita dal tesoro
pubblico; vuol dire che prende in considerazione l'eventualità della morte del figlio e si cautela per assicurarsi una rendita dopo la
sua eventuale scomparsa!

Quando gli comunicano questa richiesta, Napoleone non può
far altro che alzare le spalle; poi, con una smorfia di amarezza, dispone che la madre riceva soddisfazione.

Anche lei, come gli altri, è incapace di vedere al di là del suo immediato interesse personale.

Come Luigi, diventato re d'Olanda, il quale perseguita l'imperatore con continue richieste di aiuti.

Ma non è re a sua volta? Non ha uno Stato suo?

"Non ho assolutamente denaro" gli risponde Napoleone. "È
troppo comodo il sistema che vi propongono di ricorrere alla
Francia! Ma non è tempo di geremiadi, è il momento di mostrare
tutta la propria energia."

"Ma ce l'hanno un po' di energia i fratelli che ho fatto re, gli
uomini che ho fatto principi, i generali cui ho accordato la mia
piena fiducia?"

Napoleone, quindi, deve guidarli con dispacci quotidiani.

I corrieri partono più volte al giorno dalla Malmaison, da
Saint-Cloud, dalle Tuileries, diretti a Napoli, Parma, Düsseldorf,
Amsterdam.

Scrive al generale Junot: "Potete essere clemente solo compor-
tandovi con severità, altrimenti quel disgraziato paese e il Piemon-

te saranno persi, e ci vorranno fiumi di sangue per assicurare la tranquillità dell'Italia".

Junot esegue gli ordini e distrugge i villaggi ribelli.

— Vedo con piacere — commenta Napoleone — che il villaggio di Mezzano, il primo a prendere le armi, sarà dato alle fiamme... C'è molta umanità e clemenza in questo atto di rigore, perché serve a prevenire altre rivolte.

"Ma la tentazione di questi uomini è sempre di farsi amare, piuttosto che di governare con la forza necessaria."

Napoleone si indigna quando legge i rapporti che Giuseppe gli spedisce da Napoli. Ha pochissima fiducia in quel fratello maggiore che non ha mai affrontato il combattimento.

Gli ripete: "Quando si governano grandi Stati, occorre tenerli in pugno con atti di severità", mentre Giuseppe si illude che i napoletani lo portino nel loro cuore!

"Si crede re dall'eternità! Ha già cancellato dalla sua mente che è sovrano di Napoli soltanto per la volontà e le armi dell'imperatore! Per chi si prende?"

"Voi paragonate l'attaccamento dei francesi alla mia persona con quello dei napoletani per voi" gli scrive Napoleone. "Sembra un epigramma. Che amore volete che nutra per voi un popolo per il quale non avete fatto niente e presso il quale vi trovate soltanto per diritto di conquista con 40-50.000 stranieri?"

"Ma Giuseppe accetta di vedere questa realtà in faccia?"

Napoleone sorride, amaro.

"Non capiscono niente!"

"Mettete pure tranquillamente in conto che nel giro di quindici giorni, prima o poi, avrete una bella insurrezione" dice a Giuseppe. "Qualsiasi cosa facciate, non riuscirete mai a rimanere al potere in una città come Napoli con il sostegno dell'opinione pubblica... Mettete ordine, disarmate, disarmate."

Deve ripetergli di continuo: "Fate condannare a morte i caporioni... Le spie devono essere immediatamente fucilate. Ogni capo della sommossa deve essere fucilato. Ogni *lazzarone* che dà una coltellata a un soldato deve essere fucilato".

"Ma Giuseppe capirà che governare è un'arte rigorosa e molto esigente?"

Napoleone scende nei minimi particolari: la cucina di un sovrano deve essere sorvegliata, altrimenti rischia di essere avvelenato. Nessuna precauzione deve essere trascurata nella vita quotidiana di un re.

Nessuno deve entrare in camera vostra di notte al di fuori dell'aiutante di campo, il quale deve dormire nella stanza comunicante con la vostra. La porta deve essere chiusa dall'interno e dovete aprire al vostro aiutante di campo solo dopo aver riconosciuto con certezza la sua voce. Lui non deve bussare alla vostra porta se non dopo aver chiuso accuratamente quella della camera in cui si trova.

"Occorre insegnare tutto a Giuseppe. La prudenza di un re e l'arte della guerra. Con quale risultato?"

"Il vostro governo non è abbastanza vigoroso, temete troppo di irritare la gente" deve ancora scrivergli Napoleone il 5 luglio 1806. E pochi giorni dopo, quando gli comunicano che gli inglesi sono sbarcati nel regno e hanno sconfitto il generale Reynier, la sua indignazione esplode, più sferzante che mai: "Dirvi tutto quello che penso di voi sarebbe affliggervi inutilmente. Se continuate a fare il re fannullone invece di essermi utile, mi nuocerete soltanto, perché mi togliete mezzi validi". E quando Giuseppe sollecita un'udienza a Saint-Cloud, la risposta arriva come uno schiaffo: "Un re deve difendersi e morire nei suoi Stati. Un re emigrante e vagabondo è un personaggio squallido".

Quello che vorrebbero Giuseppe, Luigi, tutti quanti i principi e i marescialli, è la pace, per poter godere del loro potere e dei loro beni.

Napoleone lo sa. È il suo stesso desiderio, dice.

Un giorno di febbraio del 1806 accorda un'udienza a Talleyrand. Il ministro degli Esteri è raggiante. Ha appena ricevuto un dispaccio da Londra. Fox, che ha preso il posto di William Pitt, gli annuncia di essere stato informato di un tentativo di assassinio contro il "capo dei francesi" e di aver fatto arrestare il suo autore. Un segnale delle intenzioni pacifiche di Fox, non lo crede anche l'imperatore? Forse si riuscirà a ricreare il clima che permise nel 1802 la pace di Amiens, quel grande momento di speranza.

— Ringraziate Fox da parte mia — dice Napoleone. — La guerra tra le nostre due nazioni è uno scontro inutile per l'umanità.

Lo pensa davvero. Tuttavia, per arrivare alla pace saranno necessarie concessioni reciproche. Ma c'è ancora diffidenza.

Nel mese di maggio, quando scopre che gli inglesi hanno deciso il blocco di tutti i porti dall'Elba a Brest, Napoleone si indigna. Come rispondere a questo provvedimento se non mostrando che il continente è unificato? Ciò presuppone che tutti obbediscano e accettino la dominazione dell'imperatore, approvando la sua riorganizzazione degli Stati che, dal regno di Napoli a quello d'Olanda, fa di Napoleone l'Imperatore dei Re. È lui il sovrano che detta la legge, ed esige che tutti i porti siano chiusi agli inglesi.

Il papa, però, per quanto concerne i suoi porti, rifiuta di adeguarsi.

— Vedrà se ho la forza e il coraggio di sostenere la mia corona imperiale — tuona Napoleone. — Le relazioni del papa con me devono essere quelle dei suoi predecessori con gli imperatori d'Occidente.

L'ingranaggio si mette in moto un'altra volta. I negoziatori inglesi, lord Yarmouth e lord Lauderdale, sono a Parigi, ma si rifiutano di cedere la Sicilia e di rinunciare al blocco. Fox muore il 13 settembre 1806. È la fine del partito della pace? Napoleone se lo domanda.

Il continente europeo è la sua arma. Ogni passo che compie per riunirlo sotto la sua autorità scatena preoccupazioni, suscita contromosse.

Durante i mesi di agosto e settembre del 1806, mentre soggiorna prima al castello di Saint-Cloud e poi a Rambouillet, Napoleone è più impaziente del solito di ricevere i dispacci da Berlino e Pietroburgo.

Sa che, da quando ha costituito, sotto la sua autorità, la Confederazione del Reno, la Prussia è inquieta. La Russia, dal canto suo, rifiuta di firmare il trattato di pace. Si sta formando una quarta coalizione che raggruppa Prussia, Russia e, naturalmente, Inghilterra. Ma Napoleone intende essere prudente.

— Voi non sapete quel che sto facendo — dice a Murat. — State quindi tranquillo al vostro posto. Con una potenza come la Prussia non conviene rischiare.

Niente guerra, pace, ecco la sua speranza. I soldati della Grande Armata sono ancora acquartierati in Germania e sognano solo di rientrare nel loro paese.

— Voglio continuare ad andare d'accordo con la Prussia — ripete Napoleone a Talleyrand. Il ministro dovrà impartire disposizioni in tal senso a Laforest, l'ambasciatore francese a Berlino. Quest'ultimo, però, invia a Parigi dispacci allarmanti.

Napoleone li legge sottovoce. Berlino si sta riarmando. I prussiani si dirigono verso l'Assia e la Sassonia per anticipare Napoleone e arruolare le truppe di quegli Stati nei loro ranghi.

Federico Guglielmo e la sua sposa, la bella regina Luisa, vogliono forse correre il rischio di una guerra? Che speranza di vittoria hanno i prussiani, se non vi sono riuscite le armate russe e austriache?

Il 10 settembre 1806 Napoleone dice a Berthier:

— I movimenti militari della Prussia continuano a essere decisamente fuori dell'ordinario. Vogliono ricevere una lezione. Domani faccio partire i miei cavalli e fra pochi giorni la mia Guardia.

3

Giovedì 11 settembre 1806. Nella sua camera del castello di Saint-Cloud, Napoleone rimane a lungo immobile davanti alla finestra spalancata.

Sono appena le sette di mattina. Si è alzato prima del solito. Ha chiamato il grande scudiero Caulaincourt, che attende in anticamera. Deve ordinargli di preparare tutti i cannocchiali, le sacche, una tenda con un letto di ferro, tappeti, molti tappeti folti per il bivacco in campagna, il piccolo calesse da guerra, e poi di far partire per la Germania una sessantina di cavalli.

Napoleone ha già stabilito dove avrà sede il suo quartier generale. Si installerà a Würzburg e poi a Bamberga, nel sud della Germania, al confine tra Prussia e Sassonia. Là radunerà la Grande Armata, per impedire alle truppe russe di congiungersi con quelle prussiane. Di là, risalendo verso nord, potrà aggirare le truppe di Federico Guglielmo ed entrare a Berlino.

Napoleone si appoggia al davanzale della finestra. Risiede nel castello di Saint-Cloud dall'inizio di agosto. Gli piace molto la foresta che circonda gli edifici. Va a caccia quando ne ha voglia, per un colpo di testa, o quando è preso dal bisogno di agire, di respirare.

Quella mattina la bruma avvolge la foresta. L'aria è umida e fredda. Pensa al lungo inverno che si avvicina e che vivrà in camere sconosciute, allestite in gran fretta, o sotto una tenda.

Caulaincourt deve organizzare bene il viaggio, pensare ai tappeti spessi, alle pellicce, al suo vino preferito, il Chambertin, ai carri predisposti per ogni tappa con le stoviglie e le provviste alimentari, in modo da ricostituire in poche ore un ambiente familiare.

L'imperatore osserva la foresta. Ha comandato troppe armate in campagne militari per farsi delle illusioni. Dovrà marciare in mezzo ai soldati, subire rovesci d'acqua, cavalcare, coricarsi su un mantello, affrontare il vento. Si stupisce lui stesso di quei pensieri. Si volta, fa qualche passo nella camera, si vede riflesso nello specchio che occupa tutta una parete divisoria.

È cambiato a tal punto? La giovinezza se n'è andata con la magrezza? La stanchezza viene con l'appesantimento? Forse è come i suoi marescialli e i suoi fratelli, che auspicano la pace per godere dei palazzi, del lusso, delle giovani donne?

Si scuote, chiama Caulaincourt.

Stima quel marchese di antica nobiltà che ha nominato generale di divisione, poi scelto come gran scudiero, e sa che è in grado di prendere iniziative.

Caulaincourt, a volte, osa perfino difendere il proprio punto di vista. Indipendenza di spirito utile a Napoleone, poiché gli consente di affinare il suo pensiero.

L'imperatore gli impartisce i suoi ordini. Deve far credere che i cavalli vengono spediti a Compiègne, come se si trattasse di una battuta di caccia nella foresta.

— La Prussia ha perso la testa — mormora.

Fa qualche passo su e giù. Forse la guerra non è ancora ineluttabile. Ha già inviato alcuni ufficiali in avanscoperta sulle strade della Germania, tra Bamberga e Berlino. Vuol conoscere lo stato di tutte le vie di comunicazione, delle fortificazioni, i movimenti delle truppe prussiane. In ogni caso, ribadisce a Caulaincourt, non bisogna assolutamente dare l'impressione che ci stiamo preparando alla guerra, o indurre a pensare che l'imperatore si appresti a lasciare Parigi.

— Dobbiamo agire con enorme prudenza — insiste. — Non ho alcun progetto su Berlino.

Vero o falso? Dipende. Vorrebbe la pace, ma come ottenerla, se Prussia e Russia, fomentate dall'Inghilterra, non la vogliono? Ora, l'unica di quelle tre nazioni che può schiacciare rapidamente, spezzando così la coalizione sul nascere, è proprio la Prussia. Perciò, ha già impartito i suoi ordini. Ogni giorno ispeziona le truppe sull'altopiano che domina i boschi di Meudon. Ha già passato in rassegna 15.000 uomini, per la maggior parte giovani coscritti. Stamattina, spiega, facendosi accompagnare da Caulaincourt, passerà in rivista la Guardia imperiale e le truppe delle guarnigioni di Parigi e Versailles nella piana dei Sablons.

Scende frettolosamente le scale del castello. Gli aiutanti di campo lo circondano. I soldati della Guardia gridano: "Viva l'imperatore!". Napoleone avanza verso di loro, si sofferma, pizzica l'orecchio a un paio di granatieri, pronuncia qualche frase. Nuovi evviva lo salutano.

Al momento di salire a cavallo, si china e mormora a Caulaincourt:

— Il fanatismo militare è l'unico che mi sia di qualche utilità. Ce ne vuole, per farsi ammazzare.

Poi dà un colpo di sperone, e il cavallo si lancia in avanti.

Passa in rassegna il fronte delle truppe. Formano un immenso quadrato, nella bruma della mattina. Un quadrato che scintilla qua e là per l'acciaio delle baionette e delle sciabole, punteggiato dalle guarnizioni bianche o colorate delle uniformi.

Trotterella. Ascolta gli evviva dei soldati. Esita. Come se lo slancio e l'entusiasmo di una volta stentassero a rinascere, a trascinarlo, trattenuti dalla stanchezza, dal senso di ripetitività.

Tutto ricomincia per l'ennesima volta. La marcia delle armate. I campi di battaglia e i feriti che urlano. E anche la vittoria. Perché è sicuro di vincere.

Ha già chiaro in testa il suo piano. Andrà a Magonza, poi a Würzburg. Attraverserà il Frankenwald e scenderà nella piana di Bamberga. Le truppe si raduneranno in questa zona. Supereranno i monti della Turingia e si dirigeranno verso Erfurt, Weimar, Lipsia, Jena, e là, tra queste città, scatenerà la battaglia. Poi, una volta disperse le armate prussiane, entrerà a Berlino.

Non conosce ancora quella capitale. Pensa a Federico il Grande; ammira quel fondatore di uno Stato, l'eccellente capo militare, il creatore di un esercito. Si vede già nel suo castello di Sans-Souci, a Potsdam, mentre visita la sua tomba sulla quale, l'anno precedente, nell'ottobre del 1805, lo zar Alessandro, il re di Prussia Federico Guglielmo e sua moglie, la regina Luisa, hanno prestato giuramento di alleanza.

"Contro di me."

La regina Luisa, infatti, l'anima di questa coalizione, va ripetendo a tutti: — Napoleone è solo un mostro uscito dal fango. — L'ambasciatore di Francia lo ha riferito a Parigi.

Napoleone ferma il cavallo, osserva le truppe.

— Ho quasi 150.000 uomini — dice con voce forte. — Con questi posso sottomettere Vienna, Berlino e Pietroburgo.

E sia la guerra.

Rientra a Saint-Cloud.

— Se davvero devo colpire di nuovo, l'Europa saprà della mia partenza da Parigi soltanto dalla completa disfatta dei miei nemici. È bene che i giornali riferiscano che mi trovo a Parigi, impegnato in piaceri, cacce, negoziati.

"Se fosse così..."

Si sorprende a immaginare quella vita pacifica, nella tranquillità e nel fasto dei suoi castelli. Potrebbe organizzare l'Europa. Costruire. Andrebbe da una delle sue capitali all'altra. Avrebbe tante di quelle cose da fare!

Il 12 settembre detta una lettera per Federico Guglielmo III.

"Considero questa guerra una guerra civile... Se mi vedrò costretto a prendere le armi per difendermi, sarà con il più grande rincrescimento che le impiegherò contro le truppe di Vostra Maestà."

Le truppe prussiane, però, sono già in marcia. Il 18 settembre occupano Dresda.

I dadi sono stati lanciati. Ormai non è più tempo di interrogarsi. Occorre dettare al generale Clarke, per più di due ore, il piano dei movimenti dell'armata. È il momento di ordinare alla Guardia imperiale di mettersi in cammino per la Germania.

Bisogna controllare ogni dettaglio.

Napoleone scrive a Eugenio: "Le questioni si meditano a lungo e, per arrivare al successo, occorre pensare per mesi e mesi a quello che può succedere". A questa guerra contro la Prussia, infatti, Napoleone pensa già da molto tempo, senza augurarsela, sperando anzi di evitarla. Ma ne ha studiato il possibile svolgimento.

Adesso si tratta solo di dar corso alle ipotesi già formulate.

Dice a Berthier: — Mi bastano quattrocento carri. Ma non voglio che la metà sia piena di casse di attrezzi o di pezzi d'artiglieria delle varie compagnie. Voglio che trasportino cartucce per la fanteria, proiettili da cannone per rimediare alle perdite e per avere, il giorno della battaglia, venti o trenta bocche da fuoco in più in batteria.

Spiega poi al maresciallo Soult: — Scendo con tutto il mio esercito in Sassonia lungo tre direttrici. Voi avanzate alla testa delle truppe schierate sulla destra, mentre a mezza giornata vi segue il corpo del maresciallo Ney... Il maresciallo Bernadotte guiderà lo schieramento di centro. Dietro di lui avanzerà il corpo del maresciallo Davout, la maggior parte della riserva della cavalleria della mia Guardia... Con questa immensa superiorità di forze radunate in uno spazio così ristretto, come potete capire, non intendo rischiare niente: voglio attaccare il nemico, ovunque tenti di resistere, con il doppio delle forze... Voi capite, sarebbe una bella cosa arrivare davanti alla piazzaforte di Dresda con un battaglione quadrato di 200.000 uomini. Tuttavia questa manovra richiede grandi capacità e circostanze favorevoli...

Sono gli ultimi piani prima che le truppe si mettano effettivamente in moto. Sa che, a quel punto, tutto può dipendere da un evento imprevisto. Che anche i progetti più perfetti possono essere sconvolti, e che sul terreno contano solo l'acutezza dello sguardo e la rapidità delle decisioni.

Per questo deve essere in mezzo alle sue truppe, accorrere presso gli avamposti, rischiare le fucilate del nemico. Per vedere più da vicino i dispositivi difensivi dell'avversario.

Per questo deve lasciare Parigi e il castello di Saint-Cloud.

All'idea della partenza viene di nuovo colto da un senso di stanchezza, che respinge, esaminando le mappe, organizzando una diversione a nord, visto che conta di attaccare a sud.

"Siccome la mia intenzione non è di attaccare dal vostro versante" scrive a Luigi, re d'Olanda "desidero che iniziate per primo i combattimenti, per minacciare il nemico. Per ogni eventualità, i bastioni di Wesel e il Reno vi proteggeranno." E poiché sa che il fratello manca di energia, è esitante, lo rassicura: "In ogni modo, schiaccerò i nemici. E il risultato di questa guerra sarà di accrescere ancora i vostri Stati e di garantirci una pace solida. Dico solida perché i miei nemici saranno abbattuti e nell'impossibilità di rialzare la testa per almeno dieci anni".

"Forse sarà l'ultima guerra."

Attraversa le gallerie del castello. Giuseppina gli si fa incontro. Insiste per andare con lui se parte per raggiungere l'armata, nel caso in cui, come teme, scoppi la guerra. Si fermerà a Magonza e lo aspetterà in quella città. Napoleone acconsente. Gli dispiace partire, ed è la prima volta che gli capita.

Convoca Cambacérès. Sarà lui, durante l'assenza dell'imperatore, a presiedere le riunioni dei ministri ogni mercoledì.

I ministri però, e Napoleone solleva il braccio, corrisponderanno direttamente con l'imperatore ovunque si trovi. Intende continuare a governare la Francia come se si trovasse a Parigi.

Per quanto tempo starà lontano? Cavalca da solo nella foresta di Saint-Cloud. Ha bisogno di solitudine per mettere in moto nella sua testa tutte le rotelle della macchina militare che deve stritolare il nemico. Al rientro, comincia subito a dettare più di dieci lettere che precisano l'avanzata dei diversi corpi della Grande Armata.

Poi riceve l'aiutante di campo del generale Augereau, appena rientrato da Berlino. Napoleone cammina lentamente intorno al tenente Marbot, lo esamina, lo interroga.

Marbot è stato ricevuto nei salotti berlinesi. Cosa ne pensa di quella regina Luisa che insulta l'imperatore? È bella? Vuole veramente, come dicono, assistere alla guerra? È bionda, vero? domanda Napoleone.

Sorride quando il giovane tenente gli racconta che Luisa ha sfilato per Berlino alla testa del reggimento dei dragoni della regina e che, secondo il generale Blücher, alla testa dei suoi dragoni entrerà a Parigi.

— È una bella donna? — domanda di nuovo Napoleone.

Marbot conferma. Però ha un grave difetto. Porta sempre al collo una grande sciarpa per nascondere, si dice, un gozzo molto prominente che, a furia di essere tormentato dai medici, si è aperto e lascia fuoriuscire materia purulenta, soprattutto quando la regina si dà al ballo, il suo divertimento preferito.

Napoleone abbassa la testa. Sarebbe tutta lì, la famosa regina Luisa, di cui si dice che abbia affascinato lo zar Alessandro?

— E i prussiani? — insiste Napoleone.

Quanto vale quel maresciallo Brunswick che ha comandato le truppe incaricate di punire Parigi nel 1792, e in seguito è stato sconfitto a Valmy?

Marbot esita, poi riferisce che i gendarmi della Guardia nobile hanno percorso le strade di Berlino gridando che non c'era bisogno di sciabole per quei cani di francesi, bastavano dei bastoni. Sono andati ad affilare le loro sciabole sui gradini dell'ambasciata di Francia...

La mano di Napoleone corre all'impugnatura della spada.

— Fanfaroni! — esclama. — Insolenti!

Dal momento che il duca di Brunswick comanda di nuovo l'esercito prussiano, scoprirà presto, come quattordici anni prima, che le armate francesi godono di ottima salute. Napoleone augura al tenente Marbot una guerra gloriosa.

In quell'istante ricorda la sua giovinezza di ufficiale. Si sente un soldato della Rivoluzione.

Giovedì 25 settembre 1806, alle quattro e mezza del pomeriggio, l'imperatore sale sulla carrozza e lascia Saint-Cloud. Giuseppina è in una delle vetture che seguono la berlina dell'imperatore. Scende il buio. Cenano a Châlons e poi ripartono nell'oscurità. Viaggiano tutta la notte fino a Metz, che raggiungono venerdì, alle due del pomeriggio. Le tappe successive saranno Saint-Avold, Saarbrücken, Kaiserslautern e infine Magonza, dove arrivano all'alba del 28, una domenica.

Napoleone è stanco. Esamina subito i dispacci. La Grande Armata è già concentrata intorno a Bamberga. Verifica la posizione di ogni corpo, il numero degli uomini: deve disporre più o meno di 166.000 soldati. Ma siamo in guerra?

Tutto è pronto. I prussiani, agli ordini del duca di Brunswick e del principe di Hohenlohe, si sono radunati nei pressi di Jena. Eppure il conflitto non è ancora scoppiato.

— La guerra non è ancora stata dichiarata — dice Napoleone a Berthier il 29 settembre. — Non dobbiamo commettere atti di ostilità.

Ma non bisogna nemmeno lasciarsi sorprendere. Ordina l'acquisto di migliaia di cavalli, fa ispezionare le strade per Lipsia e Dresda. Esamina minuziosamente i rapporti degli ufficiali che ha spedito in avanscoperta in Turingia e Sassonia. La guerra, anche se non ancora dichiarata, c'è già. Le intenzioni dei prussiani sono evidenti. Brunswick avanza lungo la vallata del Meno verso il Reno. Napoleone detta gli ordini per Berthier, poi scrive a Fouché.

"Le fatiche per me non sono niente" dice. "Rimpiangerei la perdita dei miei soldati, se l'ingiustizia della guerra che sono costretto a sostenere non facesse ricadere tutti i mali che l'umanità dovrà ancora sopportare sui re deboli, che si lasciano convincere da un branco di imbroglioni venduti."

È teso. "È possibile che gli avvenimenti di questi giorni non siano che l'inizio di una grande coalizione contro di noi, coalizione che le circostanze faranno esplodere in tutto il suo insieme" scrive a Luigi.

Bisogna farvi fronte. Il 1° ottobre comunica le sue ultime direttive. In serata partirà lui stesso per Würzburg. Le truppe devono convergere su questa città e su Bamberga.

Vede venirgli incontro Giuseppina in compagnia di Talleyrand, giunto anche lui a Magonza. Si avvicina ai due camminando lentamente. Spiega: lascerà la città e viaggerà tutta la notte, attraverserà Francoforte per raggiungere Würzburg.

Giuseppina si scioglie in lacrime, e d'improvviso Napoleone sente le gambe cedere. È come se il suo corpo affondasse. Si aggrappa a Talleyrand e a Giuseppina. Non riesce a trattenere le lacrime. La tensione accumulata, la fatica di quel lavoro di decine di ore per preparare la guerra si abbattono di colpo su di lui.

Lo trasportano in una camera. È scosso da convulsioni e spasimi. Vomita. Il suo viso è terreo.

Rimane in quello stato parecchi minuti, il corpo rigido, madido di sudore, percorso da brividi, le mascelle serrate.

Poi, poco a poco, ritrova la calma, si guarda intorno e, senza dire una parola, si alza scostando quelli che lo attorniano. Si dirige verso la sua carrozza con passo veloce, come se non fosse successo niente.

Parte per Würzburg come aveva previsto. Sono le dieci di sera.

Che cosa gli è successo?

Ci pensa mentre la berlina corre nella notte verso Francoforte, dove dovrebbe arrivare all'una di notte di giovedì 2 ottobre 1806. Ha deciso di cenare in fretta con il principe primate, e di proseguire poi fino a Würzburg.

Allunga le gambe. Detesta che il suo corpo lo tradisca. Cosa significano quei sintomi? Sarebbe meglio ricorrere a una visita del dottor Corvisart? Ora comunque sta bene. E questa energia che si irradia di nuovo in lui lo rassicura, lo mette di buon umore. Canticchia.

Durante la cena a Francoforte è allegro, e quando arriva a Würzburg, alle dieci, si sente pronto a tutto. Scherza con il suo aiutante di campo, entra con passo vivace nel palazzo del granduca, l'antica dimora dei vescovi della città.

Ai piedi dell'ampia scalinata si ferma. Osserva la folla di principi tedeschi che gli si fanno intorno. Riconosce il re del Württemberg, gli va incontro e lo prende familiarmente per il braccio.

Ha imparato a sentirsi altrettanto solo e libero in una folla come in mezzo a una foresta. Gli sguardi degli altri non lo raggiungono. E quando li incrocia, si abbassano. Domina tutto e tutti. È al di sopra del brulichio della massa, sulla cima, nell'atmosfera rarefatta degli uomini che dispongono delle sorti dei popoli e scolpiscono i loro nomi nella Storia.

Comunica al re del Württemberg che, in qualità di capo della famiglia imperiale, ha deciso di sposare suo fratello Gerolamo con la figlia del re, Caterina di Württemberg. Per questo, con un senatoconsulto ha fatto di Gerolamo, il quale ha rinunciato alla sposa americana e si è finalmente piegato alla volontà di Napoleone, un principe francese che entra nella linea di successione imperiale. Il re del Württemberg si inchina e gli riferisce delle pressioni prussiane, di una lettera del duca di Brunswick con la minaccia di far sventolare le aquile prussiane su Stoccarda, se il Württemberg non si ritira dalla Confederazione del Reno.

— Sono il vostro protettore — lo tranquillizza Napoleone. — Tutte le nostre armate sono in movimento. Io mi sento benissimo e ho fondate ragioni per sperare di risolvere anche questa situazione.

Le attese di questo re, di tutti i principi, lo obbligano a vincere.

Gli fanno ammirare i soffitti affrescati dal Tiepolo e altri dipinti di questo pittore che, insieme a nature morte di scuola italiana, decorano le pareti delle gallerie.

Si intrattiene in un salotto con l'arciduca Ferdinando, fratello dell'imperatore d'Austria Francesco II. Lo interroga. Si sente ormai al centro di quella rete di dinastie europee e, quando l'arciduca gli illustra i vantaggi di un'alleanza con l'Austria, approva convinto. Del resto, non fa che riprendere la tradizione della monarchia francese, che si è solo interrotta.

Quando si ritira nella sua camera, convoca il segretario.

Idee, visioni del futuro si mescolano nella sua testa, come se la guerra, che non è ancora stata dichiarata ufficialmente, fosse già finita e lui l'avesse vinta. Non è mai riuscito a impedirsi di correre con il pensiero al di là del presente e dell'immediato futuro per disegnare le grandi linee direttrici del suo avvenire.

Detta un dispaccio per l'ambasciatore francese a Vienna, La Rochefoucauld.

"La mia posizione e le mie forze sono tali che non devo temere nessuno, ma alla fine tutti questi sforzi pesano sui miei popoli."

Ci vorrebbe un alleato. La Prussia non merita alcuna fiducia. Restano la Russia e l'Austria. "Una volta, la marina è risorta in Francia grazie ai benefici derivanti dall'alleanza con l'Austria" dice. "D'altronde, anche questa potenza ha bisogno di un lungo periodo di tranquillità, desiderio che io condivido con tutto il cuore."

Legge i rapporti dei suoi marescialli, poi, rassicurato, si mette a letto.

Tutto è in ordine nella sua testa.

Si alza la mattina presto. Il cielo è chiaro.

"Visitiamo la cattedrale di Würzburg."

Galoppa in testa a un gruppo composto dagli aiutanti di campo e dai principi tedeschi.

Di colpo avverte un urto. Si volta e si accorge che il suo cavallo ha urtato e fatto cadere una contadina. Subito si ferma, scende di cavallo, accorre verso la donna, ordina che l'aiutino a rialzarsi e le traducano quel che le dirà. Le offre del denaro, le manifesta il suo dispiacere per l'incidente, poi ha un gesto affettuoso di compassione.

Nel mondo non ci dovrebbe essere violenza. Bisognerebbe... ma una cosa simile non si può nemmeno sognare. La guerra è nell'ordine della natura.

Rientrato al palazzo del granduca, scrive in fretta poche righe a Giuseppina, che gli ha inviato una lettera piena di lamentele.

"Non so proprio perché piangi sempre, hai torto a farti del male. Il coraggio e l'allegria, ecco la grande ricetta. Addio cara amica, il granduca mi ha parlato di te. Napoleone."

Lascia Würzburg lunedì 6 ottobre, alle tre di notte. A mano a mano che la notte si ritira e la nebbia si dirada, scopre le foreste e le colline che le truppe francesi hanno già oltrepassato. Riconosce quei paesaggi che ha immaginato a lungo, esaminando le carte topografiche. È proprio laggiù, su quei rilievi montuosi, in quel mosaico di altipiani, vette e vallate, che vuole dare battaglia, oltre Bamberga.

Entra in città, costeggia il fiume Regnitz e arriva alla Neue Residenz che la domina, dove Caulaincourt ha già installato il quartier generale. La città è invasa dalle truppe francesi.

Napoleone esamina i dispacci. Impreca. I corrieri non sono abbastanza tempestivi.

— In una guerra come questa — esclama — non si possono raggiungere risultati senza comunicazioni rapide e frequenti! Tenetelo presente, è uno dei vostri primi compiti!

Dove sono le truppe di Brunswick? domanda.

— Non hanno il minimo sospetto circa le nostre intenzioni: guai a loro se esitano e se perdono una giornata!

Adesso, in effetti, ogni minuto è importante. Riceve il generale Berthier, che gli consegna l'ultimatum inviato dai prussiani a Parigi fin dal 26 settembre, nel quale Federico Guglielmo esige che la Grande Armata si ritiri sull'altra sponda del Reno prima dell'8 ottobre.

Napoleone accartoccia il documento, lo butta per terra, cammina a grandi passi su e giù, le mani dietro la schiena. Di tanto in tanto annusa una presa di tabacco. Nella sua voce c'è irritazione. Ma chi si crede di essere quel re di Prussia? Pensa che la Francia sia ancora quella del 1792?

— Si crede ancora nella Champagne? Vuole far rivivere il suo Manifesto? Provo davvero pietà per la Prussia, compiango Guglielmo. È vittima di una regina che veste da amazzone, indossa l'uniforme del suo reggimento di dragoni, e scrive venticinque lettere al giorno per attizzare l'incendio da ogni parte.

— Quel re non sa che rapsodie gli fanno scrivere. È fin troppo ridicolo! Non se ne rende conto!

Napoleone si ferma davanti a Berthier.

— Berthier, per l'8 ottobre ci hanno fissato un appuntamento con l'onore. E un francese non è mai mancato a un appuntamento del genere. Ma siccome ci dicono che c'è una bella regina che vuole assistere al combattimento, siamo cortesi e marciamo subito sulla Sassonia, senza dormire.

Percorre su e giù la stanza varie volte, in silenzio. Poi si rivolge al segretario e gli detta un proclama per la Grande Armata. Le parole scaturiscono in lui come se zampillassero da una sorgente profonda.

"Soldati, l'ordine per il vostro rientro in Francia era già partito. Vi attendevano festeggiamenti trionfali..."

Si interrompe. Ne è ben consapevole: tutti i soldati sognavano di tornare a casa, in pace.

"Ma nuove grida di guerra si sono alzate a Berlino" continua.

Pensa al Manifesto di Brunswick del 1792. Gli uomini della Grande Armata devono ricordare quelle minacce a Parigi, la tracotanza dei prussiani e degli emigrati. E la loro disfatta a Valmy. Occorre far rivivere quel passato.

La stessa faziosità, la stessa follia che condussero quattordici anni fa i prussiani nelle pianure della Champagne, prevalgono nei loro Consigli. Allora i loro progetti andarono in fumo, ed essi trovarono nelle pianure della Champagne disfatta, morte e vergogna. Ma le lezioni dell'esperienza si cancellano, e ci sono uomini nei quali i sentimenti dell'odio e della gelosia non muoiono mai.

Parla ai soldati, ma anche a se stesso.

"In marcia, dunque, dato che la moderazione non li ha fatti uscire da questa sorprendente ubriacatura. Che all'esercito prussiano tocchi la stessa sorte di quattordici anni fa!"

Il proclama dovrà essere letto davanti ai soldati.

È la guerra che comincia, le prime scaramucce negli avamposti. È là che vuole e deve andare. Tutto in lui è movimento.

Lascia Bamberga. Crede solo ai suoi occhi. Intende perlustrare di persona la gola di Saarburg, vedere con i suoi occhi le truppe del generale prussiano Tauenzien, ispezionare lui stesso i soldati che bivaccano sulle colline nei pressi di Schleiz, dove sono avvenuti i primi scontri.

Gli uomini si alzano al suo passaggio e gridano: "Viva l'imperatore!". Si ferma, li complimenta e urla:

— Il comportamento dei prussiani è indegno. Hanno incorporato un battaglione di sassoni tra due battaglioni prussiani, per essere sicuri di loro. Una tale violazione dell'indipendenza, ai danni di una potenza più debole, non può che sollevare il biasimo di tutta l'Europa.

Ma non è più il momento delle proteste. È quello delle armi.

Sente una cannonata in lontananza. Sono le truppe del maresciallo Lannes che attaccano a Saalfeld l'avanguardia del principe di Hohenlohe comandata dal principe Luigi di Prussia, uno dei più ardenti partigiani della guerra contro la Francia.

Napoleone vuole spingersi più avanti, sempre più avanti. Ordina a Caulaincourt di trasferire il quartier generale ad Auna. È là che lo raggiungono i rapporti di Lannes e Murat. Li legge in piedi, impaziente.

Lannes riferisce che il quartiermastro Guindey ha ucciso, trafiggendolo, il principe Luigi di Prussia, il quale, rifiutando di arrendersi, aveva inferto un colpo di sciabola al francese.

— È una punizione del Cielo — commenta Napoleone — perché è lui il vero artefice della guerra.

Poi detta le sue direttive: "L'arte della guerra adesso consiste nell'attaccare tutte le truppe in cui ci si imbatte, per sconfiggere il nemico mentre è isolato e cerca di riunirsi... Attaccate arditamente tutti i soldati in marcia... Inondate con la cavalleria tutta la piana di Lipsia".

Sono le quattro di mattina di domenica 12 ottobre 1806. Esce a fare due passi nel buio. Prova un sentimento di gioia e di potenza.

— Non mi sono sbagliato su niente — mormora. Tutto quello che aveva calcolato due mesi prima a Parigi si sta realizzando, "punto per punto, quasi evento dopo evento".

Decide di recarsi a Gera, più avanti ancora, per avvicinarsi a quello che sarà il campo della battaglia decisiva.

Appena arrivato, scrive a Giuseppina. È già lunedì 13 ottobre, e sono le due di notte.

Sono a Gera, cara amica,
le cose vanno molto bene, proprio come speravo. Con l'aiuto di Dio, credo che in pochi giorni la situazione diventerà terribile per quel povero re di Prussia, che personalmente compiango perché è un uomo buono. La regina si trova a Erfurt con il re. Se vuole assistere a una battaglia, avrà questo crudele piacere. Io sto benone, sono già ingrassato dalla mia partenza, eppure percorro da venti a venticinque leghe al giorno a cavallo, in carrozza, con ogni mezzo. Vado a letto alle otto e mi alzo a mezzanotte, e a volte penso che tu ancora non sei andata a letto.

Tuo Napoleone

Chiama il generale Clarke, il suo segretario di gabinetto, gli pizzica l'orecchio e fa qualche passo.

— Gli sbarro la strada per Dresda e Berlino — spiega. — I prussiani non hanno alcuna possibilità di successo. I loro generali sono degli emeriti imbecilli. Non capisco come mai il duca di Brunswick, al quale vengono attribuite grandi capacità, diriga in modo così ridicolo le operazioni del suo esercito!

Dà una pacca amichevole sulla spalla del segretario.

— Clarke, entro un mese sarete governatore di Berlino, e si parlerà di voi come di colui che è stato, nello stesso anno e in due diverse guerre, governatore di Vienna e di Berlino.

Mentre si allontana conclude:

— Monto a cavallo per raggiungere Jena.

Arriva in città nel primo pomeriggio. Interi quartieri sono in fiamme. Le strade sono invase dalle truppe. La Guardia a piedi protegge l'imperatore che fa una sosta sotto i tigli del Grossherzogliche Schloss. Chiama gli aiutanti di campo: indica il colle che domina la città e che sembra inaccessibile. È il Landgrafenberg. Lungo i suoi pendii, coperti di vigneti, sono tracciati solo alcuni sentieri molto stretti. Non si può raggiungere la cima con i cavalli, spiegano gli ufficiali. Quindi l'artiglieria non può arrivare fin lassù.

Napoleone ascolta. Un ufficiale del maresciallo Augereau, le cui truppe occupano Jena, gli riferisce che le armate prussiane hanno lasciato Weimar nella notte divise in due colonne: la prima, agli ordini di Brunswick, è diretta a Naumburg, a nord di Jena; l'altra, comandata dal principe Hohenlohe, avanza verso Jena.

Queste truppe si trovano dunque oltre il Landgrafenberg, protette, credono, da quella montagna insuperabile.

Napoleone è impaziente, corre al castello ducale che domina la città. Attraversa le sale, gli occhi sempre rivolti verso il Landgrafenberg. Visto dal castello, il pendio scosceso sembra quasi verticale. Il fumo degli incendi e la foschia della sera cominciano ad avvolgerlo.

D'improvviso, delle voci concitate. Napoleone si volta. Alcuni ufficiali stanno accompagnando da lui un prete che sembra esaltato. Maledice i prussiani, responsabili dell'incendio della città e della guerra. Sostiene di conoscere un sentiero nei vigneti che consente di raggiungere la cima del Landgrafenberg.

Napoleone si complimenta con il prete. È convinto che si tratti di un segno del destino.

Si reca di persona verso i vigneti seguito dal maresciallo Lannes e dallo stato maggiore.

Il sentiero è scosceso, stretto. Un pendio ripido come il tetto di una casa, commenta un granatiere della Guardia che accompagna gli ufficiali. Arrivati in cima, però, Napoleone scopre un piccolo pianoro roccioso che domina la piana di Weimar, dove si possono scorgere i fuochi dell'accampamento dell'esercito prussiano.

Napoleone fa qualche passo. È lassù, su quel pianoro, che concentrerà le sue truppe. Tutti quanti, compresi i cannoni, devono raggiungere subito la cima del Landgrafenberg.

Tornando frettolosamente verso la città, mentre scende la notte, Napoleone impartisce gli ordini. I battaglioni lavoreranno effettuando turni di un'ora per allargare il sentiero. A tutti i soldati devono essere distribuiti gli attrezzi dei genieri. Ciascun battaglione, dopo un'ora di lavoro, raggiungerà il pianoro lasciando il posto agli altri, finché tutti i corpi di Lannes, Soult, Augereau e la Guardia a piedi del maresciallo Lefebvre avranno preso posizione sul pianoro.

Si ferma varie volte lungo la strada. Qui bisognerà allargare, lì scavare, indica.

Perché anche l'artiglieria, con tutti i suoi carriaggi, deve poter passare. Fissa gli ufficiali che lo circondano. Tutti abbassano gli occhi. Approvano.

Scende da solo, lasciando allo stato maggiore il compito di emanare disposizioni per rendere operativi i suoi ordini. Ormai è notte fonda. Alcune sentinelle francesi situate nelle vicinanze della città aprono il fuoco su di lui. Ma Napoleone continua ad avanzare, indifferente, come se fosse sicuro di non poter essere colpito. E in effetti si sente invulnerabile, protetto, guidato verso la vittoria.

Non si tratterrà nel castello. Vuole stabilire il suo accampamento sul pianoro del Landgrafenberg, per dormire in mezzo ai soldati.

Rimane ancora un po' a controllare le mappe, poi raggiunge il bivacco.

I suoi marescialli lo aspettano per la cena alla quale li ha invitati. Un esile fuoco arde in una buca scavata nel terreno. L'ordine è di non accendere più di tre fuochi per ogni compagnia di 320 uomini. Anche Napoleone si attiene alla consegna. La tavola è apparecchiata in un capanno con il tetto di stuoie costruito dai granatieri. I suoi attendenti hanno già sistemato il letto di ferro, i bagagli e le lampade a olio. I suoi libri e le carte topografiche sono accatastati su un'altra tavola.

Rustam serve del vino di Jena per accompagnare le patate al burro e le carni fredde. Poi, uno a uno i marescialli si addormentano, spossati dalla fatica, intorno all'imperatore che sembra sonnecchiare.

Napoleone si risveglia d'improvviso. Tutti dormono. Si alza ed esce. L'oscurità, a parte qualche scintilla, è totale. I soldati hanno occultato i fuochi. Il nemico è vicino. Lo spazio sul pianoro è talmente limitato che non si può muovere un passo senza calpestare qualcuno.

Napoleone avanza a passi lenti, resta immobile nel buio, vicino ai bivacchi dei granatieri.

Gli piace mescolarsi così ai suoi soldati senza essere riconosciuto. Gli piace essere l'imperatore che si aggira solo, in incognito. Ascolta gli scherzi, i racconti. Gli piace anche che lo riconoscano di colpo, che si turbino, che lo salutino con deferenza e venerazione. Allora si allontana.

Caulaincourt lo raggiunge e lo sollecita a ritornare nel capanno. È pericoloso esporsi così al fuoco, da solo. Ma Napoleone non rientra al bivacco. Vuole vedere e rivedere tutto.

In guerra, lo sa, non si può delegare. "Solo un capo capisce l'importanza di certe cose; solo lui, con la sua volontà e le sue capacità superiori, può vincere e superare tutte le difficoltà."

Cammina nell'oscurità. Dov'è l'artiglieria? domanda. Gli uomini sono già ammassati sull'altopiano, ma non vede alcun affusto di cannone. Si affretta. Spesso sono le circostanze impreviste che decidono le sorti di una battaglia.

In fondo al pendio del Landgrafenberg scorge tutta l'artiglieria del maresciallo Lannes bloccata in una forra troppo stretta. Gli assi dei carri sono incastrati tra le rocce. Ci sono quasi duecento carri immobilizzati.

La collera lo assale. Dov'è il generale che comanda quel corpo? Non riescono a trovarlo. Napoleone si precipita di persona, si fa dare una torcia, illumina le pareti rocciose. Poi, con voce calma e chiara, ordina di distribuire gli attrezzi e di sgretolare la roccia. Mentre gli artiglieri cominciano a spaccare pietre, tiene alta la torcia, va da uno all'altro, non lascia la forra finché il primo carro non si muove, seguito da un pezzo d'artiglieria trainato da dodici cavalli.

È calmo quando ritorna al bivacco. Sulla strada incrocia i granatieri che tornano da Jena, dove sono stati autorizzati a cercare dei viveri. Hanno trovato vino in abbondanza. Li sente bere "alla salute del re di Prussia". Ma lo fanno sottovoce. Il nemico è vicino, e non sospetta nemmeno che una massa di uomini sia concentrata su quel pianoro ritenuto inaccessibile.

Napoleone controlla per l'ultima volta le mappe, distribuisce le consegne. Darà lui stesso il segnale dell'attacco, all'alba.

A mezzanotte entra nel suo capanno. È sereno. Chiude gli occhi e si addormenta subito.

Alle tre di notte è già in piedi. Il suolo è coperto dalla brina. Una fitta nebbia riveste le colline, le valli e gli altipiani. Alle sei è ancora buio pesto.

Napoleone è più sicuro di sé di quanto lo fosse ad Austerlitz. Passa a cavallo davanti alle truppe allineate, dice qualcosa ai soldati, che gridano "Marciamo, marciamo!" oppure "Avanti, avanti!".

Napoleone tira le redini del cavallo e si ferma.

— Che cosa? — protesta. — Non può che essere qualche giovanotto imberbe che vuol insegnarmi quel che devo fare! Che aspetti di aver comandato trenta battaglie campali, prima di pretendere di esprimere un'opinione!

Riparte al galoppo. È dappertutto, sotto il fuoco dei cannoni prussiani che hanno cominciato a sparare alle sei di mattina. Il principe di Hohenlohe, però, non immagina che i francesi siano così vicini alle sue linee, lassù, sul Landgrafenberg, e i proiettili dei suoi cannonieri vanno a cadere molto più lontano, dietro la collina.

Le pallottole fischiano anche sopra la testa di Napoleone, quando, verso le nove di mattina, si scatena l'attacco generale.

L'imperatore non teme per la sua vita: quante volte si è esposto! Vede gli uomini cadere intorno a sé. I soldati prussiani avanzano a ranghi serrati, come automi che poi cadono di colpo, disarticolati. Alcuni feriti urlano: "Viva l'imperatore!". Li guarda appena. Sa, dai primi soldati che ha visto morire accanto a sé, che "colui che non vede con occhi asciutti un campo di battaglia, provocherà la morte inutile di molti uomini".

E lui ha gli occhi asciutti.

Osserva quelle centinaia di migliaia di uomini, quei settecento cannoni che seminano la morte dappertutto. Gioisce di quello che, per lui, è uno degli "spettacoli rari nella storia". Vede avanzare i fucilieri e, dietro, le colonne, con i musicisti in testa, come per una parata.

Alle due del pomeriggio le sorti della battaglia sono decise. L'esercito prussiano è ormai solo un fiume di fuggiaschi che si riversa in direzione di Weimar.

Napoleone resta in sella sul pianoro fino alle tre. Ascolta i rapporti degli aiutanti di campo. Alcune palle di cannone cadono in mezzo allo stato maggiore.

— È inutile farsi ammazzare alla fine di una battaglia vittoriosa. Mettiamoci al riparo — dice Napoleone a Ségur, che è appena arrivato con un messaggio del maresciallo Lannes.

Rientra a Jena. La città è illuminata dagli incendi provocati dalle cannonate prussiane. Passa davanti alla chiesa. Sente le grida dei feriti che sono stati trasportati nell'edificio. Sono così numerosi che molti sono distesi, insanguinati, sul sagrato e nelle strade vicine.

Ha gli occhi asciutti.

Dorme pochi minuti in un albergo dove Caulaincourt ha fatto installare il letto di ferro, in fondo a un'ampia sala, ma gli aiutanti di campo lo svegliano subito. Ségur riferisce che la regina di Prussia ha corso il rischio di venire catturata. Napoleone si alza.

— È lei la causa della guerra — dice.

Poi un aiutante di campo gli comunica che Davout ha riportato ad Auerstadt una vittoria totale sui prussiani comandati da re Federico Guglielmo e dal duca di Brunswick. Quest'ultimo è stato ferito in modo grave.

Napoleone si informa sull'andamento della battaglia. Si fa scuro in volto. Intuisce che Bernadotte, invece di aiutare Davout come avrebbe dovuto, non ha partecipato al combattimento.

— Quel guascone non me ne combinerà altre! — esclama.

Cammina avanti e indietro nella sala. Dovrebbe farlo fucilare. Ma è il marito di Désirée Clary, il cognato di Giuseppe.

Detta una lettera per Bernadotte: "Non ho l'abitudine di recriminare sul passato, visto che non si può rimediare. Il vostro corpo d'armata, però, non si è trovato sul campo di battaglia, e ciò avrebbe potuto avere conseguenze davvero funeste... È decisamente una brutta storia".

"Come sono meschini gli uomini! Bernadotte non ha voluto favorire la vittoria di Davout, che merita di essere nominato duca di Auerstadt. Me ne ricorderò, di quei due."

Sono le tre di notte del 15 ottobre. Napoleone si siede e, alla luce di un lume a olio, appoggiandosi sul bordo di una cassa, scrive a Giuseppina:

Mia cara,
    ho effettuato delle belle manovre contro i prussiani. Ieri ho riportato una grande vittoria. Erano 150.000 uomini e ho preso 20.000 prigionieri, mi sono impadronito di cento bocche da fuoco e delle bandiere. Ero di fronte e non lontano dal re di Prussia, non sono riuscito a catturare né lui né la regina.

Bivacco da due giorni e non sono mai stato meglio.

Addio, mia cara. Stai bene e amami.

Se Ortensia è a Magonza, dalle un bacio, così come a Napoleone e al piccolo.*

Napoleone

Esce per le strade di Jena, sale su un calesse scoperto.

Vuole essere condotto a Weimar.

La strada è intasata dalle truppe. I campi sui due lati del percorso sono coperti di cadaveri e feriti. Ordina a Berthier di "attaccare a testa bassa tutti quelli che cercheranno di resistere".

Si sporge, fa fermare la carrozza, scende e si avvicina a un gruppo di feriti. Sono coperti di sangue. Alcuni si alzano e gridano con voce soffocata: "Viva l'imperatore!".

Si informa dei loro nomi e delle loro unità. Conferirà loro la Legion d'Onore.

Si allontana e risale sul calesse.

— Vincere non è niente — mormora. — Occorre saper approfittare del successo.

A Weimar riposa qualche ora nel palazzo ducale.

È felice. Gli annunciano l'arrivo di un inviato del re di Prussia, un aiutante di campo che propone un armistizio.

Napoleone lo ascolta e risponde: "Qualsiasi tregua che concedesse alle truppe russe il tempo di arrivare sarebbe assolutamente contraria ai miei interessi. Per quanto sia grande il desiderio che nutro di risparmiare orrori e nuove vittime all'umanità, non posso accettare. Ma non temo affatto le armate russe, sono solo nuvolaglia. Le ho viste durante l'ultima campagna militare. Sua Maestà dovrà rammaricarsene più di me".

I russi! Si sente più che mai invincibile, sicuro di sé, fiducioso nelle sue intuizioni. Il maresciallo Lannes gli scrive che i soldati, ascoltando il suo proclama che celebra le vittorie di Jena e Auer-

* Napoleone Carlo, il "Napoleone" di questa lettera, figlio di Ortensia e di Luigi Bonaparte, è nato nel 1802. Morirà nel 1807. Il "piccolo" è suo fratello Napoleone Luigi, nato nel 1804 e morto nel 1831. L'ultimo figlio dei due sarà Carlo Luigi, nato nel 1808 e morto nel 1873, il futuro imperatore Napoleone III. Un fratellastro, nato dal legame tra la regina Ortensia e Flahaut, è nato nel 1811. Porterà il titolo di duca di Morny e morirà nel 1865.

stadt, hanno gridato: "Viva l'imperatore d'Occidente!". "È impossibile dire a Vostra Maestà quanto quei coraggiosi, quegli eroi, vi adorino. Non sono mai stati così innamorati delle loro donne come lo sono della vostra persona."

Crede a Lannes. Ama i soldati per l'amore che provano per lui, e lo dice nel proclama che scrive.

Arriva anche Davout, che avanza verso l'imperatore e ripete che il suo sangue gli appartiene: — Lo verserò volentieri in tutte le occasioni, e la mia ricompensa sarà quella di meritare la vostra stima e la vostra benevolenza.

Napoleone riceve queste parole come trofei. Del resto, non è giusto che lo ammirino e lo amino? Non è stato lui a concepire questa vittoria? Alle cinque di sera del 16 ottobre scrive di nuovo a Giuseppina da Weimar:

Mia cara,
Talleyrand ti avrà mostrato i bollettini di guerra, saprai dei miei successi. Tutto si è svolto come avevo previsto, e mai un esercito è stato più sconfitto e completamente annientato.

Lui lo aveva previsto. È l'unico a possedere quel talento, quel genio.

Mi resta da dirti che sto bene, e che la stanchezza, il bivacco e le notti insonni mi hanno fatto ingrassare un po'.
Addio cara amica, mille cose amabili per Ortensia e il grande Napoleone.

Tuo Napoleone

— Bisogna inseguirli con la spada alla schiena — dichiara appena incontra i suoi marescialli.

Si installa a Halle, raggiunge Wittenberg dove riceve Lucchesini, inviato dal re di Prussia con l'incarico di negoziare.

— Il re mi sembra assolutamente deciso a trovare un accordo — confida Napoleone a Berthier. — Ma ciò non mi impedirà di andare a Berlino, dove penso di arrivare in quattro o cinque giorni.

"Hanno voluto la guerra? Che paghino. È la legge del vincitore, e devono subirla."

Centocinquanta milioni di franchi a titolo di contributi di guerra per gli Stati tedeschi. Chiusura dell'Università di Halle. "Tutti gli studenti che verranno trovati domani in città saranno incarcerati, per prevenire i colpi di testa di questa gioventù, alla quale hanno ficcato in testa un mucchio di pessime idee."

Interpella il generale Savary: ricorda la battaglia di Rossbach, dove Federico II, nel 1757, aveva sconfitto in modo clamoroso le truppe francesi di Soubise?

— Dovreste trovare, a una mezza lega da qui, la colonna che i prussiani hanno eretto in memoria di quell'avvenimento.

Poco dopo, ai piedi del monumento scoperto da Savary in un campo di grano, Napoleone rimane a lungo immobile. Legge le iscrizioni che celebrano la gloria di Federico II.

"Io sono qui. Sono passati quarantanove anni, e cancello la sconfitta francese e la vittoria del grande Federico."

Impartisce gli ordini a Berthier.

— Con molte formalità, molte attenzioni, molta onestà, ma in realtà impadronitevi di tutto, soprattutto degli strumenti bellici.

È la legge del vincitore.

Lascia Wittenberg, ma lungo la strada una tempesta di grandine lo costringe a rifugiarsi in una casa di campagna. Le stanze sono buie. Fuori, lampi e tuoni. Fa freddo. Il camino funziona male, affumica l'ambiente. D'improvviso, una voce. Una donna avanza verso Napoleone, circondato dai suoi ufficiali. È un'egiziana, la vedova di un ufficiale francese dell'Armata d'Egitto. Si inchina. L'imperatore l'ascolta e accorda una pensione a lei e a suo figlio.

Poi si isola davanti alla finestra.

Quanti pochi anni sono passati tra l'Egitto e questa Sassonia, appena otto! Eppure, è come se l'epoca in cui bivaccava ai piedi delle piramidi appartenesse a un'altra vita! Quante cose sono successe da allora. E questa donna, così giovane, fa risorgere il passato.

Prova spesso la sensazione di essere estraneo alla propria vita, di vederla svolgersi al di fuori di sé, come se ne fosse al tempo stesso attore e spettatore.

Resta a lungo immobile alla finestra, attendendo la fine del temporale. Si volta. Vede l'egiziana che lo contempla.

Niente è impossibile. Anche le cose più straordinarie possono accadere. Lui è qui. Domani sarà a Potsdam, nel castello di Sans-

Souci, la residenza reale del grande Federico, il sovrano del quale, quando era un giovane tenente, ammirava il genio, e la cui gloria lo affascinava tanto.

Venerdì 24 ottobre 1806 entra nel cortile del castello di Sans-Souci. Cammina a passi lenti, le mani dietro la schiena, poi si fa condurre nell'appartamento di Federico II.

Dunque, viveva qui.

Sfoglia alcuni libri, diversi sono in francese. Si sofferma a leggere le annotazioni in margine.

Proprio come lui, anche il sovrano tedesco scriveva note sui suoi libri.

Napoleone fa il giro delle stanze, scende sulla terrazza, osserva la spianata sabbiosa dove il creatore dell'armata prussiana passava in rivista le sue truppe. Rientra nell'appartamento, prende la spada, la cintura e il grande cordone del re. Poi indica le bandiere della Guardia reale, quella della battaglia di Rossbach.

— Ne farò dono al governatore degli Invalides, che le conserverà come testimonianza delle vittorie della Grande Armata e della vendetta che ha lavato l'onta della disfatta di Rossbach.

Forse non ha mai provato una soddisfazione più intensa. Forse, mai come in quel momento, si è sentito l'Imperatore dei Re, il conquistatore.

Sceglie di dormire nell'appartamento che era stato occupato, nel novembre del 1805, dallo zar Alessandro.

Osserva dalla finestra i soldati della Guardia imperiale che bivaccano sotto gli alberi del parco. Il cielo è limpido. Lo fissa a lungo. Ricorda le notti stellate d'Egitto, le piramidi. È rapito da una sorta di ebbrezza.

Chiama Caulaincourt. Domani passerà in rivista la Guardia imperiale, dice. Poi, prima di addormentarsi, pensa che "il pericolo più grave è nel momento della vittoria", quando ci si lascia inebriare, quando si dimentica che, sconfitto un nemico, altri sono pronti a sorgere. Ci sono la Russia, l'Inghilterra, la stessa Austria.

Fin da domani si preoccuperà di rinforzare l'esercito, emanerà un decreto per ordinare la coscrizione del 1807, indirizzerà verso le unità militari gli allievi del Politecnico e della Scuola di Saint-

Cyr, solleciterà Eugenio e Giuseppe a inviare reggimenti dall'Italia e da Napoli. La guerra è una divoratrice di uomini.

La mattina dopo, passando in rivista la Guardia, afferma: — Bisogna che questa sia l'ultima guerra. — Ma quando detta il suo proclama alle truppe, conclude: "Soldati, i russi si vantano di avanzare contro di noi. Ma saremo noi a marciare contro di loro, così gli risparmieremo la metà del cammino. Troveranno Austerlitz in mezzo alla Prussia... Le nostre strade e le nostre frontiere brulicano di coscritti che ardono dalla voglia di marciare sulle nostre orme".

Deve pronunciare queste parole, perché in effetti i russi stanno avanzando, e sarà necessario combattere ancora.

La mattina del 26 ottobre, domenica, si dirige con calma verso la piccola chiesa di Potsdam, dove si trova la tomba di Federico II. Si ferma davanti al sarcofago cerchiato di rame. Duroc, Berthier, Ségur e pochi altri ufficiali rimangono rispettosamente dietro di lui.

Dimentica quelli che lo attorniano.

Lui comunica con quegli uomini che, come Federico II, costituiscono la grande catena dei conquistatori, quelli che Plutarco, un autore che conosce bene, chiama *uomini illustri*.

Lui è uno di loro. Il loro vincitore, in questo secolo.

Resta immobile a lungo davanti alla tomba.

Il 26 ottobre 1806, mentre le truppe di Murat marciano alla volta di Stettino e quelle di Davout entrano nella capitale della Prussia, Napoleone, dopo aver ricevuto dalle mani del principe di Hatzfeld le chiavi di Berlino, si dirige verso il castello di Charlottenburg, nelle immediate vicinanze della città.

Piove a dirotto. Le strade sono dissestate. Si smarrisce, perde la scorta, si ritrova solo nella campagna. Davanti all'ingresso del castello, scorge Ségur che tenta invano di aprirne la porta.

— Perché non avete dislocato truppe sul mio percorso? — grida. — Perché siete venuto senza guardie?

Finalmente la porta cede. Il castello è deserto. Napoleone trova gli appartamenti della regina Luisa e, in una pettiniera, le lettere della sovrana. Le sfoglia. Ride.

Ha la sensazione di avere conquistato quella donna.

4

Dorme poco. Al risveglio, lunedì 27 ottobre, vede i cacciatori della Guardia che cominciano a radunarsi nel cortile del castello di Charlottenburg. Gli serviranno da scorta per il suo ingresso a Berlino, quel giorno stesso.

Vuole una parata militare che faccia colpo sull'immaginazione. Un vero e proprio trionfo. Già ha preteso che alcuni nobili prussiani, quei gendarmi che avevano osato affilare le loro spade sui gradini dell'ambasciata di Francia, attraversino Berlino, prigionieri, tra due colonne di soldati francesi. Per punire così la loro tracotanza!

La sera prima ha ordinato a Daru, l'intendente generale della Grande Armata, di impadronirsi di tutto il denaro che poteva trovare a Berlino per versarlo nelle casse e pagare i soldati.

— È mia volontà che Berlino fornisca in quantità tutto ciò di cui ha bisogno il mio esercito — ha insistito. — Voglio che i miei soldati possano disporre di tutto in abbondanza.

Poi si è fatto accompagnare da Daru negli appartamenti della regina Luisa e gli ha mostrato i documenti e le lettere lasciati dalla donna. Non si trattava, come aveva immaginato in un primo tempo, di una corrispondenza amorosa, ma di scritti che dimostravano la determinazione della regina di scatenare la guerra.

— Contro di me, Daru, contro di noi.

La regina, nelle sue lettere, chiama Napoleone *Noppel*, e il suo pappagallo pronuncia *Moppel*, che nel dialetto berlinese vuol dire "cagnolino vanitoso". Lo scrive lei stessa.

Fra le sue carte ha trovato anche un rapporto di Dumouriez, sì, il vincitore di Brunswick a Valmy, che suggeriva la tattica da adottare per battere le truppe francesi.

— Poveri quei principi che consentono alle donne di influenzare le questioni politiche! — ha esclamato Napoleone.

Quel lunedì farà bel tempo.

Napoleone osserva i reggimenti che si allineano. Quegli uomini sperano di averla fatta finita con le marce, i bivacchi, i combattimenti. Sono sfuggiti alla morte. Sognano la pace. Ma non sanno che la pace si conquista. I prussiani attendono l'avanzata dei russi. I rapporti precisano che hanno attraversato la Vistola, sono entrati a Varsavia. Bisogna forse aiutare i polacchi, che *vogliono* l'indipendenza? Ma cosa significa *vogliono*? Napoleone lo ha detto a chiare lettere a Dombrowski, quel polacco che vorrebbe che la Francia facesse rinascere il suo paese: "Vedrò se meritate di essere una nazione". "Se la Polonia fornisse 40.000 bravi soldati, sui quali poter contare come se fossero 40.000 uomini di un esercito regolare", allora i polacchi vorrebbero davvero la loro indipendenza. In caso contrario...

Aiutare i polacchi significa aprire il vaso di Pandora: la guerra senza fine con i russi e, senza dubbio, con gli austriaci. E dietro di loro l'Inghilterra, l'anima dannata delle coalizioni, la banca delle potenze, quella che è indispensabile stroncare se si vuole ottenere la pace in futuro.

Gli annunciano l'arrivo del generale Zastrow, che sollecita un'udienza da parte di Federico Guglielmo. Il re di Prussia chiede un armistizio e l'apertura di negoziati.

— I russi sono già sul territorio prussiano? — domanda Napoleone.

— Può darsi che le loro avanguardie, in questo momento, stiano attraversando le frontiere — risponde il generale Zastrow, inchinandosi. — Il re attende solo una parola rassicurante da parte vostra per richiamarli indietro.

Napoleone gli volta le spalle.

— Se i russi avanzano verso di noi, io marcio contro di loro e intendo sbaragliarli.

Fa qualche passo, poi torna verso Zastrow.

— Ma i negoziati possono continuare — aggiunge. — Li seguirà personalmente Duroc, il gran maresciallo di palazzo.

Innanzi tutto, però, l'ingresso a Berlino. I prussiani devono scoprire la forza della Grande Armata.

Alle tre del pomeriggio, Napoleone trotterella lungo l'Unter den Linden. È solo al centro della sfilata, un piccolo uomo nella divisa verde di colonnello dei cacciatori della Guardia, con in testa il suo bicorno, la sua "coccarda da un soldo", come dicono i granatieri. Niente decorazioni, solo il cordone della Legion d'Onore. Dietro di lui c'è il suo mamelucco, Rustam. Qualche passo indietro, lo stato maggiore, gli ufficiali della casa imperiale, Duroc, Caulaincourt, Clarke, gli aiutanti di campo, Lemarois, Mouton, Savary, Rapp, e poi i marescialli, Berthier, Davout, Augereau.

Lefebvre e la Guardia a piedi precedono l'imperatore; poi, dopo gli ufficiali, sfilano i cacciatori della Guardia imperiale.

Napoleone vede tutto. È quello che ha voluto: le fanfare, i mamelucchi, 20.000 uomini, quei granatieri giganteschi con i loro copricapi di pelliccia. E vede la folla ammassata sui lati dell'Unter den Linden. Galoppa intorno alla statua di Federico II, levandosi il bicorno. Lui è l'imperatore vittorioso.

Passa in rivista il terzo corpo, quello del maresciallo Davout, duca di Auerstadt. Distribuisce più di cinquecento croci di guerra, si trattiene a parlare a lungo con i soldati. Promuove numerosi ufficiali.

— I coraggiosi che sono caduti — dice — sono caduti con gloria. Tutti noi dobbiamo desiderare di morire in circostanze così gloriose.

Le truppe lo acclamano, Davout grida:

— Sire, noi siamo la vostra Decima Legione! Il terzo corpo sarà dappertutto e sempre, per voi, quel che la Legione fu per Cesare!

Lui ascolta.

Si sente il Cesare di questo secolo.

Si reca al municipio della città, si rivolge con brutalità alle autorità prussiane che vi sono radunate, assicura loro di aver visto, nella camera da letto della regina Luisa, il ritratto dello zar Alessandro.

— Non è vero, Sire! — protesta una voce.

Gli ufficiali francesi si precipitano. Napoleone li ferma, perdona il pastore Erhmann che ha osato interromperlo. Riconosce la sincerità, la franchezza di quell'uomo, ma, poco dopo, rientrato a palazzo reale dove ha scelto di alloggiare, si indigna quando il generale Savary gli consegna una lettera del principe Hatzfeld, lo stesso che gli ha presentato le chiavi di Berlino. Gli agenti di Savary hanno intercettato uno scritto di Hatzfeld per il principe di Hohenlohe. Contiene l'elenco dettagliato delle forze francesi a Berlino, corpo per corpo. Fornisce perfino il numero delle casse di munizioni.

La voce strozzata dalla collera, Napoleone detta subito l'ordine di tradurre il principe di Hatzfeld davanti alla commissione affinché sia giudicato come traditore e spia.

Deve essere arrestato e fucilato. Legge la costernazione negli occhi di Berthier e Ségur. Ma non hanno ancora capito che non si può regnare senza severità? Non hanno forse fatto fucilare, il 26 agosto 1806, un editore di Norimberga che aveva diffuso un libello antifrancese?

Poco dopo, rientrando da un'ispezione alle truppe, mentre i tamburi già battono, una donna incinta si presenta alla porta del suo appartamento. È la principessa di Hatzfeld, venuta a sollecitare la grazia per suo marito.

Napoleone osserva la giovane, le porge il dispaccio di suo marito, le dice di leggerlo. Lei balbetta, piange.

Essere imperatore vuol dire anche disporre del diritto di grazia, godere di quell'emozione, restituire la vita a chi è stato destinato alla morte.

Napoleone osserva la principessa sconvolta, seduta davanti al caminetto.

— Ebbene — le dice — visto che tenete tra le mani la prova dei delitti di vostro marito, distruggetela, e disarmate così la severità delle leggi della guerra.

La donna getta la lettera nel fuoco.

Poco dopo il principe di Hatzfeld viene liberato.

Napoleone si ritira nei suoi appartamenti per scrivere a Giuseppina. Sono le due di notte del 1° novembre 1806.

Cara amica,
è appena arrivato Talleyrand e mi ha detto che non fai che piangere. Ma cosa vuoi ancora? Hai tua figlia, i tuoi nipotini e tante buone notizie, hai tutto per essere felice.
Qui il tempo è superbo, non è ancora caduta una sola goccia d'acqua durante tutta la spedizione. Sto bene e tutto va per il meglio.
A presto, cara amica, ho ricevuto una lettera da Napoleone, non credo certo che sia stata scritta da lui, ma da Ortensia.
Un abbraccio a tutti.

Napoleone

In effetti, si sente bene. Ogni giorno assiste a una parata davanti al palazzo reale. Passa in rivista la cavalleria. Assiste alle manovre delle Guardia nella piana di Charlottenburg. Per il resto della giornata lavora nello studio che si è fatto allestire nel palazzo reale. Vi sono state trasportate la sua biblioteca e le sue mappe. Segue i movimenti delle truppe che inseguono le ultime forze prussiane. Kustrin, Magdeburgo, Stettino, Lubecca, città libera dove si è rifugiato Blücher, cadono una dopo l'altra.

— Tutti i nemici sono stati catturati o uccisi — dichiara Napoleone — oppure vagano fra l'Elba e l'Oder.

Lubecca è stata saccheggiata. — Deve prendersela con quelli che hanno attirato la guerra tra le sue mura — commenta. Poi aggiunge: — Tutto va meglio di come si sarebbe potuto sperare.

Eppure Federico Guglielmo respinge le condizioni di pace comunicate da Duroc, sperando sempre nell'arrivo dei russi.

Sono più di 100.000 in marcia, al comando dei generali Bennigsen e Buxhoewden.

La guerra, dunque, incombe ancora, e l'inverno si avvicina. Ci vogliono uomini. Ordina a Berthier di inviare tutti i coscritti, anche se non hanno alle spalle più di otto giorni di addestramento militare. L'importante è che siano armati, con pantaloni, gambali, copricapo regolamentare e un pastrano. Tanto peggio se non hanno ancora la divisa. Andrà bene lo stesso.

Si china sulle mappe e dice al maresciallo Mortier:

— È possibile che tra qualche giorno io mi rechi di persona nel centro della Polonia.

Poi, camminando con le mani dietro la schiena, aggiunge:

— Il freddo diventa sempre più acuto, e l'acquavite può salvare il mio esercito. Mi assicurano che a Stettino si trova molto vino. Bisognerà prenderlo tutto, ce ne fosse pure per venti milioni... Sarà il vino, durante l'inverno, a darmi la vittoria. Occorre prelevarlo con tutte le regole, rilasciando ricevute.

Sa che bisognerà combattere di nuovo, impartire una lezione definitiva ai russi, come quella appena inflitta ai prussiani. Dopo la presa di Magdeburgo, il 7 novembre, ha ricevuto da Murat una lettera trionfante: "Sire" gli scrive il granduca di Berg "il combattimento è finito per mancanza di combattenti". Ma ne sorgono sempre di nuovi. I russi saranno gli ultimi? Per questo bisognerebbe sconfiggere la grande ispiratrice delle coalizioni, l'Inghilterra.

Durante tutto il mese di novembre del 1806, che trascorre nel palazzo reale di Berlino, Napoleone medita. Legge il lungo memorandum inviatogli da Talleyrand, che dimostra inequivocabilmente come l'Inghilterra abbia calpestato il diritto delle genti ordinando il blocco dei porti europei. Occorre risponderle a tono. L'occasione è propizia perché, dopo la disfatta della Prussia, l'imperatore controlla le coste dell'Europa, da Danzica alla Spagna e dalla Spagna all'Adriatico.

Napoleone convoca il segretario e comincia a dettare un decreto che, il 21 novembre 1806, istituisce il *blocco continentale*. Si tratta di vincere il mare tramite il dominio sulla terraferma. "Qualsiasi commercio e ogni genere di corrispondenza con le isole britanniche sono vietati" ordina. L'Inghilterra è dichiarata in stato di blocco, visto che Londra si comporta come "nelle epoche oscure della barbarie". Gli inglesi trovati in Francia o nei paesi alleati saranno considerati prigionieri di guerra, e le loro proprietà confiscate. Tutti i prodotti inglesi sono passibili di sequestro.

Bisogna che l'Inghilterra soffochi sotto le sue mercanzie, che implori la pace per liberarsi di tutto quello che produce; in caso contrario, conoscerà disoccupazione e disordini sociali.

Napoleone rilegge il decreto. Sa bene che il blocco non può avere successo se non viene applicato effettivamente in tutto il continente. Bisogna che tutti in Europa si pieghino a questo principio.

Del resto, non dispone dei mezzi per imporre a tutti questa politica? Politica che, ne è assolutamente convinto, è nell'interesse stesso dell'Europa?

È una sfida? Ebbene, non ne ha già affrontate tante altre, e con successo?

Si rilassa. Si distrae. Scrive a Giuseppina, che è rimasta scioccata dal modo con cui ha trattato la regina Luisa di Prussia nei bollettini della Grande Armata.

"Mi sembri affetta da quella malattia che io chiamo *delle donne*. È vero che odio più di ogni altra cosa le donne intriganti... Amo invece le donne buone, ingenue e dolci, ed è perché solo quelle ti assomigliano."

Posa la penna. Pensa davvero quello che sta scrivendo? In passato Giuseppina... ma preferisce non ricordare i tradimenti, la doppiezza. Adesso è sempre triste, preoccupata, gelosa.

Il 22 novembre, alle dieci della sera, le scrive:

Sii contenta, felice della mia amicizia, di tutto quello che mi ispiri. Tra qualche giorno probabilmente deciderò se farti venire qui o mandarti a Parigi.

Arrivederci, cara amica, per il momento puoi andare, se vuoi, a Darmstadt e a Francoforte, questo ti distrarrà.

Saluti affettuosi a Ortensia.

Napoleone

Chiama Caulaincourt, il grande scudiero. Gli comunica che intende lasciare Berlino per raggiungere le truppe. Che preparino le stazioni di cambio dei cavalli.

Poi si fa portare i dispacci, i giornali pubblicati a Parigi. Si arrabbia, li scaraventa a terra. Chiama il segretario e gli detta una lettera per il ministro dell'Interno.

Monsieur Champagny,

ho letto dei bruttissimi versi cantati all'Opéra. Ci si è dunque assunti, in Francia, il compito di degradare le lettere?... Impedite che si cantino all'Opéra cose indegne di questo grande teatro. Ci sarebbe un'occasione propizia, per organizzare qualche bel canto, il 2 dicembre.

Visto che la letteratura è di vostra competenza, penso che dovreste oc-
cuparvene voi, perché in verità quello che hanno cantato all'Opéra è
stato davvero troppo disonorevole.

Il 25 novembre 1806 Napoleone lascia Berlino. Sono le tre di
notte. Raggiunge la Grande Armata, che marcia su Varsavia per
scontrarsi con l'esercito dello zar di tutte le Russie.

Parte seconda

Quando parla il cuore, svanisce ogni illusione di gloria
26 novembre 1806 - 27 luglio 1807

5

Piove. Nevica. Gela. Da quando Napoleone ha lasciato Berlino, imperversa il maltempo. Le strade e i campi sono coperti di fango. La berlina avanza lenta, le ruote vengono come risucchiate da quel pantano nero.

La vettura supera i soldati che marciano sui lati della strada. Non alzano nemmeno la testa.

Napoleone vede alcuni granatieri, con il fucile a bandoliera, che si afferrano con le mani i polpacci per strappare i piedi dal fango che li imprigiona, li aspira. E quando la berlina si ferma, quasi immobilizzata, scorge dei soldati a piedi nudi, le gambe coperte da quella melma ghiacciata e viscida. Gli stivali sono rimasti sepolti nel fango.

Nella berlina scrive a Daru, l'intendente generale della Grande Armata: "Stivali! Stivali! Occupatevi con la massima attenzione di questo problema. E se non si possono avere stivali, inviate del cuoio, con il quale i nostri soldati, che sanno arrangiarsi benissimo, potranno accomodare le loro vecchie calzature".

Ha freddo.

La sgradevole sensazione di non riuscire a riscaldarsi lo ha colto nel momento stesso in cui si allontanava da Berlino, quando la vettura ha incominciato a correre in quelle pianure che si confondono con il cielo. La luce del giorno dura meno di tre ore. I villaggi polacchi intravisti dopo l'attraversamento dell'Oder sono composti da catapecchie. Diverse hanno il tetto coperto di paglia. Napoleone ha visto i cacciatori della sua Guardia nutrire i loro cavalli con quella paglia.

I suoi aiutanti di campo sono stati incapaci di dirgli dove si trovino le truppe russe del generale Bennigsen. È convinto che stia indietreggiando, che rifiuti il combattimento. Infatti ha abbandonato Varsavia, e Murat è riuscito a entrare nella capitale polacca già il 28 novembre, in mezzo a una folla in delirio.

Napoleone legge il suo rapporto. Murat si immagina già re di Polonia, lascia intendere di essere l'uomo giusto per quel popolo eroico.

Occorre disilludere Murat, ricordargli che, se anche deve attribuire posti e onori a patrioti polacchi, "non deve certo prevedere con calcoli aritmetici l'indipendenza della Polonia".

Napoleone lo ha detto e ripetuto ricevendo i delegati polacchi:

— Il destino della Polonia è nelle vostre mani... Quello che ho fatto io è metà per voi, metà per me.

Ma più s'inoltra in questo paese, più scopre questa terra fangosa, gli acquitrini dove si sprofonda, le strade appena tracciate, la povertà dei villaggi e anche delle fortezze, costruite in legno, più le sue reticenze trovano conferma. Si può confidare nei polacchi?

— La mia conoscenza degli uomini è di vecchia data — spiega a Murat. — La mia grandezza non si basa sull'aiuto di qualche migliaio di polacchi. Tocca a loro approfittare con entusiasmo delle circostanze attuali. Non spetta a me muovere il primo passo.

È arrivato a Kustrin. Ha preso alloggio in una sala della piccola fortezza situata alla confluenza dei fiumi Oder e Warta. Malgrado il fuoco vivace che arde nel camino, che Constant mantiene sempre acceso, continua ad avere freddo. Si fa portare un bicchiere di Chambertin. Annusa una presa di tabacco. Infila la mano destra nel gilet tentando di scaldarla. Poi si distende per poche ore. Dorme male. Quando si sveglia prende subito la penna in mano, come per sgranchirsi la mente e le dita.

"Sono le due di notte" scrive a Giuseppina. "E mi sono appena alzato. Sono le esigenze della guerra."

Intende raggiungere al più presto Posen, una città sulla Warta dove sarà più vicino alle truppe, e da dove potrà decidere di dirigersi verso Danzica e Königsberg, seguendo il corso della Vistola, oppure, perché no, di puntare sempre più a nord, verso il Niemen, il fiume che segna il confine con la Russia. Oppure, al contrario, potrebbe risalire il corso della Vistola fino a Varsavia, dove si trova già Murat, che ha raggiunto il maresciallo Davout.

Tutto dipenderà dalla dislocazione delle truppe russe.

Interroga con insistenza gli aiutanti di campo, i marescialli. Dove sono le truppe di Bennigsen? Sembra quasi che in questo paese illimitato le armate russe siano introvabili. Hanno scelto davvero di indietreggiare, oppure si stanno concentrando a nord di Varsavia, lungo l'affluente della Vistola, il fiume Narew?

Questa incertezza irrita Napoleone.

A Murat, il quale gli parla di nuovo dell'entusiasmo dei polacchi e della loro volontà di veder rinascere il loro paese diviso tra la Prussia, l'Austria e la Russia, dice seccamente:

— I polacchi mostrino una decisa volontà di rendersi indipendenti, si impegnino a sostenere il re che sarà dato loro, e allora vedrò quello che potrò fare...

Murat, però, non deve farsi illusioni. Il ristabilimento di una Polonia indipendente è un rischio troppo grande, troppo gravido di conseguenze perché Napoleone si decida a compiere quel passo sulla base di un semplice entusiasmo delle folle. Come ottenere la pace con la Russia, come mantenerla con l'Austria e stabilirla con la Prussia, se la Polonia rinasce?

— Fate capire bene che non vengo a mendicare un trono per uno dei miei. Non mi mancano certo troni da regalare alla mia famiglia.

Non intende cedere nemmeno allo slancio di simpatia che avverte quando, al suo ingresso a Posen, giovedì 27 novembre, alle dieci di sera, sotto una pioggia battente, scopre gli archi di trionfo che i polacchi gli hanno innalzato nelle strade della città.

Il vento gelido scuote le lanterne appese alle facciate. Qua e là hanno preparato grandi striscioni che salutano il "vincitore di Marengo" oppure il "vincitore di Austerlitz".

Nonostante la pioggia, la folla lo aspetta festante davanti al monastero e al collegio dei gesuiti, due importanti edifici situati

73

accanto alla chiesa parrocchiale, nel cuore della città, che sono stati scelti come sede del suo comando. Riceve l'omaggio delle autorità cittadine e dei nobili polacchi della provincia.

Li ascolta. Il loro entusiasmo e la loro volontà possono diventare una carta importante nel suo gioco. È commosso anche dalla loro convinzione, dal loro patriottismo. Annusa qualche presa di tabacco camminando nell'ampia sala a volte, male illuminata e fredda.

— Non è facile distruggere una nazione — dichiara alla fine, incrociando le braccia. — La Francia non ha mai riconosciuto la spartizione della Polonia. Voglio conoscere l'opinione di tutta la nazione. Unitevi...

Si allontana, l'udienza è finita. Prima di uscire dalla sala, lancia un ultimo avvertimento:

— È il momento, per voi, di ridiventare una nazione.

Nei giorni seguenti continua a piovere. Napoleone ascolta i rapporti degli aiutanti di campo e dei generali che gli presentano le difficoltà incontrate dalle truppe per avanzare.

Gli uomini hanno fame. Alcuni si suicidano, tanto sono spossati dalla fatica. Non sanno dove ripararsi in questo paese fangoso. Le case dei contadini proteggono a malapena dalla pioggia e dal freddo. I cavalli sprofondano nel fango. E non si sa come nutrirli. I soldati si sentono vinti prima ancora di combattere. E poi, nessuno sa dove si trovi l'armata russa.

D'improvviso, Napoleone lascia esplodere la sua collera.

— E così, sareste contenti di andare a pisciare nella Senna! — grida a Berthier.

Gli ufficiali abbassano lo sguardo. Napoleone passa e ripassa davanti a loro, il volto corrucciato. Non capiscono che, se si vuole la pace, bisogna schiacciare i russi come si è fatto con i prussiani?

Si chiude nei suoi appartamenti.

È il 2 dicembre 1806, l'anniversario di Austerlitz. Si è già persa nel tempo quella battaglia, quel sole che sbucava dalla nebbia! È necessario celebrare quel giorno eroico, ricordarne la gloria, che è la dimostrazione di quel che lui è capace di compiere.

Esce dallo studio e impartisce gli ordini. Vuole che nella cappella della cattedrale venga celebrato un solenne *Te Deum* per commemorare Austerlitz. Vuole che sia letto e distribuito un proclama ai soldati. E lo detta subito.

Soldati,
un anno fa, in queste stesse ore, eravate sul memorabile campo di Austerlitz. I battaglioni russi fuggivano terrorizzati... L'Oder, la Warta, le steppe della Polonia, il clima pessimo, niente è riuscito ad arrestarvi, neppure per un attimo. Avete sfidato tutto, superato tutto. Tutti sono fuggiti al vostro arrivo... L'aquila francese plana sulla Vistola.

Le parole lo inebriano. Parla della pace generale per la quale bisogna ancora combattere. Innanzi tutto, però, occorre vincere.

"Chi darebbe ai russi il diritto di sperare in un riequilibrio delle sorti? Tra loro e noi, non siamo noi i soldati di Austerlitz?"

Si sente meglio e decide di recarsi in un castello dove la nobiltà della regione di Posen dà un ballo in suo onore. Le donne lo circondano. Alcune lo avvicinano, provocanti, seducenti. Le fissa, le valuta, ne attira una in disparte. La donna ride. Verrà nelle sue stanze, questa notte. È una conquista facile, che non lascia tracce.

Qualche ora dopo scrive a Giuseppina: "Ti amo e ti desidero". Poi aggiunge: "Tutte queste polacche sono francesi... Ieri mi hanno invitato a un ballo della nobiltà di provincia; molte belle donne, piuttosto ricche, decisamente mal vestite, anche se alla moda di Parigi".

E siccome Giuseppina ha dichiarato in una delle ultime lettere, scaltra com'è, di non essere gelosa, Napoleone scherza: "Allora sei rea confessa di gelosia, ne sono incantato! Del resto hai torto, non penso proprio a niente, nelle steppe della Polonia non si pensa alle belle donne".

Sono tanti i pensieri che lo assalgono! I russi, la pioggia e il fango, i feriti che non si sa né dove né come curare, e che marciscono nel fango. Anche le donne, certo, lo preoccupano, visto che deve scrivere a Giuseppina. E se deve mentire, che importa? C'è forse un'altra verità al di fuori delle apparenze?

È sempre ossessionato, a ogni istante, da quello che succede in Francia.

Tutti i giorni aspetta con impazienza l'arrivo dei dispacci da Parigi. Sono i giovani uditori del Consiglio di Stato che percorrono a briglie sciolte le quattrocento leghe che separano la capitale della Francia da Posen per portarglieli. Otto giorni sulla strada, fermandosi solo qualche minuto alle stazioni di cambio dei cavalli.

Napoleone legge con avidità i giornali, i rapporti dei ministri. Firma decreti che, nella maggior parte dei casi, detta di getto.

È così che il 2 dicembre, a Posen, decide di far erigere un monumento alla gloria della Grande Armata sullo spiazzo della Madeleine. Decreta che al suo interno vengano collocate delle lastre di marmo e d'oro con incisi i nomi dei combattenti di Ulm, Austerlitz e Jena.

Lo vuole.

Tuttavia, in quelle ampie sale buie del monastero di Posen, a volte ha la certezza che la sua volontà sia sottomessa a un destino che gli sfugge. È una sensazione che lo tormenta. Cosa può fare veramente?

Gli consegnano una lettera di Giuseppina che, per l'ennesima volta, chiede di poterlo raggiungere, perché vuole tenerlo sottocchio, lui lo sa bene. Ma lui non ci tiene affatto. Ci sono tante di quelle donne facili che lo distraggono. E poi la guerra, il clima piovoso e freddo, il fango... C'è l'incertezza di quello che succederà. Una battaglia, sì, ma dove, quando?

"Bisogna quindi aspettare alcuni giorni" le scrive. Poi s'interrompe. Sono le sei del pomeriggio. Piove su Posen. La notte ha la densità del fango nero.

Riprende la penna.

"Più si è grandi, meno si deve avere volontà, si dipende dagli eventi e dalle circostanze" annota.

Riuscirà, Giuseppina, a capire che occorre volere con forza sovrumana pur sapendo che non si è mai padroni del gioco? Ci si può inserire, sfruttare gli eventi, ma la scacchiera può rovesciarsi in ogni momento. Continua:

> Il calore della tua lettera mi fa capire che voi, voi belle donne, non conoscete ostacoli. Quel che volete deve essere. Io, dal canto mio, mi dichiaro il più schiavo degli uomini. Il mio padrone non ha viscere, il mio padrone è la natura delle cose.
>
> Arrivederci, cara amica.
>
> *Napoleone*

Questa idea non lo abbandona nemmeno mentre la sua carrozza corre verso Varsavia. La pioggia gelata spazza la strada, il cui tracciato si perde sotto il fango. I ponti sono interrotti. I fiumi vengono attraversati su tronchi d'albero legati uno all'altro.

La notte sembra non finire mai.

A un certo punto, deve abbandonare la berlina e utilizzare delle vetture polacche, leggere ma scomode. Quella di Duroc si rovescia. Il gran maresciallo di palazzo ne esce con la clavicola spezzata. Viene lasciato in una casa di contadini, e si prosegue sotto la pioggia, cercando di evitare le buche.

Ecco la natura delle cose.

L'armata brontola, osa dire Berthier. — I "brontoloni" si batteranno, che altro possono fare? — gli risponde Napoleone.

A poche leghe da Varsavia, anche la carrozza leggera non riesce più ad avanzare, o lo fa così lentamente, sprofondando a ogni giro di ruota, che Napoleone si spazientisce. Scende. Il buio della notte è reso ancora più oscuro dalla nebbia. Fa meno freddo, ma il terreno è imbevuto d'acqua. Non si tocca mai terra solida. Si sprofonda in un fango che sembra senza fondo.

Napoleone sceglie un cavallo. L'animale si impenna. È una bestia ombrosa, da stazione di cambio, che può farlo cadere a ogni passo. Non importa. Vuole arrivare a Varsavia. I rapporti dei generali lo inducono a pensare che l'armata russa sia accampata a nord della capitale, sulle rive del Narew. Napoleone vuol dare battaglia, al più presto, per farla finita.

Arriva a Varsavia il 19 dicembre, un venerdì, mentre la nebbia copre completamente la città e i dintorni. Riparte all'alba di martedì 23. Vuole raggiungere i suoi avamposti. Cavalca sotto il fuoco dei russi, si inerpica sul tetto di una casa per osservare i movimenti del nemico. Dorme nei fienili.

Si cercano i russi, mentre la notte scende alle tre del pomeriggio e il fango impedisce le cariche della cavalleria. I cavalli non possono galoppare. I fanti si sgozzano nella nebbia. Ciononostante i francesi di Ney, Lannes e Davout riportano altre vittorie: a Soidau contro l'ultimo corpo prussiano, a Golymin e Pultusk contro i russi.

Ma come inseguirli?

Napoleone si è installato nel castello del vescovo di Pultusk. Ha vagato nella nebbia con la sua Guardia ed è arrivato sul campo di battaglia solo alla fine degli scontri.

È seduto davanti al camino, in una piccola stanza scura. Detta una breve lettera per Cambacérès: "Credo che la campagna sia finita. Il nemico ha messo tra noi acquitrini e steppe. Dovrò accamparmi per l'inverno".

Si alza, annusa una presa di tabacco. Non è soddisfatto. L'esercito russo non è stato annientato. La pioggia, il fango e la nebbia lo hanno aiutato. Ma anche il mancato intervento delle truppe di Bernadotte. Che è rimasto spettatore, come ad Auerstadt.

Cammina per calmarsi. Scriverà a Giuseppe. Suo fratello riuscirà a capirlo?

"Siamo immersi nella neve e nel fango, senza vino, senza acquavite, senza pane... Tutti i giorni combattiamo alla baionetta e sotto la mitraglia. I feriti sono costretti a ritirarsi su slitte all'aperto, per cinquanta leghe."

Qualcuno capirà?

"Dopo aver distrutto la monarchia prussiana, ci battiamo contro i resti della Prussia, contro i russi, i calmucchi, i cosacchi e le tribù del Nord che una volta invasero l'Impero romano. Facciamo la guerra in tutta la sua energia e il suo orrore."

Napoleone, quella guerra, la vede, la vive.

Ripete a voce alta: — Energia! Energia! — Poi aggiunge in tono più basso: — Si può fare il bene dei popoli solo sfidando l'opinione dei deboli e degli ignoranti.

Si calma, infine, quel mercoledì 31 dicembre 1806.

Nella sala più ampia del palazzo vescovile di Pultusk, seduto davanti al fuoco del camino, ascolta due cantanti accompagnate dal compositore Paër. Chiude gli occhi. Il piacere è tanto più forte perché ha camminato parecchi giorni sotto la mitraglia e con l'acqua fino ai fianchi. Può finalmente dimenticare "l'orrore".

Quel giorno stesso rassicura Giuseppina: "Delle belle donne della grande Polonia ti sei fatta un'idea che non meritano affatto... Addio, amica mia, io sto bene".

È appena arrivato un corriere dalla Francia.

Napoleone sceglie tra i dispacci una lettera di Fouché, che ha l'intenzione di chiedere a Raynouard, un autore teatrale, di scrivere una tragedia per celebrare l'imperatore. Napoleone ricorda *I Templari*, una commedia di Raynouard che aveva visto a Parigi.

"Nella storia moderna" scrive a Fouché "la chiave tragica che bisogna adottare non è la fatalità o la vendetta degli dèi, ma…" l'espressione gli torna ancora una volta in mente "la natura delle cose. È la politica che conduce alle catastrofi, senza che vengano compiuti veri delitti. E Raynouard ha fallito in questo, nei suoi *Templari*. Se avesse seguito questo principio, Filippo il Bello avrebbe avuto uno splendido ruolo; lo avrebbero compianto, e si sarebbe capito che non poteva fare altrimenti."

E lui, Napoleone, può fare altro che non sia continuare la guerra? Chi lo capisce?

Legge qualche dispaccio. Di colpo, ha come un sussulto.

Senza alcun commento, Fouché riferisce una notizia pervenuta, scrive, al ministro della Polizia generale. Una notizia che probabilmente interesserà l'imperatore.

Il 13 dicembre 1806, in un palazzo privato al n. 29 di rue de la Victoire, Louise Catherine Éléonore Denuelle de La Plaigne, nata il 13 settembre 1787, benestante, divorziata il 29 aprile 1806 da Jean-Honoré François Revel, lettrice della principessa Carolina, ha dato alla luce un maschio. Il neonato è stato battezzato con il nome di Charles, e chiamato conte Léon. Il padre è stato dichiarato assente.

Napoleone sente un caldo intenso percorrergli tutto il corpo.

"Mio figlio."

Cerca di respingere quella che gli si è imposta come una certezza immediata.

"Mio figlio."

Può essere sicuro di Éléonore, quell'abile e maliziosa intrigante che Carolina ha spinto tra le sue braccia?

No, non avrebbe corso il rischio di ingannarlo in quel periodo, nella primavera del 1806, mentre era a Parigi e la vedeva quasi ogni notte alle Tuileries, quando lei abitava nel palazzo che le aveva comprato.

Non può essere che suo figlio.

Lo sapeva bene, che poteva avere figli!

Sapeva che Giuseppina mentiva. Poteva solo mentire, quella vecchia, quella poveretta, quando gli ripeteva che era lui a non poter generare un figlio.

Un figlio. Quello che manca da sempre al suo edificio imperiale.

Immagina un matrimonio con la figlia di un re.

Sogna.

Poi pensa a Giuseppina. Al divorzio.

Si avvicina alla finestra. Il castello di Pultusk è immerso nella nebbia.

Divorzio, matrimonio, nascita. La natura delle cose.

6

Di tanto in tanto Napoleone si rivolge a Duroc. Ma, come se fosse distratto dal paesaggio della cupa pianura che sta attraversando da quando hanno lasciato Pultusk, quella mattina del 1° gennaio 1807, si interrompe dopo aver pronunciato qualche parola.

Abbassa la testa per scrutare il cielo basso che annuncia nuovi rovesci di pioggia e di neve. Fa uno sforzo e dice: — Bennigsen, le truppe russe...

Duroc lo ascolta con il volto teso, pronto a scolpirsi nella memoria ogni parola dell'imperatore, che si zittisce di colpo. A che serve continuare? Prova una sorta di disgusto per quel paese.

La mattina, prima di lasciare il castello vescovile, ha redatto le sue istruzioni per l'aiutante di campo che ha deciso di inviare al re di Prussia, il quale continua a rifiutare di firmare la pace. Bisogna che l'ufficiale assicuri a Federico Guglielmo che "per quanto riguarda la Polonia, l'imperatore, da quando la conosce, non le attribuisce alcuna importanza".

A chi accordare importanza quella mattina?

Dovrà ancora scontrarsi con Bennigsen, tempestare di dispacci i marescialli Ney e Bernadotte che sono sulle sue tracce, avvisarli di non avventurarsi troppo lontano. Quando avranno agganciato Bennigsen, Napoleone ha intenzione di risalire verso nord per circondare i russi e annientarli definitivamente.

Ma non sente alcun entusiasmo per questa prospettiva. Una volta distrutte le armate russe, altre verranno. Fino a quando?

Ecco perché non riesce a parlare a Duroc.

Se potesse almeno comunicargli l'unica notizia che da ieri lo ossessiona: ha un figlio.

Se potesse confidargli che, per anni e anni, Giuseppina e anche il dottor Corvisart hanno cercato di persuaderlo che era lui a essere incapace di procreare. Erano riusciti a indurlo a dubitare perfino di se stesso.

Una volta Giuseppina lo ha addirittura convinto che se voleva un figlio potevano benissimo adottarne uno, clandestinamente, e lei avrebbe recitato la parte della vera madre.

Se adesso sa che Éléonore Denuelle ha partorito un figlio, e non può non averlo saputo, starà ripensando a tutte quelle cose, a che cosa può fare per evitare il divorzio.

Lui, però, ha deciso di rifiutare i sotterfugi. È in grado di avere figli. Adesso ne è sicuro. E intende trarre tutte le conseguenze da questo fatto.

Chi è mai riuscito a impedirgli di andare fino in fondo al suo potere? E di raggiungere i suoi scopi?

La carrozza rallenta. Sono ormai vicini a Bronie.

Duroc spiega all'imperatore che alle porte della cittadina è stato previsto un cambio di cavalli. La sosta durerà pochi minuti, ha precisato Caulaincourt. L'imperatore non dovrà neanche scendere dalla carrozza mentre cambieranno i cavalli. È l'unica tappa prevista prima di Varsavia, dove l'imperatore arriverà all'inizio della serata.

Napoleone si sporge dal finestrino, scorge in lontananza le fortificazioni di Bronie; poi, mano a mano che si avvicina, distingue una folla gesticolante. La gente lo acclama.

Non prova gioia. Pensa a quel figlio che non potrà riconoscere, e a quello che dovrà nascere un giorno, il suo erede agli occhi di tutti.

E alla ferita che dovrà infliggere a Giuseppina, la donna che ha tanto amato, ormai solo una vecchia gelosa che continua a scrivergli lettere intrise di sospiri e lacrime.

La carrozza si ferma. La folla entusiasta la circonda mentre vengono cambiati i cavalli.

Duroc scende e si apre un passaggio verso l'edificio della posta.

Pochi minuti dopo Napoleone lo vede uscire tenendo per mano una giovane ragazza dai capelli biondi e ricci che le escono da un cappuccio di pelliccia nera. Sembra piccola. Duroc la guida verso la carrozza.

La donna sparisce come risucchiata dalla folla e, di colpo, Napoleone la vede accanto alla portiera. Ha un viso regolare, una pelle delicata arrossata dal freddo, lo sguardo vivace e ingenuo al tempo stesso.

Fissa Napoleone, e l'imperatore è subito pervaso dall'allegria e da un'energia nuova. Senza vederlo, sente Duroc che dice:

— Sire, ecco la donna che ha sfidato tutti i pericoli della folla per voi.

Napoleone china la testa, si sporge dalla portiera. Ha voglia di toccare quel volto così fresco, così nuovo. La fanciulla non deve avere più di vent'anni.

"È diversa da tutte le altre."

Vuole parlarle, mentre lei si protende verso di lui. Vede il suo corpo snello, stretto nel mantello.

Parla un francese morbido, languido:

— Siate il benvenuto, Sire. Mille volte benvenuto sulla nostra terra, che aspettava voi per ritornare alla vita.

Continua a parlare per qualche minuto, ma lui non l'ascolta più. Vede solo i suoi occhi, il suo petto palpitante. Da quella donna emana un'incantevole impressione di dolcezza e innocenza.

Di una cosa è certo: è diversa da tutte le donne che ha conosciuto, dalla prima prostituta incontrata nelle gallerie del Palais-Royal fino alla scaltra Éléonore Denuelle, che è comunque la donna da cui ha avuto un figlio.

Ecco, vorrebbe un figlio da una donna come questa polacca.

Le regala uno dei mazzi di fiori che hanno deposto nella sua carrozza alla partenza da Pultusk. Le dice che vorrebbe rivederla.

La carrozza comincia a muoversi. Si volta, sporgendosi dal finestrino. La scorge ancora per un breve istante, prima che sia inghiottita dalla folla.

— Chi è quella donna? — domanda a Duroc.

Rimprovera il gran maresciallo di palazzo perché non ha pensato di informarsi su di lei. Vuole sapere tutto quello che la riguarda. Vuole che sia invitata al grande pranzo che offrirà domani sera a Varsavia. Vuole che partecipi a tutte le cene ufficiali, a tutti i balli.

Vuole quella donna.

Non parla più. Ascolta nascere dentro di sé quel sentimento che non è solo desiderio, la voglia di possedere che ha provato tante volte, ma una sensazione nuova, un bisogno di stringere quella donna tra le sue braccia e, insieme, una sorta di entusiasmo, di gioia. Ed è un sentimento che non provava più da tanto tempo, forse addirittura dai primi giorni in cui amava appassionatamente Giuseppina.

Ma adesso è un altro uomo. Ha tanta esperienza, anche se non ha ancora trentotto anni. E nulla l'attira più del fascino, della giovinezza, dell'ingenua freschezza di quella fanciulla di cui ignora il nome, che non sa nemmeno se rivedrà, anche se lo desidera.

Lei non è stata l'amante di Barras.

Riflette su tutto questo e sente il desiderio di cominciare qualcosa di nuovo, di diverso, che lo strappi al passato, a quella vecchia donna alla quale è incatenato, che incarna i tempi delle origini e ricorda tante, troppe ferite.

Appena arrivato al castello reale, a Zamek, mentre percorre le gallerie e le sale del palazzo decorato con grandi dipinti di Lebrun e Pillement, l'imperatore spiega a Duroc che durante il suo soggiorno a Varsavia intende ricevere tutta la nobiltà polacca. Vuole che gli organizzi una vera vita di corte: concerti due volte la settimana, e poi ricevimenti, pranzi ufficiali, parate militari ogni giorno davanti al palazzo, in place de Saxe.

Si ferma davanti a un quadro di Boucher.

— E poi, voglio sapere tutto di lei — conclude.

È impaziente, smette di dettare o di esaminare i dossier ogni volta che sente dei passi. Ecco finalmente Duroc.

Lei si chiama Maria Walewska. Suo marito è Anastasio Colonna Walewski, nobile, ricco e imparentato con i Colonna di Roma.

— Anziano, molto anziano — aggiunge Duroc.

È stata la famiglia di Maria, nata Laczinska, a volere quel matrimonio con il ricco castellano vedovo. Ma anziano, molto anziano.

Napoleone ha uno scatto d'ira e d'impazienza. Invitatela, dice. Poi si china di nuovo sulle mappe, come se la sua unica preoccupazione fosse quella di prevedere i movimenti delle truppe verso nord.

Appunta qualche spillo sulle città più vicine al Mar Baltico, Eylau, Friedland, Königsberg e Tilsit. È la, tra quelle città e i fiumi Vistola, Passarge e Niemen, che si svolgerà l'ultimo atto di questa campagna.

Finalmente, la donna è venuta al palazzo Blacha, dove si è riunita, per rendere i suoi onori a Napoleone, tutta la nobiltà polacca. La vede vestita di un lungo abito bianco e indovina, dagli sguardi che pesano su loro due quando si avvicina alla donna, che tutti intorno sanno già. Ma cosa gliene importa!

Quando si ferma davanti a lei, le sussurra:

— Il bianco sul bianco non va, madame.

Mormora dei rimproveri. La sente spaventata, reticente. Maria Walewska si è rifiutata di partecipare al ballo. Eppure lui avrebbe voluto vederla danzare. Lei non apre bocca. E lui non sopporta che si sottragga così.

Prima ancora che la serata sia finita, le scrive un biglietto rabbioso, con le parole sottolineate:

"Non ho avuto occhi che per voi, non ho ammirato che voi, non ho desiderato che voi. Una risposta immediata per calmare l'ardore di N."

Aspetta. Quale donna ha mai saputo resistergli? Talvolta hanno voluto farsi desiderare per aumentare il loro valore. Che anche lei sia una di quelle "creature"? Viene sfiorato dal sospetto. Ma si vergogna quasi a formularlo. Allora convoca Duroc, lo sollecita. Non c'è affare più urgente di quello.

Cerca di non pensare a Maria Walewska, verso la quale ha degli scatti di collera. Si tuffa negli impegni quotidiani, mette in guardia il maresciallo Ney, che sta avanzando troppo verso nord e rischia di offrire il fianco alle truppe russe. Il suo compito, invece, è proprio quello di circondarle.

S'interrompe di continuo, passeggia nervoso, annusa tabacco come suo solito.

Non riesce a impedirsi di pensare a quella donna. Continuamente. Come se fosse quell'elemento di sorpresa eccitante di cui ha bisogno.

Tutto il resto gli sembra banale, abituale. Anche la guerra che sta conducendo, i sovrani che affronta.

"Vostra zia, la regina di Prussia, si è comportata molto male!" scrive ad Augusta, figlia del re di Baviera e moglie di Eugenio Beauharnais. "Ma oggi è tanto infelice che non bisogna più parlarne. Annunciatemi al più presto che avete avuto un bel bambino; se invece è una bambina, spero che sia amabile e dolce come voi."

Non può farci niente se, da quando ha saputo che può procreare, è ossessionato dall'idea delle nascite.

Ma allora, Giuseppina...

Giuseppina è sempre a Magonza. Gli scrive ogni giorno. Si lamenta. Vuole raggiungerlo. Avrà intuito quello che Napoleone prova? Sapeva da tempo che Éléonore Denuelle era incinta e voleva essere accanto a lui quando avrebbe ricevuto la notizia?

La crede capace di cose simili.

Mia cara amica,
    ho ricevuto la tua lettera. Il tuo dolore mi commuove, ma ci si deve piegare agli eventi. Ci sono troppi paesi da attraversare da Magonza fino a Varsavia. Bisogna che gli eventi mi permettano di tornare a Berlino, da dove potrò scriverti di raggiungermi... Ma ci sono molte cose da sistemare qui. Mi sembra opportuno che tu torni a Parigi, dove sei necessaria... Io sto bene. Il tempo è brutto. Ti amo con tutto il cuore.

Napoleone

È forse mentire, esporre solo un aspetto delle cose?

Si sente legato a Giuseppina da mille fili della memoria, ma questa complicità è diventata ormai soltanto una vecchia abitudine. Giuseppina è in un angolo del suo cuore. Non lo occupa interamente, corpo e anima. Anzi, lo infastidisce. Rappresenta un ostacolo. Lui è in preda al desiderio di quella donna, Maria, che sembra inaccessibile.

Il 4 gennaio le scrive:

Non vi sono piaciuto, madame? Eppure avevo il diritto di sperare il contrario. Mi sono ingannato? Il vostro interesse per me si è attenuato mentre il mio aumenta. Voi mi togliete la tranquillità! Vi prego, donate un po' di gioia, di felicità, a un povero cuore pronto a adorarvi! È così difficile farmi avere una risposta? Me ne dovete già due.

N.

Questa impazienza si trasforma in collera, nell'attesa di risposte che non arrivano.

Rimprovera Constant che, la mattina, cerca di aiutarlo a fare la toilette e a vestirsi. Continua a camminare da un capo della stanza all'altro, si siede, la mano di Constant che lo sfiora gli riesce insopportabile. Si alza di nuovo, di scatto.

D'improvviso, ricorda che due dei suoi aiutanti di campo si sono mostrati eccessivamente premurosi con Maria Walewska, durante il ballo del palazzo Blacha. Convoca Berthier e ordina che i due ufficiali vengano subito trasferiti lontano da Varsavia: Bertrand a Breslau, appena conquistata dalle truppe di Gerolamo Bonaparte, e Louis de Périgord sul fronte, in una delle unità che inseguono i russi lungo il fiume Passarge.

Non accetta l'idea che Maria Walewska possa rifiutarlo o preferirgli un altro uomo.

Quando finalmente la vede arrivare in occasione di una cena offerta a palazzo reale, le si avvicina e le dice in tono brusco:

— Con degli occhi dolci come i vostri ci si lascia impietosire, non ci si diverte a torturare la gente. Altrimenti si è la più vanitosa, la più crudele delle donne.

Perché non gli risponde?

Napoleone non può accettare quel silenzio. Deve agire, come minimo scriverle. Tutta la sua volontà è tesa, come se la sua vita stessa fosse in gioco. Vivere, per lui, significa mettere tutta l'energia vitale in ogni sfida che decide di affrontare.

Non recita mai. Mai. È completamente se stesso in quello che fa, in quello che scrive.

"Ci sono momenti in cui stare troppo in alto pesa, ed è quello che io provo oggi" comincia. "Come soddisfare il bisogno di un cuore innamorato che vorrebbe gettarsi ai vostri piedi mentre viene frenato dal peso di importanti considerazioni che paralizzano il più vivo dei desideri?"

Di colpo, si sente disarmato.

"Oh, se solo voleste!" riprende a scrivere. "Solo voi potete togliere gli ostacoli che ci separano. Il mio amico Duroc vi faciliterà in tutti i modi. Oh, venite, vi prego, venite! Tutti i vostri desideri saranno esauditi!"

Napoleone esita. Maria è una patriota, gli hanno spiegato. È necessario, quindi, che si ricordi di chi è lui, e di quello che può fare. Perciò conclude la sua lettera:

"La vostra patria mi sarà più cara, se avrete pietà del mio povero cuore. N."

Sa che tutte le persone che contano a Varsavia la spingono verso di lui. Non gli interessano i mezzi che utilizzeranno. Vuole che lei venga. La vuole.

Quando finalmente, a metà gennaio, la trova nella sua camera del castello reale, la stringe con foga e s'indigna perché lei gli si rifiuta, vuole andarsene. Come se non avesse immaginato che cosa si aspettava da lei. A che gioco sta giocando? Che prezzo vuol fargli pagare?

Maria piange e si confida. Anche lui parla. Racconta. Seduce. Ha la sincerità dell'uomo giovane e innamorato. E questa innocenza ritrovata per poche ore, questa libertà, le confidenze disinteressate lo commuovono. Le ore trascorrono. Poi Maria se ne va, senza che lui abbia cercato di costringerla.

"Maria, mia dolce Maria, il mio primo pensiero è per te, il mio primo desiderio è di rivederti" le scrive già all'alba.

Sono parole che ha dimenticato da anni, dalla campagna d'Italia, quando scriveva a Giuseppina implorandola. Sono parole che sgorgano di nuovo, chiare e fresche.

Tu ritornerai, non è vero? Me lo hai promesso. Altrimenti l'aquila volerà verso di te! Ti vedrò al pranzo, come mi ha detto l'amico. Degnati di accettare questo mazzo di fiori: possa creare un legame misterioso che stabilisca tra noi un rapporto segreto, in mezzo alla folla che ci circonda. Così, anche esposti allo sguardo della moltitudine, potremo capirci. Quando poserò la mano sul cuore, tu stringerai il mazzo di fiori! Amami, gentile Maria, e che la tua mano non abbandoni mai il mazzo di fiori.

N.

Ormai è sua, dal momento che ritorna. Ma lui non può accontentarsi di un sentimento platonico. Maria ha rifiutato la parure di gioielli che le ha mandato? Si, ma non si è sdebitata. Adesso deve concedersi. Non le ha forse mostrato quanto la stima? Non le ha fatto capire che per lui non è una di quelle donne che si prendono per una notte e poi si congedano?

Si irrita, scaglia l'orologio per terra, lo calpesta. È un uomo al quale nessuna donna può rifiutarsi.

Infine Maria cede.

Ma questo a lui non basta. Vuole che quel corpo giovane, che ha conquistato, gli si doni. "Amami, Maria, amami."

La vuole sempre accanto a sé. È sua. La dolcezza, la tenerezza, la sottomissione di Maria lo riempiono di felicità. Non si stanca di guardarla. È così luminosa, così giovane. Vede in lei un'immagine di sé che aveva perso con il tempo.

Quando lei si allontana, la raggiunge subito.

— Mi autoinvito, mia dolce Maria, per le sei. Facci servire qualcosa nel tuo salottino e non preparare nulla di speciale.

Lei sarà lì ad aspettarlo. E questo basta.

Finalmente tutto è tornato in ordine dentro di lui. Ha raggiunto il suo scopo. Adesso può di nuovo, con calma e assoluta lucidità, preparare il suo piano di battaglia.

Il mese di gennaio del 1807, mentre Ney e Bernadotte affrontavano i primi scontri con i russi nel nord della Polonia, era stato un periodo di attesa.

Ora torna ai documenti, alle mappe, con la mente sgombra. Si sente rigenerato da quell'amore, da quel tuffo nella giovinezza. Da Maria, così disinteressata.

Si accinge a lasciare Varsavia per incastrare le truppe di Bennigsen in una morsa di cui Eylau e Friedland, a nord, saranno il centro. Conta di raggiungere Willemberg, a sud di quelle due città.

Durante tutto il mese, giorno dopo giorno, ha dovuto rispondere a Giuseppina, intuitiva, incalzante, senza dubbio già al corrente di tutto.

È ricorsa a tutti gli argomenti perché l'imperatore accettasse di farla venire a Varsavia. Ma lui non ha ceduto.

"Perché tutte queste lacrime, tutte queste pene? Non sei più coraggiosa, dunque?" le scrive.

È necessario che l'imperatrice "mostri carattere e forza d'animo". "Esigo che tu abbia molta più forza" le ha ripetuto. "Mi dicono che piangi sempre: perbacco, che brutto!... Sii degna di me. L'imperatrice deve avere coraggio!"

È così distante da quella donna, ormai!

"Addio, cara amica" le scrive.

Giuseppina è rientrata a Parigi, ma continua a piangere.

E a lui non piace per niente tutto il dolore che esibisce.

Nella berlina che lo conduce da Varsavia a Willemberg, le scrive affinché capisca che cosa si aspetta da lei.

Cara amica,
la tua lettera del 20 gennaio mi ha addolorato. Era davvero troppo triste. Ecco il guaio di non essermi un po' devota! Tu mi dici che la tua felicità è la tua gloria. Questo non è generoso, bisogna dire: la felicità degli altri è la mia gloria. Non è da moglie. Bisogna dire: la felicità di mio marito è la mia gloria. E non è da madre. Dovresti dire: "La felicità dei miei figli è la mia gloria". Ebbene, poiché i popoli, tuo marito e i tuoi figli non possono essere felici senza un po' di gloria, non dovresti disprezzarli tanto!

Si interrompe. Non ama rileggere quel che ha scritto. Il pensiero corre, e lo slancio giustifica l'idea. Non si fa marcia indietro su quanto è stato pensato, fatto o scritto.

Si rende conto che a lei non piacerà questa lettera. Ma è stato il tempo a scavare tra loro questo solco. È la natura delle cose.

Ricomincia a scrivere:

"Giuseppina, il tuo cuore è eccellente, ma la tua ragione è debole, hai una straordinaria sensibilità, però ragioni meno bene."

È indispensabile che lei misuri la distanza che ormai si è instaurata tra loro.

Ma basta con le discussioni. Voglio che tu sia allegra, lieta della tua sorte, e che tu mi obbedisca, senza protestare o piangere, ma con la gaiezza nel cuore, e con un po' di felicità.

Addio amica mia, io parto questa notte per ispezionare gli avamposti.

Napoleone

7

Dall'alto della collina Napoleone domina il pendio. Oltre uno stretto ponte, in un boschetto che nasconde in parte la città di Hof, scorge le uniformi dei granatieri russi. Ci vorrebbe qualche pezzo d'artiglieria per stanare quelle truppe che si aggirano sotto i rami coperti di neve. Là sotto ci sono numerosi battaglioni, ne è quasi sicuro.

Che sia finalmente l'inizio della grande battaglia? Da oltre una settimana Bennigsen si sottrae, indietreggia verso Eylau e Königsberg.

— Penso che non siamo più molto lontani dallo scontro — afferma Napoleone.

Tuttavia non ne è sicuro. Ha già dato battaglia ad Allenstein. Davout ha respinto i russi a Bergfride. Ma si è sempre trattato di scontri limitati.

— Sto manovrando contro il nemico — riprende Napoleone rivolgendosi a Murat. — Se non si ritira con tempestività, potrebbe facilmente essere colto di sorpresa e sconfitto.

Si china sulla criniera del cavallo. Vuole agganciare i russi, bloccarli e poi circondarli e schiacciarli. Ma sembra quasi che Bennigsen sia al corrente della manovra. Indietreggia al momento opportuno. Forse ha catturato uno dei corrieri inviati a Ney o a Bernadotte, che sono schierati sull'ala sinistra e risalgono il fiume Passarge, mentre Davout blocca l'ala destra.

— Caricate immediatamente! — ordina Napoleone a Murat.

La cavalleria leggera degli ussari e dei cacciatori si lancia in avanti, seguita dai dragoni del generale Klein.

Occorre rimanere impassibili, vedere i cavalli e gli uomini crollare dal ponte sotto il fuoco della mitraglia, sprofondare nella neve, scivolare sul ghiaccio.

Maledetto paese!

Ha scritto a Giuseppe, che si pavoneggia nel suo regno di Napoli:

"È uno scherzo di cattivo gusto quello di paragonarci all'esercito napoletano, che fa la guerra nel bel paese di Napoli, dove ci sono vino, olio, pane, belle stoffe, lenzuola, vita sociale e perfino donne."

Qui non c'è nulla.

Da quando ha lasciato Varsavia, otto giorni prima, Napoleone vive accanto ai suoi soldati. Vede. Sente le lamentele. Pane, reclamano tutti. E anche la pace!

Le pance sono vuote, le palpebre bruciate dal freddo.

"Ufficiali di stato maggiore, colonnelli e graduati non cambiano gli abiti da due mesi, qualcuno da quattro" spiega ancora Napoleone al fratello maggiore.

"Io stesso per quindici giorni non mi sono tolto gli stivali... In mezzo a queste grandi fatiche, tutti sono caduti più o meno ammalati. Quanto a me, non sono mai stato così forte. Sono perfino ingrassato."

Napoleone scende da cavallo. I sopravvissuti alle cariche si raggruppano. I cadaveri degli uomini e dei cavalli abbattuti si sono ammucchiati al di là del ponte.

Hof è un punto strategico. Controlla la strada per Eylau e Königsberg. Ragion per cui Bennigsen resiste, organizza un contrattacco. Se Hof cade, non potrà più fuggire, dovrà accettare battaglia. Finalmente.

Napoleone urla un ordine a un aiutante di campo. I corazzieri del generale d'Hautpoul devono caricare.

Li vede passare, enormi, stretti nei loro pettorali di ferro, l'elmo sormontato da una criniera corvina. I loro pesanti cavalli dalle ampie gualdrappe volano giù dal pendio. Si slanciano in avanti, il ponte trema, il terreno rimbomba. La mitraglia russa li decima, ma non si danno per vinti e sfondano le linee nemiche.

I battaglioni russi si disperdono nei boschi. Hof cade. La strada per Eylau è spalancata. È a Eylau che si combatterà.

Si presenta a rapporto d'Hautpoul, un cavaliere che domina Napoleone dall'alto della sua statura.

L'imperatore lo abbraccia davanti alle truppe.

— Per mostrarmi degno di un tale onore — esclama d'Hautpoul — dovrò farmi uccidere per Vostra Maestà.

Napoleone lo fissa.

"Quest'uomo è mio. E io devo essere degno di lui. Il suo sacrificio per la mia persona è un dovere di vittoria e grandezza di cui sono costretto a farmi carico.

"D'Hautpoul mi dona tutta la sua vita."

Come gliela donano tutti quei cavalieri ai quali d'Hautpoul si rivolge esclamando:

— Soldati, l'imperatore è contento di voi! Mi ha abbracciato per tutti voi. E io, soldati, d'Hautpoul, sono così contento dei miei terribili corazzieri, che bacio il culo a tutti quanti!

Un uragano di evviva risuona nel vallone cosparso di cadaveri.

È la legge della vita. Fino a oggi.

È notte fonda. Il freddo è intenso. Napoleone cammina intorno a un falò acceso dai soldati della sua Guardia. Tiene le mani dietro la schiena. Ha appena attraversato Hof, che è stata conquistata. Le strade erano disseminate di morti, le case affollate di feriti.

Mormora:

— La guerra è un anacronismo. Un giorno le vittorie si conquisteranno senza cannoni e senza baionette.

Si assopisce qualche minuto, seduto accanto al fuoco, poi impartisce l'ordine di avanzare verso Eylau.

Si fa giorno, la luce è chiara. Fa freddo, anche se splende il sole. L'imperatore percorre la piana di Ziegelhof, si guarda intorno, ordina di allestire il suo bivacco. La Guardia si accamperà tutt'intorno.

Annusa una presa di tabacco e parla con calma.

— Mi propongono di espugnare Eylau stasera stessa — confida al maresciallo Augereau. — Ma, a parte il fatto che non amo i combattimenti notturni, non voglio spingere il mio centro troppo avanti prima dell'arrivo di Davout, che sta avanzando sull'ala destra, e di Ney, che si trova alla mia sinistra.

Fissa i membri del suo stato maggiore.

— Dunque li aspetterò qui fino a domattina, su questo altopiano che, protetto dall'artiglieria, offre un'eccellente posizione alla nostra fanteria.

Pensa a Jena, all'altopiano di Landgrafenberg.

— Poi — conclude — quando Ney e Davout saranno in linea, avanzeremo tutti insieme contro il nemico.

Di colpo, provenienti da Eylau, si sentono risuonare delle fucilate.

La città prende fuoco da tutte le parti. Arriva un ufficiale di corsa, spiega che i furieri dell'imperatore, con carri e bagagli, sono entrati a Eylau e si sono installati nella stazione di cambio dei cavalli, pensando che la città fosse già stata occupata. Hanno cominciato ad allestire il quartier generale dell'imperatore, e stavano preparando la cena quando sono stati attaccati dai russi. Le truppe del maresciallo Soult sono intervenute per difenderli, e i russi hanno contrattaccato. La battaglia ormai è generale.

— Devo andare in prima linea! — decide Napoleone.

Un capo ha il dovere di incoraggiare le truppe con la sua presenza. Monta a cavallo, abbandona il bivacco e raggiunge la stazione di cambio di Eylau. La Guardia lo circonda. I proiettili russi cominciano a piovere. È la notte del 7 febbraio 1807.

Il tempo sta cambiando. Il cielo è coperto. L'8 febbraio, domenica, alle otto di mattina, i russi lanciano un nuovo attacco. Si combatte nel cimitero di Eylau. D'improvviso cominciano a cadere raffiche di neve. Una nevicata fitta, spinta dal vento del nord, che investe i francesi di fronte.

Napoleone rimane immobile. Vede i suoi uomini cadere a centinaia. I cavalli morti si accatastano sui feriti e sui cadaveri. I carri dell'artiglieria e le cariche della cavalleria schiacciano vivi e morti. I cannoni sparano senza interruzione, la terra trema.

È costretto a lanciare gli uomini in quella tormenta. Vede davanti a sé le truppe di Augereau sparire nella neve, accecate.

Di colpo, una schiarita. Napoleone sale su un affusto di cannone. Riesce a vedere tutto il campo di battaglia. Dappertutto cadaveri, sangue che arrossa la neve.

Depositano ai piedi di Napoleone Augereau ferito, disperato. Dei suoi reggimenti, falciati dalla mitraglia russa, restano pochi uomini.

È assolutamente necessario mantenere la determinazione, non lasciarsi vincere dal cancro della disperazione.

Napoleone chiama Murat.

— Ci lascerai divorare da quei russi? — gli urla.

Murat sprona il cavallo. I suoi squadroni si mettono in moto. La terra trema ancora. Sono ottanta squadroni di cacciatori e dragoni corazzieri che caricano tutti insieme. L'attacco russo viene bloccato.

Ma dov'è la fanteria di Ney?

Bisogna resistere, aspettare, rifiutare di far scendere in campo la Guardia.

Napoleone è sempre in piedi nel cimitero, fra le tombe scoperchiate dalle palle di cannone, dove gli scheletri si mescolano ai cadaveri dei soldati.

Sente le grida di migliaia di granatieri russi che partono all'attacco.

Restare immobili. Respingere con sguardo sdegnoso il cavallo che Caulaincourt gli porta affinché lui si allontani.

Con voce calma, ordina al generale Dorsenne di schierare un battaglione della Guardia cinquanta passi davanti a lui. E attende l'assalto russo.

Dorsenne urla:

— Granatieri, le baionette! La Vecchia Guardia si batte soltanto alla baionetta!

Napoleone è rimasto fermo con le braccia conserte, aspetta che l'assalto russo venga respinto.

Un aiutante di campo che è riuscito a superare lo sbarramento di fuoco gli annuncia che è giunta sul campo di battaglia una colonna prussiana, quella di Lestocq, e sta già attaccando il maresciallo Davout.

Non deve lasciar trapelare nulla del colpo ricevuto. Si volta verso Jomini, uno svizzero esperto di strategia che serviva nello stato maggiore di Ney e che Napoleone ha voluto con sé. Occorre analizzare la situazione con calma, prevedere tutto, anche l'opportunità di ritirarsi.

— La giornata è stata pesante — esordisce Napoleone. — Contavo di entrare in battaglia molto più tardi, dal momento che non disponevo ancora di tutte le truppe, e ciò ha provocato spaventose perdite. Ney non arriva. Bernadotte è a due giorni di marcia. Solo loro hanno truppe e munizioni intatte...

Napoleone si guarda intorno. I cadaveri formano grandi cumuli scuri che, poco a poco, vengono coperti dalla neve. Abbassa la voce.

— Se il nemico non si ritira al tramonto, ce ne andremo noi alle dieci di sera. Grouchy, con due divisioni di dragoni, formerà la retroguardia. Voi starete con lui. Organizzerete delle pattuglie di perlustrazione: mi dovete riferire prontamente le mosse del nemico... Silenzio assoluto su questa missione.

Napoleone fa qualche passo, poi si volta verso Jomini:

— Tornate da me stasera alle otto per ricevere le ultime istruzioni. Forse ci sarà qualche cambiamento.

Aspetta ancora. Scende la notte. Quando i colpi di fucile si diradano per qualche minuto, sente le grida dei feriti e vede le ombre degli sciacalli che, a rischio della vita, frugano i cadaveri per spogliarli.

La stanchezza comincia a schiacciarlo. D'improvviso, un nutrito scambio di fucilate esplode sull'ala sinistra.

— Ney! — esclama qualcuno. — Il maresciallo Ney!

Non prova alcuna gioia ma, di colpo, la fatica svanisce. Quindicimila uomini freschi possono attaccare i russi sul fianco, e li costringeranno di sicuro a indietreggiare.

È il momento in cui, lo sa bene, non deve venir meno la sua attenzione, anche se comincia a delinearsi la vittoria. Ma che vittoria? Un cumulo enorme di cadaveri. La tristezza lo soffoca. Pensa a Maria Walewska, a Giuseppina. Vorrebbe poter scrivere, evadere per un istante dalla crudeltà, ma si riprende subito e impartisce gli ordini.

Occorre prevedere cosa succederà domani. Bennigsen indietreggerà o contrattaccherà?

Occorre provvedere ai feriti, esigere che si presti loro soccorso, che vengano raccolti. Tutti quanti.

— Tutti! — ripete.

È necessario assicurare la distribuzione del pane e dell'acquavite. Ma sa che niente di tutto questo è organizzato a dovere.

Alle otto di sera dà l'ordine di accendere i fuochi del bivacco.

Lascia il cimitero. Cadaveri dappertutto. Si ferma in una piccola cascina a due chilometri da Eylau. Si distende completamente vestito su un materasso, accanto a una stufa. Prima di chiudere gli occhi, vede gli aiutanti di campo che si coricano accanto a lui.

Quando lo svegliano, lunedì 9 febbraio, verso le nove di mattina, ha l'impressione di non aver dormito. Un colonnello dei cacciatori si mette sull'attenti davanti a lui. È Saint-Chamans, aiutante di campo di Soult.

— Cosa c'è di nuovo? — domanda Napoleone.

La sua voce è roca. Lo sa. È stanco.

Saint-Chamans risponde che i russi hanno cominciato a ritirarsi.

Napoleone si alza, respira a lungo. Esce dalla cascina. Ha vinto.

Il cielo è basso, scuro. Decine e decine di feriti si trascinano lungo la strada sostenendosi a vicenda. Alcuni, per camminare, si aiutano adoperando il fucile come stampella. Avanzano a capo chino.

Li osserva a lungo.

Con le truppe di cui dispone, con quegli uomini spossati, non può lanciarsi all'inseguimento del nemico.

Questa vittoria è come il clima di questo paese, lugubre.

Rientra nella cascina. Ha bisogno di scrivere, di lasciarsi andare, di esprimere un po' di tenerezza in quell'universo di morte. Sa che Maria Walewska ha lasciato Varsavia per Vienna. Quanto gli piacerebbe che lei fosse accanto a lui, come una sorgente di vita!

> Mia dolce amica,
>   probabilmente quando leggerai questa lettera avrai saputo più di quanto ti posso dire ora sugli eventi. La battaglia è durata due giorni, e siamo rimasti padroni del terreno.
>   Il mio cuore è con te e, se dipendesse da lui, tu saresti cittadina di un paese libero. Soffri come me per la nostra lontananza? Ho il diritto di crederlo, ed è così vero, che desidero che tu ritorni a Varsavia o al tuo castello, sei troppo lontana da me.
>   Amami, dolce Maria, e abbi fede nel tuo
>
> N.

Piega e sigilla la lettera, poi prende un altro foglio di carta. Ha bisogno di scrivere anche a Giuseppina.

Cara amica,

   ieri c'è stata una grande battaglia, la vittoria è stata mia, ma ho subito gravi perdite. Quelle del nemico, benché più considerevoli, non mi
consolano affatto. Ti scrivo queste poche righe io stesso, per quanto
sia molto stanco, per dirti che godo di buona salute e che ti amo.

Tuo Napoleone

Adesso deve parlare ai "brontoloni", a quegli uomini che tentano di riscaldarsi intorno ai fuochi dei bivacchi, e le cui sagome si
stagliano sulla neve. Non ha mai provato un sentimento simile,
quasi di disperazione, pensando a quelle migliaia di uomini mutilati, maciullati, sepolti sotto la neve.

Impartisce gli ordini. Vuole tornare al cimitero di Eylau, dove
ieri è rimasto in piedi tutto il giorno sotto il bombardamento dei
russi. Non riesce ad abbandonare quel campo di battaglia, dove
venti generali, tra i migliori, sono stati feriti o uccisi. Pensa a
d'Hautpoul, che è caduto come aveva desiderato. Quanti uomini
sono morti con lui? Forse 20.000 tra morti e feriti, e almeno il
doppio o il triplo fra i russi.

Cavalca lentamente sulla neve alta, affiancato dallo stato maggiore. Le foreste di abeti che circondano il campo di battaglia chiu-
dono l'orizzonte; le nuvole, nel cielo nero, sfiorano le loro cime.

Dappertutto cadaveri, corpi nudi accatastati accanto alle car-
casse dei cavalli, feriti che agonizzano sulla neve sudicia, gialla-
stra, rossa di sangue. Non volta la testa. Tenta di evitare che gli
zoccoli del suo cavallo calpestino poveri resti umani. Sente quei
lamenti strazianti che si prolungano, acuti come grida di uccelli.
Alcuni feriti si trascinano verso di lui, tendono le braccia, implo-
rano soccorso.

Qualcuno grida "Viva l'imperatore!", ma si sentono anche voci
che gridano "Viva la pace!", "Pane! pace!", "Viva la pace! viva la
Francia!".

La Francia sembra così lontana...

Arriva sul monticello dove i soldati del 14° di linea, quelli di
Augereau, si sono fatti massacrare, accecati dalla neve. I loro cadaveri sono allineati, ammassati uno sopra l'altro.

— Sono raggruppati come pecore — dice il maresciallo Bessières.

Napoleone si volta, irritato. I suoi occhi lanciano fiamme.

— Come leoni, come leoni! — sibila a denti stretti.

Quando vede che i soldati del 43° di linea hanno aggiunto alle loro aquile dei nastri neri, si rialza sulle staffe.

— Non voglio vedere mai le mie bandiere listate a lutto! — esclama. — I nostri amici e i nostri coraggiosi compagni sono caduti sul campo con onore, la loro è una sorte invidiabile. Preoccupiamoci di vendicarli, e non di piangerli, le lacrime lasciamole alle donne.

Rientra all'accampamento, si piazza davanti alla stufa, appoggiandosi a una cassa che gli serve da tavolo. Sente Caulaincourt che lo interroga sulla data della partenza da Eylau e sul luogo dove allestire il prossimo campo dell'imperatore.

Non lo sa nemmeno lui. Non vuole rispondere. Non può lasciare questa terra che ha bevuto tanto sangue francese.

Detta il "Bollettino della Grande Armata" e lancia un proclama alle truppe.

Soldati,
avevamo appena cominciato a prenderci un po' di riposo nei nostri accampamenti invernali, quando il nemico ha attaccato il 1° corpo... I coraggiosi che sono caduti tra le nostre file sul campo con onore sono morti di una morte gloriosa: la morte dei veri soldati. Le loro famiglie avranno perenne diritto alla nostra sollecitudine e alla nostra gratitudine.

Esita, poi china il capo e ricomincia a dettare: "Ora ci avvicineremo alla Vistola e rientreremo nei nostri accampamenti". Ma sarà soltanto una tregua. La guerra non è finita. "Noi saremo sempre dei soldati francesi, soldati francesi della Grande Armata" conclude.

Non può trattenersi, tuttavia, dal pronunciare parole sofferte che gli sgorgano dall'anima. Pensa a "quello spazio di una lega quadrata dove si vedono 9-10.000 cadaveri, 4-5000 cavalli uccisi... Questo spettacolo dovrebbe ispirare ai prìncipi l'amore per la pace e l'orrore per la guerra".

E, come per un rimorso, aggiunge un *post scriptum* al 58° "Bollettino della Grande Armata": "Un padre che perde i suoi figli non prova alcun piacere per la vittoria. Quando parla il cuore, svanisce ogni illusione di gloria".

Intende restare ancora a Eylau. Per assicurarsi che i russi si ritirino davvero, pur non avendo i mezzi per inseguirli, pur avendo deciso anche lui di ritirare la Grande Armata sul fiume Passarge.

Il tempo sta cambiando.

Nei giorni immediatamente successivi alla battaglia la neve comincia a sciogliersi, e aleggia dappertutto un terribile lezzo di morte, di cadaveri in decomposizione. I feriti muoiono di cancrena.

Vuole vedere i chirurghi dell'esercito, il funzionario incaricato delle forniture del servizio sanitario. Li interroga. Che fine fanno i feriti? Ascolta. S'indigna. Ha già impartito più volte disposizioni di rinforzare il servizio. Ma non è stato fatto nulla. Solo la sua Guardia dispone di ambulanze e chirurghi, come Larrey.

Gli altri corpi non hanno né specialisti né materiale.

— Che disorganizzazione, che barbarie! — esclama Napoleone.

Impartisce degli ordini, si ritira, scrive a Giuseppina:

Cara amica,
   mi trovo sempre a Eylau. Questo paese è tutto coperto di morti e feriti. Non è certo l'aspetto più bello della guerra. Si soffre, e l'anima è oppressa nel vedere tante vittime.

Può confessare questi sentimenti alla sua vecchia compagna. Ma è solo un sospiro.

   Io sto bene. Ho fatto quello che volevo, ho respinto il nemico mandando all'aria tutti i suoi piani.
   Ma tu devi essere preoccupata, e questo pensiero mi affligge. Comunque, tranquillizzati cara amica, e sii allegra.

                                                                    Tuo Napoleone

Finalmente, il 17 febbraio ordina la ritirata fino al Passarge.

La compie a piccole tappe, in quella campagna che sembra esitare tra il torpore invernale e il risveglio della primavera.

— La stagione è bizzarra — mormora rivolgendosi a Caulaincourt.

Si verificano gelate e disgeli nel giro di ventiquattr'ore. In compenso, dappertutto subentrano umidità e fango. La neve si scioglie, i fiumi straripano, invadono le strade dove si trascinano ancora i feriti assetati e affamati.

Si accampa a Osterode.

Il 2 marzo scrive a Giuseppina:

> Mi trovo in un brutto villaggio dove dovrò trattenermi ancora molto tempo. Niente a che vedere con una grande città. Comunque, te lo ripeto, non mi sono mai sentito così bene. Mi troverai, anzi, molto ingrassato.
>
> Sii allegra e felice, è la mia volontà.
>
> Addio, mia cara amica. Ti abbraccio con tutto il mio cuore, completamente tuo
>
> *Napoleone*

Si guarda nello specchio che gli porge Constant. Il suo volto è diventato tondo. Si tocca la pancia: a volte, durante la settimana passata a Eylau, è stato colto da violenti dolori di stomaco. Ma poi se ne sono andati.

"Sto decisamente bene." "La mia salute è molto buona" ripete a Giuseppina, quando le scrive dalla stanzetta con il camino che tira male nel vecchio castello di Ordenschloss, a Osterode.

L'edificio è umido. Le foreste di abeti che lo circondano creano un'atmosfera di tristezza che impregna le giornate, a dispetto della primavera imminente.

Vorrebbe avere con sé Maria Walewska. Le ha chiesto di rientrare da Vienna. Si è messa in strada. Bisogna che lo raggiunga, ma non a Osterode, forse in quel castello di Finkenstein, visitato da Caulaincourt, che si trova poche leghe più a ovest.

Per ora, comunque, non gliene importa nulla delle comodità.

Vuole dimenticare tutto quello che lo circonda, quella natura cupa che nemmeno il cambiamento di clima riesce a rallegrare. Le nebbie, spesso, persistono per tutta la giornata.

Vuole dimenticare il suo corpo, la cui pesantezza incomincia a infastidirlo. Ma non può dimenticare che dappertutto, in Europa e perfino a Parigi, c'è chi afferma che Eylau è stata una disfatta e che il generale Bennigsen ha vinto.

Napoleone è indignato, redige lui stesso una relazione della battaglia firmata da un sedicente "testimone oculare" e la fa pubblicare a Berlino e Parigi. Corregge le cifre delle perdite: "1500 morti e 4300 feriti". E quando il generale Bertrand, che sta scrivendo sotto dettatura il suo racconto e quelle cifre, solleva la testa stupito, Napoleone lo fissa e, con voce carica di sprezzo, dice:

— Così parlerà la Storia.

Si allontana, lasciando Bertrand a rileggere quella "relazione sulla battaglia di Eylau".

Come combattere le menzogne di un Bennigsen, che pretende di aver riportato la vittoria, se non combattendo anche per la conquista dell'opinione pubblica? Le menti degli uomini sono un campo di battaglia.

Tuttavia, lui sa bene qual è la realtà: non ha annientato l'esercito russo, anche se lo ha sconfitto a Eylau. A primavera sarà costretto a riprendere le armi per imporre la pace al re di Prussia, allo zar e all'Inghilterra, che continuano a rifiutarla.

E già sta preparando questa prossima campagna che sarà, dovrà essere, decisiva.

Innanzi tutto ci vogliono uomini. Ordina a Berthier di riunire tutti gli sbandati, predatori e fuggiaschi che vagano nelle campagne.

— Devono vergognarsi della loro vigliaccheria.

Poi ci vogliono approvvigionamenti.

— La nostra situazione sarà buona quando saranno assicurati i viveri necessari — ripete. — Se ho il pane, battere i russi è un gioco da ragazzi.

Convoca Daru, l'intendente generale della Grande Armata, che sostiene di incontrare difficoltà nell'eseguire gli ordini.

Ma che razza di uomini sono i suoi collaboratori? Li sente preoccupati, incerti. È necessario scuoterli. Riprenderli in mano.

— È da tanto tempo che faccio la guerra, Daru. Eseguite i miei ordini senza discuterli... D'altronde, anche se quello che ordino non piacesse a nessuno, si tratta della mia volontà.

Forse, dopo la battaglia di Eylau, lo credono indebolito, esitante, pronto a cedere?

Galoppa nelle campagne di Osterode per riacquistare vigore.

Forse è vero che è stato scosso da questa cupa vittoria, in cui è stato versato tanto sangue. Ma quale sarebbe il senso di tutti i suoi sacrifici se indietreggiasse adesso? Invece, è proprio il momento di tenere saldamente le redini.

Rientra al castello di Ordenschloss. Cominciano ad arrivare i dispacci da Parigi. Legge prima di tutto i rapporti degli informatori della polizia. Molti mormorano auspicando la pace, nei salotti si sentono delle critiche. Perfino in quello dell'imperatrice.

Scrive rabbiosamente a Giuseppina:

Cara amica,
vengo a sapere che quei discorsi idioti che si tenevano nel tuo salotto a Magonza continuano. Falli smettere. Sarei decisamente arrabbiato con te se non vi ponessi rimedio. Ti lasci affliggere dalle chiacchiere delle persone che dovrebbero consolarti. Ti raccomando: più carattere, e impara a mettere ciascuno al suo posto…

Ecco, cara amica, il solo modo per meritare la mia approvazione. La grandezza ha i suoi inconvenienti: un'imperatrice non può lasciarsi andare come una donna qualsiasi.

Mille affettuosità. La mia salute è buona e i miei affari vanno molto bene.

Napoleone

"Affettuosità."

La ferisce con questa parola. Ma come non usarla, quando Giuseppina si ostina a non capire, e va ripetendo di continuo nelle sue lettere che vuole morire?

Non devi affatto morire. Stai benissimo e non puoi avere ragionevoli motivi per essere addolorata.

Non devi pensare a metterti in viaggio quest'estate, è semplicemente impossibile. Non devi peregrinare per alberghi o accampamenti militari. Desidero vederti almeno quanto te, e nello stesso tempo voglio vivere tranquillo.

So fare altre cose oltre alla guerra, ma il dovere viene prima di tutto. Per tutta la vita ho sacrificato tutto, tranquillità, interessi, felicità, al mio destino.

Addio, mia cara amica.

Napoleone

"Se non tiro le redini, si lasciano andare."

Apre un dispaccio e lo getta via.

— Junot mi scrive sempre su fogli di carta listata a lutto che mi fanno venire idee sinistre quando ricevo le sue lettere! — esclama. — Fategli sapere che ciò è contrario alle consuetudini e al rispetto, non si scrive mai a un superiore con i segni del proprio lutto privato.

"Hanno dimenticato chi sono?

"Si rilassano. Parlano. E adesso c'è anche quella madame de Staël, che si è avvicinata a Parigi mentre dovrebbe starsene il più lontano possibile."

— Quella donna continua la sua attività di intrigante... è una vera peste. Sarò costretto a farla arrestare dalla gendarmeria. Tenete d'occhio anche Benjamin Constant...

"Cosa credono? Che io lasci correre?"

Nell'unica stanza che occupa al castello di Ordenschloss, in quanto è una delle poche dotate di camino, vede entrare il colonnello Kleist, l'inviato del re di Prussia. Ascolta le parole dell'ufficiale. Lo osserva. Quest'uomo vuole solo guadagnare tempo per la Prussia e la Russia.

Napoleone è seduto di fronte a Kleist. Vuole la pace, dice, anche con l'Inghilterra: — Avrei orrore di me stesso se fossi responsabile dello spargimento di tanto sangue.

Kleist non riesce a dissimulare un'espressione gioiosa.

"Anche lui deve immaginare che sono sul punto di cedere."

Napoleone si alza, volta le spalle al colonnello.

— Se le altre potenze non vogliono la pace — afferma — sono deciso a fare la guerra per altri dieci anni. Ho solo trentasette anni. Sono invecchiato sotto le armi e nelle battaglie.

"È questo il mio destino."

8

Con le mani dietro la schiena, Napoleone percorre le stanze di quella grande residenza circondata da un parco immenso che confina con una foresta di abeti. Tra gli alberi intravede la piccola località di Finkenstein, che ha appena attraversato arrivando dal castello di Osterode, sulla strada di Marienwerder.

Sente che quella dimora è proprio quel che ci vuole per lui. I mobili sono poco numerosi, la decorazione, costituita da quadri con scene di battaglia e da antiche tappezzerie, è austera e in piena sintonia con il gusto prussiano.

È contento che questo palazzo sia stato costruito da un conte di Finkenstein, governatore di Federico II, e che appartenga oggi al conte Kohna, gran maestro della corte del re di Prussia.

Fisserà qui il suo quartier generale fino alla ripresa delle ostilità, dice a Duroc.

Toccherà al gran maresciallo di palazzo far applicare l'etichetta in modo rigoroso. L'imperatore desidera vederla rispettata da tutti.

Va fino a una delle finestre della stanza d'angolo che ha scelto come studio.

Vuole intorno a sé uno stato maggiore ridotto, afferma, ma tutta la fanteria della Guardia, che dovrà installarsi nel parco del castello. Si cominci subito a costruire le baracche. Vuole ordine. Visto che le truppe di Bennigsen non sono state annientate, intende approfittare del periodo di calma che precede lo scontro inevitabile per rimettere in sesto le forze della Grande Armata. Parate ogni giorno davanti alla residenza, nel parco. Manovre nella campagna circostante. Occorre far arrivare gli approvvigionamenti, comprare migliaia di cavalli in Germania, ricostituire i reggimenti di cavalleria. Li passerà tutti in rivista. Vuole vedere tutto.

Convoca anche il chirurgo dell'esercito, Percy. Comunica a Duroc e ai suoi aiutanti di campo che non intende più tollerare che i feriti si trascinino per le strade. Nelle ore seguite alla battaglia di Eylau, lui stesso è sceso dalla sua carrozza per destinarla al trasporto dei feriti. Bisogna dotare il servizio sanitario di nuovi mezzi...

La sua testa ribolle di idee. Ha fretta di rimettersi al lavoro. Si trova a suo agio qui, e bisogna che Maria Walewska venga a stare con lui. Dopo quei lunghi mesi bui e un inverno di freddo e di sangue, troverà la calma necessaria per organizzare l'avvenire, per preparare la battaglia che costringerà finalmente russi e prussiani ad accettare la pace. E una volta che avrà vinto loro, cosa potrà fare l'Inghilterra se non piegarsi, strangolata dal blocco continentale?

È allegro, per la prima volta dopo la battaglia di Eylau. Scende in giardino, passeggia a lungo in compagnia di Murat, appena arrivato a Finkenstein, il quale, al solito, si pavoneggia in una uniforme stravagante, gilet e colbacco di pelliccia, con pennacchio. Napoleone lo ascolta con benevolenza. Murat si è comportato da eroe e lo farà ancora. Che addestri i suoi reggimenti e si prepari.

Il clima è gradevole in quei primi giorni di aprile del 1807. Si sentono cantare gli uccelli malgrado i colpi di martello dei carpentieri, che hanno cominciato a costruire una piccola città di legno sul bordo della foresta. Un accampamento destinato ad accogliere i reggimenti: due di granatieri, due di cacciatori e uno di fucilieri.

Napoleone andrà a caccia nella foresta. Respira a lungo. Farà di Finkenstein il centro, la testa e il cuore dell'Impero.

Rientra nel castello.

Sui due lati della grande porta di legno scolpito, i granatieri montano la guardia. Dice a Duroc d'informarsi immediatamente del luogo dove si trova Maria Walewska perché... Non ha bisogno di concludere. Duroc si inchina e si affretta.

Nel nuovo studio, Napoleone scrive la sua prima lettera. È giovedì, 2 aprile 1807.

"Ho trasferito il mio quartier generale a Finkenstein" comunica a Giuseppina. "È un paese dove si trova foraggio in abbondanza e dove la mia cavalleria può vivere. Mi trovo in un castello molto bello, che dispone di camini in tutte le stanze, cosa molto piacevole, dato che mi alzo spesso la notte. Mi piace stare a guardare il fuoco. La mia salute è perfetta. Il tempo è bello, ma fa ancora freddo."

All'alba è già in piedi. Scorge nella nebbia i primi fuochi dei granatieri che vengono accesi nel parco. Ha fretta di mettersi al lavoro. Rimprovera Constant e Rustam, troppo lenti nella sua toilette. Molte questioni lo attendono, dispacci arrivati da Parigi, decreti, regolamenti da dettare, ordini da inviare al maresciallo Lefebvre che dirige l'assedio di Danzica, dove le truppe prussiane del maresciallo Kalkreuth rifiutano di arrendersi.

È questa la cosa più urgente: ottenere la resa di quella città e avere il fianco libero per attaccare Bennigsen quando commetterà l'errore di avanzare.

Quello è il suo piano. Napoleone controlla le mappe. Il maresciallo Ney è rimasto esposto oltre le linee francesi, come un'esca. Indietreggerà per attirare in avanti Bennigsen, che sarà subito circondato sui fianchi e verrà annientato, come già sono state annientate le truppe russe ad Austerlitz. Ci vuole una vittoria altrettanto clamorosa, perché lo zar Alessandro I capisca finalmente che deve trattare. E forse allora si potrebbe perfino concludere un'alleanza con lui e dividere l'Europa in due zone d'influenza. Un'alleanza che piegherebbe l'Inghilterra.

Napoleone alza la voce. Detta una lettera per Talleyrand. Gli hanno appena riferito della costituzione a Londra di un nuovo governo con il duca di Portland, il quale ha radunato intorno a sé Canning, Castlereagh, Hawkesbury, tutti uomini di Pitt, partigiani della guerra a oltranza. Come pensare di poter trattare con quegli uomini? Bisogna sconfiggerli, e per questo è indispensabile battere i russi, dominare il continente e ridurre alla ragione gli inglesi.

Ma chi capisce davvero qual è la posta in gioco? A Parigi si mormora, nei salotti si parla continuamente di pace, e quella serenata echeggia perfino nei salotti dell'imperatrice.

— Che ridicola cricca! — esclama Napoleone.

Scrive a Fouché, ministro della Polizia generale. Non è compito suo sorvegliare e impedire che accadano cose del genere?

"Occorre dare una direzione più precisa all'opinione pubblica... È ora di finirla di parlare continuamente di pace. È il modo migliore per non raggiungerla mai."

Accartoccia il giornale e lo getta nel fuoco. Quegli uomini di lettere parlano e scrivono a vanvera i loro articoli. Riportano perfino informazioni militari che possono essere preziose per il nemico. È una solenne idiozia.

Si calma.

"Dato che lo spirito di parte è morto" detta "non posso che vedere come una calamità quei dieci imbecilli senza talento e genio che abbaiano di continuo contro gli uomini più rispettabili. A vanvera."

Ma chi, oltre a lui, analizza chiaramente la situazione? Perfino Talleyrand, l'abile, lo scaltro principe di Benevento, nutre illusioni sull'atteggiamento di questo e di quello, e perfino dell'Austria, cui offre la sua mediazione.

Napoleone si volta verso Caulaincourt. Lo interroga, insiste finché il suo scudiero risponde di temere che "le speranze di pace si allontanino, Sire". Il generale Clarke approva scuotendo la testa.

"Desiderano tutti la pace!

"E chi non la vorrebbe? Ma credono che la desiderino anche a Londra? O a Vienna? Credono che si debba decidere in funzione dei sentimenti?"

— Desiderare? So fin troppo bene cosa vuol dire, in politica! — esclama Napoleone.

Riuscirà a far loro capire che vorrebbe anche lui una pace generale, un congresso europeo?

Convoca Talleyrand a Finkenstein, lo porta con sé nel parco, lo fa assistere alle parate che si svolgono regolarmente ogni mezzogiorno. È affabile, affettuoso, rilassato.

— Bisogna essere circospetti nel condurre i negoziati — gli confida. — Procedere con delicatezza e stare a vedere cosa succede.

Osserva a lungo Talleyrand. Indovina i pensieri che si nascondono dietro quel volto incipriato, sorridente, che non lascia apparire alcuna emozione. Invece di trovarsi in Polonia, a Varsavia, a Finkenstein, Talleyrand preferirebbe di gran lunga godere delle sue ricchezze nel palazzo di rue d'Anjou!

"A questi signori, Talleyrand, Caulaincourt e compagnia bella, non piacciono i bivacchi e gli alloggi di fortuna.

"Credono forse che piacciano a me? Non penseranno che sono un fanatico della guerra! Oppure, come ho sentito mormorare da Caulaincourt, che sono caduto nella *polaccomania*?"

Infatti, da quando Maria Walewska è arrivata a Finkenstein, una notte all'inizio di aprile, in compagnia di suo fratello Teodoro Laczinski, capitano dei lancieri polacchi che combatte nella Grande Armata, Napoleone intuisce nella sua cerchia, malgrado gli inchini e i silenzi, una certa reticenza. Mormorano contro la sua "sposa polacca", che lo inciterebbe a prolungare la guerra perché desidera veder risorgere il suo paese.

Maldicenze! Come se fosse uomo da lasciarsi dettare le scelte da una donna!

Vive con Maria in uno stato di tranquilla dolcezza. Lei non esce dalla sua camera, non assiste alle parate, tiene quasi sempre le finestre chiuse. Ma è lì, di notte, giovane sorgente di energia, seduta accanto a lui, silenziosa, mentre lui scrive e prende appunti.

A volte legge una frase di qualche istruzione che sta redigendo, ma si tratta di questioni lontane per lei, un regolamento per la formazione intellettuale e morale delle fanciulle del collegio della Legion d'Onore, oppure la creazione di un corso di storia al Collège de France, o ancora il testo di un decreto che attribuisce precisi ruoli ai quattro principali teatri di Parigi: Comédie-Française, Odéon, Opéra, Opéra-Comique.

La guarda. Vuole che vada con lui a Parigi, le dice. Così potrà scoprire la sua città, la Francia. Lui è l'imperatore, e ha il potere di decidere tutto.

Lei lo fissa a lung, poi china il capo. È umile, tenera. Finalmente una donna che lo tranquillizza.

Le altre, invece, perfino sua madre, le sue sorelle e, naturalmente, Giuseppina, deve rimproverarle di continuo, adularle, prenderle anche in giro, a volte. Dipendono in tutto da lui, eppure lo tormentano, lo obbligano a sgridarle.

"Madame" si vede costretto a scrivere a sua madre "finché resterete a Parigi, è conveniente che andiate a pranzo tutte le domeniche dall'imperatrice dove si svolge il pranzo di famiglia. La mia famiglia è una famiglia politica. In mia assenza, l'imperatrice ne è il capo."

Deve difendere Giuseppina contro sua madre, ma anche ricordare alla moglie che lei è l'imperatrice e quindi ha un preciso dovere di riservatezza.

"Desidero che tu non pranzi mai se non con persone che hanno pranzato con me. Che il tuo elenco di invitati sia lo stesso per i tuoi salotti. Che tu non riceva mai alla Malmaison, nella tua intimità, ambasciatori o stranieri. Se ti comportassi diversamente, mi faresti un torto. Inoltre, non lasciarti circuire da persone che non conosco e che non verrebbero in casa tua se io fossi lì."

Deve sempre stare all'erta. Vigilare su tutto.

"Solo Maria è la mia oasi di pace."

Giuseppina è gelosa di lei? Basta prenderla in giro: "La tua testolina creola si monta e si affligge, hai un diavolo per capello".

D'altronde, cosa può fare Giuseppina?

"Tocca a me decidere la sua sorte. Così come decido di tutto."

"Devo decidere anche per il maresciallo Lefebvre, che non riesce a combinare nulla a Danzica. Lefebvre è impetuoso, coraggioso, ma devo affiancargli dei generali del genio, Lariboisière, Chasseloup-Laubat, gente capace di aprire brecce nelle fortificazioni."

Bisogna incoraggiarlo: "È quando si vuol vincere con tutte le proprie forze che si riesce a far passare il proprio vigore nelle anime dei soldati". Consigliarlo: "Cacciate a pedate nel sedere tutti i criticoni". Ma bisogna anche trattenerlo. Napoleone si ricorda dell'assedio di San Giovanni d'Acri, degli assalti inconcludenti, dell'inutile carneficina. E il cimitero di Eylau è ancora davanti ai suoi occhi, così vicino!

"Riservate il coraggio dei vostri granatieri per il momento in cui la scienza dirà che può essere impiegato utilmente" scrive Napoleone. "E nel frattempo, imparate ad aver pazienza... pochi giorni persi non meritano forse le migliaia di vite umane che è possibile risparmiare?"

La vita?

Ci pensa di continuo, quando è solo con Maria, mentre passeggia in giardino, oppure durante le lunghe cavalcate nella foresta. O quando riceve con sfarzo l'ambasciatore della Persia, Mirza Riza Khan, e fa svolgere in suo onore una solenne parata. I cavalieri, con le divise rimesse a nuovo, sfilano sui loro giovani cavalli scalpitanti, davanti all'ambasciatore, i marescialli e Napoleone.

Quante vite in movimento. Senza contare i 18.000 cavalieri che galoppano davanti a lui, nella piana di Elbing, facendo tremare la terra con il martellio degli zoccoli.

Quante di quelle vite resteranno dopo pochi giorni di battaglia, in quella primavera del 1807, quando si scatenerà lo scontro decisivo? Dal momento che i russi e i prussiani hanno confermato la loro alleanza a Bartenstein, il 26 aprile, saranno le armi a decidere tutto…

Fortunatamente Danzica è caduta, insieme alla fortezza di Weichselmunde, con tutti i suoi depositi, le riserve di viveri, migliaia di fucili inglesi.

Alla notizia della caduta della città, Napoleone fa subito attaccare sei cavalli alla sua carrozza. Vuole raggiungere Danzica per complimentarsi con il maresciallo Lefebvre. Lo incontra per strada, all'abbazia di Oliva.

È uno di quei bei momenti della vita in cui può felicitarsi, complimentare, gratificare.

— Buongiorno, duca — gli dice l'imperatore. — Sedetevi qui accanto a me. Vi piace la cioccolata di Danzica?

Napoleone ride per l'espressione stupita di Lefebvre, il quale capirà solo più tardi che lui, l'uomo del popolo, l'ex sottufficiale della Guardia, è stato nominato duca di Danzica. Lui, che è sposato con una lavandaia di rue Poissonnière! E a mo' di "cioccolata" riceverà un'enorme rendita!

Qualcuno mormora.

"Sparlino pure! Un sottufficiale della Guardia nominato duca e una lavandaia elevata al rango di duchessa, ecco la nuova nobiltà! La nobiltà del merito. Quanto agli altri, i nobili dell'Ancien Régime, che si mettano in coda."

— Anch'io ho degli emigrati accanto a me — dice Napoleone a suo fratello Luigi. — Ma non gli lascio certo fare i primi della classe.

111

Ma cosa ne sa, Luigi, di quello che bisogna o non bisogna fare?

Luigi vuole essere amato, desidera soltanto essere il "re buono" adulato dagli olandesi!

"L'amore che ispirano i re deve essere un amore virile fatto di timore rispettoso e di una grande stima" gli scrive Napoleone. "Quando si dice di un re che è un buon uomo, vuol dire che il suo è un regno mancato!"

Luigi deve stare attento.

"Potete commettere stupidaggini nel vostro regno, d'accordo, ma non voglio che ne facciate nel mio!"

Luigi, infatti, si è messo in testa di assegnare decorazioni a dei cittadini francesi!

È mai possibile che suo fratello sia cieco a tal punto?

E lui è costretto a fargli la morale da Finkenstein, mentre le truppe russe di Bennigsen hanno cominciato ad avanzare. Tanto meglio: entrano nella sua trappola.

— Sono molto lieto che il nemico sia così cortese da venirci incontro. Il mio piano è quello di mettermi in moto il 10 giugno. Ho predisposto tutte le riserve dei miei magazzini per attaccare i russi in quel periodo — dice al maresciallo Soult.

Fino a quel momento deve risolvere, ora dopo ora, dall'alba al tramonto, e a volte anche durante la notte, tutti i problemi che gli pone l'Impero. Dalla sistemazione di un busto di D'Alembert nelle sale dell'Istituto di Francia fino alla coscrizione anticipata dei giovani del 1808, perché la battaglia ormai è imminente.

La posta in gioco è cruciale: bisogna imporre la pace in Europa grazie all'alleanza con i russi, dopo averli sconfitti. E Napoleone spesso si irrita quando lo ossessionano con problemi ridicoli, che deve comunque risolvere.

Ancora una volta, suo fratello Luigi litiga in continuazione con la moglie Ortensia Beauharnais.

Deve spiegargli che "non si tratta una giovane donna come si comanda un reggimento. Lasciatela ballare quanto vuole, ha l'età per farlo. Io ho una moglie di quarant'anni: dal campo di battaglia le ho scritto di andare a ballare, e voi volete che una donna di vent'anni viva in clausura o, come una balia, sia sempre occupata a lavare suo figlio?".

Si china verso Maria Walewska, la osserva. È come un "grazioso bocciolo di rosa". — Sii tranquilla e felice — le mormora.

Questa tenerezza, ecco quello che cercava. Ma Luigi! Napoleone riprende la penna. "Per voi ci sarebbe voluta una donna come ne conosco io a Parigi. Si sarebbe presa gioco di voi e vi avrebbe tenuto in perpetua adorazione. Ma non è colpa mia, io l'ho detto spesso a vostra moglie."

È molto legato a Ortensia, al figlio maggiore della coppia, che porta il suo nome, Napoleone Carlo. Se non avrà figli, sarà il suo erede. Ma lui avrà un figlio, lo vuole, sa che può avere un figlio. Il suo erede.

Ricorda i primi passi del bambino alla Malmaison. Ed è felice di ricevere, il 12 maggio, la notizia che Napoleone Carlo, dopo una lunga malattia, è finalmente guarito.

"Capisco tutto il dolore che deve aver provato sua madre, ma il morbillo è una malattia che colpisce tutti" scrive a Giuseppina. "Spero che ormai sia vaccinato e che scampi almeno il vaiolo!"

Passeggia a lungo in giardino dopo la parata di mezzogiorno.

La vita. Vuole avere un figlio. È un'esigenza di tutto il suo essere. Ed è anche la sua volontà politica.

Rientra. Guarda a lungo Maria Walewska. Una donna come lei potrebbe essere la madre di suo figlio, ma dovrebbe essere all'altezza dell'imperatore. Ecco cosa vuole, cosa deve cercare adesso. Se la guerra si concludesse come spera, allora forse potrà sposare una principessa russa. Perché no?

Sogna.

D'improvviso, il 14 maggio, quella tremenda lettera inaspettata che gli annuncia la tragica morte di Napoleone Carlo, vittima della difterite.

Napoleone si rinchiude in se stesso. Quante morti intorno a lui. E adesso anche quel bambino. Una morte così ingiusta!

Ma che cos'è una vita? Scrive a Ortensia, le dice che "la vita è disseminata di tanti scogli, e può essere fonte di tanti dolori, che la morte non è il più grande di tutti".

Però il dolore continua a scavare dentro.

Capisco tutto il dolore che deve provocarti la morte del povero Napoleone. Puoi capire il dolore che provo io. Vorrei esserti accanto, per essere sicuro che tu sia moderata e saggia nel tuo dolore. Tu hai avuto la fortuna di non perdere mai un figlio, tuttavia, è una delle condizioni e dei dolori insiti nella nostra miseria umana. Voglio sapere che sei stata ragionevole e che stai bene! O vuoi accrescere il mio dolore?

Addio, cara amica.

Napoleone

Miseria umana.

Galoppa nella foresta. Ripete fra sé: "Quel povero piccolo Napoleone!". Cosa si può fare? "Era il suo destino." Lo scrive, poi si ribella.

"Da vent'anni a questa parte si è manifestata una malattia chiamata difterite che fa strage di bambini nel Nord dell'Europa" scrive al ministro dell'Interno. "Desideriamo che voi proponiate un premio di 12.000 franchi per il medico autore del migliore studio su questa malattia e il modo di curarla."

Cos'altro si può fare? Lamentarsi contro la crudeltà del destino? A che pro? Tuttavia, né Ortensia né Giuseppina né Luigi sono ragionevoli.

"Non rovinatevi la salute, prendete qualche distrazione" scrive loro. Non sanno che cos'è la vita? Che cos'è il destino?

E i vivi? Cosa fanno per i vivi quelli che piangono senza fine i morti?

"Ortensia non è ragionevole e non merita di essere amata, visto che amava solo i suoi figli" scrive a Giuseppina. "Cerca di calmarti! Davanti a un male senza rimedio è indispensabile saper trovare ragioni di consolazione!"

Non modifica di un solo minuto il programma delle sue giornate. Ogni mattina, a mezzogiorno, passa in rivista le truppe. Amministra l'Impero. Detta. Impartisce ordini. Studia le mappe.

Il 5 giugno, quando gli comunicano che le truppe di Bennigsen hanno attaccato quelle del maresciallo Ney, trasale. Finalmente! Interroga gli aiutanti di campo inviati da Ney: — È un attacco in piena regola o si tratta solo di una scaramuccia?

Ma già sente che l'esca ha funzionato. Bennigsen avanza. E Napoleone impartisce a Ney l'ordine di ritirarsi. In modo che Bennigsen cada nella trappola. Lo attaccheranno sui fianchi. E stavolta non sfuggirà.

Sabato 6 giugno 1807. Alle otto di sera Napoleone sale su un calesse. Lascia Finkenstein diretto a Saalfeld.

Passa in mezzo alla sua Guardia. Murat tiene le redini come un cocchiere.

9

A Saalfeld, in un piccolo locale del basso edificio dove deve dormire, Napoleone fa srotolare le mappe. Qualcuno avvicina le lampade. Lui si inginocchia. Intorno a lui, gli aiutanti di campo e i marescialli lo osservano, silenziosi. Si rialza.

— Sto ancora cercando di capire che cosa abbia voluto fare il nemico. Oggi riunisco a Mohrungen le mie riserve di fanteria e di cavalleria e poi cercherò di stanare il nemico per impegnarlo in una battaglia generale. Per farla finita.

Sale in una sorta di soppalco che sarà la sua camera da letto. Sente il galoppo dei cavalli degli ufficiali di ordinanza che arrivano con le notizie dalle armate in marcia. Chiude gli occhi. Vincerà. Deve vincere. Per i morti del cimitero di Eylau. Perché lui porta sempre a buon fine quel che ha iniziato.

E perché la vittoria è il solo modo per ottenere la pace. Napoleone è sicuro di sé, con la mente e il corpo tesi verso quello scopo. Vincere. Ha una sola inquietudine, anzi, addirittura un'angoscia: che Bennigsen si defili. Sarà entrato abbastanza nella trappola da non poterne più uscire in tempo?

Solo questo importa, ormai. Tutto ciò che non riguarda la battaglia imminente è completamente dimenticato.

All'alba è già in piedi. Si profila una giornata luminosa. Anche il tempo annuncia la vittoria. Le strade verso Guttstadt, Heilsberg ed

Eylau passano in mezzo a campi di segala, d'avena e di grano. Le case dei contadini sono circondate da giardini dove corrono branchi di oche belle grasse. Che fine ha fatto il fango dell'inverno? Come si è trasformata la desolazione di quei campi cupi!

I tempi lugubri sono finiti. Fa caldo. L'aria è satura degli odori dell'erba. Le ruote dei mezzi di trasporto dell'artiglieria sobbalzano sui sentieri aridi e sollevano una leggera polvere bianca che ricade subito.

Napoleone galoppa solo davanti alla scorta. A volte si allontana così veloce che il gran scudiero e i cacciatori della Guardia faticano a raggiungerlo. È dritto sugli speroni, in cima a un poggio che domina la campagna. Lo stato maggiore si raduna intorno a lui. Vuole le sue mappe. Le srotolano sull'erba. Smonta da cavallo e quasi si stende sulle mappe per studiare meglio ogni sinuosità del terreno.

Con il dito, segue il corso dell'Alle. Uno dei meandri del fiume, sulla riva sinistra, costeggia la piccola località di Friedland.

Gli ufficiali di ordinanza confermano la notizia che le truppe di Bennigsen hanno costruito tre ponti di battelli sull'Alle. Su quei tre ponti e su un altro ponte di legno, i russi attraversano il fiume portandosi sulla riva sinistra.

Napoleone, con le mani dietro la schiena, cammina sul poggio.

Non è ancora il momento. Non bisogna attaccare anzitempo. Occorre lasciare che Bennigsen avanzi, occorrerà aspettare che faccia passare i soldati sulla riva sinistra del fiume, lasciargli credere di avere di fronte solo un piccolo nucleo, mentre il grosso della Grande Armata marcia verso nord, verso Königsberg. Probabilmente Bennigsen pensa di poter scatenare un attacco sul fianco sguarnito dei francesi, battendo Ney e Lannes, che è entrato a Friedland. Ma quando sarà passato tutto sulla riva sinistra, basterà distruggere i ponti, chiudere la rete, e lasciargli la scelta tra la capitolazione, l'annegamento e la ritirata.

Napoleone punta il frustino sulla mappa e dice: — Friedland.

Mercoledì 10 giugno si combatte a Heilsberg. Napoleone si irrita, esige che gli vengano comunicati tutti i particolari della battaglia. Murat ha caricato, e i suoi cavalieri sono stati falciati dalla mitraglia, il suo cavallo è stato ucciso sotto di lui. Ha perfino perso uno stivale. Ma ha caricato ancora.

Troppo presto, troppo presto!

Napoleone galoppa verso il campo di battaglia. I russi sono indietreggiati proprio mentre tenevano in pugno la vittoria. Napoleone cammina in mezzo ai feriti. Vede intorno alle ambulanze mucchi di braccia e gambe mutilate, mescolate ai cadaveri.

Ordina di soccorrere i feriti. Poi risale di nuovo a cavallo. Ormai non riesce più a dormire se non qualche decina di minuti ogni tanto. Ma non si sente stanco. La freccia, una volta scagliata con tutta la forza e la sapienza dell'arciere, non cade prima di aver colpito il bersaglio.

E lui è quella freccia.

Il 14 giugno, una domenica, Napoleone capisce che le sorti della battaglia ormai sono decise: le truppe di Bennigsen sono assiepate sulla riva sinistra. I soldati di Lannes, come quelli di Ney, si sono ritirati in buon ordine attirandosi dietro i russi, che adesso occupano Friedland.

Napoleone è sicuro che nulla potrà più impedirlo: Bennigsen è incastrato.

Inforca il cavallo e corre a spron battuto verso la zona dei primi combattimenti. Arriva in mezzo ai soldati di Oudinot.

— Dov'è dunque il fiume Alle? — domanda al generale.

Oudinot distende il braccio indicando un fiume largo una cinquantina di metri, dalle rive scoscese:

— Là dietro c'è il nemico.

— Gli metterò presto il sedere in acqua — esclama Napoleone.

I colpi cominciano a cadere intorno a Napoleone, il numero dei feriti aumenta. Ma lui rimane immobile con le braccia conserte sotto il fuoco. Oudinot si avvicina e gli spiega che i granatieri minacciano di smettere di combattere se l'imperatore continua a esporsi così.

Napoleone risale a cavallo e fa installare il bivacco a Posthenen, un piccolo villaggio situato di fronte alle truppe russe di Bagration.

Ordina di aprire il fuoco con l'artiglieria e va e viene su una collinetta, sferzando l'erba con il frustino.

È il 14 giugno. Un segno del destino.

Si volta verso Berthier:

— Il giorno di Marengo, giorno di vittoria. Friedland sarà come Austerlitz, Jena e Marengo, di cui oggi festeggiamo l'anniversario!

118

Cammina a passi rapidi. Ecco un segno del destino. Si sente invaso da un'energia gioiosa irrefrenabile. Quando il capitano Marbot arriva con un plico del maresciallo Lannes, gli domanda:

— Hai buona memoria, Marbot? Be', dimmi: che anniversario festeggiamo oggi, 14 giugno?

Marbot risponde: — Marengo.

— Sì, esatto — replica Napoleone. — Quello di Marengo, e oggi batterò i russi come ho battuto gli austriaci.

Risale a cavallo, corre lungo la colonna dei soldati che gridano "Viva l'imperatore" e proclama:

— Oggi è un giorno fausto, l'anniversario della vittoria di Marengo.

Il giorno avanza. Comincia a far caldo. Ma Napoleone non ha ancora impartito l'ordine dell'attacco generale. Le truppe francesi non sono ancora giunte tutte sul campo di battaglia.

Scruta con il cannocchiale. I membri dello stato maggiore, accanto a lui, ripetono che i soldati russi continuano a passare sulla riva sinistra. Sono talmente numerosi che bisognerà assolutamente aspettare almeno un giorno per attaccarli, affinché la Grande Armata sia al completo, sostengono.

Napoleone abbassa il cannocchiale. Lui invece sa che quello è il momento.

— No — decide. — Non capita mai di sorprendere due volte il nemico mentre commette un simile errore.

Adesso è tutto semplice. I pensieri diventano ordini e azioni. Si avvicina a Ney e gli afferra il braccio.

— Ecco il bersaglio — dice.

Indica le truppe russe e, al di là, la città di Friedland.

— Marciate dritto avanti senza guardarvi intorno. Penetrate in quella massa fitta, quali che siano le vostre perdite. Entrate a Friedland, impadronitevi dei ponti e non preoccupatevi di quel che potrà succedere a destra, a sinistra o dietro di voi. L'esercito e io saremo là a proteggervi.

Ney si lancia in avanti con i suoi uomini.

Napoleone lo segue con gli occhi.

— Quell'uomo è un leone — mormora.

Alle cinque e mezza del pomeriggio, mentre il sole è ancora alto in quella calda domenica del 14 giugno 1807, Napoleone impartisce l'ordine dell'attacco. Venti cannoni situati a Posthenen aprono il fuoco al suo segnale, e subito tutta l'artiglieria si scatena. In mezzo alle esplosioni Napoleone sente gridare:

— Viva l'imperatore! Avanti! A Friedland!

Il suo pensiero è diventato quella battaglia.

Indica al generale Sénarmont i ponti che deve distruggere. Così la rete si chiuderà. Al cannocchiale vede i russi che cominciano a sbandarsi, cercano di riattraversare il fiume. Molti annegano.

Quando il tiro dell'artiglieria cessa, verso le ventidue e trenta, nella notte vede solo le case di Friedland che bruciano, illuminando morti e feriti, e i rottami dei pezzi dell'artiglieria russa.

Le grida di dolore sono spesso coperte da quelle di "Viva l'imperatore!" lanciate dai soldati quando vedono passare Napoleone.

È già l'alba di lunedì 15 giugno. Napoleone percorre le linee. I soldati dormono, e finiscono per assomigliare tutti a dei cadaveri.

Proibisce che li sveglino affinché gli presentino le armi, e continua ad avanzare, arrivando fino al mucchio dei cadaveri russi straziati dall'artiglieria. Ammassati gli uni sugli altri, quei corpi disegnano i ranghi che hanno tentato invano di mantenere, mentre i cavalli sventrati rivelano la posizione dell'artiglieria.

Circondato dalla sua scorta, risale lentamente la strada per Wehlau che costeggia la riva sinistra della valle dell'Alle. Lungo il fiume scendono lenti numerosi cadaveri.

Piove. Si ferma nel villaggio di Peterswalde, si installa in un granaio e comincia a scrivere una lettera per Giuseppina.

L'intero esercito russo è in rotta. Ottanta bocche da fuoco, 30.000 uomini catturati o uccisi, trentacinque generali russi uccisi, feriti o presi prigionieri, la Guardia russa annientata: questa giornata è una degna sorella di Marengo, Austerlitz, Jena. Il "Bollettino della Grande Armata" ti dirà il resto. Le mie perdite non sono elevatissime, mi sono destreggiato con il nemico con pieno successo.

Sii tranquilla e rallegrati.

Addio mia cara, rimonto a cavallo.

Napoleone

"Si può dare questa notizia come un'informazione se arriva prima del Bollettino dell'Armata. Si possono anche far sparare i cannoni per festeggiare. Cambacérès stenderà l'articolo."

Allunga le gambe e chiude gli occhi qualche minuto. Ha riportato la vittoria. Ma cosa può fare, alla lunga, la forza? si interroga. La forza è impotente a organizzare qualsiasi cosa.

"Ci sono solo due potenze al mondo: la sciabola e lo spirito. Alla lunga, la sciabola viene sempre sconfitta dallo spirito."

Lui ha brandito la spada. Ha atterrato il nemico. Adesso deve far posto allo spirito per organizzare. Deve parlare con lo zar Alessandro. Deve concludere la pace con lui.

Rimane ancora qualche minuto così, immobile. È sereno. Poi ricomincia a scrivere.

"Maria, per me tu sei una sensazione nuova, una perpetua rivelazione" scrive alla Walewska. "Forse perché ti esamino con imparzialità. Ma anche perché conosco la tua vita fino a oggi. Di lì ti deriva quel singolare miscuglio d'indipendenza, sottomissione, saggezza e leggerezza che ti rende così diversa da tutte le altre."

È felice.

Il 16 giugno, un martedì, prosegue lungo il fiume Pregel in direzione di Tilsit. Ordina di allestire un ponte di barche, poi cerca di persona un guado, entrando nel letto del fiume alla testa degli squadroni, alzando le gambe al di sopra delle fondine appese alla sella.

A volte si lancia in avanti al galoppo. Adora quella sensazione d'indipendenza, quella conferma della sua libertà capace di spazzare via qualsiasi etichetta, qualsiasi prudenza. Sorprende la sua scorta e cavalca da solo per qualche decina di minuti, fino a un'altura dove si ferma a osservare la campagna grigia intristita dalla pioggia. Gli ufficiali e il gran scudiero Caulaincourt arrivano ansimando, preoccupati. Lui ride.

Gli comunicano la notizia della caduta di Königsberg, conquistata da Murat e Soult. Tutto si è svolto come lui aveva previsto.

Scrive a Giuseppina:

Königsberg, che è una città di 80.000 anime, adesso è in mio potere. Ho trovato un bel po' di cannoni, molti magazzini e più di 60.000 fucili arrivati dall'Inghilterra.

Addio, cara amica, la mia salute è perfetta anche se sono un po' raffreddato per la pioggia e il freddo del bivacco.

Sii contenta e allegra.

Tuo Napoleone

Il suo spirito, nei giorni che seguono la battaglia e la vittoria, si tranquillizza e ritrova tutti i suoi pensieri. Come se l'orizzonte non si limitasse più a quello spazio da conquistare, a quelle armate da sconfiggere, ma ridiventasse una scena sulla quale si muovono i ricordi e le persone amate.

Ha già scritto a Giuseppina e a Maria. Riprende la penna per scrivere a Ortensia; forse ha voluto quella vittoria con tanta determinazione anche perché Napoleone Carlo era morto, e lui voleva dimostrare a se stesso che l'energia vitale non lo aveva abbandonato, che era capace, lo sentiva, di spingersi sempre più avanti, di fare ancor meglio che a Marengo e ad Austerlitz, malgrado la morte di quel bambino amato.

Il 16 giugno 1807 scrive a Ortensia:

Il vostro dolore mi tocca, ma vorrei vedere in voi più coraggio. Vivere è soffrire, e l'uomo onesto combatte sempre per rimanere padrone di se stesso. Non mi piace che siate così ingiusta verso il piccolo Napoleone Luigi e verso tutti i vostri amici.

Vostra madre e io speravamo di occupare un posto di riguardo nel vostro cuore... Ho riportato una grande vittoria il 14 giugno. Sto bene e vi amo molto.

Perché parlare di battaglia a una madre straziata dal dolore e che ascolta solo la propria pena? Lui la capisce, ma non può ammettere una tale sottomissione al dolore, un tale compiacimento verso se stessi e una tale indifferenza per il mondo, che va avanti malgrado la morte.

Venerdì 19 giugno entra a Tilsit, attraversa la città. Le strade sono diritte, larghe, pavimentate con pietre irregolari su cui i cavalli inciampano e scivolano. Si spinge fino alle rive del fiume Niemen.

Vede un ponte che sta ancora bruciando. Sulla riva destra, alcuni cavalieri cosacchi. Il letto del fiume è ampio.

Si ricorda dei fiumi d'Italia, dei ponti di Lodi e Arcole che ha attraversato sotto la mitraglia. Adesso è sulle rive di queste acque blu che scorrono impetuose e segnano il confine di quell'altro grande Impero, la Russia.

Al suo ritorno a Tilsit gli comunicano che è appena arrivato il principe Lobanov con una richiesta di armistizio sollecitata da Bennigsen.

Ma Napoleone vuole di più. Si trova in una posizione di forza.

— La tracotanza dei russi è stata sconfitta — afferma. — Si confessano vinti. Hanno ricevuto una bella batosta. Le mie aquile volano sul Niemen. La mia Grande Armata non ha affatto sofferto.

Lui non vuole imporre un armistizio, ma la pace.

D'altronde, gliela chiedono tutti, Talleyrand, Caulaincourt e anche i marescialli. Quanto ai veterani, perfino loro vogliono la pace. È da più di un anno che non rivedono la Francia.

Cosa credono, che non desideri la pace anche lui?

Invia il gran maresciallo Duroc da Bennigsen. Invita alla propria tavola il principe Lobanov. Fissa a lungo l'inviato di Bennigsen, poi solleva il bicchiere con solennità. Brinda, dichiara, alla salute dell'imperatore Alessandro. Poi prende Lobanov per il braccio, lo accompagna verso una mappa, gli indica la Vistola seguendone il corso con il dito e gli dice:

— Ecco il confine tra i due Imperi. Da una parte deve regnare il vostro sovrano, dall'altra io.

Il 21, una domenica, l'armistizio viene firmato.

"Sto meravigliosamente bene e desidero saperti felice" scrive a Giuseppina. È allegro.

Forse si avrà finalmente la pace, l'intesa con lo zar che costringerà l'Inghilterra ad accettare, per la prima volta dal 1792, la Francia per quel che è diventata.

Lunedì 22 giugno ordina che i cannoni sparino per annunciare l'entrata in vigore dell'armistizio. Piove a dirotto, ma vede i soldati abbracciarsi sotto i rovesci d'acqua. Incomincia a dettare allegro il proclama alla Grande Armata che chiuderà questa campagna.

Soldati,

il 5 giugno siamo stati attaccati nei nostri acquartieramenti dall'esercito russo... Il nemico si è accorto troppo tardi che il nostro riposo era quello del leone. Ora si pente di averlo turbato... Dalle rive della Vistola siamo piombati su quelle del Niemen con la rapidità dell'aquila. Ad Austerlitz avete celebrato l'anniversario dell'incoronazione, quest'anno avete degnamente celebrato quello della battaglia di Marengo.

Adesso deve parlare ai soldati di pace.

Francesi,

siete stati degni di voi e di me. Rientrerete in Francia coperti di tutti i vostri allori, dopo aver ottenuto una pace gloriosa, che porta con sé la garanzia della sua durata.

Lui la vuole almeno quanto i soldati di cui intravede le sagome in marcia sotto la pioggia, il calcio del fucile che poggia sull'incavo del gomito e la canna che tocca il berretto di pelliccia. Conclude:

Ora è tempo di farla finita, è tempo che la nostra patria viva tranquilla al riparo dalla nefasta influenza dell'Inghilterra. I benefici che vi offrirò vi dimostreranno la mia riconoscenza e la misura dell'amore che nutro per voi.

Adesso deve vincere la battaglia della pace.

Quando incontra di nuovo il principe Lobanov, solleva ancora una volta il suo bicchiere, in cui spumeggia lo champagne, in onore dello zar Alessandro. Poi si informa sulla salute della zarina Elisabetta.

Si accorge che Lobanov è talmente commosso che i suoi occhi si sono riempiti di lacrime.

— Guardate, guardate, Duroc — esclama — come i russi amano i loro sovrani.

10

Napoleone galoppa sulle rive del Niemen. È il 25 giugno 1807. Il sole è allo zenit, all'una del pomeriggio. Di colpo, dietro un boschetto di alberi, Napoleone scorge in mezzo al fiume la zattera che i pontieri hanno costruito durante la notte e che in mattinata è stata ancorata al centro del fiume, in modo che si trovi alla stessa distanza dalle due sponde. La vede distintamente adesso, con le due tende di tela bianca che ha voluto fossero decorate con ricche ghirlande di fiori, nonché fornite di vari ingressi e di una sorta di salotto. Sulla più grande, dove incontrerà lo zar Alessandro, vede la "N" gigantesca dipinta sulla tela. Una "A" delle stesse dimensioni deve figurare sulla tenda che fronteggia la sponda di destra.

Osserva le truppe russe che si sono ammassate sulla riva del fiume, poi volta la testa verso la linea dei soldati della Grande Armata che occupano la riva sinistra. Lanciano il loro grido "Viva l'imperatore!" così forte, urlano tanto allegramente, che le parole si accavallano e non si distinguono più. Le voci finiscono per formare un'unica, acuta esplosione che rimbomba fra le due sponde, gioiosa e lieve, irresistibile.

L'imperatore è allegro. Si guarda intorno. Per questo incontro ha scelto come scorta cinque ufficiali. Lo accompagneranno sulla chiatta i marescialli Murat, Berthier, Bessières, Duroc e il grande scudiero Caulaincourt. Poi, però, vuole rimanere solo di fronte allo zar, l'erede di un Impero plurisecolare che si affaccia in Europa ma si spinge fino a toccare l'Oriente e l'Asia. Lui, che ha costruito il suo Impero con le sue stesse mani, un fondatore, i cui eguali sono solo i grandi conquistatori antichi che hanno creato una dinastia radunando interi popoli sotto le loro bandiere, lui, di fronte a un Romanov!

"È l'incontro di due aquile, quella dei Romanov e la mia, innalzata sul Niemen dopo dieci anni di vittorie."

Non si è mai sentito così leggero, così felice, così potente. Risponde agli "Evviva!" sollevando il copricapo, e le grida raddoppiano. L'entusiasmo dei soldati è lo stesso che prova anche lui.

Quando il principe Lobanov gli ha riferito le intenzioni di Alessandro I, ha avuto la sensazione di aver raggiunto il suo scopo. Chi potrebbe ormai minacciare pericolosamente l'edificio che lui ha costruito?

Quel Romanov che accoglieva nelle sue terre gli emigrati francesi, e tra loro Luigi, il fratello di Luigi XVI, il preteso Luigi XVIII, quell'imperatore ereditario, adesso trattava con l'imperatore Napoleone. E gli faceva trasmettere la seguente analisi:

L'unione tra la Francia e la Russia è stata sempre l'oggetto dei miei desideri. Sono fermamente convinto che solo quest'unione possa assicurare la pace e la tranquillità del mondo. Un sistema del tutto nuovo deve sostituire quello esistito fino a oggi, e io mi permetto di pensare che ci intenderemo con facilità con l'imperatore Napoleone purché trattiamo direttamente, senza intermediari. In pochi giorni, tra noi possiamo concludere una pace durevole.

Napoleone si ferma, scende da cavallo e si dirige verso l'imbarcazione che deve trasportarlo sulla zattera.

Si sta alzando la brezza. Spinge nel cielo azzurro strisce bianche, come una fascia di garza che veli lo splendore del sole e lo addolcisca. Sulla zattera le tende sono leggermente sollevate, come vele gonfiate dal vento.

Mai, non dimenticherà mai quell'istante. Mai gli uomini dimenticheranno l'incontro dei due imperatori, quello venuto dal passato e quello venuto dall'oggi, lui, Napoleone I, Imperatore dei

Francesi, che ha dovuto attraversare tanti fiumi con le sue armate per giungere fin qui.

Ha una sensazione di pienezza mai provata prima, nemmeno al momento dell'incoronazione.

Quel cielo, il fiume Niemen, la zattera, le armi e gli eserciti che si fronteggiano, quell'imperatore che sulla riva destra si prepara a imbarcarsi per l'incontro, tutto questo è la *sua* cattedrale, la *sua* opera. Il frutto di trentotto anni di vita.

Si sente fiero, felice del suo destino.

Sale sull'imbarcazione seguito dai marescialli e dal grande scudiero. Si ferma a prua. I rematori, che indossano delle bluse bianche, tuffano i remi nelle acque del Niemen.

Arriva per primo sulla zattera e avanza da solo, affrettando il passo, per accogliere lo zar che si sta avvicinando in barca.

Napoleone tende la mano e, con una sola occhiata, soppesa quell'uomo che ha dodici anni meno di lui ed è responsabile dell'assassinio di suo padre, Paolo I.

Alessandro è alto, e ha un colorito roseo. I capelli castani, impomatati, scendono in lunghi favoriti da un grande copricapo con piume bianche e nere. Indossa l'uniforme verde con i risvolti rossi del reggimento Preobraženskij, una sorta di Guardia imperiale. Sulla sua spalla destra scintillano dei cordoncini d'oro. Cinge la spada e calza stivali corti che spiccano sui pantaloni bianchi. Il cordone azzurro dell'ordine di sant'Andrea gli attraversa il petto.

"Io indosso il cordone rosso della mia Legion d'Onore."

Lo zar ha lo sguardo luminoso, tratti infantili, un bell'aspetto.

Napoleone lo abbraccia. Si dirigono fianco a fianco verso la tenda grande.

— Odio gli inglesi almeno quanto li odiate voi — esordisce Alessandro.

Ha una voce melodiosa e un accento francese perfetto.

— Sarò il vostro secondo in tutto quel che vorrete intraprendere contro di loro — prosegue lo zar sulla soglia della tenda.

Napoleone solleva un velo.

— In tal caso, tutto può sistemarsi — dice — e la pace è cosa fatta.

Napoleone parla. È colto da una piacevole ebbrezza. Mai il suo spirito è stato così vivace. Vuole convincere, sedurre, trascinare quell'imperatore tanto più giovane di lui, del quale ha sconfitto le truppe; non intende umiliarlo ma, al contrario, vorrebbe legarlo a sé per costruire insieme a lui quest'Europa a due facce.

"Quella dello zar fino alla Vistola, e la mia a ovest di quel fiume."

Non c'è altra scelta, d'altronde. E la Prussia?

Dice ad Alessandro:

— È un pessimo re, una pessima nazione, una potenza che ha ingannato tutti e che non merita di esistere. Tutto quello che conserva ancora lo deve solo a voi.

L'Austria? Napoleone non vuole nemmeno evocarla, ma nel momento in cui lasciava la residenza di Tilsit e si dirigeva verso il Niemen per incontrare Alessandro, ha letto i dispacci di Andreossy. L'ambasciatore francese a Vienna gli riferisce delle speranze degli austriaci nella disfatta della Grande Armata, dei loro preparativi d'intervento per annientarla definitivamente se fosse stata sconfitta, e della cupa disperazione in cui la notizia della vittoria di Friedland ha gettato Vienna.

Resta la Turchia, ma una rivoluzione di palazzo ha appena rovesciato il sultano Selim III, alleato di Napoleone.

Napoleone mormora ad Alessandro:

— È un decreto della Provvidenza che mi dice che l'Impero turco non ha più motivo di esistere!

"Dividiamoci tra noi le sue spoglie."

Parla dell'Oriente, osserva Alessandro.

"Quest'uomo mi pare sincero. È ancora giovane. E io lo domino. Voglio la sua alleanza, ma non gli cederò mai Costantinopoli, l'*Impero del mondo*."

Il tempo passa, più di un'ora e mezza. Si accordano per incontrarsi anche l'indomani, 26 giugno, sempre sulla zattera.

Alessandro insiste affinché anche il re di Prussia, Federico Guglielmo, sia della partita.

Napoleone si mostra infastidito:

— Ho spesso dormito in due, mai in tre.

Poi si calma, e propone che i colloqui successivi abbiano luogo a Tilsit, città di cui cederà una metà ai russi, perché Alessandro possa risiedervi ufficialmente.

— E discuteremo. — Poi aggiunge: — Io sarò il vostro segretario e voi sarete il mio.

Napoleone prende per il braccio Alessandro e lo accompagna verso la barca.

Dalle due sponde esplodono gli evviva dei soldati che osservano la scena.

Quella notte Napoleone, che dorme in un edificio spazioso requisito a Tilsit, ha un sonno irrequieto, intervallato da lunghi momenti di veglia.

I falò dei soldati della Guardia illuminano la stanza. Sente una canzone, in lontananza, salire nella notte.

L'aria è quella di una canzone che intonano spesso i granatieri in marcia. La voce, dapprima isolata, viene poi seguita da altre, allegre, che ripetono in coro:

> Su una zattera
> ho visto i due padroni della terra,
> ho visto un quadro nobilissimo,
> ho visto la pace, ho visto la guerra
> e le sorti dell'Europa intera
> su una zattera.

Il sonno svanisce. Perché seppellirsi nell'oblio e nel silenzio indotti dal sonno, quando le giornate che vive sono le più piene e felici della sua vita?

Risveglia Rustam, convoca il suo segretario. Detta una lettera a Fouché: "State attento a che non si dicano più sciocchezze sulla Russia, direttamente o indirettamente. Tutto lascia pensare che il nostro sistema stia per legarsi in modo stabile a questa potenza".

Con un gesto brusco congeda il segretario.

Cammina nella stanza con le mani dietro la schiena, come suo solito.

Può davvero fidarsi di Alessandro? In quel Romanov che pochi mesi prima aveva firmato con i prussiani un accordo di guerra a oltranza contro la Francia? Lo zar non sarà uno di quegli uomini doppi come sono spessi gli eredi dinastici?

"Posso confidare nella sua lealtà? Nell'alleanza contro l'Inghilterra? Certo, è nel mio interesse. Ma è anche nel suo?

"Del resto, non posso puntare che su di lui."

Napoleone prende una penna. Vuole precisare le sue impressioni, scrivere senza intermediari:

Si rivolge a Giuseppina:

Cara amica,
   ho appena incontrato l'imperatore Alessandro in mezzo al Niemen, su una zattera, dove era stato innalzato un bellissimo padiglione. Sono stato molto contento di lui, è un imperatore bellissimo, buono e giovane, ed è anche più spiritoso di quanto si dice. Domani si trasferirà nella città di Tilsit per alloggiarvi.
   Addio, amica mia, desidero con forza che tu stia bene e sia contenta. La mia salute è decisamente buona.

Napoleone

L'indomani, alla mezza del 26 giugno, quando accoglie Alessandro sulla zattera, il russo gli sembra già un amico di famiglia. Napoleone è attratto da un personaggio che vanta una così illustre eredità, e, non può impedirselo, si sente adulato dalla simpatia che lo zar sembra manifestargli.

Eppure sa bene che a Pietroburgo parlavano tutti dell'"Orco corso", dell'"Usurpatore". Sa bene come i salotti della nobiltà accoglievano gli emigrati, come avevano pianto la morte del duca d'Enghien, come avevano preso il lutto per quel Borbone, le maledizioni che avevano scagliato sulla testa di quel "giacobino di Bonaparte".

"Ed ecco che adesso prendo familiarmente per il braccio l'imperatore di Russia, stabiliamo insieme la parola d'ordine per passare da un settore all'altro di Tilsit, che domani sarà: *Alessandro, Russia, grandezza*. Alessandro poi ha scelto la parola d'ordine che entrerà in vigore fra due giorni: *Napoleone, Francia, eroismo*.

"Ogni giorno la nostra intimità aumenta: rivista delle truppe, lunghe conversazioni, corse a cavallo nella foresta."

Lo stupisco, lo seduco, lo affascino.

Napoleone dice a Duroc:

— È un eroe da romanzo, ha le maniere degli uomini eleganti di Parigi.

"Ma io sono superiore a lui. Io sono il fondatore di un Impero, non l'erede di un Impero."

Quando percorrono cavalcando la campagna e le foreste che circondano Tilsit, Napoleone sprona il cavallo, distanzia lo zar, poi si ferma ad aspettarlo.

È felice. Spesso, dopo il secondo incontro sulla zattera, li accompagna Federico Guglielmo III re di Prussia. Non è affatto un buon cavaliere. Ha la faccia triste del vinto. Napoleone lo deride per la sua tenuta, affetta un certo disprezzo.

— Come fate con tutti quei bottoni? — gli domanda.

Comunque deve riceverlo, ma come un uomo di troppo, che ci si degna di accogliere soltanto perché l'invitato d'onore desidera vederlo seduto alla sua tavola.

"L'imperatore di Russia e il re di Prussia abitano in città e cenano tutti i giorni da me" scrive Napoleone a Fouché. "Tutto questo mi fa sperare in una rapida fine della guerra, cosa che mi sta molto a cuore per il bene che ne verrà al mio popolo."

Tuttavia esclude Federico Guglielmo dagli incontri che vuole amichevoli e che organizza la sera con Alessandro, dopo cena.

L'Europa, l'Oriente, dice Napoleone. E mostra sulle carte geografiche come i loro due Imperi potrebbero estendersi.

Si lascerà convincere, Alessandro, del fatto che due Imperi alleati possono dominare quasi tutto il mondo?

Napoleone non si stanca di sostenerlo. Quelle conversazioni, quelle cene, anche in presenza di Federico Guglielmo, lo esaltano. Si sente l'Imperatore dei Re.

"Credo di averti già scritto" annota per Giuseppina "che l'imperatore di Russia mostra notevole interesse per la tua salute, con molta amabilità. Lui e il re di Prussia cenano tutti i giorni da me."

È fiero di sé.

Esibisce i suoi granatieri, fa sfilare la Guardia imperiale, i corazzieri con i pettorali di ferro. Lancia di tanto in tanto uno sguardo verso Alessandro per coglierne l'espressione ammirata e inquieta. Queste divisioni che sfilano fiere in parata sono come un bastione mobile che avanza minaccioso.

Alessandro è costretto ad accettare l'alleanza, a riconoscere la Confederazione del Reno, i regni di Luigi in Olanda e di Giuseppe a Napoli. Deve accettare che Gerolamo diventi re di Vestfalia. Insomma, che Napoleone sia l'imperatore d'Occidente. D'altra parte, è la Prussia a pagare. La Russia abbandona soltanto le isole Ionie e Cattaro. Napoleone le lascia carta bianca in Finlandia e Svezia. La Russia si impegna inoltre a dichiarare guerra all'Inghilterra, se questa rifiuterà la sua mediazione.

Quanto alla Prussia... Napoleone fa un gesto disinvolto con la mano.

È necessario che sia punita, deve perdere metà dei suoi territori e dei suoi abitanti.

Ascolta Alessandro sostenere la causa della Prussia, invocare la disperazione della regina Luisa, così commovente. Napoleone gli indica con la mano i granatieri delle due Guardie imperiali che si sono radunati insieme nella campagna di Tilsit per un immenso banchetto. Gli uomini fanno festa grande.

"Cosa ci importa della Prussia?"

— Ma la povera regina Luisa? — insiste Alessandro. — È arrivata a Tilsit e vuole incontrare Napoleone — continua.

"Ah, è venuta anche lei a implorarmi, a supplicare per il suo regno!"

Lei, che sognava tanto la guerra, e incitava gli ufficiali prussiani ad affilare le loro sciabole sui gradini dell'ambasciata di Francia a Berlino! Lei, a quanto si dice tanto bella, aveva prestato giuramento di alleanza con Alessandro contro la Francia, sulla tomba di Federico II, in compagnia di suo marito, quello sciocco di Federico Guglielmo III!

Lo stesso Alessandro che li sta abbandonando tutti e due.

Napoleone si reca dalla regina, nella casa di un mugnaio di Tilsit dove è stato relegato Federico Guglielmo III.

Bella, sì, indossa un abito di crespo bianco ricamato d'argento. Il volto bianco è come il vestito, regale con quel diadema di perle.

Napoleone la osserva ironico. La donna parla delle disgrazie del suo paese, reclama la restituzione di Magdeburgo alla Prussia, mentre la città è stata assegnata alla Vestfalia.

— È crespo o garza italiana? — domanda Napoleone complimentandola per il suo abito.

— Parliamo di moda in un momento così solenne? — s'indigna la donna.

Napoleone l'ammira per la sua arte di negoziatrice e la sua determinazione. La invita a cena e confida a Caulaincourt: — Sembrava mademoiselle Duchesnois quando interpreta una tragedia.

Ma non intende cedere. Niente.

"La bella regina di Prussia verrà a cena da me oggi" scrive a Giuseppina.

Si interrompe per qualche secondo.

"Eccola, la famosa sovrana di cui tutta Europa vanta la volontà e la bellezza! Sottomessa, si abbassa a venire da me."

"La regina di Prussia è davvero incantevole" prosegue. "È piena di attenzioni e gentilezze per me, ma non devi essere gelosa: sono una tela cerata su cui queste cose scivolano via come acqua. Mi costerebbe troppo caro fare il galante."

Tuttavia, può sempre lasciar credere alla regina Luisa che riuscirà a sedurlo, a circuirlo.

La regina si presenta a cena indossando un vestito rosso e oro e un turbante. È seduta tra Alessandro e Napoleone.

Si ricorderà che lo chiamava "mostro", "figlio della Rivoluzione", che si prendeva gioco di lui davanti a tutta la nobiltà di Berlino? Si ricorderà che lo descriveva come un laido nanerottolo? E che aveva insegnato al suo pappagallo a insultarlo?

Lui se ne ricorda.

— Ma come! — esordisce Napoleone. — La regina di Prussia porta un turbante! Non starà facendo la corte all'imperatore di Russia che è in guerra con i turchi?

Lei lo osserva, fredda. A Napoleone quello sguardo non piace, e neanche la sua voce.

— Non direi, l'ho messo piuttosto per fare la corte a Rustam — risponde guardando il mamelucco di Napoleone.

La sente esacerbata. Lui le ha rifiutato Magdeburgo, lasciando la città al re di Vestfalia, Gerolamo. Lei ha tentato di sedurlo. L'ha sentita dire:

— È mai possibile che avendo la fortuna di vedere così da vicino l'uomo del secolo e della storia, io non mi prenda la libertà e la soddisfazione di potergli assicurare che mi ha legato a sé per la vita?

Ma cosa si immaginava, quella donna? Che lui confondesse civetterie, sentimenti e affari di Stato? Non è certo un altro Federico Guglielmo.

— Madame — le risponde — sono da compiangere, è un effetto della mia cattiva stella.

Rientra in compagnia di Murat, il quale ha fatto la corte alla regina, Napoleone se n'è accorto. Lei si distrae leggendo "la storia del passato", gli riferisce Murat. E quando lui le ha risposto che "l'epoca presente offre almeno altrettante azioni degne di essere ricordate", lei ha mormorato: "Per me, è già troppo difficile viverci, in quest'epoca!".

Napoleone tace. Quella donna ha conservato la sua dignità, ha padroneggiato la conversazione, a volte l'ha perfino dominata, tornando in continuazione sull'argomento che la ossessiona: Magdeburgo.

La bella regina di Prussia! Eppure, malgrado tutto, non le farà alcuna concessione.

Prova il desiderio di raccontare come, quando le ha offerto una rosa, lei ha ritirato la mano dicendo: — A condizione che sia accompagnata da Magdeburgo. — Oppure come l'ha pregata di sedersi, "perché niente stronca con maggiore efficacia una scena tragica: quando si è seduti, diventa una commedia".

Scrive a Giuseppina.

Cara amica,
   la regina di Prussia ha cenato da me ieri sera. Mi sono dovuto difendere, perché avrebbe voluto indurmi a fare qualche concessione a suo marito, ma io sono stato galante e mi sono attenuto alla mia politica. Lei è molto cortese. Mi piacerebbe raccontarti tutto in particolare, ma è impossibile perché dovrei dilungarmi troppo. Quando leggerai questa lettera, la pace con la Prussia e la Russia sarà conclusa, e Gerolamo riconosciuto re di Vestfalia, con tre milioni di sudditi. Queste notizie sono riservate per te.
   Addio mia cara, ti amo e voglio saperti contenta e allegra.

Napoleone

Sono le ultime ore che trascorre in compagnia dello zar. I trattati sono firmati, la Prussia è divisa, umiliata. La Russia rimane intatta. Le due nazioni si impegnano ad agire contro l'Inghilterra.

"Tra me e l'imperatore di Russia si è stabilita una grande intimità" scrive Napoleone a Cambacérès "e spero ormai che il nostro sistema avanzi di concerto. Se volete far sparare sessanta cannonate per annunciare la pace, siete padrone di farlo."

Accompagna Alessandro fino alla barca che lo condurrà sulla riva destra del Niemen. È il momento degli addii. Vorrebbe che questo istante si prolungasse. Sa bene che, una volta lontani da lui, gli uomini, e lo zar come tutti gli altri, sfuggono alla sua influenza, si sottraggono. E dovrà contare sul lavoro di scavo degli agenti di Londra e Pietroburgo.

Vuole rassicurarsi e dice ad Alessandro:

— Tutto mi induce a pensare che se l'Inghilterra non vorrà concludere la pace prima del mese di novembre, lo farà sicuramente quando verrà a conoscenza delle disposizioni di Vostra Maestà, e capirà che la crisi imminente avrà l'effetto si chiuderle tutto il continente.

Può fidarsi di Alessandro?

Passa in rivista con lui i reggimenti della Guardia personale dello zar.

— Vostra Maestà mi permette di assegnare la Legion d'Onore al soldato più coraggioso, a quello che si è comportato meglio in questa campagna? — domanda all'improvviso.

Viene designato un granatiere. Napoleone gli appunta la Legion d'Onore al petto.

— Granatiere Lazarev, ti ricorderai sempre del giorno in cui siamo diventati amici, il tuo sovrano e io.

Abbraccia Alessandro.

"Di chi si può essere sicuri?"

Nel suo seguito, molti già si preoccupano. Non ci si può fidare di Alessandro, gli ripetono.

Napoleone esita, convoca il generale Savary. Lo fissa. L'uomo è un fedele tra i fedeli. Lo ha dimostrato in occasione dell'arresto e dell'esecuzione del duca d'Enghien.

— Ho fiducia nell'imperatore di Russia — gli confida. — Ci siamo scambiati reciprocamente i segni della più completa amicizia, dopo aver trascorso venti giorni insieme, e non c'è niente che si opponga a un definitivo riavvicinamento tra le due nazioni.

Si avvicina a Savary e gli pizzica l'orecchio.

— Fate del vostro meglio perché questo avvenga.

Savary sarà l'ambasciatore di Napoleone a Pietroburgo. E dovrà riuscire a farsi accettare nei salotti, lui, il generale accusato di essere il responsabile della morte del duca d'Enghien.

— Ho appena stipulato la pace — continua Napoleone. — Mi dicono che ho sbagliato, che sarò ingannato, ma, parola mia, è ora di dire basta alla guerra. Occorre dare un po' di quiete al mondo.

Cammina avanti e indietro nella stanza.

— Nei vostri colloqui a Pietroburgo non parlate mai della guerra, non disprezzate le loro consuetudini, passate sopra a eventuali comportamenti ridicoli. Ogni popolo ha i suoi usi e costumi, e purtroppo è tipico dei francesi confrontare tutti gli altri con se stessi e porsi come modello. È un modo di comportarsi pessimo.

Accompagna Savary alla porta e lo congeda:

— La pace generale è a Pietroburgo. Gli affari del mondo sono tutti là.

Napoleone lascia Tilsit il 9 luglio, alle dieci di sera. Ha fretta di rientrare a Parigi, il cuore dell'Impero. Ormai è assente da dieci mesi.

Passa da Königsberg e Posen. Si ferma un giorno qui, qualche ora là. È impaziente davanti alla reticenza degli uni e all'opposizione degli altri.

— Comunicate agli abitanti di Berlino che, se non pagano i dieci milioni del loro contributo di guerra, avranno per sempre una guarnigione francese — esclama rivolgendosi al generale Clark, durante la tappa di Königsberg.

Non sanno che Napoleone è il vincitore, l'Imperatore dei Re?

Lo ignorano anche i portoghesi? Dal 1° settembre anche loro dovranno chiudere tutti i porti all'Inghilterra. Sulla strada per Dresda scrive a Talleyrand: "In caso contrario, dichiaro guerra al Portogallo, e tutte le mercanzie inglesi saranno confiscate".

Non può più tollerare che gli vengano opposte stupide resistenze. La Prussia e la grande Russia sono state costrette a piegarsi o a chiedere la sua alleanza; non si illuderanno che si lasci ingannare dai portoghesi o dagli spagnoli? O dal papa, il quale, stando a un dispaccio di Eugenio Beauharnais, pensa di denunciarlo! "Mi scambia per Luigi il Buono? Sarò sempre Carlo Magno alla corte di Roma!"

Arriva a Dresda il 17 luglio, un venerdì.

La città è bella, agghindata e illuminata. Il re di Sassonia si inchina, lo invita rispettosamente alle feste organizzate in suo onore.

Le donne, in ghingheri, fanno la riverenza, accoglienti.

Si ferma qualche giorno. Riceve alcuni delegati polacchi, li presenta al re di Sassonia. Ecco il sovrano del Granducato di Varsavia, che Napoleone ha deciso di creare con le province polacche strappate alla Prussia. In ogni caso le truppe francesi resteranno nel Granducato, quindi l'imperatore francese sarà il vero padrone. Non è la Polonia auspicata dai patrioti polacchi, ammette, ma forse ne è il seme. E forse è già fin troppo per Alessandro, anche se lo zar ha accettato il principio del Granducato.

Pensa a Maria Walewska.

E scrive a Giuseppina:

Cara amica,
   ieri alle cinque di sera sono arrivato a Dresda, in ottime condizioni anche se sono rimasto cento ore sulla carrozza senza scendere. Sono ospite del re di Sassonia, del quale sono particolarmente contento. Quindi, ho più che dimezzato la distanza che ci separa.
   Può darsi che in una di queste belle notti io arrivi all'improvviso a Saint-Cloud in preda alla gelosia, sei avvisata.
   Addio mia cara, avrei una gran voglia di rivederti.

Tuo Napoleone

Vuole fermarsi solo il tempo necessario per cambiare i cavalli.

Attraversa Lipsia, Weimar e Francoforte.

A Bar-le-Duc, un incontro, quella siluetta, quell'uomo che avanza e sembra uscire da un altro mondo, sì, quell'uomo che lo chiama Sire e si presenta come "De Longeaux", era uno dei suoi condiscepoli alla Scuola militare di Brienne.

Napoleone ricorda. Sono passati venticinque anni.

Ascolta per un po' le parole di De Longeaux, poi gli accorda una pensione e riparte subito per Épernay.

Alle sette di mattina di lunedì 27 luglio 1807 arriva a Saint-Cloud.

Parte terza

Bisogna che i destini si compiano
28 luglio - dicembre 1807

11

Napoleone fissa la sorella Carolina, dritta, rigida, in atteggiamento di sfida. Le dice: — Lo voglio. — Non ha negato niente. Lui ha urlato, e lei ha taciuto. Come potrebbe, del resto, contestare di aver sfacciatamente esibito all'Opéra, alle Tuileries, nelle strade e nei salotti di Parigi, il suo legame con il generale Junot, governatore militare della capitale? Nel frattempo suo marito, Murat, caricava alla testa della cavalleria a Heilsberg e Friedland. E ora Murat vuole battersi in duello con Junot!

Ridicolo. Quel duello non avverrà.

Napoleone fa qualche passo. Stringe l'elsa della spada. Sente sotto le dita gli spigoli del Régent, l'enorme diamante che ha fatto incastonare sulla lama imperiale. Lo hanno messo al corrente del legame tra Carolina e Junot il giorno stesso del suo arrivo a Parigi. È una storia che deve finire subito.

— Lo voglio — ripete.

Dalla sua prima udienza, ieri, martedì 28 luglio alle otto di mattina, qui al castello di Saint-Cloud, ha pronunciato in continuazione quelle due parole. Lo vuole, e che nessuno si azzardi a discutere i suoi ordini.

Ha già deciso di sopprimere il Tribunato. A cosa serve quell'assemblea di chiacchieroni che discutono i progetti di legge?

Ha deciso di cambiare i ministri. Vuole farla finita con Talleyrand. Lo ha tenuto d'occhio a Tilsit; si comportava non come un ministro degli Esteri agli ordini del suo imperatore, ma come un principe al centro della sua corte, e teneva le distanze, con uno sguardo ironico. Ma c'è di peggio. Quel ministro è in vendita, sempre.

— È un uomo di talento — confida Napoleone a Cambacérès annunciandogli le sostituzioni dei ministri — ma non si può far nulla con lui se non lo si paga. I re della Baviera e del Württemberg si sono lamentati a tal punto della sua rapacità, che ho deciso di revocargli il portafoglio.

In compenso sarà nominato vice grande elettore, con 495.000 franchi di pensione l'anno! Lo sostituirà Champagny. Berthier viene nominato viceconnestabile, e Clarke diventa ministro della Guerra.

"Lo voglio."

Deve tenere stretti in pugno i ministri. Sono soltanto degli esecutori.

Grazie a questo esempio, però, bisogna che tutti capiscano che devono sottomettersi. Durante i dieci mesi di assenza dell'imperatore, troppi hanno preso delle cattive abitudini. Qualcuno ha perfino sperato di veder morire l'imperatore! Ne è sicuro.

Napoleone osserva Carolina. Indovina dove vuole arrivare, quell'ambiziosa. Non le basta essere la granduchessa di Berg. Se si è impadronita del cuore del povero Junot, è sicuramente perché sperava, nell'ipotesi della morte di Napoleone, di poter contare su quell'amante appassionato per spingere Murat alla guida dell'Impero.

Ma si tramano tanti altri piccoli complotti nell'ombra dei salotti del faubourg Saint-Germain, quelli dell'antica nobiltà.

— Si chiamano ancora duchi, marchesi, baroni, e hanno ripreso i loro stemmi e le livree — dice Napoleone a Cambacérès. — Era facile prevedere che le vecchie consuetudini non avrebbero tardato a rinascere, se non le si sostituiva con istituzioni nuove.

Conduce Cambacérès nelle gallerie del castello prendendolo per il braccio.

— Voglio nominare una nobiltà dell'Impero. La creazione di un nuovo sistema è l'unico mezzo per sradicare del tutto la vecchia nobiltà.

Adesso è solo nel vasto salotto del castello di Saint-Cloud, dove il caldo è già afoso. È mercoledì 29 luglio 1807. L'estate è radiosa.

Napoleone va e viene a passi lenti nel castello che ama tanto, dove ritrova le sue abitudini, l'odore delle foreste vicine.

Si osserva negli specchi che decorano le gallerie. È ingrassato in quei dieci mesi di campagna, lontano dalla Francia. Il suo viso è pieno. Ha perso altri capelli. Assomiglia a un imperatore romano.

Annusa una presa di tabacco.

A Parigi, in suo onore, si rappresenta *Il ritorno di Traiano*. Adulazione, lo sa, bassa adulazione. Lo acclamano. Le strade sono illuminate.

Si è voluto recare nei quartieri della capitale. È sceso dalla carrozza al Palais-Royal e ha camminato nelle strade dove una volta si inebriava del profumo delle donne.

Lo riconoscono e gridano: — Viva l'imperatore! — D'improvviso, diventa pensieroso.

Nonostante i piagnistei di Giuseppina, non ha voluto condividere con lei il letto coniugale, nella camera comune ormai abbandonata da vari anni.

La seconda notte si è recato da Éléonore Denuelle. È pur sempre desiderabile e graziosa, ma con un piglio insolente e autoritario sgradevole.

Ha sollevato il velo di garza che nascondeva la culla e lui ha potuto vedere il piccolo, il conte Léon, un neonato di poco più di sei mesi. Dorme.

Di colpo, l'emozione scuote Napoleone. Quel figlio è suo, non è possibile dubitare, lo vede, lo sente. Tocca la piccola testa rotonda.

Si ricorda di Napoleone Carlo, della gioia che lo invadeva giocando con il figlio di Ortensia e Luigi a Saint-Cloud, di quella stessa sensazione di assomigliargli che prova anche oggi.

Spesso aveva affermato: — Mi riconosco in questo bambino... Lui sarà degno di succedermi, e potrà anche superarmi.

"La morte ha preso Napoleone Carlo. Il destino ha imposto la sua legge. Il conte Léon non sarà il mio erede. Ma se non ho figli, a cosa servono tutte le pietre che accumulo per creare un palazzo imperiale che rimarrà senza eredi?

"Perfino mia sorella Carolina pensa alla mia morte."

E le strade illuminate, le acclamazioni, gli inchini, le lodi sperticate (per non parlare del corso delle rendite, che non era mai stato così alto dall'inizio del regno: 93 franchi), che fine farebbero all'annuncio della morte dell'imperatore?

Si sente solo in mezzo a quel diluvio di omaggi che si riversano su di lui da ogni parte. Non è inebriato né dai complimenti dei cortigiani, né dei grandi lampioni che illuminano Parigi di sera, il 15 agosto, per celebrare la festa di San Napoleone e i suoi trentotto anni.

Esce di notte in compagnia del solo Duroc. Vuole mescolarsi al popolo che passeggia, quel 15 agosto, giorno di festa, nei giardini delle Tuileries. Nessuno lo nota, ma lui sente acclamare il suo nome, vede la gente disinteressata che applaude le sue vittorie.

Questa gente lo rassicura. Ride quando Duroc gli riferisce la battuta di Fouché sul nuovo titolo di Talleyrand, vice grande elettore. "Vice", in francese, vuol dire anche "vizio".

— Gli mancava solo quel "vizio". Con tutti quelli che ha, non se ne accorgerà nessuno — è stato il commento del ministro della Polizia generale.

Un universo separa questa gente dai Fouché e dai Talleyrand!

Pensa a quanto dirà domani davanti al Corpo legislativo:

— In tutto quello che ho fatto, il mio unico interesse è stato la felicità dei miei popoli, più cara ai miei occhi della mia stessa gloria... Francesi, il vostro comportamento in questi ultimi tempi ha aumentato la mia stima e l'opinione che avevo del vostro carattere. Mi sono sentito fiero di essere il primo tra voi.

Napoleone ama quel paese, quel popolo. È commosso. Sente il bisogno di confidarsi. Rientra alle Tuileries e, solo nel suo studio, scrive:

Mia dolce e cara Maria,
   tu, che ami tanto il tuo paese, potrai capire con quanta gioia mi ritrovi in Francia dopo quasi un anno di assenza. Questa gioia sarebbe completa se tu fossi qui, ma ti porto comunque nel mio cuore.
   L'Assunzione è la tua festa e il mio anniversario: è una duplice ragione perché le nostre anime vibrino all'unisono quel giorno. Tu mi hai certo scritto come faccio io inviandoti i miei auguri. Sono i primi, esprimiamo i nostri voti affinché tanti altri ne seguano, per molti anni.

Arrivederci, dolce amica, presto mi raggiungerai, appena gli affari di Stato mi lasceranno la libertà di chiamarti.

Credi al mio inalterabile affetto.

N.

Tuttavia sa bene che "gli affari" non si interrompono mai; se un giorno vorrà incontrare Maria Walewska, sarà solo sottraendo qualche istante ai suoi impegni di imperatore. Sa bene, inoltre, che loro due non vivranno mai più momenti di intimità così piacevoli come quelli trascorsi al castello di Finkenstein.

Qui, a Parigi, le udienze si susseguono, i dispacci si accumulano. Deve visitare i lavori iniziati al Louvre o al ponte di Austerlitz. Deve passare in rassegna le truppe, scrivere al re del Württemberg per confermargli che il matrimonio tra sua figlia Caterina e Gerolamo Bonaparte, re di Vestfalia, sarà celebrato il 22 agosto.

E deve stare costantemente in guardia.

Viene a sapere che gli austriaci stanno reclutando nuove truppe. Convoca Champagny, il nuovo ministro degli Esteri. — Desidero che scriviate a monsieur Metternich una lettera confidenziale, dolce e misurata ma precisa: quale spirito di follia si è impadronito dei viennesi? gli direte. State arruolando l'intera popolazione sotto le armi, i vostri prìncipi percorrono le campagne come cavalieri erranti... come impedire che questa situazione provochi una crisi?

È pensieroso, dopo la partenza di Champagny.

Ha la sensazione di essere costretto a correre da un capo all'altro dell'Europa per sbarrare le porte alla guerra. Sono porte che sbattono in continuazione; quando una è chiusa, si riapre l'altra, e le finestre sbattono a loro volta.

L'Austria si sta già riarmando. L'Inghilterra ammassa una flotta di fronte a Copenaghen per costringere le navi danesi a raggiungere l'Inghilterra. La Prussia rifiuta di versare i contributi di guerra dovuti. E il Portogallo non chiude i suoi porti alle mercanzie inglesi.

Ma come soffocare l'Inghilterra, se il blocco continentale non è completo, assoluto?

Convoca il generale Junot.

Cammina su e giù davanti a questo fedele compagno di vecchia data, conosciuto nel corso dei suoi primi combattimenti, durante

145

l'assedio di Tolone. Napoleone gli parla con calma dell'armata di 20.000 uomini che ha deciso di costituire a Bayonne. Se il Portogallo rifiuta di applicare i princìpi del blocco continentale, questa armata attraverserà la Spagna, occuperà Lisbona e imporrà ai portoghesi il blocco delle merci inglesi.

Il generale Junot sarà il comandante in capo di quell'armata, conclude Napoleone.

Si ferma davanti al vecchio compagno d'armi che balbetta:

— Voi mi esiliate! Cosa avreste fatto di me, se avessi commesso un delitto?

Napoleone gli si avvicina maggiormente, dà una pacca amichevole sulla spalla dell'uomo che, in tempi difficili, è stato il suo aiutante di campo, il suo amico, il suo sostegno.

— Non hai commesso delitti, ma un errore — gli dice.

Per un certo periodo Junot deve allontanarsi da Parigi. Per far dimenticare la sua relazione con Carolina Murat.

Junot china il capo.

— Disporrai di un'autorità senza limiti — gli promette Napoleone mentre lo accompagna. — Il bastone di maresciallo ti attende laggiù.

Perché le truppe francesi, Napoleone ormai ne è convinto, dovranno andare a imporre la legge dell'Impero a Lisbona. I re ritrovano la ragione solo quando sono vinti.

E come non reagire, dal momento che l'Inghilterra non rinuncia?

Nel calore soffocante della fine di agosto del 1807, mentre si conclude la cerimonia religiosa del matrimonio tra Caterina di Württemberg e Gerolamo, re di Vestfalia, Napoleone viene informato dello sbarco sulla costa danese delle truppe inglesi, che stanno mettendo in batteria i cannoni per bombardare Copenaghen.

— Provo una profonda indignazione per questo orribile attentato — commenta Napoleone.

Sono i venti di guerra che continuano a soffiare, e sferzano quell'angolo di Europa così come le coste portoghesi.

Occorre creare un fronte, contare sull'alleanza con "il potente imperatore del Nord", lo zar, lusingarlo, blandirlo, fargli capire che ormai si è della stessa famiglia.

"Questa unione tra Caterina e Gerolamo" scrive Napoleone ad

Alessandro I "è per me tanto più importante perché stabilisce tra Vostra Maestà e mio fratello legami di parentela ai quali attribuiamo la più grande importanza. Colgo con vero piacere questa occasione per esprimere a Vostra Maestà la mia soddisfazione per i rapporti di amicizia e fiducia che si sono stabiliti tra noi, e per assicurare che non ometterò nulla per cementarli e consolidarli sempre di più."

Ma cosa valgono l'amicizia e la fiducia in politica? E quanto tempo durano?

12

Napoleone percorre lentamente le gallerie del castello di Fontainebleau. Non gli piacciono questi tramonti di ottobre. Si sente già invadere dal sonno. Dopo il lavoro intenso della giornata e la caccia, dato che spesso galoppa parecchie ore di seguito nelle foreste che circondano il castello, quelle serate gli pesano. Si annoia.

Sull'ingresso dell'ampio salotto dove l'imperatrice raduna la sua cerchia, vede tutte quelle donne che lo osservano avanzare. Quale si rifiuterebbe, se la scegliesse per la notte? Non ci sarebbe nemmeno una "crudele", ha sibilato la sera prima a Giuseppina per provocarla e irritarla, per mettere un po' di pepe nella conversazione smorta, inutile, che lo stanca subito.

— Perché avete sempre avuto a che fare con donne che non lo erano — ha risposto Ortensia, che era seduta accanto a sua madre.

Questo lo ha divertito. Ma è ripiombato nella noia. Anche al teatro di corte, che ha fatto sistemare e dove gli attori della Comédie-Française vengono due volte la settimana per una rappresentazione, gli capita di sonnecchiare. Conosce a memoria *Il Cid* o *Cinna*. Sbadiglia quando in scena c'è *L'amico di casa*, una commedia di Marmontel con musiche di Grétry. Bisognerebbe non aver vissuto ciò che ha vissuto lui, le pallottole che ti sibilano vicino alla testa, o la bella regina Luisa che si morde le labbra per l'umiliazione, la collera e il dispetto, per gradire questi spettacoli. Ormai non lo divertono più.

Preferisce il suo studio, l'eccitazione dei dispacci, la necessità di inventare una risposta, di concepire un piano, di prevedere una mossa politica, di immaginare. Sì, immaginare! Ecco l'unica cosa che lo tiene sveglio!

Quel pomeriggio, mentre era a caccia davanti al gruppo dei suoi invitati, le donne impellicciate nei loro calessi, si è ritrovato di colpo solo in una radura, senza sapere più dove si trovava. Una foresta della Polonia o della Germania? La foresta di Fontainebleau?

È rimasto così parecchi minuti, travolto dai ricordi e dalla sua immaginazione.

Come rispondere agli inglesi che, dopo aver bombardato per cinque giorni Copenaghen, hanno ottenuto la capitolazione dei danesi e si sono impadroniti come pirati della loro flotta?

"Maledetta Inghilterra! Bisogna prenderla per il collo."

La mattina stessa ha dettato un decreto che rinforzava il blocco continentale. Deve essere un blocco effettivo, dall'Olanda al Portogallo, dal Baltico all'Adriatico.

È stato costretto a scrivere a Luigi affinché si decida a ordinare la chiusura dei porti olandesi alle mercanzie inglesi. "Non si è re quando non si è in grado di farsi obbedire in casa propria!" gli ha scritto.

Per quanto riguarda il Portogallo, "mi ritengo in guerra con quel paese" ha spiegato a Champagny, che non ha le astuzie diplomatiche di Talleyrand ma è sicuramente meno venale di lui.

Di nuovo la guerra?

Il suo cavallo scalpita nella radura. Napoleone ha un attimo di profonda disperazione, pensando a tutte le nuove foreste che dovrà percorrere in Portogallo, e forse in Spagna, dove tanti uomini saranno falciati!

Ma può lasciare che gli inglesi dettino legge? L'Olanda e il Portogallo devono chiudere i loro porti. L'Adriatico deve diventare un lago francese. La Russia deve essere un'alleata in questo conflitto tra la terra e il mare.

Se lo ripete mentre la muta si avvicina, riempiendo di latrati la foresta: "Ho deciso di non avere più riguardi per l'Inghilterra. Siccome questa potenza è sovrana dei mari, è venuto il momento in cui io devo essere il dominatore del continente. Una volta che mi sono accordato con la Russia, non temo più nessuno. Le sorti sono decise".

Passa un cervo inseguito dai cani, che tornano ben presto nella radura con la lingua penzoloni.

Napoleone va in collera.

"Questa muta non vale niente! Che razza di battitori abbiamo?"

Si dirige da solo verso il padiglione di caccia che ha fatto ammobiliare con tutte le comodità.

Madame Barral lo sta aspettando.

Ci vuole una donna che lo distragga per un po'. E lei è là, pronta, con la sua siluetta massiccia. Napoleone ride. Lei si stupisce. Ma non può certo dirle che, vedendola, pensa che le manca solo un pettorale di ferro per assomigliare a un corazziere. Un corazziere che non sa resistere alle cariche, però!

Madame Barral è una delle donne che la sera sono radunate all'ingresso del salotto dell'imperatrice. Sta accanto a Paolina, è una delle sue damigelle di compagnia.

Napoleone ignora lo sguardo complice della sorella. Le sue sorelle, Paolina, Carolina, per non parlare di Talleyrand e Fouché, hanno manicotti e tasche pieni di donne per lui. Perfino Giuseppina è compiacente, quando si tratta di relazioni brevi.

"Teme solo una cosa, Giuseppina: il ripudio, il divorzio. Vive in quell'ossessione da quando è nato mio figlio Léon, e da quando Napoleone Carlo, il figlio di Ortensia, è morto.

"Perché lei sa che penso al futuro dell'Impero e della dinastia."

Allora spinge lei stessa verso il letto imperiale questa o quella donna, sapendo che non potranno sostituirla sul trono.

Ha perfino facilitato l'insediamento, in uno degli appartamenti del castello, di Carlotta Gazzani, che fa parte del suo seguito. Ma quello che ha da temere da questa bella genovese non la preoccupa. Giuseppina non ha mai avuto il culto della fedeltà!

Sa bene quanto in fretta nasca la noia dall'incontro di due corpi che cercano solo il piacere!

E sa che Napoleone non sopporta né la noia né la sensazione del vuoto.

L'imperatore entra nel salotto dell'imperatrice. Vede Talleyrand nel suo abito di gala da vice grande elettore. Il volto del principe di Benevento sembra ancora più pallido, contrastando con l'abito di velluto rosso con risvolti dorati, le maniche coperte da ricami in oro dal polso alla spalla, il collo nascosto da una cravatta di pizzo.

Napoleone lo prende per il braccio e lo accompagna in un angolo del salotto.

— È una situazione singolare — esordisce. — Ho radunato a Fontainebleau parecchia gente.

Si volta e indica con un gesto la famiglia di re che ha costituito. Ci sono il re di Vestfalia, Gerolamo, diversi principi tedeschi, regine d'Olanda, di Napoli, e poi marescialli, ministri.

— Ho voluto che ci si diverta — continua — e ho dato disposizioni per accontentare tutti quanti.

Con il gran maresciallo di palazzo, Duroc, ha stabilito personalmente l'etichetta, compreso l'abbigliamento femminile in occasione di battute di caccia e cene ufficiali.

— Voi sapete che io sono un intenditore in fatto di moda.

Ha regolato l'impiego del tempo nelle serate: cene o riunioni a casa di questo o quel personaggio della corte. Ha assegnato lui stesso trentacinque appartamenti del castello ai principi e ai grandi ufficiali. Ha attribuito anche i quarantasei appartamenti d'onore. Quelli restanti, dei seicento di cui dispone il castello, sono occupati da segretari e domestici. Ha stabilito la periodicità delle rappresentazioni teatrali e i giorni per le battute di caccia.

Napoleone si china verso Talleyrand:

— Tutti i piaceri — ripete — e ciononostante...

Indica gli ospiti che li circondano.

— I loro musi sono lunghi, e tutti hanno l'aria stanca e triste.

Talleyrand china il capo con aria contrita.

— Il piacere non si comanda con il rullo dei tamburi, Sire... — mormora.

Rialza il capo.

"Bisogna sorridergli per consentirgli di finire la frase."

— Qui è come sotto le armi, Sire, avete sempre l'aria di dire a tutti noi: "Forza signori e signore, avanti, in marcia!".

Napoleone ride, fa il giro del salotto, poi lascia la stanza.

L'indomani mattina convoca Talleyrand.

Lo osserva avanzare nello studio illuminato dal sole pallido di quella mattina di ottobre. Sulla foresta di Fontainebleau e sui laghetti del parco la foschia non si è ancora diradata.

Come sempre, Talleyrand è impassibile, distante, quasi ironico. Non è più ministro degli Esteri, ma è pur sempre un uomo ben informato che può impartire buoni consigli.

Napoleone cammina avanti e indietro e annusa qualche presa di tabacco.

— L'unico modo per arrivare alla pace consiste nell'isolare l'Inghilterra dal continente e nel chiudere tutti i porti al suo commercio — esordisce.

Talleyrand approva con un movimento impercettibile della testa.

— Da sedici anni il Portogallo si comporta in modo scandaloso come una potenza venduta all'Inghilterra — riprende Napoleone.

Alza la voce. Dice con passione:

— Il porto di Lisbona è stato una miniera, un tesoro inesauribile per gli inglesi. Vi hanno sempre trovato ogni sorta di soccorso... È il momento di sbarrare loro sia Oporto che Lisbona.

Talleyrand rimane impassibile.

"Uomo abile."

Napoleone si avvicina.

— Ho ordinato a Junot di varcare i Pirenei e di attraversare la Spagna. Ho fretta che le mie truppe arrivino a Lisbona. Ho informato di tutto ciò il re di Spagna.

— Carlo IV è un Borbone — mormora Talleyrand. — Suo figlio Ferdinando, principe delle Asturie, è il pronipote di Luigi XIV. La regina Maria Luisa ha un favorito, dicono. Manuel Godoy, principe della Pace. È lui che governa, con l'accordo e la compiacenza del re.

Talleyrand sorride.

— Carlo IV è un Borbone — ripete. — A quanto mi dicono, ha lo stesso carattere di Luigi XVI.

I Borboni! Ci ha già pensato varie volte. Ma Talleyrand ha insistito, da persona abile che sa scegliere, incitare, senza mai avere l'aria di farlo.

È già uscito dallo studio, ma Napoleone continua a esclamare:

— Ancora i Borboni!

Si ricorda di Luigi XVI, quel re *coglione* che, lui lo ha visto il 20 giugno, e ancora il 10 agosto 1792, non osava combattere.

"I Borboni: una dinastia esaurita!"

Napoleone prende le lettere che il principe delle Asturie, Ferdinando, erede della corona di Spagna, gli ha inviato chiedendo umilmente in moglie una principessa Bonaparte. Il pronipote di Luigi XIV piagnucola come una donna e accusa Godoy, l'amante della regina, sua madre, di volerlo esautorare.

"Un Borbone!"

Ed ecco la lettera del padre, Carlo IV. Napoleone la rilegge tenendola come se gli insozzasse le dita.

"Mio figlio maggiore" scrive Carlo IV "l'erede presuntivo al trono, aveva organizzato un orribile complotto per detronizzarmi. Si è spinto fino all'eccesso di attentare alla vita di sua madre; un attentato così orribile deve essere punito con il più esemplare rigore delle leggi... Non voglio perdere un istante per informare Vostra Maestà imperiale e reale, pregandovi di aiutarmi con i vostri illuminati consigli."

Napoleone getta la lettera sul tavolo.

"Borboni!"

Il figlio denuncia l'amante della madre, il padre protegge quell'amante e accusa il figlio di voler assassinare la madre. Lo fa arrestare.

Borboni: una stirpe che si sta estinguendo.

"Io sono nato dalla caduta dei Borboni. Hanno voluto assassinarmi, e io ho fatto fucilare il duca d'Enghien. Ho cacciato i Borboni da Napoli.

"Ho fatto espellere dalla Russia, dallo zar, il Borbone che si pretendeva Luigi XVIII e che aveva cercato di comprarmi. Proprio me!

"Quando io potrei, detronizzando i Borboni di Spagna, portare a compimento la costituzione di un Impero grande come quello di Carlo Magno."

Ha già immaginato tutto. È una visione, perché il tempo non è ancora venuto. Per il momento, si tratta soltanto del Portogallo.

Si siede per calmarsi. I sogni sono come il vino. Riscaldano. La noia svanisce.

Detta una lettera per Junot, che è già in marcia verso Lisbona.

"Non c'è un momento da perdere, se vogliamo anticipare gli inglesi... Spero che il 1° dicembre le mie truppe abbiano già raggiunto Lisbona."

Per oggi, questo può bastare. Ma come dimenticare i sogni?

Napoleone ritorna verso il segretario e gli detta un'ultima frase: "Non ho bisogno di dirvi che non dovete mettere spagnoli in posizioni di comando."

E dire che gli spagnoli sono ancora degli alleati, e Champagny ha ricevuto l'ordine di firmare con loro una convenzione segreta per organizzare la divisione del Portogallo tra Madrid e Parigi!

"Nessuna posizione di comando" ripete Napoleone. "Soprattutto nella parte del Portogallo che deve restare nelle mie mani."

Entra nell'ampia sala del castello di Fontainebleau per ricevere gli ambasciatori delle grandi potenze.

Si ferma davanti a Metternich, dice qualche parola al diplomatico austriaco con tono indifferente.

In un salotto del genere deve comportarsi da stratega.

Si dirige verso l'ambasciatore del Portogallo urlando con violenza, come in un attacco a sorpresa:

— Se il Portogallo non fa quello che voglio, entro due mesi la casa di Braganza non regnerà più in Europa.

Poi, rivolgendosi a tutti e a nessuno, come una salva di artiglieria, aggiunge:

— Non accetterò più che ci sia un solo inviato inglese in Europa... Ho 300.000 russi a mia disposizione e, con quel potente alleato, posso tutto.

Passa davanti agli ambasciatori come un generale che ispeziona gli ufficiali nemici appena catturati.

— Gli inglesi dichiarano di non voler più rispettare i paesi neutrali sui mari? — riprende. — E io non li riconoscerò più sulla terra!

Si allontana.

— Ho più di 800.000 uomini in armi — aggiunge ancora prima di lasciare la sala.

Adesso va a cacciare.

Va a sognare.

13

Napoleone fa cenno a Fouché di sedersi, ma il ministro della Polizia generale preferisce rimanere in piedi. Napoleone lo osserva. Fouché stringe in mano un portadocumenti.

Il suo volto è ancora più enigmatico del solito. Le rughe intorno alla bocca gli scavano le guance. Gli zigomi sono sporgenti, le labbra talmente sottili da essere impercettibili. Volto di pietra, pensa Napoleone.

"Cosa vuole Fouché? Non è certo uomo da sollecitare un'udienza per futili motivi. Non viene certo da Parigi a Fontainebleau per fare il cortigiano."

— Monsieur duca d'Otranto... — esordisce Napoleone.

Fouché inclina la testa. Forse vuole parlare della spedizione in Portogallo, degli affari di Spagna che si stanno complicando.

Infatti è arrivata una nuova lettera di Carlo IV. Ferdinando, principe delle Asturie, riconosciuti i suoi torti, si è umiliato.

— Indegno! — esclama Napoleone.

Per sostenere le truppe di Junot, ha deciso di far entrare in Spagna una nuova armata di 25.000 uomini agli ordini del generale Dupont. Avanzano sulla strada di Lisbona, scalando i massicci rocciosi delle montagne iberiche sotto gelide bufere di pioggia e vento.

Che ne pensa il duca d'Otranto di quei Borboni, lui che è stato tra i regicidi?

Fouché tace, sempre in piedi, le palpebre così pesanti che quasi non gli si vedono gli occhi.

Il suo silenzio è irritante. Napoleone si volta dall'altra parte e mormora:

— Talleyrand mi assicura che bastano poche decine di migliaia di uomini per farla finita con i Borboni di Spagna.

— Non vi illudete sulla disposizione d'animo dei popoli della penisola, Sire.

Napoleone fissa Fouché, il cui volto non ha cambiato espressione. Gli occhi sono rimasti semichiusi.

— State in guardia — prosegue Fouché. — Lo spagnolo non è flemmatico come il tedesco, tiene ai suoi costumi, al suo governo, alle sue abitudini. Ve lo ripeto: guardatevi bene dal trasformare un regno tributario in una nuova Vandea.

— Monsieur duca d'Otranto...

Napoleone comincia a camminare avanti e indietro nel salotto.

— Cosa mi dite? — prosegue. — Tutte le persone con un briciolo di ragione in Spagna disprezzano il governo. Quanto a quella massa di canaglie di cui mi parlate, ancora sotto l'influenza di monaci e preti, basterà una sventagliata di cannonate per disperderla. Avete visto quella Prussia militare...

Si ferma davanti a Fouché.

— L'eredità del grande Federico è crollata davanti alle nostre armate come una vecchia clava. Ebbene, se voglio, la Spagna cadrà nelle mie mani senza rendersene conto. E dopo applaudirà.

Fouché rimane impassibile.

Napoleone si dirige verso la finestra. Il vento fa fremere i colori autunnali rossastri degli alberi della foresta.

L'imperatore ritorna lentamente verso Fouché. Non ha ancora deciso nulla, gli spiega. Ha solo impartito al suo ciambellano, monsieur Tournon, l'ordine di recarsi a Madrid per consegnare la sua risposta a Carlo IV e informarsi sulla situazione di quel paese, del suo esercito, delle piazzeforti che occupa, oltre a informarsi sull'opinione pubblica del paese.

Monsieur il duca d'Otranto è soddisfatto?

Fouché, con calma, solleva il braccio, indica il portadocumenti che ha in mano. Intende leggere una dichiarazione a Sua Maestà, dice. È il motivo della sua visita.

— Leggere?

Napoleone si siede e fa un cenno di approvazione.

Fouché comincia a leggere con la sua voce metallica.

Napoleone ascolta Fouché il quale, senza alzare gli occhi, afferma che per il bene dell'Impero è necessario sciogliere il matrimonio dell'imperatore, formare subito un nuovo legame, meglio combinato e più dolce, in grado di dare un erede al trono su cui la Provvidenza ha fatto salire l'imperatore.

Fouché tace e richiude il portadocumenti.

Cosa rispondere?

Le parole gli mancano. Il pensiero di Fouché è sempre acuminato. Indovina e intuisce.

"Nel mio animo il divorzio è già deciso. Come ha argomentato Fouché, si tratta di una necessità politica. Ma come rompere con Giuseppina senza distruggerla o umiliarla?

"Come separarmi da lei, che mi ha visto salire tutti i gradini del destino? Come non temere che la mia rottura con lei non signifìchi anche la fine della mia buona stella?

"A meno che non consenta lei stessa al divorzio o che, sentendosi così poco protetta in questa tormenta, vi si decida lei stessa, meglio ancora, che lo suggerisca lei stessa.

"Che la sua comprensione disarmi il destino e mi protegga dalla sua vendetta."

Napoleone congeda Fouché.

Ha bisogno di restare solo.

Il divorzio? Ci pensa in continuazione, ogni volta che vede Giuseppina, sempre più triste, quasi prostrata dalla morte del nipotino, Napoleone Carlo.

Intorno a lei, Carolina, Paolina e anche sua madre, sembrano uccelli rapaci che spiano il momento in cui verrà finalmente il ripudio. D'altronde, molti abbandonano già Giuseppina, preferiscono il salotto di Carolina Murat all'Eliseo, dove già complottano Fouché, Talleyrand e tutti quelli che vogliono il divorzio.

Napoleone, tuttavia, non avrebbe mai pensato che Fouché potesse trovare una simile audacia.

È Fouché, probabilmente, a diffondere a Parigi le voci che poi gli vengono riferite dalle spie della polizia. Il divorzio è già deciso, ripetono nei salotti.

Napoleone esita, osserva Giuseppina durante le serate in cui presiede le cene della sua cerchia. È quasi commovente in quello stato di disperazione che non riesce a mascherare. Gli lancia di tanto in tanto sguardi smarriti.

Napoleone volta la testa, lascia il salotto, si chiude nel suo studio. Cosa può fare? Adottare il conte Léon? Ha rivisto il bambino di Éléonore Denuelle, è robusto e vivace. Lo ha preso tra le braccia, si è commosso, ma anche irritato per il chiacchiericcio pretenzioso di Éléonore. Vuole, sì, quel bambino, ma non vuole quella madre. Non può. Lui è l'imperatore. Per lui ci vogliono una madre e un figlio all'altezza della sua dinastia. Ha finito per far sposare meglio i suoi fratelli di quanto non lo sia lui stesso!

Si ribella. Va a caccia, perché il vento della corsa nella foresta spazzi via questa ossessione che ormai si è impadronita di lui.

Quando rientra al castello, Giuseppina lo aspetta, curva, gli occhi gonfi di lacrime. Fouché le ha parlato nel vano di una finestra, nel momento in cui tornava da messa. L'ha invitata, dopo mille circonlocuzioni, a compiere, come ha detto, "il più sublime e al tempo stesso il più inevitabile dei sacrifici". Sono le precise parole che ha usato. Ha parlato per ordine dell'imperatore? domanda Giuseppina. Napoleone intende ripudiarla?

La osserva a lungo. Si ricorda di quello che è stata per lui. La prende tra le braccia.

Fouché ha agito esclusivamente di sua iniziativa, mormora.

Lo cacci, allora, dice lei stringendosi contro Napoleone.

Lui si scosta. Fouché ha agito per ragioni politiche, spiega senza guardarla. Chissà se Giuseppina capirà che, dicendo così, e rifiutandosi di licenziare Fouché, lui le sta svelando i propri pensieri? Eppure non può, non vuole ancora separarsi da lei.

La riabbraccia, la rassicura.

Sceglierà da solo il momento. Deciderà da solo.

Giovedì 5 novembre 1807, quando rientra nel suo studio dopo una notte passata con Giuseppina, scrive, lasciando numerose macchie d'inchiostro sul foglio tanto traccia in fretta le parole:

Monsieur Fouché,
   da una quindicina di giorni mi riferiscono delle vostre follie. È ora che mettiate un termine a questo comportamento e che la smettiate di immischiarvi direttamente o indirettamente in una cosa che non potrebbe in alcun modo riguardarvi. Questa è la mia volontà.

Napoleone

Ha chiuso nella sua testa il cassetto del divorzio. Per il momento. Si stupisce anzi di avergli consacrato tanto tempo. Non ce l'ha con Fouché. Forse sta soltanto preparando il futuro.

Venerdì, 6 novembre 1807, si alza con la sensazione di essere più leggero. Le grandi imprese che deve compiere non aspettano. Interpella il ministro dell'Interno, Cretet. A che punto sono i grandi lavori? Cosa è stato fatto per eliminare la mendicità?

— Ho fatto consistere la gloria del mio regno nella decisione di cambiare l'aspetto del territorio dell'Impero — afferma.

Esamina i progetti. Apriamo "sessanta, cento case per estirpare la mendicità" dice. Forza, lavoro, energia!

— Prendete subito tutte queste iniziative e non vi addormentate nel lavoro ordinario degli uffici!

Il ministro capirà? Gli dice:

— Non bisogna passare su questa terra senza lasciarvi tracce che ricordino la nostra memoria ai posteri.

Chiama Constant.

Oggi, e per tutto il giorno, desidera esibire il gran cordone dell'ordine di sant'Andrea, la decorazione attribuitagli dallo zar. Gli uomini sono sensibili a questi futili particolari. E oggi riceve il nuovo ambasciatore della Russia in Francia, il conte Tolstoj.

Va incontro al conte Tolstoj nell'ampia galleria del castello di Fontainebleau. È necessario sorridere, sedurre. L'alleanza con la Russia è indispensabile. Ma quell'uomo pallido in volto non gli piace. Il conte Tolstoj risponde a monosillabi. Non ringrazia per la residenza che gli è stata offerta, un palazzo privato ammobiliato in rue Cerruti, acquistato da Murat. E sfugge alle domande.

"Ma che ambasciatore mi ha inviato lo zar?

"Quando parla, è per reclamare l'evacuazione della Prussia da parte delle truppe francesi."

— La Prussia vi giocherà ancora qualche brutto tiro — dichiara Napoleone. — Evacuare la Prussia? E perché no? — prosegue.

Prende Tolstoj per il braccio. Sente il conte irrigidirsi.

— Ma spostare un esercito non è come fiutare una presa di tabacco — aggiunge Napoleone.

L'ambasciatore non sorride più, non sembra neanche aver notato il cordone dell'ordine di sant'Andrea.

Napoleone si scosta.

"Quest'uomo sembra preoccuparsi per ogni segno di attenzione.

"Sa che cosa è successo a Tilsit tra Alessandro e me?

"Io, in ogni caso, ho bisogno dell'alleanza russa. La realtà detta sempre legge."

È costretto dunque a essere premuroso per tutta la giornata con Tolstoj, a moltiplicare i segni di considerazione per lui.

L'indomani convoca il gran scudiero Caulaincourt.

— A Pietroburgo ho bisogno di un uomo di buoni natali. Un uomo i cui modi, l'aspetto e le premure per le donne e la società piacciano alla corte. Savary vorrebbe restare a Pietroburgo, ma là non è utile. So che lo zar Alessandro ha per voi un'alta considerazione…

Si avvicina a Caulaincourt. Sa che il gran scudiero non ci tiene, ad andare in veste di ambasciatore in Russia.

— Siete un gran testardo, Caulaincourt.

Gli pizzica l'orecchio.

— La pace generale si conserva a Pietroburgo, dovete partire.

"Che m'importa se Caulaincourt rifiuta di nuovo il posto di ambasciatore?"

— È la bella madame Canisy che vi trattiene a Parigi, vero?

Napoleone pizzica di nuovo l'orecchio di Caulaincourt.

— Visto che volete sposarvi, i vostri affari si sistemeranno meglio da lontano che da vicino.

È così. Non si discute. Si obbedisce. Si ascolta.

Napoleone comincia a camminare avanti e indietro, con le mani intrecciate dietro la schiena.

— Quel conte Tolstoj ha tutte le idee che circolano nel faubourg

Saint-Germain e tutte le prevenzioni della vecchia corte di Pietroburgo prima di Tilsit — afferma. — Vede solo le ambizioni della Francia e, in fondo, deplora il cambiamento politico della Russia. Soprattutto il suo cambiamento nei confronti dell'Inghilterra.

Napoleone alza le spalle.

— Sarà un uomo di corte, ma la sua idiozia mi fa rimpiangere il vecchio ambasciatore russo Markov. Almeno con lui si poteva discutere, capiva le questioni. Questo si spaventa per qualsiasi cosa!

Ma quanto pesano i pregiudizi e le reticenze del conte Tolstoj?

"I popoli vogliono idee liberali" confida per lettera Napoleone a Gerolamo, il fratello che ha messo sul trono di Vestfalia.

"Desiderano l'uguaglianza" prosegue. "È da tanti anni che governo l'Europa, e ho avuto modo di convincermi che il brusio dei privilegiati era contrario all'opinione generale."

Si interrompe ed esce dallo studio.

La frase che ha appena dettato lo turba. È sicuro di quello che ha detto? Non sta forse cercando, da quando è salito al potere, di alleare a sé i privilegiati dell'antica nobiltà? Non vuole forse costituire una dinastia alleata alle vecchie famiglie regnanti?

Rientra nello studio, strappa la lettera destinata a Gerolamo. Si sente esitante, incerto.

Non lo sopporta.

Di colpo, annuncia che intende lasciare il castello di Fontainebleau per scendere in Italia. Sono due anni ormai, dalla primavera del 1805, che non visita quel regno, di cui porta la corona di ferro. È venuto il momento di farlo.

Non risponde quasi nemmeno a Giuseppina, che vorrebbe partecipare al viaggio.

Parte anche per sfuggirla, per non vedere più la sua faccia e la sua tristezza che lo accusano.

— Figuratevi che quella donna piange tutte le volte che ha una cattiva digestione, perché è convinta di essere stata avvelenata da quelli che vogliono che io sposi un'altra. È detestabile — sibila in tono impaziente a Duroc.

Forse in Italia potrà prendere una decisione.

161

Si ricorda d'improvviso della sorella di Augusta di Baviera, Carlotta. È stato lui a organizzare il matrimonio di Augusta con Eugenio Beauharnais. E se sposasse Carlotta? Detta febbrilmente una lettera di invito al re e alla regina di Baviera affinché si rechino a Verona con la loro figlia. Cominciamo con il vederla!

Poi, il 15 novembre, alla vigilia della partenza per Milano, è di nuovo colto dai dubbi. Riprende la lettera per Gerolamo.

"Siate un re costituzionale" gli scrive.

Lui non lo è. Ha scelto di mescolare l'antico e il nuovo. Di vestire le idee liberali sotto i vecchi orpelli dei pregiudizi, di cui ha misurato l'importanza.

Per questo ha intessuto una trama con le famiglie regnanti. Per questo vuole incontrare il re e la regina di Baviera a Verona. Ma che Gerolamo non si lasci ingannare:

"Fate sì che la maggioranza del vostro Consiglio sia composta da non nobili" scrive.

Napoleone sorride e aggiunge:

"Senza che nessuno si accorga di questo abituale favore di conservare la maggioranza al terzo stato in tutti gli impieghi."

Infatti, pur essendo certo che non è mai il passato a vincere, bisogna essere furbi. Anche quando si è l'Imperatore dei Re.

14

Lunedì 16 novembre 1807. La carrozza ha appena lasciato il castello di Fontainebleau. Napoleone comincia a canticchiare. È allegro. Ricorda le parole della canzone che spesso i soldati intonano prima della battaglia, quando passa davanti a loro:

> Napoleone è imperatore,
> ecco cosa vuol dire aver cuore!
> È il figlio più grande del valore,
> la speranza
> e il sostegno della Francia.

Ride, pizzica l'orecchio del suo segretario, che è seduto nella berlina accanto a lui. Si sente ringiovanito, libero dal peso della presenza di Giuseppina in lacrime.

Non è stata in grado di dargli un figlio. Ha avuto i suoi figli prima di incontrarlo. E lui che colpa ne ha? Non è lecito a un imperatore volere un figlio che gli succeda? È l'esigenza della sua dinastia, della sua politica.

Deve risolvere questo problema, che ha già regolato nella sua testa. Sceglierà una principessa tedesca, Carlotta di Baviera, oppure una granduchessa russa?

Ride di nuovo, riprende il ritornello:

Le restituirà tutto il suo splendore,
ecco che vuol dire aver del cuore!

Ha l'impressione di andare verso una nuova giovinezza.

Si sporge fuori dalla carrozza, gli piace questa strada che, passando dal Borbonese, conduce a Lione, Chambéry e Milano. È la strada per l'Italia, il paese dove si è realizzato il suo destino, a Lodi, Arcole, Marengo. Là ha dimostrato quello che poteva diventare. Là, a Campoformio, ha cominciato a disegnare una nuova carta geografica dell'Europa. E adesso scende a incontrare la sua giovinezza gloriosa; ma è diventato imperatore e re, e vuole radunare intorno a sé tutti quei sovrani che lui ha incoronato, e sono suoi vassalli.

Canticchia:

È il nostro nuovo Carlo Magno
che fa la felicità dei francesi.

È contento di essere solo, finalmente, come un giovane imperatore di trentotto anni al quale tutto è promesso, tutto è permesso.

La folla lo acclama il 22 novembre, una domenica, quando entra nel Duomo di Milano per assistere al *Te Deum*.

La sera, alla Scala, il pubblico non finisce più di applaudirlo e di gridare.

Osserva le donne, fa abbassare gli occhi degli uomini. Riunisce i ministri, dà ordini a Eugenio Beauharnais, il suo viceré. Si reca al capezzale della sposa che gli ha dato, Augusta di Baviera.

Cammina lentamente per le strade di Milano. Gode molto di quelle acclamazioni e degli omaggi che riceve quando accorda udienza. Si sente più felice che a Parigi. È come sciolto dai legami che in Francia, a volte, gli impediscono di muoversi. Qui è imperatore e re. Lassù, Talleyrand, Fouché, Giuseppina, le sue sorelle, tutti si ricordano di quando era un semplice Bonaparte e di aver contribuito anche loro alla sua gloria. Giuseppina è quel passato. E lui vuol vivere il futuro.

Le ha scritto poche righe tracciate in fretta:

Mia cara,

sono qui da due giorni. E sono ben felice di non averti portato con me: avresti sofferto terribilmente al passo del Moncenisio, dove la tormenta mi ha trattenuto per ventiquattr'ore.

Ho trovato Eugenio in ottima salute, sono molto contento di lui. La principessa Augusta invece è ammalata. Sono andato a trovarla a Monza. Ha avuto un aborto, adesso sta meglio.

Addio, cara amica.

Napoleone

Piove sulla pianura padana, ma cosa importa? Riconosce quelle colline, quei pioppeti che costellano le rive dei fiumi, le belle città, Brescia, Peschiera, Verona.

La gente si ammassa lungo le strade, davanti al teatro di Verona dove va ad assistere a uno spettacolo in compagnia di Elisa, principessa di Lucca, di Giuseppe, re di Napoli, del re e della regina di Baviera.

Gli basta uno sguardo alla loro figlia. Carlotta è brutta. Perché non ha sposato Augusta!

Nella camera del castello di Stra, non lontano da Padova, dove passa la notte del 28 novembre, un sabato, riceve dispacci da Parigi. Nei giornali si accenna ancora, in modo subdolo, al ripudio di Giuseppina.

Si arrabbia. Detta subito una lettera a Maret, il suo segretario di Stato, ed esige che il corriere parta immediatamente:

"Vedo con rincrescimento che sui vostri bollettini si continua a parlare di cose destinate a addolorare l'imperatrice e che sono sconvenienti da ogni punto di vista."

Nessuno può permettersi di perseguitare quella donna che ha amato e che lascerà soltanto nel momento che lui avrà personalmente scelto.

Dorme male, irritato. Impartisce gli ordini con voce sferzante. Le acclamazioni della folla, nel piccolo porto di Fusina, lo infastidiscono: sale a testa bassa, con le mani dietro la schiena, a bordo della fregata che deve condurlo a Venezia.

Il tempo è bello. La brezza spinge la nave che avanza circondata dalla flottiglia dell'Adriatico.

Di colpo, ecco il Canal Grande, la basilica di San Giorgio, la dogana marittima e quella moltitudine di imbarcazioni, di gondole agghindate di fiori, che si dirigono verso la fregata. Le grida e le fanfare lo accolgono nel momento in cui sbarca sulla Piazzetta.

Sono le cinque del pomeriggio di domenica 29 novembre 1807.

La gioia del momento cancella tutto. Si installa a palazzo Balbi, sul Canal Grande. Dalle finestre assiste all'incomparabile spettacolo. È il sovrano di una delle più antiche repubbliche del mondo, il successore del doge. Va al teatro della Fenice, attorniato dai generali che hanno partecipato con lui alla campagna d'Italia. Re e regine lo circondano.

Vuole vedere tutto, i canali, le lagune, i palazzi, la biblioteca.

Ordina che, d'ora in poi, i cadaveri vengano sepolti fuori Venezia, in un'isola, e non nelle chiese, dove rischiano di contaminare la città. Passeggia in piazza San Marco. Gli piace quella scenografia da teatro. Vuole che gli illustrino tutto.

In piedi, alla finestra di palazzo Balbi, aspetta la visita di una donna, una contessa veneziana dai lunghi capelli che ha notato al teatro della Fenice.

La possiede. Possiede il mondo. Ha la sensazione che nulla possa resistergli.

La mattina seguente, prima di lasciare Venezia, firma i decreti decisi a Milano, che rafforzano il blocco continentale. Siccome l'Inghilterra esige che le navi dei paesi neutrali facciano scalo nei suoi porti prima di giungere in Europa, ha decretato che tutti coloro che si piegheranno alle sue leggi saranno considerati alla stregua di inglesi, e le loro mercanzie e i loro carichi verranno sequestrati come bottino di guerra.

Se si vuole regnare, è necessario imporre la propria legge.

Scrive a Junot, le cui truppe sono appena entrate in Lisbona: "Mi sembra che vi stiate comportando come uomini senza esperienza di conquiste, vi cullate in vane illusioni: tutto il popolo che si trova davanti a voi è vostro nemico... e la nazione portoghese è coraggiosa".

Occorre piegare gli uomini alla propria volontà.

Ripete fra sé questa frase seduto davanti a un grande tavolo rotondo, nella fortezza di Mantova, dove è arrivato il 13 dicembre, una domenica.

Fa aprire sul tavolo una grande mappa della Spagna. La studia, sposta con attenzione spilli di colore diverso che segnano il percorso che seguiranno le sue truppe se decide di piegare la Spagna, di sottometterla alla sua legge, di sostituire quei Borboni incapaci e vigliacchi.

Sente la porta che si chiude. Si impone di non sollevare la testa, pur sapendo che si tratta di suo fratello Luciano, Luciano il ribelle, appena arrivato da Roma dove continua a vivere con una certa madame Alexandrine Jouberthon, rifiutandosi di lasciarla.

Lui deve piegare tutti gli uomini alla sua volontà.

Luciano deve divorziare, rientrare nella famiglia imperiale come ha già fatto Gerolamo, tutto questo nell'interesse dinastico. Sua figlia Carlotta può andare in moglie a Ferdinando, il principe delle Asturie.

Napoleone solleva la testa.

L'emozione lo sommerge. Da anni non vede Luciano, il fratello che il 18 brumaio lo ha probabilmente salvato dai pugnali, ma che, in seguito, gli si è opposto. Lo abbraccia, lo stringe al petto.

— Ah bene, siete voi... vi trovo proprio bene, eravate troppo magro e adesso siete quasi bello.

Napoleone annusa una presa di tabacco.

— Anch'io sto bene — aggiunge — ma sto ingrassando troppo e temo di ingrassare ancora di più.

Ascolta distrattamente Luciano che parla di sua moglie, del suo onore, della religione e dei suoi doveri.

— E la politica, monsieur? — esclama. — E la politica? Non la considerate per niente? Parlate sempre di vostra moglie... io non l'ho mai riconosciuta e non la riconoscerò mai. Una donna che è entrata mio malgrado nella famiglia, una donna per la quale mi avete ingannato... so bene che mi siete stato utile il 18 brumaio...

Si interrompe.

— Quello che voglio, è un divorzio puro e semplice.

Fissa a lungo Luciano, ma il fratello non abbassa lo sguardo.

— Ai miei occhi, Sire — mormora Luciano — separazione, divorzio, nullità di matrimonio, e tutto ciò che può avere a che fare con una separazione da mia moglie, sono cose disonorevoli per me e per i miei figli, e non farò nulla di simile, ve lo assicuro.

— Ascoltatemi bene, Luciano, pesate bene tutte le mie parole. E soprattutto non litighiamo.

Cammina avanti e indietro per la stanza, respira rumorosamente.

— Sono troppo potente per rischiare di arrabbiarmi. Ma... — Torna verso Luciano.

— Se non siete con me, ve lo dico chiaro e tondo, l'Europa è troppo piccola per noi due.

Un ceppo si spezza nel caminetto con gran rumore.

Napoleone annusa un'altra presa di tabacco. Quel fratello che gli resiste lo irrita e lo affascina.

— Io non voglio tragedie, capite? — gli dice.

Deve controllarsi, raccontare, parlare di Giuseppina. "Quella donna che piange tutte le volte che ha una cattiva digestione." Lo ha già detto a Duroc, ma anche Luciano deve sapere che lo stesso imperatore è deciso a divorziare.

— Non sono affatto impotente come sostenevate tutti — continua Napoleone. — Sono innamorato, ma sempre in subordine alla mia politica, che vuole che sposi una principessa, anche se preferirei convolare a nozze con la mia amante. È così che vorrei vedervi ragionare nei riguardi di vostra moglie.

— Sire, penserei come Vostra Maestà se mia moglie non fosse anche la mia amante.

— Andiamo, andiamo, vedo che siete incorreggibile!

Appoggia la mano sulla spalla di Luciano.

— Dovreste restare con me questi tre giorni: vi farò preparare un letto accanto alla mia camera da letto.

Luciano scuote la testa. Parla della malattia dei suoi figli.

— E sia, andate, visto che così volete, ma fate come vi ho detto.

La notte è passata. La discussione con il fratello lo ha spossato più di una notte di battaglia.

"Irriducibile Luciano! Il mio fratello che non si piega... È dalla mia famiglia che nascono sempre le resistenze più feroci!"

Vuole spiegarsi. Scrive a Giuseppe, il fratello maggiore che ha fatto re di Napoli e che lo ha deluso già tante volte.

Caro fratello,
   ho visto Luciano a Mantova. Ho chiacchierato con lui per diverse ore. I suoi pensieri e la sua lingua sono così lontani dai miei che ho fa-

ticato a comprendere cosa volesse. Mi sembra che mi abbia detto di voler mandare la figlia maggiore a Parigi, dalla nonna... Ho esaurito tutti i mezzi che sono in mio potere per riportare sulla retta via Luciano, che è ancora nella sua prima giovinezza,* e di spingerlo a utilizzare i suoi talenti per me e per la patria. Non vedo proprio che cosa potrebbe contestare attualmente al nostro sistema. Gli interessi dei suoi figli sono garantiti, ho pensato io a tutto... Se dopo aver divorziato da madame Jouberthon vorrà vivere con lei, non nelle vesti di una moglie principessa, ma nell'intimità che sarà di suo gradimento, per me va bene, non lo ostacolerò in alcun modo. Perché è soltanto la politica che mi interessa. Dopodiché, io non intendo affatto contrariare i suoi gusti e le sue passioni. Ecco le mie proposte: mi invii una dichiarazione che sua figlia parte per Parigi e che la mette interamente a mia disposizione, perché non c'è un momento da perdere, gli eventi incalzano, ed è necessario che i destini si compiano.

È giovedì 24 dicembre 1807. Alle sei di mattina lascia Milano per Parigi.

* Ha trentadue anni, essendo nato nel 1775.

Parte quarta
Una volta lanciato,
il mio grande carro è inarrestabile.
Peggio per chi vi finisce sotto
1° gennaio - 14 ottobre 1808

15

È a Parigi, finalmente. Il viaggio gli è sembrato interminabile. Pioggia, grandine, vento, scossoni. Dopo Torino ha annullato tutte le tappe, ordinando che la carrozza si fermasse alle stazioni di posta solo il tempo per cambiare il più presto possibile i cavalli.

Sa che Maria è a Parigi. È arrivata da Varsavia con suo fratello. Lo aspetta. Duroc l'ha sistemata in un palazzo privato al n. 48 di rue de la Victoire.

Napoleone scende dalla carrozza e attraversa con passo rapido il vasto cortile delle Tuileries. Sulla gradinata, malgrado il freddo di quella notte del 1° gennaio 1808, ministri e dignitari si affollano per salutarlo. Il palazzo è illuminato. L'imperatore però li ignora e si dirige verso Talleyrand per condurlo nel salotto accanto al suo studio.

Maria è a Parigi, ma prima lui deve prendere alcune decisioni. La politica è la sua sola sovrana assoluta. Non può correre da Maria prima di aver messo ordine nelle sue idee.

Durante quel viaggio di una settimana da Milano a Parigi ha scritto, dettato, pensato.

Ha ordinato l'ingresso di nuove truppe in Spagna. Deve essere pronto a cogliere l'occasione, se si presenta, per assoggettare quel regno all'Impero. — Un paese di monaci e preti che ha bisogno di una rivoluzione! — mormora rivolto a Talleyrand. Siccome tutto è collegato, aggiunge, ha ordinato al generale Miollis di occupare Roma, visto che Pio VII si ostina a non vietare le relazioni degli Stati Pontifici con l'Inghilterra.

Maria è lì vicino, ma prima deve conferire con Talleyrand.

Blocca con una sola parola le gentilezze e i complimenti che il principe di Benevento ha cominciato a rivolgergli. Niente sotterfugi. Cosa pensa Talleyrand della situazione in Spagna?

— Se la guerra scoppiasse — dice Napoleone — tutto sarebbe perduto. Sta alla politica e ai negoziati decidere i destini della Spagna.

Talleyrand approva con un cenno della testa.

— La corona di Spagna è appartenuta fin dai tempi di Luigi XIV alla famiglia che regnava sulla Francia — mormora. — È dunque una parte dell'eredità del grande re.

Alza il tono di voce:

— E questa eredità l'imperatore deve raccoglierla completamente, non può né deve abbandonarne alcuna parte.

Napoleone fissa a lungo Talleyrand. Di rado il vice grande elettore è così deciso nei suoi consigli.

— E la Turchia, le Indie — dice Napoleone. — La Francia e la Russia, insieme...

Accarezza da tanto tempo quel sogno d'Oriente! Forse, con l'aiuto di Alessandro I, è venuto il momento di realizzarlo.

Talleyrand sembra perplesso. Deve quasi costringerlo a parlare.

— Se la Russia ottiene Costantinopoli e i Dardanelli — commenta infine — si potrà, credo, farle accettare tutto senza problemi.

Poi Talleyrand si dilunga sulla posizione delle altre potenze. L'Inghilterra è decisa a condurre una guerra a oltranza. L'Austria può essere un'alleata. La Prussia comincia a risvegliarsi. La Russia vuole conquistare la Finlandia, le province del Danubio, e utilizzare l'appoggio della Francia per raggiungere il mare e Costantinopoli. La sua immensa e permanente ambizione.

Napoleone ascolta. Aveva bisogno di questa lunga conversazione con Talleyrand per rituffarsi completamente, fin dal primo momento del suo rientro a Parigi, nell'ordine implacabile del mondo. Il colloquio, se ne rende conto d'improvviso, è durato cinque ore. Congeda Talleyrand con un cenno della testa. Adesso sta lui a decidere.

La notte è già fonda.

Napoleone ordina a Constant di cercare Maria Walewska. Deve condurla nel suo appartamento passando dalla scala segreta.

L'imperatrice non oserà salire senza essere annunciata. Si tiene ben nascosta. Teme tanto il divorzio che preferisce farsi dimenticare, come se le bastasse essere discreta per evitare il ripudio, il suo incubo.

Aspetta Maria con ansia. Da mesi non vede il suo "angelo". Le altre donne, quelle di poche notti, non contano nulla.

"Stringendola tra le braccia, mi libero di loro e del desiderio che mi prende di conquistarle.

"Ma Maria..."

Constant apre la porta e si eclissa.

Ecco il suo "angelo". Timida, commossa, esitante. Il viso che stringe tra le sue mani è ghiacciato.

La trova proprio come l'ha lasciata, così giovane, così disinteressata. L'ama. Maria è il suo lusso supremo e la sua grazia. "La mia sposa polacca."

Lei lo ama per quello che è, non per quello che dà o promette.

La mattina dopo convoca il gran maresciallo di palazzo, Duroc. Dovrà vegliare in continuazione su Maria Walewska, gli dice. Prenderà ordini da lei tutte le mattine e invierà il dottor Corvisart a controllare regolarmente la sua salute.

Ha un lieve sorriso sulle labbra quando si siede al suo scrittoio.

"Questo problema è risolto. Vediamo i dispacci."

Al momento di leggere il primo, tuttavia, guarda di nuovo Duroc, gli sorride a lungo, come si fa con un complice.

Si sente bene, come se avesse appena aggiunto un capitolo felice alla sua vita. E per questo ringrazia il destino, che è stato così generoso con lui.

La presenza di Maria a Parigi è come la prova che tutto è possibile, quando si sa afferrare senza esitazioni quel che il destino offre. E si dispone dei mezzi per conservarlo. È necessario sapersi organizzare, prevedere gli ostacoli, scavalcarli.

Il destino propone, ma tutto è anche un problema di volontà e strategia. In amore come in guerra.

In quel gennaio dell'anno 1808 si sente pervaso da una felice determinazione, come se si trovasse a pochi metri di distanza dalla cima che sta scalando, dopo che si è saputo aggrappare a tutte le prese che la vita gli presentava per issarsi giorno dopo giorno.

A volte, però, soprattutto la mattina, mentre Rustam e Constant lo vestono, ha degli attimi di smarrimento.

Si vede appesantito, con quella pancia che diventa sempre più imponente, il volto che si gonfia.

Scaraventa a terra stizzito i pantaloni, che gli sono stretti. Dà una spinta a Constant che si affretta a proporgliene un altro paio, un'altra redingote. Li indossa nervosamente, cupo.

Il suo corpo gli sta sfuggendo!

A volte soffre di violenti dolori allo stomaco, e il ricordo del padre lo ossessiona. Ricorda ciò che ha letto sul referto dell'autopsia, circa il cancro allo stomaco diagnosticato dai medici a Carlo Bonaparte.

Rimane qualche secondo richiuso su se stesso, poi si raddrizza. Ordina di sellare un cavallo. Vuole andare a caccia, malgrado il freddo, per imporsi al suo corpo, per provare a se stesso di avere sempre vigore ed energia.

Lancia il cavallo al galoppo. Gli piace il vento che gli frusta il volto, spazza via la sua inquietudine. Percorre i sentieri nella foresta. Va a caccia in tutte le sue varie residenze, Tuileries, Saint-Cloud, Malmaison, Fontainebleau, nei boschi di Vincennes e Raincy, nelle foreste di Versailles o Saint-Germain.

Trascina con sé il conte Tolstoj. Prova una gioia infantile a superarlo, a correre avanti per ritrovarlo in una radura spossato e infreddolito. Si stupisce, finto ingenuo. Ma come, già stanco, conte?

Quel conte Tolstoj è una brava persona piena di pregiudizi e diffidenze verso la Francia. Ma lui deve convincerlo.

Al ritorno dalla battuta di caccia lo invita a seguirlo nel palazzo delle Tuileries.

Osserva quell'uomo freddo. Le spie della polizia gli riferiscono che frequenta assiduamente i salotti del faubourg Saint-Germain, e che si è anche innamorato di madame Récamier, quell'insopportabile amica di madame de Staël. Ma lui deve sopportare quest'uomo!

Napoleone fa sedere Tolstoj e comincia a camminare avanti e indietro davanti a lui.

— Immaginate — esordisce — un'armata di 500.000 uomini... Russi, francesi, forse perfino austriaci, che si dirigesse in Asia passando per Costantinopoli. Non sarebbe ancora arrivata all'Eufrate che farebbe già tremare l'Inghilterra e la metterebbe in ginocchio sul continente. Niente potrebbe impedirle di arrivare alle Indie.

Si ferma davanti al conte Tolstoj, gli viene voglia di prenderlo per le spalle, di scuoterlo. Non sopporta quello sguardo scettico.

— Non c'è ragione di fallire in quest'impresa solo perché Alessandro e Tamerlano non ci sono riusciti — riprende.

Pesta il piede per terra.

— Si tratta di far meglio di loro — martella.

"Ma quest'uomo capisce quello che gli dico?"

Napoleone afferra il proprio copricapo con entrambe le mani e lo scaraventa a terra; poi, mentre cammina avanti e indietro, fermandosi spesso davanti all'ambasciatore, dice con voce irritata, insistente:

— Ascoltate, monsieur Tolstoj, non è l'Imperatore dei Francesi che vi parla, ma un generale di divisione che parla a un altro generale di divisione.

S'interrompe, si china verso di lui.

— Che io sia l'ultimo degli uomini se non rispetto scrupolosamente quel che ho firmato a Tilsit, e se non evacuo la Prussia e il ducato di Varsavia quando avrete ritirato le truppe russe dalla Moldavia e dalla Valacchia!

Si rialza.

— Come potete dubitarne? Non sono né un pazzo né un bambino per non sapere che cosa firmo, e quel che firmo lo adempio sempre!

Pochi istanti dopo Napoleone osserva Tolstoj che si allontana, accompagnato dal gran maresciallo di palazzo.

Con un calcio spedisce in fondo al salotto il copricapo.

"Anche se trasformerà quello che ho detto, Tolstoj riferirà della mia collera, del cappello scaraventato a terra."

Arriva sempre il momento in cui, con gli uomini, bisogna sottolineare le parole con dei gesti, un moto del corpo, una collera finta. Bisogna stupirli, spaventarli, perché cedano o anche solo perché ricordino. Bisogna anche saperli sedurre, come fanno le donne. Chiama Méneval.

Sorprende lo sguardo furtivo che il segretario lancia verso il copricapo. Avverte anche quel modo che Méneval ha di incassare la testa tra le spalle come se un uragano lo minacciasse.

Per tutti quelli che lo servono, lo circondano, o per tutti i cittadini del suo Impero, che siano contadini o re, deve essere una minaccia imprevedibile, una bontà inattesa, un mistero, un uomo al di sopra di loro, venerato e temuto da tutti. Colui che ricompensa al di là dell'immaginabile e castiga con pugno di ferro.

È così che si regna. E questo si applica a tutti. È uno stile di vita che esige una volontà di ferro. In ogni istante. Sarebbe così facile essere "buono", cedere a coloro ai quali si comanda. Rinunciare allo scopo per compiacersi nell'inazione.

Fa un cenno a Méneval. Vuole scrivere ad Alessandro I, per confermare quanto ha detto a Tolstoj e suggerire allo zar questa marcia verso l'Eufrate, verso le Indie, per minacciare l'Inghilterra da Oriente.

> Vostra Maestà e io avremmo sicuramente preferito la dolcezza della pace, passare la nostra vita nei nostri vasti imperi, occupati a vivificarli e a renderli felici... Ma i nemici del mondo non lo vogliono.
> Dobbiamo essere più grandi, nostro malgrado.
> Ed è saggio e politico compiere quello che il destino ordina, e andare dove la marcia irresistibile degli eventi ci conduce.
> Allora, questa massa di pigmei che non vuol vedere che gli eventi attuali sono talmente grandi che si può trovarne di simili solo nella storia, e non nelle gazzette dell'ultimo secolo, dovrà ricredersi... E i popoli russi saranno contenti della gloria, della ricchezza e della fortuna che risulteranno da questi avvenimenti... Il lavoro svolto a Tilsit regolerà i destini del mondo.
> Un po' di pusillanimità ci spingerebbe a preferire un bene sicuro oggi a un futuro migliore e perfetto, ma poiché l'Inghilterra non vuole accettare la realtà, riconosciamo che è arrivata l'epoca dei grandi cambiamenti, dei grandi eventi.

Napoleone desidera l'arrivo di quei grandi eventi. Li intuisce. Li suscita e li organizza, si sottomette al loro avanzare.

Un dispaccio deposto da Méneval sul suo scrittoio annuncia che le truppe del generale Miollis sono entrate a Roma. Pio VII si piegherà. E finiranno una volta per tutte le impertinenze senza limiti della corte di Roma.

Richiama Méneval. È necessario andare fino in fondo all'iniziativa. Detta una lettera per Eugenio, viceré d'Italia.

"È indispensabile reprimere la minima sommossa con la mitraglia e dare prova di severità."

Annusa una presa di tabacco, poi passa nella sala delle mappe. Si china sul grande tavolo dove è dispiegata quella della Spagna. È là che adesso si decide la partita.

Ci vuole una sola mano per tenere in pugno le truppe che avanzano in ordine sparso nella penisola iberica.

"Perché non Murat?"

Torna nello studio. — Murat è un eroe e una bestia — mormora.

"Spinto da Carolina, il granduca di Berg si immaginerà di essere destinato a diventare re di Spagna. Tuttavia il suo coraggio, la sua ambizione e le sue illusioni possono servirmi. Basta semplicemente domarlo, come quando si tirano le redini di un cavallo troppo focoso. Che entri in Madrid e poi staremo a vedere!"

"Penso che non bisogna essere precipitosi" dice a Murat. "Conviene aspettare e ragionare sulla base degli eventi che seguiranno."

Murat però deve stare in guardia. Bisogna mettere sull'avviso quella "bestia" del granduca.

Napoleone riprende a dettare:

Avete a che fare con un popolo ingenuo. Ha tutto il coraggio, tutto l'entusiasmo che si possono trovare negli uomini che non sono stati consumati dalle passioni politiche.

L'aristocrazia e il clero sono i veri padroni della Spagna. Se temono per i loro privilegi e per la loro esistenza, attueranno contro di noi delle leve di massa che potrebbero prolungare la guerra all'infinito. Adesso ho dei sostenitori, ma se mi presento come invasore non ne avrò più.

Napoleone smette di dettare. Ha appena previsto quel che può succedere, ma intuisce anche che spesso gli eventi sfuggono di mano, ed è impossibile fermarli.

Giorno dopo giorno, i dispacci si rincorrono.

In seguito a una rivolta ad Aranjuez, Godoy, il favorito della regina, è stato imprigionato, Carlo IV ha abdicato, e suo figlio Ferdinando, principe delle Asturie, è stato proclamato re di Spagna tra l'entusiasmo della folla.

"In quell'uomo che mi ha scritto lettere di supplica non riconosco alcuna delle qualità indispensabili al capo di una nazione."

"Questo non impedirà agli spagnoli di trasformarlo in un eroe, per opporlo a noi" dice Napoleone a Murat. "Non voglio che venga usata violenza ai membri di quella famiglia. Non conviene mai rendersi odiosi e infiammare gli odi."

Ma chi può contenere un incendio, quando il vento soffia?

Il principe delle Asturie è diventato Ferdinando VII, re di Spagna. È entrato a Madrid in mezzo a una folla in delirio. E le truppe di Murat lo hanno seguito. Gli attori sono uno di fronte all'altro.

"Non voglio scatenare odi. Ma posso immaginare quello che sta per succedere."

Adesso non resta che aspettare, lasciare che gli eventi seguano il loro corso, vivere ogni giorno con passione.

Napoleone entra nella sua camera. Delicatamente steso sul letto, c'è il domino che gli ha preparato Constant. La mascherina nera è appoggiata accanto al cappuccio. Stasera, ballo in maschera nel palazzo di Carolina. Si mette davanti allo specchio, chiama Constant, prova la maschera mentre il suo cameriere personale l'aiuta a indossare il domino.

Chissà se lo riconosceranno?

Gli piace scivolare anonimo in mezzo alla folla mascherata. In quell'inverno del 1808, tutte queste giovani donne, Paolina, Ortensia, Carolina, danno feste, fanno a gara d'immaginazione e ambizione. Ma si sbagliano se credono, una o l'altra, di ingraziarselo divertendolo, spingendogli delle donne tra le braccia, come quella mademoiselle Guillebeau che si è presentata seminuda una sera da Carolina.

— La granduchessa di Berg sogna la corona di Spagna per Murat — mormora Napoleone a Duroc.

Entra mascherato, appoggiandosi al braccio del gran maresciallo di palazzo, anche lui in maschera.

Si rivolge alle donne modificando la voce. Le sorprende, le scandalizza con allusioni volgari. Gli piace, dietro la maschera e sotto il domino, indovinare la loro tensione. Sanno che l'imperatore è una delle maschere in sala. Chissà se è lui?

— Sire — dice una delle donne.

Detesta che lo riconoscano. Chiama Duroc e rientra alle Tuileries. Impreca. Si divertiva a quel ballo! Constant gli propone un'altra maschera, lui la infila subito. E si rituffa tra gli invitati. Ma tutti quanti si tengono a rispettosa distanza. Devono averlo riconosciuto dal modo di camminare, dalla sagoma, dalle mani intrecciate dietro la schiena.

Comunque si trattiene. Le donne sono belle, ventiquattro di loro danzano una quadriglia che rappresenta le ore del giorno. I loro abiti, grazie all'accostamento delle tonalità di colore, suggeriscono l'avanzare del giorno e poi l'arrivo della notte. Ammira la danza, applaude, poi, di colpo, si stanca. Le luci scintillanti lo abbagliano. Sarebbe voluto rimanere ancora per un po' uno sconosciuto, ma si rende conto di essere al centro degli sguardi. È l'imperatore. Non può essere altro, nemmeno sotto una maschera o un domino.

Lascia il ballo e la folla.

Con una sola persona può abbandonarsi.

Si fa condurre al n. 48 di rue de la Victoire, da Maria Walewska.

Le racconta la serata. Vorrebbe che anche lei partecipasse a quelle feste. Ma è felice che lei, invece, non lo desideri affatto, che resti così nascosta, discreta, tranquilla. Lei non lo assilla mai di domande, come se si disinteressasse di quel che fa l'imperatore. Maria si anima e lo incalza solo quando è in gioco il suo paese, quella Polonia che auspica di veder rinascere.

Allora lui si rinchiude in se stesso. Non può risponderle chiaramente, e questo la ferisce. Come fa a non capire che ha bisogno dell'alleanza russa e non può quindi correre il rischio di romperla per dare soddisfazione ai polacchi?

Si limita a dirle:

— Durante l'estate tutte le questioni importanti saranno probabilmente sistemate.

Si alza. L'incanto è spezzato. La politica, questa passione del mondo, si è di nuovo impadronita di lui.

Rientra alle Tuileries.

È l'alba del 27 marzo 1808. Il palazzo è deserto, gelido. Il passo dell'imperatore risuona nelle gallerie mentre accorrono i valletti e si presenta Méneval, appena svegliatosi.

Napoleone detta subito una lettera per Luigi, re d'Olanda, per annunciargli che Murat è entrato a Madrid e che Carlo IV ha abdicato a beneficio del principe delle Asturie, il quale è diventato in tal modo Ferdinando VII.

Poi, sempre camminando con passo svelto, Napoleone parla più forte.

Caro fratello,
    il clima dell'Olanda non fa per voi. D'altronde, l'Olanda non è in grado di rinascere con le sue forze. In questo sconvolgimento del mondo, che si realizzi la pace o no, non vedo la possibilità per il vostro paese di sostenersi autonomamente.
    In questa situazione, penso a voi per il trono di Spagna. Sarete il sovrano di una nazione generosa. Rispondetemi chiaramente che cosa pensate in proposito. Tenete presente che per il momento è solo un progetto... Rispondetemi in modo categorico: se vi nominassi re di Spagna, lo gradireste? Posso contare su voi? Rispondetemi soltanto queste due parole: "Ho ricevuto la vostra lettera del tal giorno e rispondo sì", e allora capirò che farete quello che vorrò, oppure "no", che vuol dire che non gradite la mia proposta. Non confidatevi con nessuno e non parlate a chicchessia del motivo di questa lettera, perché bisogna che una cosa sia conclusa per poter confessare di averci pensato.

Infine ha preso una decisione.

Si sente come liberato da un peso. Ha scelto di seguire il ritmo degli eventi. Sono loro che dettano le sue decisioni.

Tanto per cominciare, lascerà Parigi per avvicinarsi alla Spagna. Si recherà a Bayonne, perché non afferra bene la realtà delle cose se non quando le vede, le tocca, le stringe.

Il mondo è come una donna: lo si conosce, lo si comprende, solo quando lo si possiede.

E conclude con tono scherzoso, rivolto a Méneval:

— Siamo al quinto atto della tragedia. Presto arriverà il gran finale.

16

È impaziente, furibondo. Nel cortile del vescovado di Orléans se la prende con tutti. Sono le quattro e mezza di domenica 3 aprile 1808. Aspetta che finiscano di attaccare i cavalli alla sua berlina. Va da un muro all'altro, ignorando Champagny fermo in mezzo al cortile. Inciampa sul selciato reso viscido da una pioggia sottile. Niente va come lui vorrebbe.

Da quando ha lasciato il castello di Saint-Cloud, ieri a mezzogiorno, è come se il destino volesse ostacolare la sua avanzata verso Bordeaux, Bayonne e la Spagna. Le vetture del seguito non erano pronte. Avrebbero dovuto raggiungere la berlina dell'imperatore alla prima tappa, a Orléans, con la biblioteca portatile, i servizi di piatti e posate, le provviste alimentari, i vini, gli attaccapanni, i furieri e i domestici. Ma all'arrivo a Orléans, alle nove di sera, nessuna carrozza in vista. E niente nemmeno stamattina, mentre stanno già finendo di attaccare i cavalli alla sua berlina.

L'imperatore monta sulla vettura e fa cenno che si può partire. Champagny deve affrettarsi a salire per accomodarsi a sua volta sul sedile di fronte a Napoleone.

Le lettere e i dispacci sono ammucchiati accanto all'imperatore. Napoleone li afferra e li agita davanti al volto di Champagny.

"Il ministro degli Esteri deve sapere che monsieur Luigi, mio fratello, re d'Olanda, rifiuta il trono di Spagna. E che cosa sostiene, lui che io stesso ho posto sul trono, lui che non era niente? Il

183

caro Luigi sostiene di non essere un governatore di provincia! Che non c'è altra promozione per un re all'infuori di quella del Cielo. I re sono tutti uguali."

Napoleone getta via la lettera. Ecco cosa diventa un uomo cui si dà del potere. Diventa cieco.

"Pretende forse di essere eguale a me?"

Napoleone sprofonda nel sedile della berlina.

Dove, se non tra gli eroi antichi, si potrebbe trovare un uomo simile a lui? O anche semplicemente un uomo in grado di capire i suoi progetti, di sostenerli con intelligenza?

Scruta la tranquilla campagna della Turenna su cui si leva il sole. La nebbia si aggrappa agli alberi che fiancheggiano i ruscelli. I campi sono ancora deserti.

Si sente solo al mondo, senza un interlocutore. Forse lo zar Alessandro I è il sovrano, l'uomo con il quale ha potuto dialogare meglio. Ma gli altri? Gli scaltri, come Talleyrand e Fouché, non sono degni di ricevere le sue confidenze. Sono solo dei subordinati che giocano la loro partita.

Talleyrand è venale, e Fouché ha i propri obiettivi. Continua a diffondere voci sul divorzio dell'imperatore.

— Gli ho fatto sapere la mia opinione in merito almeno dieci volte — dice Napoleone. — Ogni accenno al divorzio provoca danni tremendi, è tanto indecente quanto nocivo. È ora che la smetta di occuparsi di questa faccenda. E sono scandalizzato nel vedere la pervicacia che lo anima.

Ma Fouché si ostina.

"Su chi posso contare? I miei fratelli? Luigi si crede pari a me e rifiuta la Spagna. Gerolamo tiene troppo al suo trono di Vestfalia per accettare di andare a Madrid. Cosa potrebbe fare, in un paese di papisti, con una moglie luterana? Luciano è un incorreggibile ribelle. Al momento dell'ingresso delle truppe francesi a Roma ha preso le parti del papa! Crede di essere diventato un principe romano.

"Rimane Giuseppe, al quale posso proporre di scambiare il regno di Napoli con quello di Spagna, mentre assegnerò Napoli a Carolina e a Murat, *quell'eroe e quella bestia* che, almeno, sa quel che vale."

"Non dubitate mai del mio cuore, vale molto più della mia testa" gli ha scritto.

"Sono solo. Senza eguali, e quindi senza alleati. Non c'è nessuno in grado di capire la mia politica!"

Napoleone si raddrizza. Si è fatto giorno. La carrozza sta entrando a Poitiers. Ci si ferma per cambiare i cavalli. Scende dalla berlina.

Poco più avanti, c'è una vettura con una scorta. Tre uomini in vesti sontuose avanzano e lo salutano. Lui li ignora. Che imboscata è mai questa?

Sono tre grandi di Spagna, spiega Champagny. Il duca Medinaceli, il duca di Frias e il conte di Fernán Nuñez, e sono venuti a notificare all'imperatore l'ascesa al trono del principe delle Asturie come nuovo re di Spagna con il nome di Ferdinando VII.

Napoleone si allontana.

Il principe delle Asturie re di Spagna! È troppo tardi. Il re di Spagna sarà un Bonaparte. Napoleone ha già deciso. Non concederà udienza ai tre grandi di Spagna.

Riparte. Si dica loro che Ferdinando deve venire incontro all'imperatore, che lo aspetterà a Bayonne.

Sale sulla berlina senza gettare uno sguardo verso i tre uomini, che si inchinano.

— Gli interessi della mia casata e del mio Impero esigono la fine del regno dei Borboni in Spagna — confida a Champagny. — I paesi di monaci sono facili da conquistare. Se ciò dovesse costarmi 80.000 uomini, non lo farei, ma non ce ne vorranno neanche 12.000: sarà un gioco da ragazzi.

Adesso il sole splende alto, e hanno già attraversato la città di Angoulême.

— Non vorrei mai fare del male a nessuno — afferma Napoleone — ma, una volta lanciato, il mio grande carro è inarrestabile. Peggio per chi vi finisce sotto.

A Barbezieux, nell'ampia sala con il soffitto a volta dell'albergo La Boule-Rouge, fa sedere Champagny e il suo segretario alla sua tavola. Consuma in fretta il pranzo: cappone arrosto e un bicchiere di vino della Turenna. Con le gambe allungate e la mano destra infilata nel gilet, detta, parla.

Qui si sente come in un bivacco, durante una campagna militare. Non è la cosa che ama di più?

Ha trascorso la sua ultima notte a Parigi con Maria Walewska, prima di rientrare al castello di Saint-Cloud. Notte placida, come una rada marina. Ora però bisogna levare l'ancora, spingersi verso il largo, se si vuole scoprire nuovi continenti. Ha lasciato Maria in preda a sentimenti contrastanti, sia di rimpianto sia di entusiasmo. Finalmente, dopo tre mesi trascorsi nei palazzi e nei castelli imperiali, ritrova il vento della strada, la sorpresa degli alloggi sconosciuti, paesaggi e volti nuovi, tutte le cose che da sempre costituiscono l'essenza della sua vita: il movimento, il cambiamento, l'imprevisto. Non sarà mai un sovrano seduto. Questo però non significa che lui ami la guerra, come dicono le malelingue dei salotti di madame Récamier e dell'imperatrice, e come insinua lo stesso Talleyrand.

Si volta verso Champagny:

— La pace — gli spiega — la voglio con tutti i mezzi conciliabili con la dignità e la potenza della Francia. La voglio a costo di tutti i sacrifici che può permettere l'onore nazionale.

Si alza in piedi.

— Ogni giorno sento più necessaria la pace. I prìncipi del continente la desiderano quanto me. Io non ho nulla in particolare contro l'Inghilterra, né una prevenzione fanatica né un odio invincibile.

Cammina avanti e indietro nella sala. Annusa qualche presa di tabacco con gesti nervosi.

— Gli inglesi hanno sempre adottato un sistema sbagliato contro di noi: mi hanno respinto. Io ho decretato il blocco continentale per costringere il governo inglese a farla finita. Non me ne importa nulla che l'Inghilterra sia ricca e prospera, purché lo siano anche la Francia e i suoi alleati.

Si siede. Per questo è indispensabile che la sua dinastia regni in Spagna e che le truppe francesi occupino il Portogallo.

— Solo la pace con l'Inghilterra mi convincerà a rimettere la sciabola nel fodero e porterà la tranquillità a tutta l'Europa.

Batte il pugno sul tavolo, si rivolge a Méneval. Deve prendere subito appunti per le lettere che intende scrivere a Berthier, principe di Neuchâtel, maggiore generale della Grande Armata, e a Murat, granduca di Berg, luogotenente generale in Spagna.

Si alza e cammina avanti e indietro con le mani dietro la schiena. Poi, con voce tagliente, comincia a dettare:

Dovete ricordarvi delle circostanze in cui, sotto i miei ordini, avete combattuto in qualche grande città. Non si avanza nelle strade. Si occupano le case all'inizio delle strade e vi si installano le batterie... I generali devono preoccuparsi degli uomini isolati... Mai avanzare a piccoli gruppi: sempre in colonne di almeno cinquecento uomini. Nei paesi e nei villaggi che potrebbero insorgere, o dove vengano aggrediti soldati o corrieri, è necessario infliggere punizioni esemplari. Se scoppia una sommossa a Madrid, reprimetela a cannonate, e applicate con severità la giustizia.

Si dirige verso la porta, poi si volta e detta un'ultima frase:
"Quando lo riterrò opportuno, arriverò a Madrid come un fulmine."

La sera del 4 aprile, un lunedì, entra a Bordeaux.
La città è deserta. Davanti alla prefettura, l'ufficiale che comanda il posto di guardia si precipita, spiega che l'imperatore era atteso la mattina dopo. Le truppe sono rientrate nelle caserme.
Napoleone guarda di sfuggita l'ufficiale, poi il prefetto, e si fa condurre nella sua camera. E, senza voltare la testa, esclama:
— Domani, al Champ de Mars, rivista della Guardia e della cavalleria. Poi ispezione al porto.
Ha la certezza che, se potesse portare a compimento lui stesso, subito, quel che pensa e vuole, avrebbe già organizzato il mondo intero. Ma ci sono gli altri sovrani, i prefetti, i soldati, i nemici. E per renderli efficienti, o per rimetterli al loro posto, deve vederli di persona, spingerli in avanti oppure sottometterli.
Lui è il cuore del suo Impero. Il principe che tiene unito tutto quello che ha conquistato e costruito.
Ecco perché vuole un figlio, per tenerlo accanto a sé, perché, al momento opportuno, la successione sia naturale, indiscutibile.
Un figlio significa il divorzio. Significa ripudiare Giuseppina.

La vede scendere dalla carrozza nel cortile del palazzo della prefettura mentre sta dirigendo le manovre dei soldati del 108° reggimento di linea. Fa parte del suo lavoro di imperatore che ha bisogno di truppe aguerrite e fedeli. Deve essere sempre alla loro testa, anche durante le esercitazioni. E poi, i movimenti degli uomini allineati, la perfezione meccanica dei loro gesti e del loro passo lo esaltano. Gli piace gridare gli ordini, il corpo ritto sulle staffe del cavallo. È quella la sua vita, da sempre.

Giuseppina è rimasta immobile. È vestita di bianco. Napoleone è colpito dalla sua siluetta che, avvolta nei veli, rimane giovanile e leggiadra. È come se rinascessero le emozioni del passato.

Si dirige verso di lei e l'accoglie cerimoniosamente. Lei si inchina, sorridente. Sono due vecchi complici.

Il sole è leggero. Una brezza soffia dal mare sulla Gironda. Il 12 aprile, un martedì, insieme a Giuseppina, Napoleone scende lungo il fiume dal quai Chapeau-Rouge fino ai depositi di grano.

Stringe la mano di Giuseppina tra le sue. La primavera stimola la tenerezza. Tutto sarebbe semplice, se non fosse per le esigenze della politica e la forza del destino.

La osserva. Quando verrà il momento della separazione, che prima o poi arriverà, dovrà proteggerla. Per ora, visto che quel momento non è ancora venuto, deve coccolarla, concederle il piacere di quei giorni in una sorta di allegra incoscienza.

Lei si presta al gioco. Gli sussurra confidenze. Gli ricorda i loro momenti intimi.

Deve lasciarla per recarsi a Bayonne, ma appena arrivato già le scrive.

Mia cara,
   ho dato disposizione di aggiungere un supplemento di 20.000 franchi al mese alle tue rendite personali durante il viaggio, a partire dal 1° aprile.
   Sono alloggiato in modo orribile. Tra un'ora cambierò residenza e mi sposterò a una mezza lega da qui, in una fortezza. L'infante Don Carlos e cinque o sei grandi di Spagna sono già arrivati. Il principe delle Asturie si trova a venti leghe da qui. L'arrivo del re Carlo e della regina è imminente. Non so dove sistemerò tutta questa gente. Le mie truppe si comportano bene in Spagna.
   Ho apprezzato le tue gentilezze, ho riso dei tuoi ricordi. Voi donne sì che avete davvero memoria.
   La mia salute è buona, e hai tutto il mio amore e la mia amicizia. Desidero che tu saluti affettuosamente tutti a Bordeaux, i miei impegni non mi hanno permesso di farlo con nessuno.

Napoleone

188

Le campane suonano a Bayonne quando lascia la città per trasferirsi al castello di Marracq. Percorre il vasto parco a cavallo, vede una torretta che ospita una colombaia, all'estremità della muraglia che recinta il parco. A poche centinaia di metri, in basso, scorre il fiume Nive. Decide di installarsi lì. La dimora è vasta. Altri castelli situati poco lontano possono accogliere i membri della corte. Ordina a tutti di raggiungerlo entro pochi giorni. Gli piace avere la sua gente intorno. E il parco è abbastanza vasto per far manovrare le truppe.

Qui riceverà i Borboni di Spagna.

Mercoledì 20 aprile arriva Ferdinando, principe delle Asturie, che si crede re di Spagna!

Napoleone lo osserva in silenzio. Lo accompagna fino in cima alla scalinata, lo invita a cena, tenta di farlo parlare. Il principe delle Asturie ha gli occhi e il viso tondi. Il suo corpo dà un'impressione di mollezza.

— Il re di Prussia è un eroe in confronto al principe delle Asturie! — esclama Napoleone. — Non ha ancora detto una parola. È indifferente a tutto, molto materiale, mangia quattro volte al giorno e non ha idea di niente.

Poco dopo arrivano re Carlo IV, la regina Maria Luisa e il suo favorito, Manuel Godoy.

E questa sarebbe una dinastia che discende dai Borboni?

— Il re Carlo è un brav'uomo. Ha l'aria di un patriarca onesto e buono. La fisionomia della regina rivela il suo cuore e la sua storia, ed è tutto dire — confida Napoleone a Talleyrand. — Supera tutto quel che è lecito immaginare... Il principe della Pace, Godoy, ha l'aria di un toro... È stato trattato in modo assolutamente barbaro, rimanendo un mese sospeso tra la vita e la morte, sempre a un passo dalla fine. Sembra che in questo periodo non si sia mai cambiato la camicia e che avesse una barba lunga sette pollici.

Per quei Borboni prova un sentimento di pietà venato di disprezzo e di disgusto.

"Questa gente non merita più di regnare. Cacciarli dal trono è solo un atto di giustizia. Ed è nell'interesse della mia dinastia, dell'Europa e della Spagna. Quanto a Ferdinando VII, che si pretende re, è lui il vero nemico."

— Il principe delle Asturie è un emerito imbecille, un pessimo soggetto, oltre che un acerrimo nemico della Francia — spiega Napoleone a Talleyrand. — Ho fatto arrestare i suoi corrieri, e abbiamo trovato lettere piene di fiele e di odio per i francesi. Li chiama a più riprese "quei maledetti francesi". Voi capite bene che, con la mia consuetudine a comandare gli uomini, la sua esperienza di ventiquattrenne non è riuscita a incutermi rispetto. E questo per me è così evidente, che ci vorrebbe una lunga guerra per costringermi a riconoscerlo re di Spagna.

I Borboni di Spagna si accapigliano sotto i suoi occhi. Il padre rimprovera al figlio di avergli rubato la corona, il figlio risponde con insolenza, la madre, trascinata dalla collera, insulta il figlio per difendere l'amante. Quest'ultimo non apre bocca, spossato.
"Sono laidi, vigliacchi. Carlo IV piange come un bambino, Ferdinando mangia con voracità.
"Si aspettano che io scelga uno di loro.
"Ho scelto quello che non immaginano neppure. La decisione è presa. Bisognerà metterla in pratica e fargliela accettare. Ci sarà qualche protesta, qualche lacrima. Ma questa gente non conta più niente."
Il 2 maggio detta una lettera per Murat. Il granduca di Berg deve essere messo al corrente dei suoi piani.

Sono contento del re Carlo e della regina. Ho deciso di donare loro Compiègne.
Incaricherò il re di Napoli di regnare a Madrid. A voi voglio dare il regno di Napoli o quello del Portogallo. Rispondetemi subito che cosa ne pensate, perché deve essere deciso entro domani.

Giuseppina arriva al castello allegra, felice. Il 20 aprile Ortensia ha avuto un figlio, che è stato battezzato con i nomi di Carlo Luigi Napoleone.*

Napoleone passeggia con lei. La trova imbellita. Scendono verso il fiume Nive. Fa caldo. La spinge nell'acqua. Si spruzzano, prendo-

* Il futuro Napoleone III, che secondo alcuni storici non sarebbe figlio di Luigi Bonaparte, bensì dell'ammiraglio olandese Verhuell.

no una barca, si dirigono verso il castello di Lauga, dove si è appena installata Carolina Murat.

Già, Carolina. Dovrà accettare di non sognare più il regno di Spagna ma quello di Napoli. Un bel regno. Napoleone ride. Ha scritto a Giuseppe che "la Spagna non è il regno di Napoli... A Madrid sarete come in Francia. Napoli è in capo al mondo. Desidero che, appena riceverete questa lettera, lasciate la reggenza a chi preferite... e che partiate per raggiungermi a Bayonne seguendo la strada per Torino, il Moncenisio e Lione".

"Giuseppe è il fratello maggiore. Ha diritto a quel trono di Spagna che gli altri fratelli hanno rifiutato. E lo accetterà. Non ha altra scelta.

"Se quei Borboni sapessero!"

Li vede avanzare nel parco verso Giuseppina. Lei è la grazia. La prende per mano e l'accompagna a tavola. Sarà lei a presiedere la cena.

In pochi giorni, nel castello di Marracq si è ricostituita una piccola corte, organizzata dal gran maresciallo Duroc.

Tra le fanciulle che compongono il seguito di Giuseppina e che si inchinano davanti a lui, Napoleone nota una fanciulla. Ne ricorda subito il nome, mademoiselle Guillebeau. L'aveva notata a Parigi a un ballo mascherato dato da Carolina o da Ortensia. La fissa a lungo. Lei non abbassa lo sguardo. Tutto il suo atteggiamento parla per lei, dice che accetta. Napoleone si sente arzillo. Lancia un'occhiata a Giuseppina. Sua moglie ha visto. E sorride, accondiscendente. L'imperatrice non teme questo. Favorisce, anzi, quelle scappatelle. Sono solo faccende di corpi. La politica e il cuore sono altrove. Nel divorzio, e da Maria Walewska. Ma Maria è a Parigi. E bisogna sempre prendere quello che il destino offre.

Quella sera raggiungerà la camera di mademoiselle Guillebeau, sotto i tetti del castello.

Si siede di fronte a Giuseppina e a Carlo IV. Alla sua destra, la regina Maria Luisa. Una coppia penosa. A capotavola c'è Ferdinando. I tratti del suo viso sono marcati e sembrano rifletterne l'avidità.

— Qualsiasi cosa gli si dica — racconta Napoleone — non risponde mai. Che lo si rimproveri o ci si complimenti con lui, non cambia mai espressione. Per chi lo vede, c'è una sola parola per descrivere il suo carattere: sornione.

"Quando li costringerò a rinunciare a ciò che credono di possedere ancora, la corona di Spagna?"

Esita. Pensa a mademoiselle Guillebeau, alla notte che lo attende. Ci vorrebbe un evento, un segno, qualcosa che gli permetta di spazzare via con poche frasi le illusioni di quella famiglia che disprezza.

Il 5 maggio 1808 non ha ancora fatto parola delle sue decisioni.

Quel giovedì passeggia nel parco del castello di Marracq.

È pomeriggio avanzato. Il clima è mite.

Non ha potuto rifiutare di dare il braccio a quella piccola donna grassa, laida, volgare, la regina Maria Luisa, che respira rumorosamente e si lamenta con voce acuta del figlio Ferdinando, quel traditore. Protesta per le sofferenze che i rivoltosi hanno inflitto al "suo" principe della Pace, Godoy. Chiede giustizia all'imperatore, insiste stringendogli il braccio. Carlo IV approva la moglie. Cammina anche lui di fianco a Napoleone. Sono come due sudditi che mendicano favori.

Napoleone si volta, scorge Giuseppina accanto a Duroc e a Ferdinando. Prova d'improvviso uno slancio di gratitudine per l'imperatrice. Lei lo ha sempre sostenuto con intelligenza. Anche qui, quando è necessario, ascolta con aria compunta i sovrani di Spagna, ha la grazia naturale di una sovrana.

Vede venirgli incontro un ufficiale proveniente dal castello, preceduto da un aiutante di campo. L'uniforme dell'ufficiale è coperta di polvere. Gli consegna un grosso portadocumenti di cuoio. Deve essere stato inviato da Murat.

Napoleone si avvicina in compagnia di Maria Luisa e di Carlo IV.

— Che novità a Madrid? — domanda, riconoscendo il capitano Marbot, uno degli aiutanti di campo di Murat.

Si stupisce del silenzio dell'ufficiale che gli presenta i dispacci con lo sguardo fisso.

— Allora, cosa sta succedendo? — ripete Napoleone.

Marbot rimane muto.

Napoleone prende i dispacci e si fa accompagnare dall'ufficiale lontano dai Borboni. Man mano che si allontanano, il capitano

Marbot comincia a parlare. Sotto gli alberi, camminando lungo il muro di cinta, Napoleone lo ascolta, poi legge i dispacci di Murat.

Il 1° maggio la folla si è radunata alla Puerta del Sol, a Madrid. Le truppe francesi hanno faticato a disperderla. Il giorno dopo, lunedì, di mattina, all'annuncio della partenza dalla capitale del figlio più giovane di Carlo IV, don Francisco, la rivolta si è scatenata. I soldati francesi rimasti isolati sono stati sgozzati. Diverse migliaia di ribelli hanno attaccato le squadre di dragoni o della Guardia che, arrivando dai sobborghi, entravano nella capitale. Alla Puerta del Sol i soldati spagnoli si sono uniti ai ribelli e hanno sparato a raffica contro i francesi. Gli scontri sono proseguiti anche nella giornata di martedì 3 maggio.

Napoleone interrompe il capitano Marbot. Non sono gli episodi di una battaglia che contano, ma la conclusione, dice.

Legge l'ultima lettera di Murat. I mamelucchi hanno caricato insieme alla Guardia.

— Parecchie migliaia di spagnoli sono stati uccisi — conclude Marbot.

Il popolo, prosegue, è disperato. Non accetta che la famiglia reale sia stata condotta in Francia. I ribelli hanno dato prova di un coraggio feroce, perfino le donne e i bambini si battevano contro i francesi.

— Ci odiano, anche dopo la nostra vittoria...

Napoleone lo interrompe.

— Bah, bah — borbotta ritornando verso il centro del parco, dove i sovrani spagnoli si sono fermati ad aspettarlo. — Si calmeranno e mi benediranno, quando vedranno la loro patria uscire dall'obbrobrio e dal disordine in cui è sprofondata grazie all'amministrazione più debole e corrotta che sia mai esistita.

Dà una pacca sulla spalla di Marbot, gli pizzica l'orecchio.

Ecco l'evento che attendeva per spazzare via i Borboni di Spagna.

Interpella ad alta voce Ferdinando, racconta la rivolta di Madrid, il sangue versato e i francesi assassinati, l'indispensabile severità della repressione ordinata da Murat, la ribellione schiacciata dopo le terribili giornate del 2 e 3 maggio.

Osserva Carlo IV precipitarsi verso il figlio e urlare: "Miserabile!". Lo accusa di essere il responsabile della rivolta. Sono la sua criminale ribellione e l'usurpazione della corona del padre ad aver scatenato il massacro. Anche la regina Maria Luisa si scaglia contro Ferdinando, lo schiaffeggia.

— Che tutto questo sangue ricada sulla tua testa! — gli urla.

Napoleone si allontana. Giuseppina, Duroc, le damigelle e gli ufficiali del seguito si allontanano dalla regina e dal re di Spagna mentre questi continuano a insultare il figlio il quale, pallido, tace.

Ormai, basta chinarsi a raccogliere la corona di Spagna che quei Borboni hanno lasciato rotolare per terra.

Convoca Ferdinando, gli parla senza nemmeno guardarlo in faccia, come si fa con un uomo per il quale si prova profondo disprezzo.

— Se entro mezzanotte non riconoscerete vostro padre come vostro legittimo sovrano e non lo comunicherete a Madrid, sarete trattato come un ribelle.

In seguito, basterà ottenere l'abdicazione di Carlo IV. Duroc ha già preparato il trattato. I Borboni verranno pagati come si fa con dei camerieri licenziati.

Napoleone non legge personalmente il testo del trattato. Cammina avanti e indietro nel salotto del castello di Marracq sotto le travi annerite dal fumo.

"A Carlo IV verranno assegnati il castello di Compiègne e la foresta omonima per tutta la vita. Il castello di Chambord gli viene attribuito in proprietà perenne" legge Duroc. "Il tesoro francese pagherà annualmente a Carlo IV un appannaggio di sette milioni e mezzo franchi."

Nel frattempo il re e la regina alloggeranno a Fontainebleau, mentre Ferdinando sarà ospite di Talleyrand nel suo castello di Valençay.

Napoleone è solo nel parco. Cammina nel viale che scende verso le sponde del fiume Nive. La notte sta calando. Aspetta che tutti dormano nel castello per raggiungere mademoiselle Guillebeau nella piccola stanza che la fanciulla occupa sotto i tetti, dove fa talmente caldo che bisogna lasciare la finestra aperta.

Gli piace l'odore della campagna, il rumore del vento. Alle Tuileries si sente imprigionato. Soffoca. Lui ha bisogno di orizzonte e di vento.

Ritorna a passo lento verso il castello.

Finalmente ha cacciato i Borboni dalla Spagna come li aveva cacciati da Napoli. Quella dinastia è morta. Non ha saputo difendere i suoi diritti. Quando a una dinastia, a un popolo, viene a mancare l'energia, è giusto che soccombano.

E gli spagnoli? Accetteranno il fatto compiuto o si solleveranno per difendere i loro sovrani?

È indispensabile convincerli.

Accelera il passo. Rientra nel castello e convoca Méneval. Mademoiselle Guillebeau aspetterà.

Nello studio invaso dai rumori della campagna e dal mormorio lontano del fiume, detta:

Spagnoli,
   dopo una lunga agonia, la vostra nazione era sul punto di soccombere. Ho visto i vostri mali e ho deciso di porvi rimedio... I vostri principi mi hanno ceduto tutti i loro diritti alla corona spagnola... La vostra monarchia è vecchia, la mia missione è di ringiovanirla.
   Migliorerò tutte le vostre istituzioni e potrete godere, se mi aiuterete, dei benefici di una riforma attuata senza sconvolgimenti, senza disordini, senza convulsioni...
   Porrò la vostra gloriosa corona sulla testa di un altro, garantendovi una Costituzione che concilia la sacrosanta e salutare autorità del sovrano con le libertà e i privilegi del popolo...
   Voglio che i vostri pronipoti conservino un buon ricordo di me e dicano: è stato il rigeneratore della nostra patria.

Pensa a Giuseppe, che deve già essere partito. Avrà il polso abbastanza fermo per tenere le redini del paese? Per farsi accettare dal popolo?

— Il grosso del lavoro è già stato compiuto — mormora.

Fa un cenno a Méneval. Ha intenzione di dettare una lettera per Talleyrand.

"Ritengo che la parte più grossa del lavoro sia stata svolta. Potranno verificarsi ancora delle agitazioni, ma la lezione appena impartita alla città di Madrid, e quella appena ricevuta da Burgos, risolveranno senz'altro rapidamente le cose."

Bisogna soltanto che nessuno venga a incitare gli spagnoli alla rivolta.

"Mi preoccupa" continua Napoleone "che il principe delle Asturie possa commettere passi falsi. Desidero perciò che lo si faccia divertire e lo si tenga occupato."

Del resto, il giovane risiederà a Valençay, in casa di Talleyrand, un vero maestro in fatto di piaceri e divertimenti.

"Ho dunque deciso di richiuderlo in campagna, in casa vostra, circondandolo di piaceri e di sorveglianza."

Napoleone fa due passi verso la finestra. Il parco è come illuminato dal biancore latteo della luna.

Ritorna verso Méneval e, con voce gioiosa, gli dice:

— E se il principe delle Asturie si legasse a qualche bella donna, non ci sarebbe niente di male, anzi, soprattutto se fosse una di cui possiamo essere sicuri.

Con passo rapido attraversa la stanza e sale le scale che conducono alla stanza di mademoiselle Guillebeau.

La mattina presto passeggia nel parco del castello di Marracq. Una leggera bruma vela l'azzurro del cielo, ma sotto quella velatura il tempo si preannunzia bello, luminoso.

Scende in barca con Giuseppina lungo l'Adour. Poi sale a bordo di una fregata che è appena entrata nel porto di Bayonne. Si spinge fino a Saint-Jean-de-Luz. Le lunghe scie delle virate tracciano linee bianche parallele sullo sfondo scuro dell'Oceano.

Scende con Giuseppina sulla spiaggia sabbiosa.

La fine del mese di maggio del 1808 e quei primi giorni di giugno annunciano un'estate tranquilla, turbata a volte, verso mezzogiorno, da qualche rovescio temporalesco.

L'ultimo giorno di maggio Napoleone riceve la notizia che Murat si è ammalato. Nel plico dei dispacci che annunciano l'itterizia contratta dal luogotenente generale, altre lettere segnalano che, qua e là, le truppe francesi sono state attaccate.

"Si tratta di briganti. Ci ammazzano quando marciamo isolati."

Napoleone si arrabbia. Eppure aveva impartito ordini precisi!

— Bisogna avanzare in colonne — ripete. — Disarmare gli abitanti, utilizzare l'artiglieria contro le città, dare degli esempi.

Esige che i dispacci gli vengano inviati il più presto possibile.

"Prima di tutto è indispensabile organizzare un buon servizio informativo" insiste nelle sue lettere a Murat. "Sono dispiaciuto per la vostra malattia, ma il parere dei medici mi tranquillizza, e spero di ricevere presto la notizia che qualche emetico e un po' di sudore vi hanno fatto bene."

Ma quando rientra al castello di Marracq, sotto un temporale che è scoppiato poco dopo che era uscito da Bayonne, il primo dispaccio che apre gli annuncia il massacro di 338 soldati a Valenza. I ribelli che hanno sgozzato i francesi della guarnigione erano guidati da un canonico, un certo Calvo.

Interrompe la lettura.

In effetti, è probabile che stia per scoppiare un'insurrezione di fanatici, guidata da frati e preti. Chissà se il papa e i suoi cardinali romani non sono in qualche modo dietro quella rivolta che si estende con rapidità? Ogni dispaccio, infatti, annuncia l'insurrezione di una città: Saragozza, Barcellona, Malaga, Cadice, Badajoz, Granada. A Oviedo gli abitanti sono stati aizzati alla rivolta dal canonico il quale, secondo precise informazioni, ha definito Napoleone "Anticristo". I soldati francesi vengono chiamati "i seguaci del diavolo" o anche "le truppe di Voltaire".

Bisogna assolutamente impedire che l'incendio si diffonda.

Napoleone scrive al ministro della Guerra, Clarke, per richiedere l'invio di truppe di riserva in Spagna, senza spaventare l'opinione pubblica con voci di guerra.

"Per non sollevare troppo rumore a Parigi, i reggimenti possono percorrere il primo tratto a piedi, come al solito, e salire sui carri a una giornata da Parigi."

È indispensabile, però, che Giuseppe arrivi il più presto possibile a Madrid.

Si avvia incontro al fratello alle porte di Bayonne. Giuseppe è alquanto preoccupato, sostiene che il papa ha imposto a tutti i vescovi spagnoli di rifiutarsi di riconoscere quel "re massone, eretico, luterano, come del resto tutti i Bonaparte e la nazione francese". Giuseppe, sempre pusillanime, inquieto per qualsiasi voce, è terrorizzato.

Napoleone lo prende per il braccio e lo accompagna nella sala da pranzo del castello di Marracq, dove si dà una cena in suo onore. Lo rassicura. I delegati spagnoli, riuniti in una giunta, lo hanno riconosciuto come sovrano.

— Non preoccupatevi, non vi mancherà nulla. State allegro e, soprattutto, comportatevi bene.

Giuseppe esita. Ha raccolto le sue informazioni sulla Spagna.

— Nessuno ha detto tutta la verità a Vostra Maestà — mormora.

China il capo come se non osasse confessare quello che pensa, quello che teme.

— Il fatto è che non c'è un solo spagnolo che si dichiari favorevole a me — conclude — tranne quelle poche personalità intervenute alla giunta.

"Ma sono discorsi da sovrano? Giuseppe immagina forse che si diventi re senza sforzo? Crede che non si debba mai combattere?"

— Non dovete trovare tanto straordinario il fatto di dovervi conquistare il vostro regno — dice Napoleone.

Fissa Giuseppe, che sottrae lo sguardo.

"E quello sarebbe il re che ci vuole alla Spagna? Ma perché devo continuare a sostenere tutti quelli che incarico di una funzione, di un compito?

"Sono così solo?"

— Anche Filippo V ed Enrico IV sono stati costretti a conquistarsi il loro regno.

Ma occorre tranquillizzare Giuseppe.

— State allegro e non dubitate nemmeno per un momento che le cose si concluderanno meglio e più rapidamente di quanto pensiate.

Intanto Murat non guarisce e si prepara a lasciare Madrid su una lettiga. Saragozza resiste agli assalti, alle palle di cannone, alla mitraglia. Gli inglesi sbarcano in Portogallo, intervengono in Spagna. Le armate spagnole si ricostituiscono e marciano verso Madrid. I giorni passano, e l'insurrezione si propaga a macchia d'olio.

Nel parco del castello di Marracq, Napoleone organizza delle truppe. Esita. La tentazione di mettersi alla testa degli squadroni di cavalleria, di marciare con la Guardia e di entrare in Madrid è forte. Soprattutto al pensiero che Giuseppe, appena arrivato nella capitale spagnola, pensa già a fuggire, terrorizzato dall'idea di venire catturato dagli spagnoli. Chiede soccorso. Teme di essere ucciso, dice.

"La paura che trasuda dalle sue lettere non appartiene a un re, è indegna di un uomo che è mio fratello."

"Il tono della vostra lettera non mi piace affatto. Non si tratta di morire, ma di vivere e vincere; e voi siete vivo e ci riuscirete.

"Io troverò in Spagna le colonne d'Ercole, ma non dei limiti al mio potere... State tranquillo per il successo di questa impresa."

Del resto, il maresciallo Bessières non ha appena riportato una vittoria a Medina de Rio Seco? E le truppe del generale Dupont non sono forse impegnate a Baylen contro gli spagnoli? Sono perfettamente in grado di sconfiggere quei ribelli.

Napoleone osserva sfilare le truppe nel parco del castello di Marracq.

Se si precipitasse in Spagna, sistemerebbe presto tutto, ne è sicuro. Ma deve tenere conto di tutti i pezzi della scacchiera. I rapporti di polizia segnalano che a Parigi si complotta contro di lui. Una faccenda di poco conto, alcuni repubblicani che sparlano dell'Impero. Ma che fiducia accordare a Fouché, ministro della Polizia generale?

Napoleone ha la sensazione di dover essere dappertutto. Dovrebbe essere a Madrid ma anche a Parigi. E in Germania, visto che l'Austria sta ricostituendo le sue armate. A quale scopo?

"Vienna si prepara a scendere in guerra pensando che io sia impantanato in Spagna? È nella natura delle cose!"

— Dato che l'Austria si sta riarmando — dice a Berthier — anche noi dobbiamo armarci. Perciò ordino che la Grande Armata sia rinforzata. Se c'è un modo per evitare la guerra, consiste nel far capire all'Austria che noi raccogliamo il guanto di sfida e siamo pronti.

La guerra, ancora e sempre la guerra!

Napoleone ha lasciato il castello di Marracq il 20 luglio. Fa un caldo torrido. Sulla strada per Auch, Tolosa, Montauban e Agen, la canicola è soffocante. Viaggia di notte per evitare il sole che, già all'alba, incendia la campagna.

Napoleone ha deciso di tornare a Parigi. Ha optato per turare le brecce che si aprono a nord, per potere, in seguito, regolare la questione della Spagna, se nel frattempo l'insurrezione non verrà schiacciata. Cosa sulla quale fa conto. O, almeno, che spera.

A ogni tappa attende con ansia l'arrivo dei corrieri.

A Bordeaux, il 2 agosto, percepisce l'emozione dell'aiutante di campo che gli porge il dispaccio. Lo legge con un'occhiata. Il generale Dupont ha capitolato a Baylen davanti alle truppe e agli insorti spagnoli del generale Castaños; 20.000 uomini hanno consegnato armi e bandiere in cambio della promessa di venire rimpatriati!

Napoleone scaraventa il dispaccio per terra, urla:

— Bestia! Vigliacco! Dupont ha perso la Spagna per salvare i suoi bagagli!

Sferra un calcio al dispaccio.

— È una macchia sulla sua uniforme!

Si fa portare le mappe, i vari dispacci inviati da Dupont. Scrive al generale Clarke, ministro della Guerra:

"Vi invio dei documenti riservati. Leggeteli attentamente uno per uno, con una carta geografica sotto gli occhi, e vedrete se, da quando esiste il mondo, si è mai verificato qualcosa di più stupido, di più inetto, di più vile... Quel che è accaduto è il risultato della più inconcepibile inettitudine."

S'infuria. È solo. La vigliaccheria, la cecità, l'idiozia di quelli che si trovano al suo servizio sono i suoi primi nemici.

Deve affrontare anche tutto questo.

Venerdì 5 agosto, a Rochefort, si riunisce con i suoi generali e alcuni ministri arrivati da Parigi. Decide d'inviare in Spagna metà delle truppe di stanza in Germania. Il maresciallo Ney ne assumerà il comando.

Poi si isola.

È la prima volta, da quando comanda e governa, da quando regna e combatte in tutta Europa, che delle unità del suo esercito si arrendono.

La prima volta.

Stringe i denti. Domina il dolore che gli rode lo stomaco. Sa bene che intorno a lui i nemici sono in agguato. La notizia della perdita di quei 20.000 uomini rimbomberà in tutta Europa.

Impartisce un ordine. Un corriere deve partire subito, bruciare le tappe, raggiungere Pietroburgo prima che la notizia della capitolazione di Baylen sia trasmessa ad Alessandro I.

Mai lasciar sospettare che si è indeboliti, precedere sempre la reazione degli altri, lasciar capire che si è pronti a evacuare, come lui desidera, la Prussia, suggerire un incontro. Mostrargli che non si ha nulla da temere. Che si è più determinati e potenti che mai.

Rientra a Parigi attraversando le città dell'Ovest, La Rochelle, Niort, Fontenay.

Lunedì 8 agosto entra nella cittadina di Napoléon-Vendée. Ricorda. Aveva deciso la costruzione di quella cittadina il 25 maggio 1804, quando quel mese si chiamava ancora "pratile" e l'anno era Anno XII. Aveva voluto cancellare il nome di La Roche-sur-Yon e mostrare che aveva pacificato la Vandea.

Percorre le strade del borgo. E quella sarebbe la sua città? Case di terra battuta? Caserme di malta?

La collera s'impadronisce di lui.

Estrae la spada e la sprofonda con violenza fino all'elsa in quei muri di terra.

E questo sarebbe costruire per il futuro?

Si incupisce. Forse è tutto altrettanto friabile. La sua gloria, la sua dinastia, il suo Impero.

Ma è una ragione per rinunciare? Convoca l'ingegnere, lo destituisce, impartisce nuovi ordini.

Solo l'azione salva.

Ha imparato fin da bambino che non si guadagna nulla a chinare il capo.

Se tutti avessero la sua stessa esperienza, non si sentirebbe così solo, costretto in ogni istante a incitarli a resistere, a combattere.

Nella berlina che corre verso Saint-Cloud, scrive a Giuseppe.

Caro amico,
    siete alle prese con avvenimenti al di sopra delle vostre abitudini e del vostro temperamento.
    Dupont ha infangato le nostre bandiere. Eventi di tale portata richiedono la mia presenza a Parigi. Il mio dolore è davvero forte, quando penso di non poter essere in questo momento accanto a voi e in mezzo ai miei soldati.
    Ditemi almeno che siete di buon umore, che state bene e vi abituate al mestiere del soldato. Ecco una bella occasione per impararlo.

Per il momento, non ha altre carte da giocare in Spagna.

Deve puntare su Giuseppe.

Tuttavia sa già che, per vincere la partita, dovrà impegnarsi personalmente nel gioco, entrare a Madrid alla testa della Grande Armata. È necessario. È indispensabile.

E quando arriva a Saint-Cloud, di domenica, il 14 agosto 1808 alle tre e mezza del pomeriggio, sa che la sua sarà solo una breve sosta.

Attraversa il cortile del castello a passi veloci.

Stasera, annuncia a Duroc, voglio che ci sia festa alle Tuileries in mio onore. Domani è il compleanno di Napoleone.

Compirà trentanove anni.

— Andiamo a ballare — dice.

17

Fin dal momento in cui entra nell'ampio salotto del palazzo delle Tuileries, quella domenica 14 agosto 1808, poco dopo le otto di sera, avanzando fra i dignitari che si scostano e si inchinano, Napoleone sente sguardi pungenti posarsi su di lui.

Ecco Talleyrand, "il Livido", come lo chiama, secondo i rapporti di polizia, l'ambasciatore austriaco Metternich. Il principe di Benevento si avvicina. È talmente incipriato che il suo profumo risulta soffocante. Ha sempre quel suo mezzo sorriso sfottente. Sa. Tutti sanno che il generale Dupont ha ceduto le armi, che il generale Junot sta per fare lo stesso a Sintra davanti alle truppe inglesi di Wellesley, che gli spagnoli sono entrati a Madrid e che Giuseppe, il re di Spagna, è in fuga. Che non c'è più un solo soldato francese a sud dell'Ebro.

"Vogliono vedere sul mio viso le cicatrici di queste disfatte.

"E si interrogano. L'imperatore è in preda ai dubbi? Il suo potere si è indebolito? Vacilla? Sono tutti lì appostati.

"Pronti ad abbandonarmi, a tradirmi se tentenno.

"Si domandano che cosa deciderò. Io passo. Loro mormorano."

È stato riferito loro che nel parco del castello di Marracq, sulle rive dei fiumi Adour e Nive, sulle spiagge di Bayonne e Saint-Jean-de-Luz, Giuseppina è apparsa gaia, rassicurata, felice. Che Napoleone abbia rinunciato al divorzio? si interrogano.

Fouché lo osserva, non abbassa lo sguardo. Vuole sapere se il progetto di divorzio che auspica è abbandonato, nel qual caso dovrà rientrare nelle grazie di Giuseppina, farle dimenticare quello che ha osato proporle.

Le sue spie sorvegliano già il n. 48 di rue de la Victoire e le diranno che stanotte l'imperatore ha reso visita a Maria Walewska, e che è uscito dalla casa solo all'alba per rientrare a Saint-Cloud.

"Mi spiano.

"Devo mostrare di essere altrettanto sicuro di me stesso, altrettanto determinato che all'indomani di un trionfo."

Napoleone si ferma al centro del salotto. Lo attorniano. Sorride. Scherza, poi afferma ad alta voce:

— La pace è il grande desiderio di tutto il mondo, ma l'Inghilterra si oppone, e l'Inghilterra è la nemica del mondo. Gli inglesi hanno sbarcato forze considerevoli in Spagna, e io ho richiamato il 1° e il 2° corpo e tre divisioni della Grande Armata per farla finita e sottomettere quel paese.

Prende per il braccio il maresciallo Davout, fa qualche passo, parla a voce alta perché i dignitari che li seguono possano sentire:

— Dupont ha disonorato il nostro esercito. Ha dato prova di inettitudine e pusillanimità. Quando saprete tutta la storia, vi si rizzeranno i capelli in testa.

Si guarda intorno. Gli occhi si abbassano.

— Provvederò io a fare giustizia, e se hanno macchiato la nostra uniforme, dovranno lavarla!

Non bisogna mai mostrare esitazioni, mai confessare le proprie preoccupazioni, le debolezze. E cacciarle anche dal proprio cuore.

Si fa condurre da Maria Walewska. Lei gli apre le braccia. L'amore disinteressato di una donna, l'offerta della sua giovinezza e della sua tenerezza, sono come le vittorie: la molla e l'energia vitale.

Lunedì 15 agosto, nel pomeriggio, riceve a Saint-Cloud il Corpo diplomatico. Anche gli ambasciatori sono sul chi va là, spiano il più piccolo indizio. Qui, sembrare forte e sicuro è un imperativo.

Napoleone si avvicina a Metternich, lo trascina in un lungo va e vieni, appartandosi dagli altri diplomatici. Con un cenno della testa fa segno a Talleyrand, che si stava avvicinando, di allontanarsi.

— "Il Livido" — mormora sorridendo a Metternich. — Quando voglio fare una cosa, non ricorro al principe di Benevento. Mi rivolgo a lui quando non voglio fare una cosa avendo l'aria di volerla.

Sorride e poi, di colpo, i suoi tratti si induriscono e con voce sorda dice:

— L'Austria vuole muoverci guerra, o vuole solo metterci paura?

Metternich pare sorpreso, nega le intenzioni bellicose di Vienna.

— Se le cose stanno così, come si spiegano quegli immensi preparativi? La vostra milizia vi metterà a disposizione 400.000 uomini irreggimentati e ben addestrati. Le vostre piazzeforti sono rifornite. E, per concludere, quello che per me è l'indice sicuro di preparativi di guerra, avete fatto acquistare una gran quantità di cavalli. Attualmente disponete di 14.000 cavalli da artiglieria.

Si controlla per non alzare il tono, per mostrare che è così forte da non essere preoccupato dalle iniziative austriache.

— Volete spaventarmi? — riprende. — Non ci riuscirete. Credete che le circostanze siano favorevoli per voi? Vi sbagliate.

Continua a camminare con passo tranquillo mentre gli altri ambasciatori li osservano.

— Io gioco a carte scoperte, dal momento che conduco una politica leale — continua. — Sposterò 100.000 uomini dalle mie truppe in Germania per inviarli in Spagna, ma sono sempre in grado di misurarmi con voi. Se vi armate, mi armerò anch'io. Se necessario, ricorrerò a una leva di 200.000 uomini. E ricordatevi che non avete alcuna potenza continentale al vostro fianco.

Riaccompagna senza fretta Metternich verso gli ambasciatori.

— Vedete che sono perfettamente calmo — gli dice.

Poi lo trattiene per il braccio.

— I Borboni sono miei nemici personali, loro e io non possiamo occupare contemporaneamente dei troni in Europa.

Ecco la ragione profonda della guerra di Spagna.

— Non è per motivi di ambizione.

Saluta gli altri ambasciatori, poi si ritira.

Sono giorni di attesa, come quelli che precedono un assalto. Non è impaziente. Misura ogni gesto e ogni parola per analizzare e prevedere.

Prima di tutto, deve garantirsi la pace a nord, in Germania. Metternich si è convinto. Vienna non si muoverà. Adesso è necessario mantenere a tutti i costi l'alleanza con Alessandro. E quindi incontrarlo.

"Se gli parlo, lo convinco."

L'appuntamento viene fissato a Erfurt, alla fine di settembre del 1808. Questo gli lascia qualche mese di pace, il tempo di vincere in Spagna, poi, se necessario, tornare in Germania e sconfiggere definitivamente l'Austria così come è stata distrutta la Prussia.

È una partita a scacchi.

Cammina avanti e indietro nel suo studio. Va a caccia nella foresta di Saint-Germain o nei boschi di Grosbois, dal maresciallo Berthier. Passa in rivista le truppe a Versailles, nella piana dei Sablons.

E, in ogni secondo, ha una scacchiera in testa. Anticipa le mosse. Prepara Gerolamo a quel che può succedere, in futuro, in Germania. In quanto re di Vestfalia, Gerolamo deve essere pronto.

"È incalcolabile quel che può succedere da adesso al mese di aprile" gli scrive. E gli trasmette una lettera di Stein, il ministro prussiano di Federico Guglielmo III, che è stata sequestrata dalla polizia. È indirizzata al generale Wittgenstein, un prussiano che serve nell'esercito russo. Stein annuncia che sta preparando un'insurrezione nazionale in tutta la Germania. I francesi saranno attaccati. Se necessario, l'intero paese verrà devastato. Tutto il popolo sarà chiamato alle armi. I principi e i nobili che non si uniranno al movimento verranno dichiarati decaduti.

"Stein si illude che io stia ad aspettare?

"Appena sottomessa la Spagna, tornerò in Germania. Sposterò la Grande Armata, che è la regina del mio scacchiere."

Entra nella stanza delle mappe. Su quella della Spagna, gli spilli indicano l'avanzata delle tre colonne spagnole che si dirigono verso l'Ebro. È meglio lasciarle avanzare.

Chiude gli occhi. Il piano del contrattacco comincia a disegnarsi.

Ma ci vogliono uomini. Ordinerà la coscrizione anticipata della classe 1810. Richiamerà sotto le armi gli esentati dal 1806 al 1809.

"La gente mormora? È aperta la caccia a una moglie perché gli uomini sposati sono esentati dal servizio militare?

"Ho bisogno di uomini. La cavalleria imperiale deve dare la caccia ai ribelli e ai disertori. Che vengano assegnati tre franchi a ogni soldato quando le unità che si trasferiscono dalla Germania alla Spagna attraverseranno la Francia."

— Fate comporre nuove canzoni a Parigi, e speditele nelle città dove passano i soldati — dice a Maret. — Quelle canzoni devono parlare della gloria che la Grande Armata ha conquistato e di quella che conquisterà in futuro.

Deve tenere l'esercito compatto. "In guerra, tutto è opinione." Bisogna accordare fiducia, esaltare l'eroismo di quegli uomini. Parlare ai loro cuori.

Detta:

Soldati,
     dopo aver trionfato sulle rive del Danubio e della Vistola... oggi vi faccio attraversare la Francia senza un attimo di riposo.
     Soldati, ho bisogno di voi. L'odiosa presenza del leopardo contamina i paesi di Spagna e Portogallo... Portiamo le nostre aquile trionfanti fino alle colonne d'Ercole.
     Soldati, voi avete superato la fama degli eserciti moderni, ma avete forse eguagliato la gloria di quelli di Roma che, in una stessa campagna, trionfavano sul Reno e sull'Eufrate, in Illiria e sul Tago?

Lo ascolteranno?

Dice al ministro della Guerra, il generale Clarke:

— Tutto quello che è successo in Spagna è deplorevole. Non si è fatto niente per accordare fiducia ai francesi. L'esercito è comandato non da generali con esperienze di guerra, ma da ispettori delle poste!

Spazza con il rovescio della mano i dispacci impilati sullo scrittoio e ne prende uno.

Lo sa, Clarke, che cosa insegna il cattolicesimo spagnolo? Sbandiera il foglio e legge con voce indurita dalla collera:

Da dove viene Napoleone?
Dall'inferno e dal peccato.
Quali sono i suoi compiti principali?
Quelli di ingannare, derubare, assassinare e opprimere.
È un peccato uccidere i francesi?

No, è anzi meritorio se,
con questi mezzi, si libera la patria dagli insulti,
dal furto e dagli inganni.

Scaglia il foglio per terra. Eccolo qui il lavoro del papa e dei suoi vescovi!

È proprio perché la Francia non ricada in quei fanatismi che l'università imperiale deve detenere il monopolio dell'insegnamento. Così la Chiesa non sarà più un'arma contro il potere.

Si interrompe, congeda Clarke.

È sempre la stessa partita che si gioca, contro i Borboni, contro le superstizioni.

Non accettano quello che lui è, quello che rappresenta. Deve fronteggiarli. Non ha altra scelta.

Mercoledì 21 settembre raggiunge Parigi.

Scende dalla carrozza in boulevard de Capucines per ispezionare i lavori in corso. Poi, nella piana dei Sablons, passa in rassegna una divisione di truppe olandesi. Non si stanca mai di vedere sfilare i suoi reggimenti.

Ed è già notte.

Va a trovare Maria.

Domani, le dice, si metterà in viaggio per raggiungere Erfurt. Dopo scenderà in Spagna. Maria Walewska rimane silenziosa, ma lui indovina la sua inquietudine. Non capisce perché lui deve sempre trovarsi alla testa delle armate. Perché deve combattere senza sosta?

Napoleone mormora, come rivolto a se stesso:

— Occorre aver fatto la guerra a lungo, per comprenderla.

Si alza e aggiunge con voce più forte:

— In guerra gli uomini non sono niente, solo un uomo è tutto.

E lui è quell'uomo.

18

Giovedì, 22 settembre 1808. È ancora buio quando, alle cinque di mattina, Napoleone sale sulla sua carrozza. Volta la testa e gli sembra di scorgere nelle gallerie la sagoma di Giuseppina seguita dalle damigelle di compagnia.

Fa subito segno al colonnello che comanda la scorta dei cacciatori della Guardia. La berlina si muove e imbocca la strada per Châlons.

Si sente finalmente libero. Sono giorni e giorni che Giuseppina insiste per accompagnarlo a Erfurt. Ma lui le ha detto di no, e lei lo ha ossessionato. Voleva essere presente alle rappresentazioni che la Comédie-Française darà ogni sera in onore dei sovrani, partecipare alle feste e ai pranzi. Non ha forse il diritto di stare anche lei fra i re, di fronte all'imperatore di Russia? Non è forse lei l'imperatrice?

Napoleone non le ha risposto. Ed è felice di non aver ceduto. È solo come un giovane scapolo. Si lascia cullare dai movimenti della berlina. Dovrà suggerire ai sovrani riuniti, e prima di tutto ad Alessandro I, che sta cercando una nuova sposa degna di lui per assicurare l'avvenire della sua dinastia. Il matrimonio al quale pensa può essere vantaggioso per la sua politica, un modo per stringere ancor più il legame dell'alleanza. Perché non una granduchessa russa? Alessandro I ha due giovani sorelle nubili...

Sogna a occhi aperti mentre la luce invade le distese grigie delle pianure lorenesi. La carrozza è spesso costretta a rallentare. Si sporge dal finestrino con un moto d'impazienza. La strada è intasata di carri e berline, di cavalli da sella e vetture, di cavalieri che indossano la livrea imperiale.

Gli sembra di riconoscere, in una carrozza, mademoiselle Bourgoing, con il suo mento a punta, i riccioli, lo sguardo malizioso. Ricorda la scaltrezza di quella giovane attrice che gli si concedeva mentre era l'amante in carica di Chaptal. Sorride. Povero Chaptal, che nell'avventura aveva perso il suo ministero!

Chiede a Méneval, seduto di fronte a lui, di leggergli l'elenco degli attori invitati a Erfurt.

— Trentadue — mormora, dopo aver ascoltato Méneval.

Non può impedirsi di valutare l'importanza della cifra che è stata stanziata nell'impresa: 1000 scudi per ciascuno per le spese di viaggio, oltre a varie migliaia di franchi di gratifica per i primi attori.

— Stupirò la Germania con questa magnificenza — conclude. Canticchia, recita qualche verso del *Cinna*.

> Tutti questi crimini di Stato che si commettono per la corona,
> il Cielo li assolve quando ce la dona.
> Il passato diventa giusto e l'avvenire è permesso,
> chi riesce non può essere colpevole,
> per quanto abbia fatto o faccia, diventa inviolabile.

Li ripete.

— È eccellente. Soprattutto per quei tedeschi che si fissano sempre sulle stesse idee e che parlano ancora della morte del duca d'Enghien — dice. — Occorre ampliare la loro morale.

La strada è di nuovo libera e il tempo è bello, secco e fresco. I villaggi si stagliano su un'orizzonte luminoso.

— Faremo recitare il *Cinna* subito, il primo giorno — riprende. — È un'ottima tragedia per gli uomini con idee malinconiche, e la Germania ne è piena.

Chiude gli occhi. È una partita molto impegnativa quella che si appresta a giocare. Deve essere, al tempo stesso, l'organizzatore e il vincitore. Ha invitato i re di Sassonia, del Württemberg e della

Baviera, i principi, granduchi e duchi di Germania e Polonia, i diplomatici, i marescialli, Oudinot, Davout, Lannes, Berthier, Mortier, Suchet, Lauriston, Savary, Soult. E, naturalmente, Champagny. Talleyrand sarà presente come gran ciambellano.

"Dovrà servirsi di ogni uomo come di un atout. Anche degli attori della Comédie-Française. È indispensabile coinvolgere Alessandro, sedurlo, indurlo a esercitare pressioni sull'Austria perché non s'impegni in una guerra prima che io abbia finito con la Spagna."

È quella la posta in gioco.

— Stiamo andando a Erfurt — mormora. — Io voglio di nuovo essere libero di fare tutto quello che vorrò in Spagna. Voglio essere sicuro che l'Austria si preoccupi e si moderi.

"E per questo ho bisogno di Alessandro I."

Ha fretta di arrivare a Erfurt, dove Talleyrand deve già essersi sistemato. Un tarlo lo rode. Ha fatto bene ad affidare al principe di Benevento la responsabilità di redigere un progetto di trattato con Alessandro I che rinnovi l'alleanza di Tilsit e preveda un intervento russo contro l'Austria, se questa minacciasse la Francia?

Arriva a Châlons verso le otto di sera. Si chiude in camera con Méneval, esamina i testi preparati da Talleyrand. Il principe di Benevento, a quanto pare, ha dimenticato proprio il passo del trattato che concerne l'Austria! L'unico articolo essenziale.

Napoleone ha come un presentimento.

"Talleyrand il venale, il Livido, forse vuole giocare le proprie carte. Tenere buona Vienna per preparare il suo futuro personale. Anche lui deve pensare alla mia caduta, alla mia morte senza eredi. Devo assolutamente avere un figlio."

Detta un dispaccio per il maresciallo Oudinot; deve portare a Erfurt, per le parate che si svolgeranno davanti all'imperatore Alessandro, gli squadroni più prestigiosi dell'esercito:

"Voglio che prima di cominciare le trattative l'imperatore Alessandro sia abbagliato dallo spettacolo della mia potenza. Questo renderà più facile qualsiasi trattativa."

Attraversa Metz, Kaiserslautern, Magonza, Kassel, Francoforte. Dorme poche ore e riparte alle quattro di mattina. Si ferma per assistere a una rivista delle truppe. È importante che lo vedano. Dopo Francoforte, però, non scende più dalla berlina per tutta la giornata del 26 settembre, un lunedì. Ordina di proseguire anche durante la notte.

La mattina dopo, alle nove, in compagnia del generale Berthier, entra finalmente a Erfurt, un'enclave francese nella Confederazione del Reno.

La carrozza corre lungo il greto del fiume Gera, gli squadroni della Guardia lo costeggiano. La folla si accalca già intorno al palazzo del luogotenente dell'elettore di Magonza, che è diventato la sede del governo. Quella sarà la residenza imperiale. Intravede le truppe schierate sulla vicina piazza di Hirschgarden.

Saluta in modo frettoloso i marescialli, impartisce i suoi ordini, detta una lettera a Cambacérès. Ma non intende perdere tempo. Vuole esercitare la sua influenza su tutti i partecipanti a questa riunione, uno a uno. Si avvicina al re di Sassonia. Ma è soprattutto Alessandro I che deve riuscire a convincere.

Alle due del pomeriggio è già a cavallo. Gli animali dei marescialli che lo attorniano scalpitano. Lo squadrone della Guardia si schiera alla retroguardia, mentre il corteo avanza sulla strada di Weimar per andare incontro allo zar.

I primi istanti possono essere altrettanto decisivi del primo scontro di una battaglia.

A Münchenholzen, Napoleone si ferma e aspetta l'arrivo della carrozza di Alessandro I. Lo zar scende. Anche Napoleone scende a terra e abbraccia lo zar. Poi si cavalca verso Erfurt. Napoleone e Alessandro procedono affiancati. Anche i loro stati maggiori avanzano mescolandosi. Gli zoccoli dei cavalli, nell'aria frizzante, sollevano una leggera polvere bianca.

Le campane di tutte le chiese suonano a stormo. I cannoni tuonano. Le truppe, nelle loro uniformi colorate, rendono gli onori.

— Sembra che l'imperatore sia disposto a fare tutto quello che voglio — dice Napoleone a Talleyrand, quando si ritrovano soli nel palazzo.

Cammina avanti e indietro mentre Constant e Rustam gli mostrano gli abiti da cerimonia.

— Se lo zar vi parla — riprende — ditegli che la mia fiducia in lui è tale che credo sia meglio che le trattative si svolgano direttamente fra noi due. I ministri firmeranno dopo.

Si interrompe, riflette.

— Ricordatevi bene, durante le discussioni, che qualsiasi ritardo può tornarmi utile. Il linguaggio di tutti quei re sarà rispettoso. Mi temono.

È necessario che la partita duri a lungo. In tal modo l'imperatore d'Austria e il re di Prussia, che non sono stati invitati a Erfurt, immagineranno il peggio, se le conversazioni si prolungano nel fasto e in un'atmosfera festosa.

Viene annunciato l'arrivo di Alessandro. Napoleone lo abbraccia e gli presenta Talleyrand.

— È una vecchia conoscenza — dice lo zar. — Sono lieto di rivederlo. Speravo proprio che partecipasse all'incontro.

Napoleone guarda Talleyrand, poi Caulaincourt, l'ambasciatore francese a Pietroburgo che è arrivato a Erfurt con lo zar. Quei due uomini sembrano intimi. Sono complici? Mostrano una deferenza eccessiva per lo zar. Si irrita. Vuole allontanare quei sospetti che lo attanagliano. Saprà convincere Alessandro I.

Il giorno dopo, mercoledì 28 settembre 1808, nella sede del governo, Napoleone attende l'arrivo del barone Vincent, latore di una lettera dell'imperatore d'Austria Francesco I. L'atmosfera del salotto è soffocante. I marescialli si affollano intorno al tavolo. Lo zar è circondato dai suoi ufficiali. Napoleone lo sente parlare in tedesco con l'arciduca Carlo.

Talleyrand, impassibile, è a pochi passi di distanza, dall'altra parte del tavolo. Nella penombra, Napoleone scorge Caulaincourt. Quella coppia non gli piace proprio per niente.

Nel corso della mattinata, durante le conversazioni con Alessandro, ha avuto l'impressione che lo zar si sottraesse, rifiutasse di affrontare il problema di un'alleanza contro l'Austria, nel caso in cui quest'ultima attaccasse la Francia. Ha notato in Alessandro una determinazione inattesa, una certa riservatezza e una notevole freddezza, dietro l'apparente cortesia delle dichiarazioni amichevoli.

È solo il primo incontro, ma la resistenza dello zar è sorprendente.

"Sembra quasi che non voglia lasciarsi coinvolgere. Come se conoscesse le mie manovre e il mio obiettivo."

Napoleone infila la mano sinistra nel gilet. Allunga la destra verso il barone Vincent, che gli porge la lettera dell'imperatore d'Austria. La leggerà, gli promette, e riceverà il barone in udienza privata giovedì. Vincent si ritira. I dispacci che arrivano da Vienna confermano che l'Austria continua a riarmarsi e rifiuta di riconoscere Murat come re di Napoli e Giuseppe come re di Spagna.

Cosa vuole esattamente? Se Alessandro I si rifiuta di esercitare pressioni su Vienna, sarà la guerra. Ma bisogna che questa guerra scoppi il più tardi possibile, quando l'avventura in Spagna sarà finita.

Riceve il barone Vincent. Vuole far sentire all'inviato dell'imperatore d'Austria la sua collera e la sua determinazione.

— Dovrò sempre trovare l'Austria sulla mia strada, di traverso a tutti i miei progetti? — dice. — Volevo vivere con voi in pace...

Cammina avanti e indietro nel salotto del palazzo del governo. Non guarda neanche il barone Vincent.

— Cosa pretendete? Il trattato di Presburgo ha stabilito in modo irrevocabile la vostra sorte. È la guerra che volete?

Si avvicina all'austriaco, lo fissa.

— Allora devo prepararmi, e sarà una guerra terribile per voi. Non la desidero né la temo. I miei mezzi sono immensi, l'imperatore Alessandro è e rimarrà un mio fedele alleato.

Ne è sicuro?

Si vedono ogni giorno. La mattina trattano, discutono, negoziano, poi vanno a caccia insieme. Si recano sul campo della battaglia di Jena, dove è stata organizzata una battuta. La selvaggina prescelta viene uccisa in gran quantità, cinghiali, cervi, cerbiatti vengono accatastati sanguinanti davanti ai re.

Napoleone si allontana, entra nella tenda dove riceverà gli altri sovrani.

Non gli piace quel massacro nel luogo dove si è svolto uno scontro di uomini. È una carneficina crudele e inutile.

Poco dopo, raccontando la battaglia, il suo cattivo umore si attenua. Alessandro è attento, ammirato.

"L'avrò conquistato?"

Durante le rappresentazioni teatrali lo zar si mostra entusiasta, e quando Talma, in una scena dell'*Edipo* di Voltaire, declama:

— L'amicizia di un grand'uomo è un dono degli dèi — Alessandro si volta, afferra la mano di Napoleone, la stringe a lungo, con ostentazione.

"Ma posso credere in quest'uomo?

"Devo agire come se avessi fiducia in quest'alleanza, come se Alessandro stesse per firmare la convenzione che lo pone al mio fianco contro l'Austria."

Napoleone rientra a palazzo. Si mette subito al lavoro, riceve Caulaincourt.

L'ambasciatore è severo e ha un'aria grave, come al solito.

— Che progetti mi attribuiscono? — domanda Napoleone.

Caulaincourt esita.

— Di dominare tutto il mondo da solo, Maestà — dice infine.

Napoleone alza le spalle.

— Ma la Francia è grande! Cosa posso desiderare d'altro? Non ne ho forse abbastanza dei miei affari in Spagna e della guerra contro l'Inghilterra?

Cammina intorno a Caulaincourt, lo osserva.

— Già, la Spagna — riprende. — Laggiù c'è stato un concorso di circostanze sciagurate, molto sgradevoli, ma cosa gliene importa ai russi?

Alza di nuovo le spalle.

— Non hanno proceduto con altrettanta delicatezza nella spartizione e nella sottomissione della Polonia — aggiunge. — La Spagna mi tiene occupato lontano da loro, ecco quello che gli interessa, ne sono felicissimi.

Continua a camminare.

— In politica tutto viene fatto, tutto si fonda sull'interesse dei popoli, sul bisogno di una pace generale, sull'equilibrio necessario degli Stati... Nella situazione in cui gli intrighi della corte di Madrid avevano sprofondato quello sfortunato paese, io ho fatto quel che dovevo fare.

Allarga le braccia, poi dà una pacca amichevole a Caulaincourt.

— Non avrei mai potuto far rientrare nei miei calcoli tutto ciò che è stato prodotto dalla debolezza, l'idiozia, la vigliaccheria o la cattiva fede dei principi di Spagna. Ma che importa, quando si è risoluti e si sa quel che si vuole!

Alessandro potrà capire tutto questo?

È necessario. Vuole ancora provare a convincerlo durante i prossimi incontri. Già a partire dal giorno dopo.

Napoleone parla con grande vivacità ad Alessandro. Di tanto in tanto si ferma, osserva lo zar che sorride in modo amichevole, sembra approvare; poi, di colpo, comincia a parlare di mademoiselle Bourgoing, quell'attrice di grande talento, quella donna che lo affascina.

— È una donna disponibile? — domanda Alessandro I.

Napoleone sorride. Si sente quasi il fratello maggiore, carico di esperienza.

— Mi auguro che saprete resistere alla tentazione — risponde.

Gli lascia intendere di parlare con conoscenza di causa, come avrebbe fatto con un compagno di guarnigione. Gli uomini, tenenti o re, sono tutti fatti della medesima stoffa. Aggiunge che mademoiselle Bourgoing è una chiacchierona.

— Tempo cinque giorni, e a Parigi sapranno come è fatta Vostra Maestà dalla testa ai piedi — gli confida.

Alessandro ride, s'inchina e, lanciandogli un'occhiata di complicità, lascia la stanza.

Napoleone si rassicura. Deve continuare a tessere, a ricucire l'intimità che aveva instaurato a Tilsit con Alessandro. Così riuscirà certo a convincerlo del tutto, a fargli capire che l'alleanza tra Russia e Francia deve contemplare anche una garanzia contro l'Austria.

In serata, a teatro, mentre gli attori della Comédie-Française recitano *Fedra*, si mostra molto premuroso verso lo zar, invita nel palco imperiale la duchessa di Sassonia-Hildburghausen, sorella della regina Luisa di Prussia. Occorre blandire i prussiani, visto che Alessandro continua a portarli in cuore. Lo zar sembra sensibile alle sue attenzioni.

Ai concerti, alle cene, in occasione delle riviste militari che si tengono ogni giorno, durante i balli, Napoleone moltiplica le sue cortesie.

Deve assolutamente sedurre quell'uomo, per il quale del resto prova una certa attrazione. Tra i sovrani europei, Alessandro è l'unico che non suscita il suo disprezzo. Vorrebbe mantenere con lui una relazione basata sulla fiducia, un rapporto amichevole, senza illusioni ma anche senza ipocrisie.

Quella sera, di ritorno dal teatro, si addormenta a fatica.

Poi, nel pieno della notte, viene colto da un dolore intenso al petto, si sente soffocare. Si risveglia madido di sudore. Vede ombre intorno a lui. Pensa all'assassinio dello zar Paolo I commesso dagli amici di Alessandro, che obbedivano all'ordine di quel figlio parricida.

Si rannicchia. Riconosce Constant e Rustam. Lo asciugano. Si alza. Comincia una lettera per Giuseppina:

"Mia cara, ti scrivo poco: sono molto impegnato. Conversazioni di giornate intere che non giovano certo al mio raffreddore. Ma tutto va per il meglio."

Esita, poi scrive di getto:

Sono contento di Alessandro e credo che lui lo sia di me: se fosse una donna, credo che me ne innamorerei.

Sarò da te tra poco, stammi bene e fatti trovare in carne e riposata.

Addio, cara amica.

Napoleone

Al ballo dato nella cittadina di Weimar, Napoleone osserva l'eleganza di Alessandro nel danzare.

Fa il giro della sala con le mani intrecciate dietro la schiena. I sovrani si inchinano. Riconosce Goethe, quell'uomo che si è recato una mattina a Erfurt ad assistere al suo risveglio. Gli si avvicina.

— Monsieur Goethe, sono felice di vedervi.

Si guarda intorno. Con l'eccezione forse del solo Alessandro, in quella sala da ballo ci sono tante marionette o automi, tante idiozie nascoste sotto le uniformi e le decorazioni.

— Monsieur Goethe, voi sì che siete un uomo. So che siete il primo poeta tragico tedesco.

Accanto a Goethe c'è il drammaturgo Wieland.

— Monsieur Wieland — lo interpella Napoleone. — Lo sa che noi la chiamiamo il Voltaire della Germania?

Napoleone si volta. Alessandro continua a danzare.

— Ma perché — riprende Napoleone — scrivete quel genere di opere equivoche che trasferiscono il romanzo nella storia e la storia nel romanzo? I generi, in un uomo superiore quale voi siete, devono essere netti ed esclusivi. Tutto ciò che è frutto di miscugli trascina facilmente alla confusione.

— I pensieri degli uomini valgono molto più delle loro azioni — replica Wieland. — E i buoni romanzi valgono più del genere umano.

Napoleone scuote la testa.

— Sapete cosa succede a quelli che mostrano sempre la virtù nei romanzi? Lasciano credere che le virtù sono soltanto chimere. La storia è stata spesso calunniata proprio dagli storici...

S'interrompe.

— Prendete Tacito — aggiunge. — Conoscete un più grande, e spesso ingiusto, detrattore dell'umanità? Tacito non ha mai imparato niente. Trova motivazioni criminali anche per le azioni più semplici. Non ho forse ragione, monsieur Wieland?

Indica la sala da ballo.

— Ma forse vi infastidisco, non siamo qui per parlare di Tacito. Guardate come danza bene l'imperatore Alessandro.

Ascolta Wieland, il quale gli dice che è un imperatore che parla come un uomo di lettere.

— E so che Vostra Maestà non disdegna quel titolo.

Napoleone ricorda che qualche volta ha sognato di essere uno scrittore, alla maniera di Jean-Jacques Rousseau. Tanto tempo prima, lontano da qui, in una camera di Valenza. Wieland e Goethe intanto parlano delle passioni umane, che un giorno saranno dominate dalla ragione.

Napoleone fa qualche passo e mentre si allontana esclama:

— È quel che dicono tutti i nostri filosofi. Ma questa forza della ragione io la cerco invano: non la vedo da nessuna parte.

Di colpo si sente stanco, solo in mezzo a quella folla che veste con eleganza. Bruscamente, ha la certezza di ingannarsi a proposito di Alessandro, è solo un'illusione quella di riuscire a trascinarlo sulle sue posizioni.

"L'imperatore russo non sarà sostenuto in questa sua resistenza da Talleyrand e Caulaincourt? In fondo sono uomini che giocano in proprio la loro partita, uno così venale e scaltro, l'altro così desideroso della pace. Pronti, l'uno e l'altro, a svelare le mie strategie affinché io non vinca."

Resta sveglio tutta la notte, anche se la stanchezza che si è abbattuta su di lui gli fa sentire tutta la pesantezza del corpo. Respira male. Ha dolori allo stomaco. Gli sembra che la sua pancia sia gonfia, enorme. Cerca di calmarsi. Scrive qualche riga per Giuseppina.

Cara amica,
  ho ricevuto la tua lettera. Apprendo con piacere che stai bene. Ho assistito al ballo di Weimar. L'imperatore Alessandro danza, ma io non me la sento, quarant'anni sono quarant'anni.
  Tutto sommato, comunque, la mia salute è buona, anche se ho qualche piccolo malanno.
  Addio, cara amica. Spero di vederti presto.

Tuo Napoleone

La mattina seguente decide di sapere una volta per tutte cosa deve pensare delle intenzioni dello zar.

Non risponde ad Alessandro il quale, entrando nel salotto dove si svolgono ogni giorno i loro colloqui, gli parla con entusiasmo del ballo di Weimar, della grazia e della distinzione della principessa Stefania Beauharnais, la moglie di Carlo, principe ereditario di Baden e fratello dell'imperatrice di Russia.

— Stefania Beauharnais, mia cognata — dice Alessandro.

Napoleone lo ascolta, poi, con tono brusco, parla dell'Austria, delle minacce di guerra che fa pesare sulla Francia. Solo un intervento diplomatico di Alessandro I può salvaguardare la pace. Lo zar è pronto a farlo?

Alessandro fa finta di non aver nemmeno udito.

Ma lui vuole sapere.

Prende il suo copricapo, lo scaraventa per terra, lo calpesta, urla che esige una risposta precisa. Alessandro si alza e si dirige verso la porta.

— Voi siete violento, ma io sono testardo — replica. — Con me, la vostra collera non funziona. Discutiamone, ragioniamo, oppure me ne vado.

Napoleone lo prende per il braccio ridendo, lo accompagna verso il centro del salotto, siede accanto a lui e chiacchiera.

— Stefania Beauharnais è una donna di spirito — afferma.

Adesso sa.

Alessandro non stipulerà mai un'alleanza che lo impegni contro l'Austria a fianco della Francia.

Finalmente le posizioni sono chiare.

Napoleone ha perso qualche giorno in inutili assalti, ma non si è lasciato ingannare. Talleyrand si è venduto a Vienna, come gli pare di capire, e ha incitato Alessandro a resistere? Riuscirà mai ad avere la prova di questo tradimento?

Ma gli uomini e le cose sono fatti così. Bisogna vederli in faccia, cambiare obiettivi, fare in modo che la guerra inevitabile che Vienna intende scatenare scoppi il più tardi possibile.

Sarà dunque costretto a combattere di nuovo qui, in Germania.

Osserva quei paesaggi con un misto di amarezza e di malinconia. Non è riuscito a imporre la pace. Si sente ormai distaccato da quello che sta vivendo qui. È già altrove, in Spagna, dove dovrà precipitarsi lasciando Erfurt. Poi dovrà tornare in Germania per fronteggiare le armate austriache.

L'imperatore siede a tavola per una di quelle cene che ormai non lo divertono più.

Alla sua destra ci sono lo zar, i re di Vestfalia e del Württemberg. Alla sua sinistra, la duchessa di Weimar, i re di Baviera e Sassonia. Napoleone parla delle origini della Costituzione germanica. I suoi commensali si stupiscono della sua erudizione. Osserva tutti quei sovrani raccolti intorno a lui.

Rievoca la vita di guarnigione, parla del tempo libero di cui ha potuto disporre per anni per leggere e studiare, dei quaderni di appunti che ha riempito.

— Quando ero tenente d'artiglieria... — esordisce scrutando attentamente uno dopo l'altro i sovrani.

Poi si corregge:

— Quando avevo l'onore di essere tenente d'artiglieria.

Non rimpiange quel moto di fierezza e di orgoglio. È stato un tenente. Adesso è imperatore. Deve cambiare tattica con Alessandro.

Capita spesso sul campo di battaglia. Non si può sfondare al centro? Si attacca il nemico sulle ali. Ma che nessuno immagini che lui è disposto a indietreggiare. Al contrario, non intende abbandonare nessuna delle piazzeforti che controlla in Germania, sull'Oder. Gli saranno estremamente utili, in questa guerra che Alessandro non ha voluto rendere impossibile e che Vienna desidera tanto.

Talleyrand sollecita un'udienza. Napoleone lo ascolta. Il principe di Benevento lo invita alla moderazione, al compromesso.

Napoleone lo osserva, poi, quasi distrattamente, gli dice:

— Siete molto ricco, vero, Talleyrand? Quando avrò bisogno di denaro, credo che ricorrerò a voi. Vediamo un po', mettetevi la mano sul cuore, quanto avete guadagnato con me?

Sa bene che Talleyrand non si lascerà turbare e non rivelerà niente.

— Non ho concluso niente con l'imperatore Alessandro — continua Napoleone, dando l'impressione di dimenticare la domanda che aveva posto. — L'ho rigirato in tutti i sensi, ma ha uno spirito molto limitato. Non sono riuscito ad avanzare di un passo.

Caulaincourt è entrato in quel momento nel salotto. Napoleone si volta verso di lui:

— Il vostro imperatore Alessandro è testardo come un mulo. Fa il sordo per le cose che non vuol sentire. Queste maledette faccende di Spagna mi costano care!

— Eppure l'imperatore Alessandro è completamente affascinato da voi — commenta Talleyrand.

Napoleone sogghigna.

— Ve lo ha fatto credere, siete caduto nella sua trappola. Se mi ama tanto, perché non firma il trattato?

Interrompe Talleyrand, il quale ha ripreso a parlare delle piazzeforti sull'Oder che, a suo avviso, la Francia dovrebbe subito evacuare.

— È un'azione da deboli quella che mi proponete! — urla Napoleone. — Se acconsentissi, tutta l'Europa mi tratterebbe in poco tempo come un bamboccio!

Annusa nervoso una presa di tabacco, cammina avanti e indietro per la stanza ignorando Talleyrand e Caulaincourt. Ha imparato a servirsi di tutte le situazioni. Mai capitolare. Non si è certo trattenuto tutti quei giorni a Erfurt per poi abbandonare il terreno!

— Sapete che cosa fa sì che nessuno si comporti correttamente con me? — dice avvicinandosi a Talleyrand. — Il fatto è che, non avendo io figli, pensano che la Francia sia un mio vitalizio personale. Ecco il segreto di tutto quello che potete vedere qui: mi temono, e ciascuno si arrangia come può. È una situazione pessima per tutti. E...

Parla staccando le parole:

— Un giorno bisognerà porvi rimedio. Continuate a vedere l'imperatore Alessandro; forse l'ho trattato in modo brusco, ma voglio che ci lasciamo in buoni rapporti.

Trattiene Caulaincourt, che vorrebbe allontanarsi con Talleyrand. Lo invita a interrogare lo zar su cosa pensa di un suo nuovo matrimonio, sulla necessità di avere dei figli per fondare la dinastia.

Caulaincourt sembra sorpreso, imbarazzato.

— È per verificare se Alessandro è davvero un amico, se prova un vero interesse per il benessere della Francia, perché io amo Giuseppina — continua Napoleone. — Io non sarò mai più veramente felice. Ma, almeno, conosceremo l'opinione dei sovrani su un'iniziativa che mi costerà un grosso sacrificio. La mia famiglia, Talleyrand, Fouché, tutti gli uomini di Stato me la chiedono in nome della Francia. In effetti, un figlio garantirebbe maggiore stabilità dei miei fratelli, che non sono molto amati e che sono, tutto sommato, degli incapaci... Vorreste forse nominare erede Eugenio? Le adozioni non creano solide fondamenta per le nuove dinastie. E poi, ho altri progetti per lui.

Dell'incontro di Erfurt, forse, resterà solo quest'idea del divorzio, che lui ha seminato perché l'Europa dei sovrani non sia tanto sorpresa quando arriverà il ripudio. E anche perché lo zar si convinca che Napoleone continua a nutrire la più grande fiducia in lui, visto che lo consulta su un argomento così intimo.

In realtà, quel mercoledì 12 ottobre ha firmato soltanto una convenzione che è un puro e semplice rinnovo dell'alleanza di Tilsit.

— Ho firmato chiudendo gli occhi per non vedere nel futuro — mormora Napoleone a Berthier.

Ma lui quel futuro lo conosce.

Ha proposto ad Alessandro di inviare una lettera a Giorgio III, re d'Inghilterra. Sceglie personalmente i termini: "La pace è al tempo stesso nell'interesse dei popoli del continente e nell'interesse dei popoli della Gran Bretagna", occorre mettere fine a una "guerra lunga e sanguinosa" per il "benessere dell'Europa".

Parole che l'Inghilterra respingerà.

È il 14 ottobre 1808, un venerdì.

Napoleone cavalca accanto ad Alessandro sulla strada per Weimar. Guarda gli stati maggiori che caracollano intorno a loro. Le truppe rendono gli onori. In lontananza sente squillare le campane della chiesa di Erfurt. I cannoni sparano a salve.

Ferma il cavallo nello stesso punto dove, diciotto giorni prima, ha accolto Alessandro I. Le illusioni e le speranze di allora sono ormai cadute.

La carrozza dello zar attende con la sua scorta.

Napoleone abbraccia Alessandro. Lo trattiene qualche secondo per le spalle, poi lo guarda salire sulla carrozza.

Si sente pesante, monta lentamente a cavallo e riprende la strada per Erfurt.

Adesso è sceso il silenzio. Né campane né cannoni. Solo il martellare sordo degli zoccoli dei cavalli sul terreno bagnato da una pioggia fine ma tenace.

Napoleone avanza al passo, solo, davanti allo stato maggiore.

Tiene il capo chino sul petto. Si lascia guidare dal cavallo.

Chiude gli occhi per non vedere quel futuro che già immagina.

Parte quinta

Impossibile?
Non conosco questa parola
14 ottobre 1808 - 23 gennaio 1809

19

Napoleone lascia Erfurt verso sera. È il 14 ottobre 1808, un venerdì. Piove. Fa freddo. Le lampade a olio della berlina sono accese, e lui si è sistemato sotto una di queste. Legge i dispacci appena giunti da Parigi e dalla Spagna. Gli bastano poche frasi del generale Clarke, o le richieste di aiuto di Giuseppe, che chiede rinforzi e propone operazioni stravaganti, per immaginare quale deve essere, in mezzo a un popolo in rivolta, la situazione dei suoi soldati. Vengono sgozzati. Allora saccheggiano. Massacrano. Hanno paura. Oltretutto, adesso ci sono varie migliaia di inglesi di John Moore, arrivati dal Portogallo, che combattono in Spagna.

Depone i dispacci. Comincia a dettare una lunga lettera per il generale Junot, che si è arreso agli inglesi a Sintra ed è stato rimpatriato in Francia, conformemente agli accordi di capitolazione.

"Il ministro della Guerra mi ha sottoposto tutte le vostre memorie... No, non avete fatto niente di disonorevole; avete riportato indietro le mie truppe, le mie aquile, i miei cannoni. Tuttavia, avevo sperato che vi sareste comportato meglio... Intendo approvare pubblicamente la vostra condotta, quello che vi scrivo in via confidenziale è soltanto per voi."

Napoleone rimane molti minuti in silenzio, poi riprende a dettare: "Prima della fine dell'anno, intendo sostituirvi io stesso a Lisbona".

È molto teso. Non vuole che si facciano soste, tranne che per cambiare i cavalli. La carrozza supera Francoforte e prosegue per Magonza.

Una partita si è appena conclusa, un'altra sta per cominciare. Come aveva previsto, è costretto a prendere la testa delle sue truppe, a entrare lui stesso a Madrid e Lisbona. Per stroncare le rivolte e cacciare gli inglesi dalla penisola.

Le truppe valide di cui dispone sono acquartierate sulla sponda settentrionale dell'Ebro. Ha dato ordine di aspettare gli spagnoli per potere, al momento giusto, sfondare il loro centro e circondarli. Giuseppe, tuttavia, incapace di comandare un esercito, ha impartito ordini sbagliati; Ney e Lefebvre, trascinati dalla foga, hanno attaccato sulle ali ottenendo momentanei successi. Ma non capiscono che conta soltanto la vittoria che annienta completamente il nemico?

Detta una lettera per Giuseppe: "In guerra ci vogliono idee sane e precise. Quel che proponete non è attuabile".

Ordina che si aspetti il suo arrivo.

Perciò bisogna forzare l'andatura.

Deve giocare il più presto possibile la partita spagnola per poter tornare a combattere qui contro l'Austria.

Se a Erfurt fosse riuscito...

Comunque non ha rimpianti. Ha fatto tutto il possibile, ma Alessandro era inafferrabile. Riprende in mano un rapporto di polizia cui aveva dato soltanto un'occhiata.

A Erfurt, tutte le sere, dopo lo spettacolo lo zar si recava dalla principessa Thurn e Taxis, dove incontrava Talleyrand. Ogni sera stavano insieme per ore e ore, isolandosi spesso dagli altri invitati nei salotti della principessa. Anche il barone Vincent, inviato dell'imperatore d'Austria, ha partecipato qualche volta a quelle conversazioni.

"Talleyrand mi ha tradito. Da sempre la sua politica consiste nel proteggere Vienna. Ma si sarà spinto ancora più avanti? Magari non si è accontentato di convincere Alessandro a non allearsi con me per minacciare l'Austria, ma lo ha addirittura istigato contro di me! Quanto avrà incassato il Livido da Vienna?

"Che scopi persegue? Garantirsi il suo avvenire nel caso che io muoia o venga sconfitto? Oppure coalizzare l'Europa contro di me per sottomettermi? Devo distruggerlo? O servirmene ancora, senza farmi illusioni?"

Esita, poi detta un ordine per il principe di Benevento: bisogna sapersi servire anche del nemico.

"Organizzerete, almeno quattro volte la settimana, una cena di trentasei coperti, invitando perlopiù legislatori, consiglieri di Stato e ministri, in modo che si conoscano e che voi stesso possiate incontrare le personalità più importanti e coltivare le loro propensioni."

"Che questo principe Livido serva almeno come valletto."

Nei suoi confronti cova un sentimento di disgusto. In fondo stima solo gli uomini che espongono il loro petto al fuoco della battaglia. Gli altri sono marci e insozzano, quando ci si avvicina a loro.

Arriva al castello di Saint-Cloud martedì 18 ottobre 1808, poco prima di mezzanotte.

Riceve Giuseppina solo l'indomani mattina. L'imperatrice ha quello sguardo ansioso che lui non sopporta più. Non lo interroga, ma i suoi occhi lo perseguitano. Sa bene che Napoleone aspetta soltanto l'occasione per separarsi da lei e concludere uno di quei matrimoni reali cui ha costretto tutti i membri della sua famiglia. Perché non dovrebbe farlo anche lui?

Tuttavia, non osa rivolgergli apertamente la domanda. Si limita a lamentarsi quando l'imperatore le comunica che si tratterrà solo pochi giorni a Parigi. Intende assistere all'apertura della sessione del Corpo legislativo, e anche mostrarsi con lei, l'imperatrice, nelle strade della capitale, ispezionare i lavori intrapresi al Louvre e lungo le rive della Senna. Poi raggiungerà le sue truppe in Spagna.

Giuseppina si aggrappa a lui. E così deve proprio ripartire per la guerra? Non finirà mai questo strazio?

La rimprovera. Si stacca da lei. Cosa crede, che lui non preferirebbe poter disporre di un buon letto, invece di sprofondare nel fango dei bivacchi?

Se ne va sbattendo la porta e si rinchiude nello studio. Convoca Cambacérès, Fouché, i ministri. Quelli non osano parlare come Giuseppina. Sono abituati a ubbidire. Ma Napoleone intuisce le loro reticenze.

Sì, la guerra, ancora e sempre la guerra! Cosa può farci lui?

L'Inghilterra ha appena risposto alla sua offerta di pace con pretese inaccettabili. È logico: perché mai dovrebbe smettere di combattere nel momento in cui le sue truppe riportano successi e l'Austria amica si sta riarmando?

Lui non dispone degli eventi. Obbedisce agli eventi. È il suo dovere verso la Francia. Il suo destino.

Nella notte di venerdì 28 ottobre si fa condurre in carrozza in rue de la Victoire. Sorprende Maria Walewska nel sonno. Nell'amarla, e poi nel lasciarla, prova un'emozione intensa.

Quella è la sua vita.

Riparte per Rambouillet, poi raggiunge Angoulême e Bayonne.

Presto! Pronuncia soltanto quella parola. A Saint-André-de-Cubzac fa fermare la vettura. Le strade sabbiose delle Landes costringono a rallentare troppo l'andatura, e lui non lo sopporta. Finirà il percorso a cavallo. Monta in sella. Galoppa. Quando arriva a Bayonne, giovedì 3 novembre, in compagnia di Duroc, è a pezzi. Sono le due di notte. Vacilla per la stanchezza ma urla i suoi ordini. Vuole vedere i depositi dell'esercito. Non ci sono uniformi, proprio quando il freddo aumenta e la pioggia sommerge la Spagna.

— Non ho più niente, sono nudo! — grida. — Il mio esercito è in difficoltà, ha bisogno di tutto. I fornitori sono dei ladri. Nessuno è mai stato così indegnamente servito e tradito!

È troppo stanco per proseguire. Si fa portare al castello di Marracq. Ma non riesce a dormire e detta una lettera per il generale Dejean, il responsabile del ministero della Guerra.

Poi, come se parlasse a se stesso, prende in mano la penna e scrive a Giuseppina.

Sono arrivato stanotte a Bayonne, dopo grandi fatiche, dal momento che ho percorso a spron battuto una parte delle Landes. Sono un po' stanco.

Domani partirò per la Spagna. Le truppe stanno arrivando con tutti i loro effettivi.

Addio cara.

Tuo Napoleone

Si risveglia di soprassalto dopo meno di un'ora di sonno. Vuole vedere i responsabili dei magazzini. Li maltratta, esige che siano formati subito i convogli con gli approvvigionamenti che seguiranno le truppe. Poi passa in rivista uno squadrone di cavalleggeri polacchi e raggiunge Tolosa, una cittadina a pochi chilometri a sud di San Sebastiano.

È in Spagna. La partita ha inizio.

La sala del monastero nel quale si è installato è glaciale. Piove a catinelle. Il generale Bigarré si avvicina, s'inchina in modo cerimonioso e gli porge i complimenti a nome di Giuseppe, re di Spagna. Napoleone gli volta le spalle.

Giuseppe, comincia a rendersene conto, si prende per Carlo V!

— Ha perso la testa — borbotta. — È proprio diventato un re!

Sente un mormorio. Una delegazione di monaci avanza verso di lui. Osserva a lungo quelle teste tonde, ascolta quelle voci melliflue che professano la loro buona volontà e il loro rispetto.

— Signori monaci — risponde brusco — se solo vi azzardate a intromettervi nelle nostre faccende militari, vi prometto che vi farò tagliare le orecchie.

Entra nella cella che hanno preparato per lui. Si butta vestito sul letto angusto. Fa un freddo terribile.

È la guerra.

20

Napoleone arriva a Vitoria il 5 novembre 1808. Nelle strade della cittadina incrocia unità della Guardia a piedi e della Guardia a cavallo che si dirigono verso Burgos, la città che ha ordinato di conquistare. Se Burgos cade, il fronte spagnolo sarà sfondato, e le truppe francesi potranno puntare su Madrid.

I soldati lo riconoscono, lo acclamano. Lui si ferma e li saluta sollevando il copricapo e scatenando nuove grida di "Viva l'imperatore!". Loro, almeno, i soldati ai quali chiede di sacrificare la vita, sono ancora entusiasti. Si trattiene a lungo per vederli sfilare. Ha bisogno della fiducia che i granatieri dimostrano di avere in lui.

Poi si reca all'arcivescovado, dove lo aspettano Giuseppe e la sua corte. Non abbraccia il fratello ma lo conduce in disparte.

La guerra è un mestiere, gli dice. E voi non lo conoscete.

Gli ordini impartiti da Giuseppe non possono essere eseguiti.

Alza la voce in modo che il generale Ney, il quale si è rifiutato di obbedire a Giuseppe, lo senta bene:

— Il generale che eseguisse una manovra del genere sarebbe un criminale.

Il fratello lo fissa. Ha il volto paonazzo. Ma tace.

"Giuseppe non è mai stato molto coraggioso. E ci tiene alla sua corona. Deve sottomettersi. E lo farà.

"È il mio fratello maggiore, ma io sono l'imperatore. Io ho fatto di lui quel che è."

Napoleone martella i suoi ordini. Giuseppe seguirà a distanza lo stato maggiore del fratello. Non deve più impicciarsi delle iniziative militari.

"Gli restituirò la Spagna quando l'avrò domata."

Si volta, chiama i marescialli, i generali, gli aiutanti di campo. Non si cura più di Giuseppe.

In guerra non si può perdere tempo ed energie per occuparsi dell'amor proprio ferito. Nemmeno quello di un re. Nemmeno quello di un fratello maggiore.

A notte fonda fa una passeggiata nella città di Vitoria. Alcuni soldati hanno allestito il loro bivacco in piazza. Il cielo è talmente limpido che si potrebbero contare le stelle. Questo tempo magnifico è propizio. È bello e dolce quanto le più belle notti di un mese di maggio in Francia. Rientra e scrive, in piedi, qualche riga a Giuseppina.

> Cara amica,
> da due giorni sono a Vitoria, sto bene. Le mie truppe arrivano tutti i giorni. La Guardia è arrivata oggi.
> Il re sta decisamente bene. Sono molto impegnato.
> So che tu ti trovi a Parigi. Non dubitare dei miei sentimenti.
>
> *Napoleone*

Esige che Constant lo svegli appena arrivano gli aiutanti di campo con i dispacci dei marescialli.

Perché vuole assolutamente essere presente di persona dove si combatte. Decide di raggiungere il maresciallo Soult, che ha appena battuto gli spagnoli e conquistato Burgos. Cavalca così veloce nella notte verso quella città, che quando arriva a Cubo, sulla strada per Burgos, del suo seguito fanno parte soltanto un aiutante di campo, Rustam e pochi cacciatori a cavallo. Il resto della scorta e lo stato maggiore non sono riusciti a tenere il passo. Si ferma e detta all'ufficiale una lettera per Giuseppe.

> Fratello,
> partirò all'una di notte per trovarmi prima che faccia giorno a Burgos, dove impartirò le disposizioni per la giornata, perché vincere non è niente, occorre approfittare del successo.

Penso che si debbano fare poche cerimonie, tanto per me quanto per voi. Per quanto mi riguarda, le cerimonie non si confanno al mestiere della guerra. E poi, io non ne voglio affatto. Credo però che le delegazioni di Burgos debbano venirvi incontro e accogliervi nel modo migliore possibile.

Salta in sella. Non ha tempo per aspettare la scorta.

Nelle vicinanze di Burgos, al lume delle torce dei cacciatori che lo accompagnano, vede cumuli di cadaveri: soldati, contadini, religiosi.

È ancora notte quando entra in città. I soldati ubriachi ondeggiano nelle strade ingombre delle macerie del saccheggio. Sulla piazza davanti all'arcivescovado stanno bruciando su grandi falò gli arredi liturgici della chiesa. L'odore è pestilenziale. Dappertutto giacciono cadaveri in mezzo ai detriti e ai cavalli sventrati. Si sentono le urla delle donne, che coprono i canti della truppa.

Passa fra i soldati che non lo vedono nemmeno, trascinati dalla furia delle gozzoviglie, degli stupri e dei saccheggi.

La stanza dell'arcivescovado dove deve dormire è sudicia. La mobilia è stata distrutta.

Hanno appena scoperto tre spagnoli armati che vi si erano nascosti.

Si siede sul letto macchiato dell'arcivescovo. È stroncato dalla stanchezza. Ha fame. È ridiventato l'ufficiale di un tempo. Come se non avesse mai conosciuto il lusso dei palazzi. Constant gli porta un pezzo di arrosto, un po' di pane e del vino che si è fatto dare dai granatieri che bivaccano sulla piazza. Mangia a gambe larghe, in quella stanza sporca e fetida, scarsamente illuminata. Poi si stende sul letto con gli stivali e i vestiti coperti di polvere e fango.

L'indomani si ferma a guardare per un breve istante le colonne di fumo che continuano ad alzarsi nel cielo di Burgos. Alcuni edifici sono ancora avvolti dalle fiamme. Convoca gli aiutanti di campo. Vuole conoscere la posizione delle varie armate, quelle di Soult, Ney, Victor e Lannes. Ordina che gli ufficiali riprendano il controllo delle truppe e facciano cessare i saccheggi. Va di persona a ispezionare la città e i magazzini che sono stati scoperti, pieni zeppi di viveri.

Sulla piazza, sente le prime grida di "Viva l'imperatore!".

— In tutto questo, c'è lo zampino di Bacco, più che altro — commenta.

Non si può comandare un esercito di soldati ubriachi e di saccheggiatori. Ogni giorno, dichiara, passerà in rivista le truppe.

Rientra nell'arcivescovado dove i granatieri della Guardia sono impegnati a risistemare e pulire la stanza. Arrivano i primi corrieri che annunciano, ora dopo ora, le vittorie di Soult a Reinosa, di Victor a Espinosa, di Lannes a Tudela. Gli spagnoli di Castanedos sono in fuga, così come gli inglesi di John Moore. Si china a studiare le mappe. Adesso si può marciare su Madrid.

Prima di lasciare Burgos, va a rendere visita ai feriti che sono ammassati nel convento della Concepción. Vede i suoi uomini mutilati e devastati dalla cancrena, distesi su mucchi di paglia fradicia. Si alzano, salutano l'imperatore, raccontano quello che hanno visto o che hanno sentito raccontare.

Il capitano Marbot, aiutante di campo di Lannes, è stato ferito mentre cercava di portare i dispacci all'imperatore. Lungo la strada, raccontano i soldati, Marbot ha visto "un giovane ufficiale del 10° cacciatori a cavallo, che indossava ancora la sua uniforme, inchiodato mani e piedi alla porta di un fienile! Quel poveretto aveva la testa all'ingiù e gli avevano acceso un fuoco sotto. Fortunatamente per lui, i suoi tormenti erano cessati, era morto! Ma il sangue delle piaghe colava ancora".

Napoleone tace. E gli tornano alla mente i dispacci macchiati di sangue che gli sono stati consegnati, quelli che portava addosso Marbot quando è stato ferito.

Occorre assolutamente farla finita con questa guerra, allontanarsi da questo pantano insanguinato.

Passa tra i ranghi dei feriti, fa distribuire otto napoleoni a ogni ufficiale e tre a ogni soldato. Poi, lasciando il convento, parte per Aranda.

Spinge il cavallo sulla stretta strada pietrosa. Gli aiutanti di campo e la scorta stentano a seguirlo. Ma lui sembra non risentire della stanchezza. Vuole entrare a Madrid.

Ad Aranda vede ergersi all'orizzonte la Sierra de Guadarrama. È la barriera rocciosa che Bacler d'Albe, capo degli ingegneri geografi, ha sottolineato con un tratto scuro sulla mappa, a Burgos. Dietro quella sierra c'è Madrid. E per scalare la montagna esiste un solo passo, il colle di Somosierra.

Napoleone si china sulla mappa in compagnia di Bacler d'Albe. Sono così vicini che si toccano con la fronte. Napoleone solleva la testa.

Ha fiducia in quell'uomo che conosce da anni e vuole sempre avere accanto a sé, in tenda, durante le campagne militari. Lo interroga. Bacler d'Albe ha fissato sulla mappa degli spilli colorati che seguono la strada del colle di Somosierra. Il colle è alto 1400 metri. La strada è tortuosa, incassata tra due montagne. È stretta. Inoltre, come precisano gli esploratori che si sono spinti in avanscoperta, è bloccata dagli spagnoli che hanno piazzato cannoni a ogni tornante. Sulla cima, poi, c'è un ultimo sbarramento costituito da una batteria di sedici cannoni e da migliaia di spagnoli comandati da Benito San Juan.

— È l'unica strada... — mormora Napoleone.

Quindi bisogna a ogni costo passare dal colle di Somosierra per piombare su Madrid. Vuole studiare di persona la situazione.

Mercoledì 30 novembre avanza fino a Ceroso de Arriba, ai piedi della Sierra. I soldati lo acclamano. Ordina al colonnello dei cacciatori della Guardia, Piré, di andare in perlustrazione. Aspetta, passando davanti allo squadrone di duecentocinquanta cavalleggeri polacchi che faticano a tener fermi i loro cavalli.

Vede tornare Piré, chino sulla criniera del cavallo. Trafelato, afferma che il passaggio è impossibile. I cannoni prendono la strada d'infilata.

— Impossibile? Non conosco questa parola.

Napoleone fa un cenno al comandante Kozietluski, che è alla testa dei cavalleggeri polacchi.

I suoi uomini si lanciano sulla strada per il passo. Formano una massa entusiasta, nello scintillio del blu reale e dello scarlatto delle loro uniformi. I loro copricapi neri si sollevano come onde.

Napoleone sente le scariche dei fucili spagnoli, poi le grida cancellate dal tiro dei cannoni.

Devono passare. Dietro quel colle c'è Madrid.

I polacchi, però, rifluiscono disordinatamente. Hanno caricato affiancati l'uno all'altro, senza lasciare spazio tra le linee. E il coraggio non sempre basta.

Napoleone vede uscire dai ranghi del suo stato maggiore il generale Montbrun, che chiede di poter assumere il comando dei polacchi per una nuova carica. L'uomo è alto, ha la faccia sfregiata da una cicatrice e una folta barba nera. Un ufficiale d'ordinanza, Ségur, si fa avanti a sua volta. Vuole partecipare anche lui all'assalto.

Napoleone abbassa la testa, annuisce.

È assolutamente indispensabile superare quel colle.

Osserva Montbrun impartire ordini affinché i cavalieri si tengano discosti gli uni dagli altri.

Li osserva lanciarsi al galoppo sulla ripida salita. Spariscono tra le rocce. Una salva di fucili, poi ancora l'artiglieria e le grida di "Viva l'imperatore" che risuonano nella gola.

"Passeranno. O moriranno per me."

Altri spari, altre grida amplificate dall'eco arrivano da quella strada lunga neanche mezza lega.

"Quanti ne moriranno? Ce la faranno a passare?"

Adesso le esplosioni provengono dalla cima del colle di Somosierra ricoperta di fumo. Allora lo hanno raggiunto! Sono passati!

Napoleone si lancia al galoppo, trascinando con sé lo stato maggiore. Dietro di loro, a passo di corsa, li seguono i fanti della divisione Ruffin.

Giunto sulla cima del colle, tra i cadaveri degli spagnoli Napoleone vede Ségur e il tenente polacco Niegolowski, entrambi feriti, come Montbrun.

Smonta da cavallo. Osserva la quarantina di sopravvissuti, quasi tutti sono coperti di sangue. Si china, si toglie la croce dal petto per appuntarla su quello del tenente polacco.

Poi risale a cavallo e varca il passo. Davanti a lui, un'immensa distesa. Immagina Madrid, laggiù, all'orizzonte.

Galoppa fino al villaggio di Buitrago. Dormirà lì.

A volte basta un pugno di uomini per cambiare le sorti di una guerra.

L'indomani passa in rivista i sopravvissuti. Si toglie il copricapo. Si drizza sulle staffe. Grida con voce forte:

— Siete degni della mia Vecchia Guardia, vi riconosco come la mia cavalleria più coraggiosa!

In quelle voci gravi, che rispondono "Viva l'imperatore!", ritrova l'accento polacco, l'accento di Maria Walewska.

Lancia il cavallo al galoppo. Quella sera stessa intende dormire nei sobborghi di Madrid.

È il 1° dicembre 1808, un giovedì.

Quattro anni prima era la vigilia della sua incoronazione a imperatore. Tra qualche ora conquisterà una nuova capitale, Madrid, la città di Carlo V e Filippo II.

Mentre sta per entrare nella tenda montata per lui a San Agostino, alza gli occhi.

Il cielo è luminoso.

Scruta a lungo le stelle. Si sente degno della sua corona. È fedele al suo destino.

Si alza proprio mentre le luci dell'alba cominciano appena a disegnare l'orizzonte. Percorre a cavallo la linea del fronte. Madrid è là, nel cuore della notte che, poco a poco, si ritira. Vede apparire i tetti della città e i suoi palazzi. Impartisce l'ordine di attaccare, poi si ritira nel castello di Chamartin, a una lega e mezzo dalla capitale.

Ma non può restare così lontano dalla battaglia. Preferisce bivaccare sulla linea del fuoco.

Le truppe si lanciano all'assalto nella luce lattiginosa della luna. Gli spagnoli che difendono il palazzo del Retiro, l'osservatorio, la manifattura delle porcellane, la grande caserma e il palazzo Medina Celi vengono presto messi in fuga.

Napoleone assiste al combattimento da una collina che si trova sotto il tiro dei cannoni spagnoli. Vuole veder cadere la città. Le porte sono espugnate. Ordina di interrompere l'attacco. È la terza intimazione che rivolge agli spagnoli. "Daremo il via a un attacco generale. Ma preferirei la resa di Madrid alla ragione e all'umanità, piuttosto che alla forza."

Aspetta l'arrivo di una delegazione spagnola comandata dal generale Thomas de Morla, il quale dichiara agli aiutanti di campo di aver bisogno di tutta la giornata del 4 dicembre per convincere il popolo di Madrid della necessità di far cessare i combattimenti.

Napoleone vuole incontrare di persona gli spagnoli. Sta in piedi nell'anticamera della sua grande tenda, con le braccia conserte.

Squadra i tre parlamentari. Li ascolta parlare qualche minuto della determinazione del popolo, poi li interrompe con un gesto:

— Vi coprite invano con il nome del popolo. Se non riuscite a calmarlo, è perché voi stessi lo avete eccitato, fuorviandolo con le vostre menzogne!

Fa un passo avanti.

— Radunate i curati, i responsabili dei conventi, gli alcaldi, i principali proprietari. Prima delle sei di mattina la città deve arrendersi. O cesserà di esistere.

Si avvicina al generale Morla.

— Voi avete massacrato quei poveri prigionieri francesi che erano caduti tra le vostre mani. Pochi giorni fa avete lasciato che fossero trascinati in strada e uccisi due domestici dell'ambasciatore di Russia solo perché erano nati in Francia.

Poche ore prima Napoleone è venuto a conoscenza delle terribili condizioni in cui sono tenuti prigionieri, nell'isola di Cabrera, i soldati dell'armata del generale Dupont.

— L'incapacità e la vigliaccheria di un generale — urla — avevano messo nelle vostre mani truppe capitolate lealmente sul campo di battaglia. I patti di capitolazione sono stati violati. E voi, monsieur Morla... come osate proporre una capitolazione, proprio voi che avete violato quella di Baylen?

Volta le spalle ai parlamentari.

— Tornate a Madrid — dice, alzando la cortina che divide la tenda in due zone. — Vi concedo fino alle sei di domani mattina. Tornate allora, ma solo per dirmi che il popolo si è sottomesso. In caso contrario, sarete tutti passati per le armi, voi e le vostre truppe.

E lascia ricadere la cortina.

È il 4 dicembre 1808, una domenica. Napoleone si è svegliato poco prima delle sei.

La camera del castello di Chamartin è gelida. Un braciere è stato sistemato in mezzo alla stanza, che non ha camino.

Annunciano l'arrivo del maresciallo Berthier.

Napoleone lo fa entrare. Ha già capito che Madrid si è arresa. Nessuno può resistere alla forza e alla determinazione.

Adesso, occorre cambiare la Spagna. Nel buio, non ancora rischiarato dalle luci dell'alba, detta il testo di un decreto:

Madrid si è arresa e noi ne abbiamo preso possesso a mezzogiorno.

A partire dal presente decreto, in Spagna vengono aboliti i diritti feudali.

È abolito il tribunale dell'Inquisizione, che costituisce una minaccia per la sovranità e l'autorità civile.

A partire dal 1° gennaio prossimo, le barriere esistenti fra provincia e provincia saranno soppresse. Le dogane saranno trasferite e stabilite sulle frontiere.

Trattiene Berthier. Bisognerà anche, gli dice, estendere a tutto il paese il codice civile.

"Il codice civile è il codice del secolo, la tolleranza vi è non soltanto raccomandata, ma organizzata."

L'Inquisizione, mormora, quei frati, quel fanatismo...

Pensa all'ufficiale crocifisso con la testa all'ingiù.

— La tolleranza, questo bene primario dell'umanità — ripete.

Sembra rendersi conto di nuovo della presenza di Berthier. Vuole che le truppe sfilino a Madrid in tenuta di parata.

— L'ho finalmente in mano, questa Spagna tanto desiderata!

Visita Madrid, ma non prova alcuna attrazione per questa città, che gli sembra fredda, ostile, malgrado l'ordine ristabilito.

Preferisce restare al castello di Chamartin. Lì riceve i marescialli, gli spagnoli che si sottomettono. Parla loro di libertà, dei decreti che ha appena firmato. Li sente reticenti, come se non capissero che vuole aprire la Spagna a idee nuove.

— Siete stati accecati da uomini perfidi — dice loro — che vi hanno impegnato in una lotta insensata.

Ricorda loro i provvedimenti che ha appena emanato:

— Ho spezzato le pastoie che opprimevano il popolo. Una nuova Costituzione liberale vi darà, al posto di una monarchia assoluta, una monarchia temperata e costituzionale.

Di fronte al silenzio degli spagnoli, ha uno scatto d'ira.

— Dipende da voi che questa Costituzione sia la vostra legge. Se tutti i miei sforzi saranno vani, non mi resterà altra scelta che trattarvi alla stregua di una provincia conquistata, e metterò mio fratello su un altro trono.

Allunga le mani sopra il braciere.

— In tal caso, metterò sulla mia testa la corona di Spagna, e saprò farla rispettare dai malintenzionati.

Si avvicina agli spagnoli:

— Dio mi ha dato la forza e la volontà necessarie per superare tutti gli ostacoli — conclude.

Si allontana, d'improvviso pensieroso.

"E se un giorno Dio, o il destino, mi abbandonassero?"

Si volta verso gli spagnoli.

Gli resterebbero sempre, ne è sicuro, la forza e la volontà.

21

Napoleone getta la lettera di Giuseppe sul tavolo dove sono dispiegate le mappe, nella stanza del castello di Chamartin che utilizza come studio. Il braciere collocato accanto allo scrittoio rosseggia. Riprende in mano la lettera del fratello. Tutto lo irrita, fin dalle prime righe.

Giuseppe gli scrive:

> Sire,
> la mia fronte è coperta di vergogna per non essere stato consultato prima della promulgazione dei decreti del 4 dicembre, dopo la conquista di Madrid.
> Supplico Vostra Maestà di accettare la mia rinuncia a tutti i diritti che mi avete dato sul trono di Spagna. Preferirò sempre l'onore e l'onestà al potere conquistato a così caro prezzo.

Napoleone accartoccia la lettera in un pugno.

"Ma cos'ha conquistato, Giuseppe? Non ha versato una goccia di sangue! Non è stato in grado di impartire nemmeno un ordine efficace. E dov'è il generale che gli obbedirebbe, il veterano che lo rispetterebbe? Resterà sul trono di Spagna finché sarà necessario. D'altronde, non abdicherà! Ci tiene troppo al suo titolo!"

Napoleone fa qualche passo, poi torna verso lo scrittoio. Appoggia la mano aperta sulla carta geografica della Spagna dispiegata sul tavolo.

"Colui che decide, colui che si rispetta, è colui che si batte."

Si china a studiare la mappa. Prima di tutto, è indispensabile cacciare gli inglesi, stringerli in una morsa. Di sicuro, Moore cercherà di reimbarcare le sue truppe in un porto della Galizia o a Lisbona. Bisogna annientarlo prima. Per riuscirci, però, Napoleone deve riassumere il controllo dell'armata.

Convoca Berthier.

— Fate fucilare i saccheggiatori — gli ordina subito.

Poi gli mostra una supplica che lo invita a graziare due soldati sorpresi con degli oggetti di culto trafugati in una chiesa di Madrid. Sono buoni soldati, sostiene il loro colonnello, meritano la grazia.

— No. Il saccheggio distrugge tutto — insiste Napoleone camminando su e giù per la stanza. — Anche l'esercito che lo pratica. I contadini si danno alla macchia, e si verifica così un duplice inconveniente, quello di trasformarli in nemici irriducibili, che si vendicano sui soldati isolati e vanno a ingrossare le schiere nemiche via via che noi le distruggiamo, e quello di privarci di tutte le informazioni così necessarie per combattere, e di tutti i mezzi di sussistenza.

— Fucilateli — ripete a denti stretti.

È il prezzo della disciplina.

Invita Berthier ad avvicinarsi alla mappa. Lannes, gli spiega, sta assediando Saragozza. Gouvion-Saint-Cyr ha appena sconfitto gli spagnoli del generale Reding a Molinas del Rey.

— Ormai siamo padroni della Catalogna, delle Asturie, della nuova e vecchia Castiglia.

Ma occorre schiacciare Moore e i suoi inglesi, quindi è indispensabile lanciarsi all'inseguimento e non dar loro tregua.

— Sarà difficile che riescano a sfuggirci! Pagheranno cara l'impresa che hanno osato sul continente.

Si avvicina alla finestra. Il tempo è splendido, il cielo azzurro e limpido. Intende passare in rivista tutta l'armata, al castello di Chamartin e a Madrid. Poi intraprenderà una marcia con Ney e Soult, Duroc e Bessières.

Guarda verso il settentrione, la linea nera della Sierra de Guadarrama. Bisognerà superarla ancora, non più attraverso il passo di Somosierra, ma attraverso un altro, situato più a sud e meno elevato.

Il 22 dicembre scrive a Giuseppina.

"Parto in questo momento per condurre le manovre contro gli inglesi, che a quanto pare hanno ricevuto rinforzi e intendono fare gli spacconi. Il tempo è bello, la mia salute perfetta. Stai tranquilla."

La mattina di giovedì 22 consulta gli ultimi dispacci che arrivano dagli aiutanti di campo di Soult. Si stupisce.

— La manovra degli inglesi è incredibile — dice. — È probabile che abbiano fatto arrivare le loro navi da trasporto a El Ferrol ritenendo che non fosse abbastanza sicuro per loro ritirarsi a Lisbona.

Si dirige verso la finestra.

— Tutta la Guardia è partita — prosegue. — Il 24 o il 25, al più tardi, probabilmente saremo a Valladolid.

Per riuscirci, tuttavia, bisogna marciare e percorrere le distanze a spron battuto.

Scende la scalinata del castello.

Sono le due del pomeriggio.

Sprona il cavallo, ma dopo qualche decina di minuti di corsa si rialza. Il tempo è cambiato. Un vento gelido soffia a raffiche. La vetta della Sierra de Guadarrama scompare tra le nuvole grigiastre.

Ai piedi della Sierra scorge i soldati che si dibattono in un disordine di cavalli e carri d'artiglieria. Sono flagellati da una tormenta di neve. Il vento li acceca. Anche lui è costretto a mettere piede a terra in mezzo alla calca che, malgrado la Guardia tenti di respingerla, lo sta circondando.

Non ci si ferma per una tempesta di neve, mormora. Bisogna passare.

Ascolta reclinando il capo le spiegazioni fornite dagli ufficiali. La strada per il passo è spazzata da un vento talmente impetuoso che ha fatto precipitare molti uomini nei burroni. I cavalli scivolano sul ghiaccio. I cannoni sono rotolati giù dal pendio. La neve e il gelo rendono impossibile avanzare. Non si può attraversare la Sierra in quelle condizioni.

"E invece si deve passare."

Con voce forte, impartisce i suoi ordini. Gli uomini di uno stesso plotone devono formare una catena, tenersi stretti per le braccia per resistere alle folate di vento. I cavalieri devono mettere piede a terra e avanzare nello stesso modo.

"Bisogna sempre dare l'esempio."

Afferra le braccia di Duroc e Lannes. Anche lo stato maggiore deve formare dei plotoni, esclama

— Avanti! — urla.

Bisogna percorrere una lega e mezzo per arrivare alla cima. Tira, curvo. Lo spingono. Spinge. È un uomo come gli altri, ma sa quello che vuole. Sa perché marcia.

A metà della salita, nella neve, bisogna fermarsi. Gli stivali impediscono di procedere. Allora Napoleone sale a cavalcioni su un affusto di cannone. Lui passerà. I generali e i marescialli lo imitano.

— Maledetto mestiere! — grida, il viso gelato e gli occhi accecati dalla neve.

Sente delle voci rabbiose provenire dalla massa dei soldati della fanteria.

— Sparategli una fucilata, una pallottola dritta in testa a quella carogna!

Mai, prima di quella notte, aveva sentito quelle grida di odio contro di lui. Non volta nemmeno la testa. Lo minaccino pure, che importa? Che l'ammazzino, se vogliono, perché no! Se il destino vuole così... Non teme quegli uomini resi furiosi dalla fatica e dal freddo.

È in mezzo a loro. Non oseranno sparare sul loro imperatore. Eppure si sente invadere da una profonda inquietudine.

"È qui, in questa terra di Spagna, durante questa disgraziata guerra che i fili del mio destino si stringono in un nodo fatale?"

Curva la testa sotto la tempesta. Pensa a tutti quegli uomini illustri di cui ha seguito, nelle opere di Plutarco, l'ascesa e la caduta.

"Tutti hanno conosciuto il momento in cui il destino prende una brutta piega. Che cominci qui, per me?"

— Avanti, avanti! — urla.

Il vento spira sempre più forte. Nella tormenta distingue gli edifici del convento che si innalzano sulla cima del colle. Ci vuole del vino, legna per gli uomini. Organizza la distribuzione, si tiene ritto nella tempesta, emana disposizioni affinché l'armata si riposi. Poi, dopo quasi un'ora, comincia la discesa lungo l'altro versante. Deve raggiungere gli inglesi a ogni costo.

Si ferma solo a El Espinar, ai piedi della Sierra. Entra negli uffici della posta.

Per un momento si abbandona, stravolto dalla fatica, poi si raddrizza, si guarda intorno. Gli ufficiali dello stato maggiore sono seduti per terra.

Il loro atteggiamento denuncia la stanchezza e la prostrazione.

Convoca Méneval. Si trovi subito Bacler d'Albe e si srotolino le mappe. Nell'attesa, detta qualche riga per Giuseppe.

"Ho attraversato la Sierra de Guadarrama insieme a una parte della mia Guardia e con un clima disastroso. La Guardia dormirà stasera a Villacastín. Il maresciallo Ney si trova a Medina. A quanto pare gli inglesi sarebbero a Valladolid, probabilmente solo con l'avanguardia, mentre il resto del loro esercito dovrebbe stazionare a Zamora e Benavente... Fa molto freddo."

"Fottuto mestiere! Giuseppe non capirà mai che cosa esige da un uomo, fosse anche un imperatore!"

La pioggia che cade adesso è mista a ghiaccio, e quando il clima si fa meno rigido i rovesci torrenziali trasformano le strade in pantani.

Finalmente Napoleone arriva alle rive del Douro. Risale le colonne di fanti. Osserva gli uomini che camminano curvi sotto le raffiche, bagnati fino al midollo. Sente la pioggia attraversare la sua redingote, colare dal copricapo, il cui bordo si è ammosciato, imbevuto d'acqua. Non un soldato che alzi la testa verso di lui, nessuno che lo acclami.

Potrebbe lasciarsi andare, impartire l'ordine di sostare in attesa della fine delle piogge.

Al contrario, esige che accelerino il passo. Vede i fanti costretti a svestirsi per superare torrenti dalle acque gelide.

Attraversa Tordesillas, Medina. Ma dove sono gli inglesi?

Lui continua ad andare avanti. Non ascolta nemmeno gli aiutanti di campo, i quali gli ripetono che le truppe non ce la fanno più a proseguire. Galoppa nei campi, sotto la pioggia.

A volte si ferma, guarda indietro, e scorge sotto le raffiche lo squadrone dei cacciatori della Guardia che lo segue, a qualche decina di metri di distanza. Lui deve essere il migliore, perché è l'imperatore.

A Valderas attende con le braccia conserte sotto la pioggia l'arrivo del maresciallo Ney. Dopo un'ora lo vede avanzare, imbarazzato. L'imperatore è stato la nostra avanguardia, gli dice il maresciallo.

Napoleone lo fissa.

— Quel che importa sapere — esordisce — è se il nemico si ritira seguendo la strada per Benavente o quella per Astorga.

Sotto la pioggia impartisce gli ordini. I cacciatori della Guardia, comandati da Lefebvre-Desnouettes, devono lanciarsi in avanti per scoprire la posizione delle truppe inglesi.

Aspetta. Il clima è pessimo come quello della Polonia. Pensa al cimitero di Eylau. Di nuovo si sente invadere dall'inquietudine. Come un presentimento.

Decide di marciare su Benavente perché non può sopportare questa inattività. Un aiutante di campo coperto di fango si avvicina, cavalca accanto a lui. — Lefebvre-Desnouettes è stato catturato — grida. — I cacciatori della Guardia si sono dovuti ritirare dopo essere stati sorpresi dalla cavalleria inglese.

Napoleone sprona il cavallo. Entra per primo a Benavente.

Si lascia cadere sul letto nella camera di una casa annerita dal fumo. Ha freddo. È bagnato fradicio, coperto di fango. Di colpo ricorda che è sabato 31 dicembre 1808.

Nell'anno che inizia compirà quarant'anni. E gli inglesi rimangono inafferrabili! Le sue truppe vacillano, spossate. E non ha più notizie dell'Austria, perché da giorni non riceve dispacci da Parigi.

Si alza. Detta un breve messaggio per Giuseppe.

"Fottuto mestiere."

Gli inglesi hanno avuto fortuna, spiega. "Devono essere riconoscenti agli ostacoli che ci ha opposto la Sierra de Guadarrama e agli infami pantani che abbiamo incontrato."

Non ha ancora finito di scrivere la lettera che gli consegnano nuovi dispacci. Il maresciallo Bessières conferma che gli inglesi sono riusciti a sfuggire alle truppe francesi e marciano verso la Galizia, per imbarcarsi a La Coruña.

È necessario lanciarsi subito al loro inseguimento, verso Astorga. Prima di partire, scrive a Giuseppina.

Mia cara,
    sono all'inseguimento degli inglesi da alcuni giorni, ma fuggono spaventati. Hanno vigliaccamente abbandonato il resto dell'armata

spagnola di La Romana per non ritardare la loro ritirata di una mezza giornata. Ci siamo già impadroniti di più di cento carri dei rifornimenti. Il tempo è pessimo.

Lefebvre è stato catturato. Aveva fatto un colpo di testa con trecento cacciatori. Quei coraggiosi hanno attraversato un fiume a nuoto e si sono gettati in mezzo alla cavalleria inglese. Ne hanno ammazzati molti, al ritorno, però, Lefebvre è caduto in acqua quando il suo cavallo è stato ammazzato. Per poco non annegava. La corrente lo ha trascinato sulla riva occupata dagli inglesi. Lo hanno catturato. Consola sua moglie.

Addio cara amica. Bessières, con 10.000 cavalli, è quasi arrivato ad Astorga.

Buon anno a tutti.

Napoleone

Mai pioggia è stata così gelida. Si piega sul cavallo galoppando il più velocemente possibile. Vede numerosi soldati estenuati che si lasciano cadere nel fango. Qua e là si sentono spari isolati. Ricorda quei soldati che si suicidavano nella calura soffocante in Egitto.

Non vuole vedere. Non vuole sentire. Deve raggiungere Astorga. Farla finita con gli inglesi. Subito. Lannes galoppa al suo fianco.

Alle sue spalle, nel buio, scorge solo il suo stato maggiore e quello del generale Lannes e poi, qualche centinaio di metri più indietro, i cacciatori della Guardia.

Di sicuro a Parigi stanno festeggiando l'ultimo dell'anno. Pensa a Maria Walewska che, come gli aveva annunciato, deve essere tornata in Polonia.

È duro rimanere fedeli al proprio destino, volerlo stringere tra le mani, non lasciarselo sfuggire. Sarebbe così dolce addormentarsi accanto a lei, al calore del fuoco di un caminetto!

Pensa ai palazzi dove ha abitato. Immagina quei dignitari, Talleyrand, Fouché, che danno sontuosi balli, ricevono ospiti nei loro salotti illuminati da centinaia di candele.

Lui ha reso possibile tutto questo. Ma lui adesso è lì, nel fango, sotto i rovesci d'acqua.

Arriva un ufficiale a briglie sciolte. Grida nella tempesta che è appena arrivato da Parigi un corriere. Ha urgenza di vedere Sua Maestà.

Napoleone tira le redini del cavallo e salta a terra.

Aspetta il corriere. Ormai si è giunti a meno di due leghe da Astorga.

I cacciatori della scorta accendono un grande falò sul bordo della strada. L'imperatore cammina intorno alle fiamme per riscaldarsi, le mani dietro la schiena.

La pioggia è finalmente cessata, ma il freddo è intenso. Ha i brividi. Non si accorge nemmeno che il corriere appena arrivato consegna a Berthier un portadocumenti gonfio di dispacci.

Portano una lanterna. Napoleone fa un cenno a Berthier, che comincia ad aprire i plichi e glieli porge.

Una lettera di Maria. Riprende a camminare. Il granatiere lo segue tenendo alta la lanterna con il braccio teso.

Maria lamenta che Napoleone ha dimenticato le promesse fatte ai polacchi. Lei è solo l'eco di quelle persone che immaginano che lui possa cambiare le cose con una sola parola, oppure che pensano di essere i soli nell'Impero, mentre lui deve tener conto di tutti i dati, essendo responsabile di tutto e di tutti.

Accartoccia la lettera e la infila nella tasca della redingote.

Prende altri dispacci, si ferma davanti al fuoco. Riconosce la scrittura di Eugenio Beauharnais e quella di uno dei suoi informatori, Lavalette. È un uomo che gode di tutta la sua fiducia, è stato uno dei suoi primi aiutanti di campo al tempo delle guerre d'Italia, e lo ha fatto nominare direttore delle poste. Lavalette ha sposato una nipote di Giuseppina. È un fedele, come Eugenio Beauharnais. Legge e rilegge le lettere dei due uomini. Rimane immobile.

A Parigi, spiega Lavalette, Fouché e Talleyrand sono ormai alleati per la pelle. Li hanno sorpresi spesso, a casa dell'uno o dell'altro, sprofondati in lunghi conciliaboli. E fanno sfoggio della loro intesa. Corre anche voce che sia stato costituito un ministero pronto a entrare in funzione se l'imperatore dovesse soccombere. Eugenio è venuto in possesso di una lettera indirizzata a Murat. Si chiedeva al re di Napoli di allestire delle stazioni di cambio dei cavalli in tutta Italia, per raggiungere Parigi nel più breve tempo possibile al fine di succedere all'imperatore, se questi dovesse mancare. Spinto da Carolina, Murat naturalmente ha accettato la proposta.

Questo complotto è lo stesso di tutti quelli che vogliono far cessare la guerra. Talleyrand è in costante relazione con Metternich, l'ambasciatore austriaco. È proprio lui che incita Vienna ad avvicinarsi a Pietroburgo, per costringere Napoleone a cedere. Caulaincourt, l'ambasciatore francese alla corte dello zar, è uno dei fedeli di Talleyrand.

Eugenio segnala inoltre che l'Austria continua a riarmarsi. Sta comprando cavalli e approvvigionamenti in tutta Europa. Il suo esercito conta ormai svariate centinaia di migliaia di uomini. Secondo le spie, a Vienna sono persuasi che Napoleone sia impantanato in Spagna, invischiato in una guerra nazionale. La giunta spagnola, rifugiatasi a Siviglia, ha decretato la sollevazione di tutto il popolo contro i francesi, incitando ogni spagnolo a ucciderli. Quindi, pensano a Vienna, è il momento più propizio per scatenare la guerra in Germania. Fouché e Talleyrand lo sanno e, probabilmente, il principe di Benevento lo spera con tutto il cuore. Murat è l'uomo che, grazie al suo prestigio militare, potrebbe succedere all'imperatore.

Napoleone stringe i dispacci nella mano e li ficca nelle tasche della redingote.

Lo aveva intuito.

Cammina lentamente intorno al fuoco. I soldati si scostano.

Tuttavia non pensava che il complotto fosse arrivato a quel punto di preparazione. Fouché! Talleyrand! Murat!

Si ricorda di Erfurt, delle informazioni che gli avevano segnalato le lunghe serate trascorse dallo zar in compagnia di Talleyrand.

Risale in sella. Lascia che il cavallo avanzi al passo. È come se lo slancio che lo spingeva verso Astorga si fosse spezzato. Il fronte principale non è più qui, in Spagna. Deve cambiare direzione, come quando, in una battaglia, truppe nemiche compaiono all'improvviso là dove non le si attendeva.

Deve rientrare a Parigi, soffocare i complotti, schiacciare Vienna nel caso in cui osi, come tutto fa pensare, scatenare la guerra.

Resta solo da scegliere il momento della partenza dalla Spagna. Alza la testa. La città di Astorga è davanti a lui, oscura e deserta.

Deve fermarsi qui. Non sarà lui, lo sa fin d'ora, a concludere la battaglia contro gli inglesi di Moore. La battaglia principale che deve condurre è a Parigi. E contro l'Austria.

Tuttavia non deve lasciare la Spagna se non dopo la cacciata degli inglesi, quando avrà ripreso il controllo dell'armata per consegnare a Giuseppe un regno pacificato, con tutti i mezzi per far fronte alle difficoltà. Non può tollerare che, nel momento in cui sarà impegnato contro gli austriaci, la Spagna sia di nuovo una piaga aperta.

Fa talmente freddo, nella casa dove entra, che, malgrado il grande falò acceso dai furieri, continua a tremare.

Nei primi giorni di gennaio del 1809 su Astorga cade una pioggia gelida. Napoleone va da una casa all'altra. I granatieri hanno occupato tutti gli edifici. Si ferma davanti a un caminetto. E li interroga. Sa che tre soldati della sua Guardia si sono suicidati in strada, disperati per la stanchezza e per l'impossibilità di fermarsi temendo di finire torturati dagli spagnoli. E quanti altri si sono lasciati cadere per morire nel fango! Li ha visti.

Conforta con poche parole e qualche gesto quegli uomini spossati. I soldati lo attorniano. Non gridano più "Viva l'imperatore!", ma Napoleone è pur sempre uno che ha condiviso le loro sofferenze. Sempre.

Passa in rivista le truppe di Soult e Ney, appena arrivati ad Astorga. Poi ordina a Soult di ripartire per La Coruña, dove John Moore è ripiegato in attesa delle navi inglesi su cui conta di imbarcare le sue truppe.

D'improvviso, delle grida acute. Vengono da un immenso fienile situato a poche decine di metri dal luogo dove si svolge la rivista. I soldati si precipitano e aprono le porte. Napoleone si avvicina. Nella penombra scorge un migliaio di donne e bambini coperti di fango, ammassati gli uni sugli altri, affamati. Sono le famiglie inglesi che seguivano l'esercito e che sono state abbandonate dai soldati durante la ritirata. Le donne lo circondano, si inginocchiano, supplicano.

Ordina di alloggiarli nelle case di Astorga, di nutrirli e rimandarli agli inglesi non appena il tempo lo permetterà.

Rientra nel suo alloggio. Ecco cos'è la guerra.

Si sente, al tempo stesso, risoluto come mai e pervaso da una profonda amarezza.

Dà le spalle al fuoco. Detta, poi scrive.

Non vorrebbe esprimere la sua diffidenza nei confronti di Fouché e Talleyrand, o di Murat, per meglio sorprenderli al suo rientro. Ma si lascia trascinare dalla collera.

"Credete forse" scrive a Fouché "che io sia caduto nelle mani delle donne? Non capisco, ma mi sembra che conosciate ben poco il mio carattere e i miei principi."

Scorre in fretta i dispacci di Giuseppe e Cambacérès con gli auguri per il nuovo anno. Gli parlano di pace! Perché non hanno visto quelle donne e quei bambini che da giorni si nutrivano di orzo crudo! Avrebbero capito cos'è l'odio degli inglesi.

"Caro fratello" scrive a Giuseppe "ti ringrazio per gli auguri di buon anno. Non nutro speranze che l'Europa possa essere pacificata già in quest'anno che si apre. Ci spero così poco che ieri ho firmato un decreto per la leva di 100.000 uomini. L'ora del riposo, della pace e della tranquillità non è ancora venuta!"

Firma, poi aggiunge in calce: "Felicità? Ah sì, è proprio questione di felicità in questo secolo!".

Decide di trasferirsi da Astorga a Valladolid. I corrieri in arrivo da Parigi impiegano solo cinque giorni per raggiungere quella città. E ormai quel che conta è ciò che succede a Parigi, dal momento che le truppe del maresciallo Soult hanno raggiunto quelle di Moore a La Coruña. La disfatta inglese è solo questione di giorni.

Si rinchiude nello studio allestito al primo piano del palazzo di Carlo V, che dà sulla piazza d'armi di Valladolid. Va avanti e indietro tra il camino e la finestra. I suoi muscoli sono così tesi che comincia ad avere dei crampi. Stringe i denti. Ha un terribile bruciore di stomaco. Tempesta di domande Constant, Rustam e gli aiutanti di campo. Notizie di Soult? Ha finalmente ributtato in mare Moore?

Scrive con una sorta di rabbia che non riesce a trattenere.

Mia piccola Maria,
sei una ragionatrice, e questo è un male, inoltre, dai ascolto a persone che farebbero meglio a danzare la polacca invece di impicciarsi degli affari del paese.

Ti ringrazio dei tuoi complimenti per Somosierra. Puoi essere fiera dei tuoi compatrioti: hanno scritto una pagina gloriosa nella storia. Li ho ricompensati in gruppo e anche individualmente.

Arriverò presto a Parigi: se vi rimarrò abbastanza a lungo, potresti tornare lì.

Tutti i miei pensieri sono per te.

N.

Ma quei pensieri si cancellano presto. Deve scrivere anche a Giuseppina che, come al solito, ascolta tutte le malelingue.

Cara amica,
vedo che sei triste e quanto mai inquieta... Sono tutti matti, a Parigi, qui tutto va per il meglio. Sarò a Parigi appena lo riterrò utile.
Anzi, ti consiglio di stare attenta ai fantasmi: un bel giorno, alle due di notte...
Ma per il momento, addio cara amica, io sto bene e sono tutto tuo.

Napoleone

Sbatte la porta, scende la scala di gran fretta. Sulla piazza d'armi, come ogni mattina, sta per iniziare la rivista delle truppe. Si avvicina, entra nei ranghi, afferra un granatiere per il bavero e lo attira a sé facendogli rompere le righe. Lo scuote così forte che l'uomo lascia cadere la sua arma.

Napoleone, senza lasciare il soldato, grida: — Lo so, lo so, volete tornare tutti quanti a Parigi per ritrovare le vostri abitudini e le vostre amanti! Be', io vi terrò sotto le armi fino a ottant'anni!

Lascia il soldato che, tremante, riprende il suo posto.

Cammina tra i ranghi. Bisogna che gli occhi dei soldati si abbassino. Bisogna che quegli uomini siano tutti domati.

Di colpo si ferma. È mai possibile? Scorge, una fila avanti, il generale Legendre, capo di stato maggiore di Dupont, l'uomo che ha capitolato a Baylen.

— Avete un bel coraggio a comparirmi davanti! — esclama dirigendosi verso il generale Legendre.

Non può impedirsi di gesticolare. È come se tutta l'amarezza e la collera accumulate in quegli ultimi giorni, tutto l'odio contro coloro che "tradiscono", tutta la stanchezza, lo sommergessero di colpo.

— Come osate mostrarvi ancora, quando la vostra onta è clamorosa ovunque, e il vostro disonore è scritto sulla fronte di tutti i valorosi! Sì, ci siamo vergognati di voi in ogni angolo della Russia e della Francia.

Va e viene. Lancia un'occhiata alle truppe immobili. Deve impartire una lezione a tutti quegli uomini, approfittare della presenza di Legendre per completare l'opera di riprendere le redini dell'armata.

— Ma dove si sono mai viste delle truppe capitolare su un campo di battaglia? Ci si arrende in una piazzaforte, quando si sono esaurite tutte le risorse, quando si è onorata la propria sfortuna dopo aver sostenuto e respinto tre assalti… Ma su un campo di battaglia ci si batte, monsieur! E quando ci si arrende, invece di battersi, si merita la fucilazione!

Ritorna ancora verso Legendre. Non vede neanche più quel volto scosso dai tic.

— Sul campo di battaglia ci sono solo due modi di soccombere: morire o essere fatti prigionieri, ma con il calcio dei fucili! La guerra ha le sue alterne fortune, si può anche essere vinti… si può anche essere catturati. Domani potrebbe toccare anche a me… Francesco I è stato fatto prigioniero, ma con onore. E se un giorno dovesse capitarmi, dovranno farmi prigioniero con il calcio di un fucile!

Legendre balbetta qualche parola.

"Io le intendo. Ma non voglio capire le sue ragioni."

— Abbiamo cercato solo di conservare degli uomini alla Francia — dice Legendre.

— La Francia ha bisogno di onore! Non ha bisogno di uomini! — grida Napoleone.

Fa un passo indietro.

— La vostra capitolazione è un delitto. Come generale, avete dato prova di incapacità, come soldato, di vigliaccheria. Come francese, avete insultato in modo sacrilego la più nobile delle glorie… Se voi aveste combattuto invece di capitolare, Madrid non sarebbe stata evacuata, gli insorti spagnoli non si sarebbero esaltati per un successo inatteso, l'Inghilterra non avrebbe un'armata nella penisola. Tutti gli eventi si sarebbero svolti diversamente, e forse anche i destini del mondo!

Volta le spalle a Legendre.

Forse ha parlato troppo, rivelando che comincia a pensare che la Spagna sia il nodo fatale del destino.

Con un movimento del capo dà il segnale della rivista. I tamburi rullano. Osserva passare il primo plotone che avanza a passo di carica. Poi rientra nel palazzo di Carlo V.

Urla ancora. Nel pozzo di un convento di Valladolid è stato trovato il cadavere di un ufficiale sgozzato.

— La canaglia rispetta e ama solo quelli che teme! — grida. — È necessario impiccare una ventina di briganti! E bisogna agire allo stesso modo a Madrid. Se non ci sbarazziamo di un centinaio di briganti e di quelli che seminano il disordine, non concluderemo nulla.

Scrive a Giuseppe.

"Quale che sia il numero degli spagnoli, è necessario marciare dritti contro di loro con ferma risolutezza. Sono incapaci di resistere. Non bisogna tergiversare né eseguire tante manovre, bisogna saltargli addosso!"

Adesso può lasciare la Spagna: Soult ha schiacciato gli inglesi. John Moore è stato ucciso. Lo ha sostituito Wellesley, il generale che ha rispettato le condizioni della capitolazione di Junot e che nel corso dell'anno sarà nominato visconte di Wellington. Poco importa. Non ci sono più giacche rosse in Spagna.

"Occorre far sapere a tutti" ripete a Giuseppe "che ritornerò tra venticinque giorni."

Fa organizzare le soste lungo la strada del ritorno. Andrà a cavallo da Valladolid a Burgos. Con un gesto zittisce i suoi aiutanti di campo, che enfatizzano il pericolo di un attacco dei *guerrilleros*, il pessimo stato delle strade, la distanza di quasi trenta leghe tra le due città. Vuole solo che siano pronti i cambi dei cavalli per una berlina tra Burgos e Bayonne, poi sulla strada da Bordeaux a Poitiers, e infine a Vendôme. Viaggerà fino a far scoppiare i cavalli. Fino a Parigi.

Martedì 17 gennaio 1809. Alle sette di mattina l'imperatore è già in sella.

Parte al galoppo, preceduto da Savary e seguito da Duroc, Rustam e cinque guide della Guardia.

Più in fretta!

Supera un calesse. Riconosce la vettura del generale Thiébault. Frusta il cavallo di Savary perché acceleri l'andatura. Sperona ripetutamente il proprio.

Più in fretta!

Si china sulla criniera del cavallo. S'incunea nello spazio. Non sente più la pioggia. Ama il vento della corsa, tagliente come il destino.

Parte sesta
È stato versato fin troppo sangue!
23 gennaio - 13 luglio 1809

22

Ma dormono tutti, qui! Napoleone spintona gli ufficiali che gli si precipitano incontro. Scosta i lacchè, che sono troppo lenti ad aprire le porte davanti a lui. Grida che vuole vedere subito Cambacérès. Attraversa i salotti, percorre le gallerie, entra nella stanza di Giuseppina mentre le cameriere e le damigelle di compagnia l'avvertono che l'imperatrice sta ancora riposando.

Sono tornato! grida, chinandosi sulla moglie che fa una smorfia di stupore. Lui sta bene. Anche lei, vero? Nell'ultima lettera si lamentava del mal di denti! Giuseppina è immobile, stupefatta, si nasconde il viso tra le mani.

Alle donne di una certa età non piace essere sorprese la mattina presto.

Ma lui ama la verità. Vuole la verità.

Esce dalla camera.

È sceso dalla vettura nel cortile del palazzo delle Tuileries soltanto da pochi minuti, quel lunedì 23 gennaio 1809, alle otto di mattina, e già si sente soffocare. Quelle stanze sanno di chiuso, di profumi inebrianti, del sonno di gente vecchia! Sono sei giorni e sei notti che corre lungo le strade da Valladolid a Parigi, che trattiene la sua energia, la sua collera, come una molla, e quell'edificio addormentato è come una pozza d'acqua stagnante.

Questa gente marcisce! Sanno almeno da dove arriva? Immaginano, anche lontanamente, che cosa sta succedendo in Spagna? Quel che lui ha vissuto? Quello che vivono i soldati, il fior fiore del suo esercito, che ha lasciato laggiù?

Rustam ha già preparato il bagno. Al diavolo il bagno!

Ha l'impressione di aver lasciato trascorrere troppo tempo senza agire. Vuole interrogare Cambacérès, le spie della sua polizia, per conoscere le trame parigine. Che cosa hanno ordito Fouché, Talleyrand e tutti quelli che hanno immaginato che lui potesse morire in Spagna, o tornare così indebolito che avrebbero potuto sostituirlo con Murat?

Murat! E mia sorella Carolina!

Adesso lui è qui, vivo. E dovranno tutti rendergli conto. Che cos'hanno detto? Cos'hanno fatto durante i tre mesi della sua assenza? Vuol sapere tutto. Vuole la verità.

Poche ore dopo, sa. È nel salotto di madame Rémusat che Talleyrand ha detto: — Lo sciagurato sta mettendo a rischio tutta la sua situazione.

"Lo sciagurato sono io."

Ascolta gli informatori che parlano con voce tremante. Temono le spie di Fouché. Comunque, confermano che il ministro di Polizia generale è stato visto nel palazzo del principe di Benevento, in rue Varenne. I due sono passati di salotto in salotto, sottobraccio, in mezzo agli invitati. Talleyrand parlava a voce alta della questione spagnola. — Si tratta di un meschino intrigo — ha affermato. — Di un'impresa portata avanti contro i desideri di tutta una nazione. Per Napoleone è come rovesciare le sue posizioni e dichiararsi nemico dei popoli. È un errore che non riuscirà mai a rettificare.

Napoleone ricorda i consigli di Talleyrand, che lo incitava a cacciare i Borboni dalla Spagna.

Ormai pensa solo a questo tradimento, alla guerra sotterranea che Talleyrand conduce contro di lui. Intende colpirlo di sorpresa.

Si mostra per le strade di Parigi. Visita le costruzioni del Louvre e di rue Rivoli. Va all'Opéra in compagnia di Giuseppina. Ma ribolle d'indignazione. Non riesce a restare seduto a lungo. Si alza, rientra da solo alle Tuileries, chiede resoconti della situazione delle sue armate. Verifica gli effettivi, conta, ripartisce. Sarà costretto a lasciare in Spagna le truppe di quella che fu la Grande Armata, e che a volte adesso chiama l'Armata imperiale. Quindi deve ricostituire in poche settimane un'armata di Germania, con coscritti francesi e soldati stranieri del Baden, del Württemberg, della Vestfalia, polacchi, italiani e perfino qualche migliaio di spagnoli. In poco tempo potrà disporre di 350.000 uomini, di cui 250.000 francesi. Fra questi, 100.000 veterani che metterà sotto il comando di Davout. Eugenio, in Italia, dispone di 100.000 uomini. Gli arciduchi Carlo e Giovanni possono contare su 300.000 austriaci.

Chiudendo i registri, dice a se stesso:

— Io raddoppio la forza delle mie truppe quando le comando di persona. Quando dò un ordine, tutti obbediscono, perché ho carisma. Forse è un male che io comandi in prima persona, ma appartiene alla mia natura. Forse i re e i principi non dovrebbero mai guidare i loro eserciti, ma se io lo faccio, è perché questo è il mio destino.

Immergendosi nel lavoro nel cuore della notte, riesce a calmarsi.

Maria non è a Parigi.

Congeda Méneval e chiama Constant.

Un rapporto della polizia riferisce della nascita, l'11 novembre 1808, di una bambina cui è stato imposto il nome di Émilie, figlia di Françoise-Marie Leroy, moglie dell'esattore generale di Caen, Pellapra.

Ricorda quella graziosa donna incontrata a Lione, probabilmente nel 1805, che in seguito ha ricevuto qualche volta qui alle Tuileries, nel suo appartamento privato. Le ultime volte è successo proprio nel marzo del 1808, prima di partire per Bayonne. Vale a dire, meno di un anno fa. Il tempo di fare un bambino.

Vuole vedere la donna, quella notte stessa.

La spia e si para davanti a lei nel momento in cui Constant richiude la porta. Lei gli sorride, sciogliendosi i capelli. Ha appena partorito, gli dice. E da come lo dice Napoleone capisce di essere lui il padre della piccola Émilie.

È la prima volta, dopo il suo ritorno a Parigi, che prova una simile gioia.

Si sente forte e invincibile. Talleyrand aveva pensato che si fosse indebolito. Aveva preparato la successione al trono.

"Che sorprese attendono quei signori che si sono coalizzati con lui contro di me!"

Domani vedrà Fouché, dopodomani Talleyrand.

Osserva Fouché avanzare nel salotto e salutare.

"Quest'uomo è padrone di sé, eppure deve sospettare che io so, che sto indagando dal mio arrivo alle Tuileries.

— Monsieur duca d'Otranto, voi eravate fra quelli che hanno mandato Luigi XVI al patibolo.

Fouché china leggermente la testa.

— Sì, Sire, è stato il primo servizio che ho avuto la fortuna di rendere a Vostra Maestà.

"Fouché è furbo. Saprà giustificarsi. Dirà che mi aveva lealmente avvertito dei problemi posti dalla mia successione. Non mi ha letto una dichiarazione sul problema del divorzio?

"Ma è proprio con lui che ce l'ho? A modo suo è scaltro, eppure franco. Non è viscido, venale e cauto come Talleyrand, l'ex vescovo d'Autun."

— Ci sono vizi e virtù di circostanza. Conosco gli uomini — riprende Napoleone — anche se non è facile capirli, quando si vuole essere giusti. Ma loro, conoscono se stessi? Sanno spiegare se stessi? Verrò abbandonato solo quando smetterò di cogliere vittorie.

Si avvicina alla finestra.

La Spagna è vinta, afferma. Se l'Austria desidera la guerra, sarà schiacciata.

"E io posso essere padre quando voglio. Lo so."

Si volta verso Fouché e cammina verso di lui.

— Voi non fate bene il vostro lavoro di polizia a Parigi — gli dice d'improvviso, in tono brutale. — Voi lasciate campo libero alle malelingue in modo che diffondano ogni genere di pettegolezzi... occupatevi della polizia, e non di faccende che non riguardano il vostro ministero!

Ha risparmiato Fouché perché sa che la migliore tattica consiste nel separare quelli che si sono coalizzati. È Talleyrand, "il Livido", che deve colpire.

Il 28 gennaio, un sabato, fa entrare nel suo studio l'arcicancelliere Cambacérès, l'arcitesoriere Lebrun e il ministro della Marina

Decrès, accompagnati da Fouché, ministro della Polizia generale. Talleyrand, che arriva per ultimo, zoppicando, si appoggia a una consolle.

Napoleone ha voluto la presenza di tutti quei testimoni. Intende schiacciare Talleyrand pubblicamente, perché tutta Parigi sappia come lui fustiga i traditori.

Comincia a parlare con voce tagliente. Mano a mano, lascia crescere la sua collera.

— Tutti coloro che io ho nominato grandi dignitari e ministri cessano di essere liberi nelle loro idee e nelle loro manifestazioni. Possono essere soltanto strumenti delle mie.

Cammina a passo lento, si ferma davanti a ciascuno degli uomini che ha convocato nello studio.

— Per loro — riprende — il tradimento comincia quando si permettono di dubitare. Ed è completo se, dal dubbio, si spingono fino al dissenso.

Si allontana di qualche passo. Adesso colpirà Talleyrand, di punta e di taglio. È calmo, come nei momenti in cui ordina di aprire il fuoco. Vuole essere al tempo stesso l'artigliere e il cannone. Il dragone e il cavallo. Si volta, avanza verso Talleyrand, con il braccio teso e il pugno chiuso.

— Siete un ladro! — urla. — Un vile, un uomo senza fede! Voi non credete in Dio! Per tutta la vita avete mancato ai vostri doveri, avete ingannato, tradito tutti! Per voi non c'è niente di sacro! Vendereste vostro padre!

Gli gira intorno. Ma quella faccia non si altera mai?

— Vi ho ricoperto di benefici, e non c'è niente di cui non siate capace contro di me. Così, da dieci mesi a questa parte, avete l'impudenza, perché contro ogni verosimiglianza vi siete messo in testa che i miei affari in Spagna vadano male, avete l'impudenza di dire a destra e a manca di aver sempre criticato la mia impresa in quel regno, mentre siete stato proprio voi a darmene per primo l'idea, e a incitarmi con insistenza.

Avvicina il volto a quello di Talleyrand.

— E quanto a quel povero duca d'Enghien, da chi sono stato avvertito del suo luogo di residenza? Chi mi ha spinto a infierire su di lui? Quali sono dunque i vostri progetti? Cosa volete? Cosa sperate di ottenere? Abbiate il coraggio di dirlo!

Si allontana di nuovo, poi torna sui suoi passi e stringe i pugni davanti agli occhi di Talleyrand.

— Meritereste che vi frantumassi come un bicchiere, potrei farlo, ma vi disprezzo troppo per prendermi questa briga. Perché non vi ho fatto impiccare ai cancelli del Carrousel? Ma sono sempre in tempo. Ecco, guardate, siete una merda in una calza di seta!

Talleyrand è immobile. Cosa bisogna dirgli ancora, perché lasci cadere quella maschera di indifferenza?

— Non mi avevate detto che il duca di San Carlos era l'amante di vostra moglie! — gli urla.

Questa volta lo ha ferito. Si accorge che gli tremano le guance. Talleyrand mormora:

— È vero, Sire. Ma non avrei mai pensato che quella relazione potesse interessare la gloria di Vostra Maestà e la mia.

Napoleone ormai ne è pienamente convinto: le ingiurie e il disprezzo non toccano quell'uomo, che cancella dalla memoria gli affronti ricevuti.

"Ed eccolo ancora, domenica 29 gennaio, nella sala del trono, come se ieri non l'avessi insultato."

Napoleone passa, con la tabacchiera in mano, annusa varie volte. Vuole manifestargli ancora tutto il suo disprezzo. Parla ai vicini di sinistra e di destra di Talleyrand, facendo finta di non vederlo neppure.

Talleyrand resta immobile.

Rientrato nello studio, Napoleone detta una nota che sarà pubblicata su "Le Moniteur" il 30 gennaio 1809. Talleyrand non è più gran ciambellano. Viene sostituito da monsieur Montesquiou.

"Castigo lieve. Ma cosa posso fare d'altro? Talleyrand rappresenta i nobili dell'Ancien Régime, gode della fiducia di Alessandro I, è amico di Caulaincourt. L'alleanza con lo zar mi lega le mani."

Quindi, è costretto ad accettare questa situazione, a fingere di riderne. E quando Ortensia gli racconta di aver ricevuto un Talleyrand piagnucoloso, che si presentava come vittima di calunnie, Napoleone esclama:

— Voi non conoscete il mondo, cara ragazza! Io so bene quel che è successo. Talleyrand crede forse che io ignori i suoi discorsi? Voleva farsi bello a mie spese. Non glielo impedisco certo. Spettegoli pure a suo piacimento. Del resto, non gli faccio alcun male. Solo, non voglio che si intrometta mai più nei miei affari.

"Ormai so che è un nemico. Un uomo umiliato è pericoloso come una belva che è stata ferita ma non uccisa. Ma cosa si poteva sperare da un Talleyrand?"

Si interroga ad alta voce davanti a Roederer. Ha bisogno di parlare. La guerra con l'Austria è imminente. Sente crescere intorno a sé la preoccupazione. Le idee di Talleyrand, il complotto ordito con Fouché e Murat, sono soltanto la parte visibile di quel formicolio di ambizioni e vigliaccherie.

"Quelli che mi sono fedeli non appartengono all'antica corte di re Luigi."

— Ne ho presi alcuni nella mia casa. Sono stati due anni senza parlarmi e dieci senza vedermi. Del resto, non li ricevo mai a palazzo. Non mi piacciono per niente. Sono incapaci di fare qualsiasi cosa. La loro conversazione mi infastidisce. Il loro tono non si confà alla mia serietà. E io mi pento ogni giorno di un errore che ho commesso durante il mio governo. È l'errore più grosso che abbia mai fatto: restituire agli emigrati la totalità dei loro beni...

Talleyrand è uno di quegli uomini, cortigiani ostili, vigliacchi.

— Io invece sono un militare, è un dono particolare che ho ricevuto alla nascita. È la mia esistenza, le mie abitudini. Dovunque sono stato, ho comandato. Ho comandato a ventitré anni l'assedio di Tolone. Ho comandato a Parigi durante vendemmiaio. Appena mi sono presentato ho trascinato i soldati in Italia. Sono nato per questo.

Ama questo "fottuto mestiere" del soldato, mormora. Si volta verso Roederer.

— L'Austria vuole uno schiaffo. Ci penso io a dargliene due sulle guance. Se l'imperatore Francesco osa accennare il minimo movimento ostile, in men che non si dica ha finito di regnare. Questo è chiaro. Prima di dieci anni, la mia dinastia sarà la più vecchia d'Europa.

Tende il braccio.

— Giuro che tutto quello che faccio è solo per la Francia. Il mio unico scopo sono i suoi interessi. Ho conquistato la Spagna, e l'ho conquistata perché sia francese. Desidero solo la gloria e la potenza della Francia. Tutta la mia famiglia deve essere francese.

Si dirige verso il tavolo da lavoro, indica a Roederer i registri che riportano la consistenza e la dislocazione delle diverse armate.

— Conosco sempre la posizione delle mie truppe — aggiunge. — Amo la tragedia, ma se tutte le tragedie del mondo fossero da una parte e i rapporti militari dall'altra, non prenderei neanche in considerazione le tragedie, mentre non salterei neanche una riga dei miei rapporti senza averla letta con attenzione. Stasera li troverò nella mia camera e dormirò solo dopo averli letti tutti.

Si avvicina a Roederer.

— Il mio dovere è quello di conservare l'armata. È un dovere verso la Francia, che mi affida i suoi figli. Entro due mesi costringerò l'Austria a disarmare.

Ricorda di aver detto anni prima, sempre a Roederer: "Io ho una sola passione, una sola amante: la Francia".

Lo ripete.

Va a caccia nei boschi di Versailles e Boulogne. Piove e fa freddo. Siamo alla fine di febbraio del 1809.

A volte, quando rientra alle Tuileries, si siede allo stesso tavolino di Carlo Luigi Napoleone, il figlio di Ortensia e Luigi. Accarezza il bambino. È commosso. Il desiderio di avere un figlio suo è talmente forte che deve distogliere lo sguardo. L'emozione lo sommerge.

Lunedì 27 febbraio, proprio mentre si sta allontanando dal bambino, si presenta l'aiutante di campo del maresciallo Lannes con un plico.

Il barone Lejeune ha percorso il tragitto a briglie sciolte per annunciargli la caduta di Saragozza, avvenuta il 21 febbraio. È stato necessario conquistare la città casa dopo casa, spiega. Donne e bambini si sono battuti come soldati.

Napoleone apre i dispacci. Cade a terra un pezzo di piombo rotondo, dentellato come il meccanismo di un orologio. Sulle due facce è stata incisa una croce. È una pallottola sparata dagli spagnoli che ha ferito in modo grave il capitano Marbot.

Napoleone la soppesa. Decide che dovrà essere consegnata alla madre di Marbot.

Poi legge la lettera di Lannes.

"Che guerra!" scrive il maresciallo. "Essere costretti ad ammazzare tanta povera gente o anche tanti invasati. La vittoria è amara."

266

Napoleone china il capo.

Prova un grande affetto per Lannes, uno dei migliori, uno dei suoi più vecchi compagni sui campi di battaglia in Italia e in Egitto.

Ma che si può fare? È indispensabile vincere.

Tuttavia ha un gusto amaro in bocca, come se la volontà che da sempre è in lui diventasse via via più aspra, come se non vi fosse più dolcezza o gioia nella vittoria, ma solo una dura necessità.

"La vittoria è amara."

Ha già provato i sentimenti che Lannes sta provando a Saragozza. Ma se la vittoria è amara, come sarebbe la sconfitta?

Cammina lentamente verso il suo studio.

La guerra è imminente. La sente avvicinarsi sempre di più.

Sullo scrittoio trova un messaggio di Champagny. Il ministro degli Esteri gli riferisce che Metternich ha protestato contro i movimenti di truppe dell'Armata imperiale. Vienna li considera una provocazione.

Napoleone convoca subito Metternich.

— Che cosa significa? — interpella con voce sorda l'ambasciatore. — Vi ha morso una tarantola? Volete ancora incendiare il mondo?

Metternich si sottrae. Napoleone lo osserva.

— Metternich, ormai, è quasi un perfetto uomo di Stato — mormora a Champagny. — Sa mentire benissimo.

Lo saluta distrattamente.

"La guerra è arrivata.

"Che io lo voglia o no. Quindi devo vincere."

23

Ormai è solo questione di giorni.
Convoca ripetutamente Berthier. Vuole un rendiconto preciso della situazione di ogni corpo d'armata, quelli di Davout, Masséna, Lannes. Ha posto Lefebvre al comando delle truppe bavaresi. Si arrabbia quando il re di Baviera protesta ed esige che il comando dei suoi soldati sia affidato al principe reale. Detta la sua risposta come se sbattesse una porta. "Alla guida dei vostri uomini ho nominato un vecchio combattente, il duca di Danzica. Quando il principe reale avrà fatto sei o sette campagne ricoprendo tutti i gradi, allora potrà comandarli lui."

Si sente nervoso, irritabile. Ha l'impressione che tutti intorno a lui cerchino di eclissarsi. È come se le redini gli sfuggissero di mano; come se il cavallo fosse recalcitrante, spossato. Ha continuamente voglia di maltrattare quelli che lo circondano. Non gli piacciono i loro sguardi angosciati. E poi sfugge i sospiri di Giuseppina. L'imperatrice lo supplica in continuazione, ogni volta che pranzano insieme o si ritrovano seduti uno accanto all'altro nel palco del teatro, di lasciarla andare con lui quando partirà per la campagna militare.

Lui non risponde. Vorrebbe che la guerra che sta bussando alle porte si allontanasse come un temporale che non scoppia. Ma sa da mesi, da Erfurt, che scoppierà, dal momento che Alessandro I si è rifiutato di pronunciare quelle parole, di sottoscrivere quelle frasi che avrebbero trattenuto l'Austria sulla via dello scontro con la Francia.

"Tradimento."

Va a caccia nella foresta di Rambouillet con la rabbia nel cuore. Ma il tradimento dello zar non è naturale? Alessandro gioca le sue carte, visto che la piaga della Spagna rimane sempre aperta e la Francia è indebolita. Tradimento di Talleyrand, dei realisti del faubourg Saint-Germain.

Dà due violenti colpi di sperone. Il cavallo balza in avanti. Il cervo procede a zigzag, spaventato, nel bosco umido. La muta gli è addosso. L'animale fulvo è grosso e robusto, ma la sua corsa si appesantisce. Si dirige verso lo stagno di Saint-Hubert. Napoleone aggira lo specchio d'acqua e mette piede a terra. Gli consegnano un fucile. L'animale esce dall'acqua, il suo petto è ampio, di colore più chiaro.

"Devo dare la morte."

Chiude gli occhi. Il cervo giace disteso sulla riva, l'acqua dello stagno si arrossa. La muta ulula.

Fa dietrofront e rientra al trotto lungo i viali già bui. In un salotto del castello lo aspetta Andreossy, l'ambasciatore francese in Austria, rientrato in gran fretta da Vienna. Sul suo volto e sui vestiti sgualciti si può leggere tutta la stanchezza di quel lungo viaggio.

Napoleone getta il frustino e il copricapo, fa chiudere le porte del salotto.

Con un cenno invita Andreossy a parlare.

Ascolta soltanto l'inizio delle frasi. Gli basta una parola per capire.

L'arciduca Carlo sta radunando le sue truppe. La milizia borghese sostituisce le truppe regolari a Vienna. L'arciduca si appresta a lanciare un manifesto ai popoli tedeschi per incitarli a sollevarsi contro l'imperatore. Alcuni diplomatici inglesi si trovano a Vienna per stipulare un trattato di alleanza tra Inghilterra e Austria. Londra fornirà i crediti necessari alla guerra.

Napoleone non commenta.

"La guerra rotola verso di me sempre più in fretta, come un enorme macigno."

In Tirolo gli austriaci spingono la popolazione a sollevarsi contro la Baviera. I contadini sono trascinati dal fanatico cappuccino

Haspinger. Si cita il nome di un capo della guerra di popolo, Andreas Hofer. Vienna procura le armi.

Napoleone congeda Andreossy.

Quanti giorni gli rimangono prima di dover lasciare la Francia per ritrovare i bivacchi, le piogge, il fango, i soldati uccisi? Prima di sentire ancora le grida dei feriti?

Rientra alle Tuileries. Deve farlo. Ma l'atmosfera del palazzo gli pesa. Le gallerie, i salotti, i circoli della corte sono silenziosi, come se si stesse vegliando un moribondo.

"Mi danno già per sotterrato."

Legge un rapporto segreto inviatogli da Joseph Fiévée, uno di quegli osservatori ben pagati che ha infiltrato in tutti gli ambienti. Fiévée era un realista, ma da anni spia, analizza e ascolta tutto quel che succede per l'imperatore. L'uomo è particolarmente intelligente, riesce a penetrare in qualsiasi cerchia.

"La Francia è malata d'inquietudine" gli scrive. Nei salotti del faubourg Saint-Germain la gente ripete la frase di un dignitario di cui non si fa il nome. Forse si tratta di Decrès, il ministro della Marina, a meno che non si tratti di Talleyrand. Questo dignitario avrebbe affermato: — L'imperatore è pazzo, completamente pazzo, perderà se stesso e noi insieme a lui.

Napoleone getta il rapporto di Fiévée nel caminetto.

"Pazzo? Osano pronunciare parole simili perché credono che io non possa raccogliere la sfida, mi vedono strangolato. L'Austria è in armi. La Spagna insorge. Gli inglesi sbarcano in Portogallo. La Germania freme. La Russia mia spia. E qui, in Francia, si complotta, vengo tradito."

Torna allo scrittoio. Riconosce la scrittura di una supplica. È René de Chateaubriand, il quale per la seconda volta chiede la grazia per suo cugino, Armand de Chateaubriand, sorpreso su una spiaggia del Cotentin con le tasche piene di lettere di emigranti rifugiati a Londra o a Jersey, destinate ai realisti della Bretagna.

"Armand de Chateaubriand è un corriere realista al servizio dell'Inghilterra e dei Borboni. A morte

"E questo René de Chateaubriand per commuovermi mi invia il suo ultimo libro, *I martiri*. Che me ne faccio? Lo sa, almeno, che cos'è la guerra?"

— La morte di suo cugino offrirà a monsieur de Chateaubriand l'occasione di scrivere qualche bella pagina patetica che potrà leggere nel faubourg Saint-Germain. Le belle signore piangeranno, e ciò lo consolerà! — esclama.

"Che la giustizia faccia il suo corso. Quella spia, quell'emigrato, quel traditore, deve essere giustiziato nella piana di Grenelle!"

Ha la sensazione che siano tornati i tempi difficili. Non si sentono più ovazioni quando prende posto nel palco imperiale al Théâtre Français. Dappertutto sguardi quasi spaventati, come se lui fosse il portatore di una maledizione.

"Fontanes, il servile Fontanes, che ho nominato gran rettore dell'Università, si avvicina e mormora, curvo come un lacchè: voi partite, Sire, e non so quale timore ispirato dall'amore e temperato dalla speranza turbi le loro anime.

"Le loro anime? O le loro rendite?"

Sogghigna.

"Non hanno mai sfidato con il loro petto le pallottole, le cannonate, le sciabole. Sentono solo che lo scontro imminente è uno dei più temibili. Una coalizione contro di noi. Mentre la mia armata è impegnata in Spagna!"

Mostra a Roederer i registri militari.

— Sì, lascio le mie truppe migliori a Giuseppe e me ne vado a Vienna da solo, con i miei giovani di leva e i miei stivali!

E aggiunge ad alta voce per Roederer, nel momento in cui quest'ultimo si appresta a uscire:

— Non faccio nulla se non per dovere e per attaccamento alla Francia.

"Ma come possono capirlo quelli che si sono avvinghiati al mio potere come parassiti, per cavarne tutta la linfa di cui sono avidi? Credono forse che io mi metta in questa guerra con piacere?

"Invece mi addolora. Ma non posso far altro che raccogliere la sfida."

Giovedì 23 marzo legge un dispaccio appena consegnato: "Un ufficiale francese è stato arrestato a Braunau, e i dispacci dei quali era latore gli sono stati sottratti a viva forza dagli austriaci, sebbene fossero sigillati con lo stemma della Francia".

"Posso accettare una simile provocazione?"

Alle quattro del pomeriggio convoca il conte di Montesquiou, gran ciambellano.

Gli dice con voce sorda:

— Fate sapere al conte di Metternich che l'imperatore e re questa sera non riceverà.

Sono state pronunciate poche parole, e la guerra si è avvicinata ancora di più.

Ordina a Berthier di partire per la Germania e di assumere il comando di tutta l'armata, in attesa del suo arrivo.

Ogni giorno i dispacci in arrivo annunciano che la guerra ha fatto ulteriori passi. Il 6 aprile l'arciduca Carlo proclama che "la difesa della patria chiama a nuovi doveri". Il giorno 11 la flotta inglese attacca le navi francesi nella rada dell'isola di Aix.

Mercoledì 12 aprile, alle sette di sera, Napoleone è in riunione con il suo aiutante di campo, Lauriston, e Cambacérès. Viene annunciato un corriere del maresciallo Berthier. Con un cenno Napoleone lo invita a entrare. Legge il dispaccio. D'improvviso, è come se il suo petto fosse stretto da una tenaglia. Soffoca. Gli occhi gli bruciano come se piangesse. Poi, senza voltare la testa perché non vedano i suoi occhi, dice lentamente:

— Hanno attraversato l'Inn. È la guerra.

Partirà quella notte stessa.

Adesso è calmo. Durante tutta la cena l'imperatrice insiste di nuovo per accompagnarlo. La guarda distrattamente e le dice:

— D'accordo.

Nello studio detta lettere per Giuseppe e per Eugenio. Pare che l'arciduca Giovanni sia entrato in Italia da Caporetto. Occorre bloccarlo, respingerlo, marciare su Vienna.

Beve a piccolo sorsi un po' di caffè. Verso le undici riceve Fouché. È costretto ad accordargli fiducia per controllare il paese, per inviare spie in tutta la Germania. Niente guerra senza polizia e senza servizi di informazione.

A mezzanotte va a letto.

È tornato il tempo dei sonni brevi e interrotti.

Alle due si sveglia. Partire, combattere, questo è il suo destino. Vincere, questo è il suo dovere.

Alle quattro e venti sale sulla berlina. Le lampade a olio sono già accese, appoggiate sul sedile vi sono borse piene di documenti, perché possa lavorare durante il viaggio. Giuseppina è seduta in un angolo della vettura, le gambe avvolte in una pelliccia. Non la guarda nemmeno. Dà il segnale della partenza. Sente il galoppo della squadra dei cacciatori della Guardia che gli fa da scorta.

È il ritornello della sua vita.

24

Di tanto in tanto, quando la berlina sobbalza troppo per poter leggere o studiare le mappe, Napoleone osserva Giuseppina. L'imperatrice dorme. Gli scossoni delle ruote fanno scivolare a poco a poco il velo con il quale si nascondeva il viso. E la vede bene, quella "vecchia". Il sonno rilassa i tratti. Ha il respiro affannoso, e quando muove le labbra si scorgono i denti neri, piccoli, rovinati, che ha sempre cercato di nascondere.

Non deve distogliere lo sguardo. Sui campi di battaglia osa guardare i cadaveri o, peggio ancora, i giovani soldati che si lanciano in avanti incontro alla morte che li falcerà a migliaia. Da sempre lui sa affrontare la verità.

Osserva a lungo Giuseppina. A cosa servirà vincere, mandare tanti uomini a morte, se dovesse restare senza eredi, sposato a quella vecchia?

Per assicurare il futuro della sua dinastia, perché le battaglie che sta per combattere abbiano un senso, deve divorziare. Grazie a un matrimonio con una principessa di sangue reale e al figlio che nascerà, forse riuscirà a disarmare l'ostilità delle corti, Vienna o Pietroburgo, le più potenti, quelle che non lo hanno ancora accettato.

Conquisterà di nuovo Vienna. È indispensabile. Una volta vinta l'Austria, costringerà lo zar a rimanere fedele all'alleanza di Tilsit. E bisogna che una delle due dinastie gli dia in moglie una delle sue giovani principesse. Ecco lo scopo.

Chissà se Giuseppina può immaginare tutto questo quando si sveglia e gli lancia uno sguardo carico d'inquietudine, rialzando il velo con un gesto rapido e preoccupato.

Lei lo aspetterà a Strasburgo. Napoleone andrà da solo a Vienna.

La carrozza rallenta. Riconosce Bar-le-Duc. Ricorda che il generale Oudinot è nato in questa cittadina. Oudinot, che allo scoppio della Rivoluzione era solo un sergente, e in seguito ha combattuto tutte le guerre. Lo ricorda a Friedland sotto la mitraglia, o a Erfurt mentre accoglieva i re, lui, il nipote di un birraio!

Ecco l'uomo che lui ha elevato al rango di generale e duca. Ecco la nobiltà dell'Impero: quella del talento e del coraggio.

Fa fermare la berlina. Salta a terra nel buio. Ride alla sorpresa dei parenti del duca di Reggio, allo spavento delle due nipotine che sono state svegliate in pieno sonno. Le abbraccia.

Gli piace entrare così, di sorpresa, nelle vite altrui, come un mago che lascia una traccia incancellabile nella memoria e di cui si racconterà a lungo l'arrivo. Riparte talmente in fretta che ci si domanderà se è stato un sogno o se la sua visita è avvenuta davvero.

Vuole essere il sogno degli uomini. Risale nella berlina. Mormora, chinandosi di nuovo a controllare le mappe:

— Elaboro i miei piani con i sogni dei miei soldati addormentati.

Sonnecchia. Sa cosa pensano i suoi soldati. I coscritti hanno paura e chiedono solo di gridare: "Viva l'imperatore!". Dirà loro: "Arrivo con la rapidità di un fulmine. Marciamo. I successi raccolti in passato sono una sicura garanzia della vittoria che ci aspetta. Marciamo, dunque, e già dal nostro aspetto il nemico riconosca i suoi vincitori".

Lui sarà in mezzo a loro. Davanti alle prime linee. Li trascinerà. Non ha forse fatto dell'Armata "di straccioni" d'Italia una coorte invincibile? Ma ci sono i generali e i marescialli, tutti coloro che vorrebbero godersi i loro titoli e i loro beni, che dicono sospirando: "Ah, come mi piacerebbe togliermi gli stivali".

E lui? Cosa credono, quei signori? Che gli faccia piacere lasciare le gambe a cuocere negli stivali?

Scrive qualche riga.

"Non voglio che gli ufficiali si abituino a chiedere il congedo in un momento di stizza, per chiedere poi di rientrare in servizio una volta che la stizza è passata. Questi capricci sono indegni di un galantuomo, e la disciplina militare non li contempla."

Sabato 15 è a Strasburgo. Allontana con un cenno brusco Giuseppina che, quando sta per partire in compagnia di Duroc, si aggrappa al suo braccio piangendo. Non è degno di un'imperatrice!

In carrozza legge i dispacci di Berthier. Gli austriaci vantano una decisa superiorità numerica. Dispongono di circa 500.000 uomini, mentre lui ne ha 300.000, dislocati fra Germania e Italia. Le sue linee vanno da Ratisbona ad Augusta. I contingenti stranieri non sono sicuri. Berthier comunica che i suoi soldati hanno trovato nelle chiese testi di preghiere, stampati a Vienna, che invitano i tedeschi della Baviera e del Württemberg a pregare per "l'arciduca Carlo. È Dio che lo ha inviato per portarci soccorso".

Ripone i dispacci di Berthier. Occorre aspettare prima di agire, capire cosa vuole realmente il nemico. Chiama un aiutante di campo il quale, chino sulla portiera, ascolta il messaggio che deve riferire al maresciallo.

— Soprattutto — urla l'imperatore — non rischiate!

Ripete la frase, poi osserva l'ufficiale che si allontana subito dalla scorta.

A Ludwigshafen, domenica 16 aprile, si ferma per pochi minuti. Scorge il re del Württemberg che lo attende nel freddo dell'alba. Il suo atteggiamento è quello di un uomo che ha paura. Domanda con voce ansiosa, subito dopo aver salutato Napoleone:

— Qual è il piano di Vostra Maestà?

— Andremo a Vienna.

Prende il re per il braccio, lo rassicura. Il sovrano si rilassa, gli confida che ha una fiducia illimitata in lui, nel "moderno Giove".

Napoleone risale sulla berlina.

"Giove? Ma io dipendo dagli uomini."

In quell'istante riceve la risposta di Berthier: "Attendo con impazienza Vostra Maestà" scrive il maresciallo.

"Cosa sarebbero questi uomini senza di me? Andrebbero tutti in pensione!"

La domenica, nel primo pomeriggio, scoppia un temporale. Si scatena un diluvio.

Entra in un hotel di Gmünd come un qualsiasi viaggiatore. Pranza in un angolo della sala male illuminata.

A volte ama quegli istanti di anonimato, quando la sua presenza non turba il ritmo quotidiano della vita. È in quegli istanti che ha la sensazione reale del suo potere, quando sa che basterebbe una sua parola per sconvolgere l'atmosfera, come un fulmine, ma lui non parla, resta nella penombra, paga come chiunque.

Appena varca la soglia, però, è di nuovo l'imperatore.

A Dillingen ascolta il re di Baviera terrorizzato, cacciato da Monaco dall'avvicinarsi delle truppe austriache.

— Sire, tutto è perduto per noi se Vostra Maestà non agisce in fretta — mormora il re con voce supplichevole. — Tutto è perduto — ripete.

— Rassicuratevi, fra pochi giorni sarete di nuovo a Monaco.

"Ma perché tutti questi uomini hanno bisogno di un protettore? Perché devono ricorrere a un altro per essere rassicurati, difesi, guidati?"

Mentre la carrozza corre verso Donauwörth, dove aveva combattuto nel 1805, la sua mente ritorna agli anni più insopportabili della sua vita, quando doveva supplicare Paoli, o un Barras, per ottenere un incarico. Non ha avuto tregua finché non gli è stato possibile dipendere soltanto da se stesso. E dal destino.

Lunedì 17 aprile, alle sei di mattina, appena giunto all'hotel di Donauwörth, fa srotolare tutte le mappe su un grande tavolo. Arrivano i dispacci. Bacler d'Albe comincia a posizionare gli spilli che segnano le tappe della marcia delle truppe dell'arciduca Carlo.

Tutto si decide in quell'istante. L'imperatore fa sellare un cavallo e va a ispezionare personalmente le fortificazioni della cittadina. Si ferma su un colle. Intravede nella nebbia le rive del Danubio, l'ampia striscia scura del fiume. Laggiù in fondo, Vienna.

Ritorna all'hotel al galoppo e si precipita sulle mappe. Un messaggero di Davout afferma che l'arciduca Carlo si sta dirigendo a Ratisbona.

È mai possibile?

Gli aiutanti di campo confermano l'informazione. Napoleone si china sulla mappa, cammina su e giù per la stanza. Vede tutto lo scenario della battaglia imminente. È già combattuta, nella sua testa.

— Ah, monsieur principe Carlo! — esclama. — Vi avrò a buon mercato!

Impartisce ordini, detta messaggi. Ha deciso. Attaccherà l'arciduca Carlo sul fianco meridionale. Adesso, inizia il "fottuto mestiere".

Si alza alle quattro di mattina. È martedì 18 aprile. Come prima mossa, studia le mappe alla luce delle lanterne. Poi detta dei messaggi. Per Davout e Masséna.

In poche parole, comprenderete subito cosa succede. Il principe Carlo è arrivato ieri sera a Ratisbona con tutto il suo esercito da Landshut. Dispone di tre corpi d'armata, valutati a circa 80.000 uomini. Vi rendete conto che la circostanza esige spostamenti quanto mai efficaci e rapidi! Attività, attività, rapidità! Mi raccomando a voi.

Poi, subito a cavallo.

Sulla strada che collega Neustadt a Oberhausen scorge tra gli alberi un monumento, quello di La Tour d'Auvergne. Si toglie il copricapo. Gli piace incontrare le tracce dei francesi del passato, di cui lui rinnova i successi.

Chissà se, dopo di lui, ne verranno altri.

Cavalca veloce su strade e campi. Si insedia nel castello reale di Ingolstadt, ma riparte subito per esplorare di persona le colline che dominano il Danubio.

A Ziegelstadel, nel tardo pomeriggio di mercoledì 19, è spossato, a pezzi. Sfilano le truppe del corpo di Davout. Un fornaio esce di casa e gli porta uno scranno di legno. Vi si lascia cadere. Sente su di sé gli sguardi dei soldati che sfilano a pochi metri di distanza. È stanco come sono stanchi tutti loro. Gli piace questa parità, l'eguaglianza che si crea in guerra. È il suo lavoro: essere là sul ciglio della strada, sul campo di battaglia, e di notte nello studio, a esaminare le mappe; e poi a condurre quegli uomini alla vittoria.

Si rimette in piedi.

— Il lavoro è il mio elemento — confida a Savary risalendo a cavallo. — Sono nato e costruito per il lavoro. Conosco i limiti della mie gambe. Conosco i limiti dei miei occhi. Non conosco quelli del mio lavoro.

Quando arriva al castello di Vohburg, scende la notte. Apre una finestra. Gli sembra di sentire il rumore del fiume.

Se lo scontro si svolge secondo le sue previsioni, se gli uomini eseguono i piani che lui ha elaborato, allora Vienna cadrà. Ancora una volta, come a Marengo, Austerlitz o Friedland, lui avrà vinto la sfida. E a Parigi i chiacchieroni e i "lividi" rientreranno nelle loro tane. Ma fino a quando sarà costretto ad affrontare questo turbinio di guerre? Di cui tutti i generali si lamentano, lo sa.

Sono già passate le ventitré di mercoledì 19 aprile. Domani darà battaglia. Entrando nel cortile del castello scorge la sagoma del maresciallo Lannes, duca di Montebello, probabilmente il migliore dei suoi soldati.

Lannes avanza con passo lento nell'ampio salotto illuminato dai ceri presi nella vicina chiesa.

"Capisco la sua stanchezza. È anche la mia. Ma io sono l'imperatore."

— Quante ferite hai riportato? — mormora Napoleone.

Lannes scuote la testa.

— Dimentico tutto, quando il dovere mi chiama — risponde.

È stato ferito ad Arcole, a San Giovanni d'Acri, ad Abukir, a Pultusk. E altre due volte prima di Arcole.

Lannes va e viene, a testa bassa.

— Temo la guerra — dice. — I primi rumori di guerra mi danno i brividi. Si stordiscono gli uomini per condurli più facilmente alla morte.

— È forse colpa mia? — mormora Napoleone prendendolo per il braccio.

L'Inghilterra organizza quelle guerre, le provoca, anche se questa è stata suscitata dall'Austria.

Napoleone argomenta, spiega per convincere. Lannes ha il coraggio di un Murat e di un Ney. Se perfino i migliori cominciano a dubitare...

— Comandate, Sire — dice alla fine Lannes. — Eseguirò i vostri ordini. Bisogna che gli ufficiali si presentino sul campo di battaglia come se andassero a nozze.

Un messaggero di Davout entra nella stanza.

Con il suo solo corpo d'armata, Davout ha battuto l'esercito austriaco a Tengen. Il nemico indietreggia su Thann.

Napoleone pizzica l'orecchio di Lannes, lo conduce con sé.
"Vinceremo. Sarò io a comandare."

È già giovedì, 20 aprile 1809. Bisogna pur dormire qualche ora.
Napoleone si alza all'alba. La nebbia copre tutta la campagna e
non si è ancora dissipata quando lui si inoltra lungo la strada per
Ratisbona, fino alle colline che dominano Abensberg.
Intorno all'imperatore, la scorta dei cavalleggeri della Baviera e
del Württemberg.
"Questi uomini, saranno fedeli? Oppure, al primo scontro, i
reggimenti bavaresi sbanderanno e passeranno al nemico?"
Si lancia al galoppo, va a piazzarsi davanti a quei reggimenti. E
dà il segnale dell'assalto.
"Se devo morire, che importa se riceverò una pallottola austriaca
nel petto o se mi spareranno una pallottola bavarese nella schiena?
"Ma io non morirò. Non devo morire."

Nel giro di poche ore, le linee nemiche vengono sfondate e ta-
gliate in due.
Si siede nel salotto dell'hotel della Posta, nella piazza del mercato di Rohr. Sonnecchia dalle due alle quattro di mattina. Poi scat-
ta in piedi ed esclama:
— Non perdiamo un minuto di più!
Cavalca fino al Danubio. Gli austriaci si sono raggruppati sull'altra riva, nella città di Landshut. Ancora un ponte che la sua fanteria
deve attraversare sotto una grandine di pallottole.
Li segue con gli occhi. Si lanciano in avanti, raggiungono la riva
opposta ma vengono respinti alle porte della città. Indietreggiano.
Tentano di riattraversare il ponte, inciampano nei corpi che in-
gombrano il terreno. Ripartono di nuovo alla carica, vengono respinti ancora.
È assolutamente necessario conquistare Landshut.
Vede avvicinarsi il generale Mouton, un aiutante di campo che
gli porta un messaggio di Davout.
Ci vuole sempre un capo per un attacco. Mouton è valoroso. È lui
che mi ha detto: "Non sono fatto per gli onori dei palazzi, e loro non
sono fatti per me". Ecco l'uomo che può conquistare Landshut.
Napoleone si volta verso di lui:

— Arrivate a proposito! Prendete il comando di quella colonna e conquistate la città di Landshut.

Mouton mette piede a terra, sfodera la sciabola e corre verso il ponte.

"Non dimenticherò mai quest'uomo! Sono i soldati di questa tempra che fanno la mia forza. È a loro che devo tutto. A loro devo l'obbligo di esporre la mia vita, al loro fianco."

Poche ore dopo è già installato nella residenza reale di Landshut. Dalla finestra vede le truppe che attraversano la città. Marciano verso Eckmühl.

Scrive a Davout:

"Sono deciso a sterminare l'armata del principe Carlo oggi o, al più tardi, domani."

Sarà Davout a dare il segnale dell'attacco, con una salva di dieci cannonate.

D'improvviso la stanchezza gli annebbia la vista. Si siede. Non sente più niente. Quando si risveglia, un'ora più tardi, si accorge che si sta facendo giorno. Ha mal di gola. Rustam gli serve una tazza di latte e miele. Subito dopo Napoleone risale a cavallo e riparte. Fa fresco. Non gli piace quella strada fangosa che percorre la valle dell'Isar: le truppe faticano ad avanzare.

Eckmühl è a nord. Vuole vedere il campo di battaglia. Il terreno è accidentato, tutto cosparso di collinette, di piccoli boschi, ma in direzione del Danubio, oltre Eckmühl, scopre un'immensa pianura in fondo alla quale, sulle rive del fiume, si staglia Ratisbona, che gli austriaci hanno riconquistato scacciando un'esigua guarnigione francese.

Alle tredici e cinquanta sente le dieci cannonate di Davout. La battaglia comincia.

Lui è davanti, circondato dai suoi marescialli.

Quando comincia a far buio, vede le scintille provocate dalle pesanti sciabole che cozzano su migliaia di elmi e armature. Non sente le grida dei combattenti, perché sono coperte dal rumore sordo delle armi.

È sorpreso dalla resistenza della cavalleria austriaca. La battaglia è perduta, ma gli austriaci continuano a battersi proteggendo la ritirata dei fanti verso Ratisbona.

Lannes si avvicina. Occorre inseguire il nemico, propone, lanciargli addosso tutta l'armata per farla finita con l'arciduca Carlo e, sullo slancio, conquistare la città di Ratisbona. Napoleone è pronto a impartire l'ordine di continuare l'assalto e riprendere la marcia. Lo ha sempre detto che l'inseguimento è tutto, che bisogna distruggere il nemico. Sentendo parlare Lannes, gli sembra di sentire le sue stesse parole. Eppure esita. È un combattimento notturno quello che dovrebbero affrontare, dice Davout. Gli uomini sono estenuati. Ratisbona è a oltre tre leghe.

Napoleone è nelle stesse condizioni dei soldati, sente la fatica che lo schiaccia. Sono giorni che non dorme. Esita ancora: poi ordina di allestire il bivacco.

Vede lo stupore di Lannes, il sollievo degli altri ufficiali.

— Abbiamo vinto — dichiara.

Si allontana di qualche passo. Adesso sente le grida dei feriti e dei morenti che salgono dal campo di battaglia.

Per la prima volta non ha impartito l'ordine di approfittare della disfatta del nemico per inseguirlo.

Non ce l'ha fatta.

All'alba del 23, domenica, osserva sfilare l'artiglieria che punta su Ratisbona avvolta da una fitta nebbia. La città deve cadere. Dirige lui stesso le manovre per collocare i cannoni in modo da abbattere le vecchie case addossate ai bastioni, che riempiranno con le loro macerie i fossati che circondano la città. Si avvicina a piedi ai cannoni e, di colpo, sente una fitta violenta alla gamba destra. Perde l'equilibrio, cerca il sostegno di Lannes. Una pallottola lo ha colpito all'alluce destro.

— Deve essere un tirolese. Sono dei tiratori straordinari — commenta.

Si siede su un tamburo mentre lo medicano.

Che quella ferita sia un segno? La guarda. Nonostante il dolore intenso, non è niente di grave.

Volta la testa. Vede accorrere dei soldati. Qualcuno grida: "L'imperatore è ferito!", "L'imperatore è morto!". Si rialza. Ordina di issarlo sul suo cavallo e di dare il segnale dell'adunata. Intende percorrere il fronte delle truppe. È indispensabile che lo vedano. L'imperatore non può morire.

Percorre le linee, e cominciano a risuonare dappertutto quelle grida che non sente più da mesi: — Viva l'imperatore!

Si ferma davanti a ogni reggimento.

"Devo ricompensare questi uomini. Io sono vivo, vittorioso, generoso, giusto.

"Sono loro che costituiscono la mia nobiltà. E io li nobiliterò sul campo di battaglia."

I comandanti dei diversi corpi designano i granatieri più valorosi.

— Ti faccio cavaliere dell'Impero con una dotazione di 1200 franchi — esclama ad alta voce.

— Sire, preferisco la croce!

Fissa il soldato dall'espressione cocciuta, il viso coperto di cicatrici, la voce ferma.

— Avrai entrambe le cose, perché ti faccio cavaliere.

— Io comunque preferisco la croce.

"Devo fissargli la croce sul petto, pizzicargli l'orecchio.

"Questi uomini si fanno ammazzare per me, perché sanno che io rischio la mia vita come loro, e li conduco alla vittoria."

Ratisbona è conquistata. Ratisbona brucia. La strada per Vienna è aperta.

Dovrebbe essere soddisfatto, ma non prova più la stessa gioia a vincere. Non ha distrutto l'esercito dell'arciduca Carlo, che si ritira verso Vienna lungo la riva sinistra del Danubio. Lancia le sue truppe sulla riva destra. Detta un proclama per l'armata.

"Soldati, voi avete risposto alle mie aspettative, avete sopperito al numero con il vostro valore. Avete gloriosamente dimostrato la differenza che esiste tra i soldati di Cesare e le orde armate di Serse."

Dal palazzo dove si è fermato vede i soldati carichi di secchi correre per le strade a spegnere gli incendi che devastano la città. Pagherà con il suo tesoro personale i danni provocati dai combattimenti. È stanco di guerra. Scorge file di feriti che, appoggiandosi l'uno all'altro, si trascinano verso le infermerie.

Riprende a dettare a bassa voce:

"In pochi giorni abbiamo trionfato nelle tre battaglie di Thann, Abensberg ed Eckmühl, oltre che nei combattimenti a Landshut e Ratisbona. Prima di un mese entreremo a Vienna."

Ma sarà la fine della guerra?

Il destino gli è sempre favorevole. In quattro giorni di scontri ha respinto e cacciato le truppe austriache. Ma con quante perdite?

Il piede e la gamba gli fanno sempre male. Cammina a fatica. È una cosa da nulla, comunque, in rapporto alle sofferenze degli altri.

Pochi giorni più tardi, quando vede nelle strade di Ebersberg le migliaia di cadaveri ammucchiati per terra perché Masséna, "il figlio prediletto della Vittoria", ha voluto prendere d'assalto questa città (invano, visto che il Danubio è già stato superato), ha la nausea. Ignora Masséna. Ascolta le sue giustificazioni. Mille morti, duemila feriti. Invano.

Si rifiuta di prendere alloggio in una casa della città alta, la sola parte di Ebersberg che non sia stata distrutta. Fa montare la sua tenda in un giardino, davanti a una casa del villaggio di Angtetten, nelle vicinanze.

Cammina su e giù nella parte di tenda che gli serve da abitazione.

Avrebbe dovuto trattenere Masséna. Ma può dirigere sempre tutto da solo? Vorrebbe potersi fidare almeno in parte degli uomini non solo per il loro coraggio, ma anche per le loro capacità di valutazione.

Vorrebbe...

Passando nella parte della tenda adibita a studio, prima di cominciare a dettare gli ordini mormora:

— Bisognerebbe che tutti i fautori delle guerre vedessero una simile mostruosità. Saprebbero quanti mali costano all'umanità i loro progetti.

Adesso, però, deve assolutamente conquistare Vienna!

Galoppa verso la capitale, si ferma a Ems, osserva sfilare le divisioni che inseguono gli austriaci. A Moelk scopre un convento benedettino su un promontorio che sovrasta il Danubio. Di lassù è possibile osservare la riva sinistra del fiume. I fuochi dei bivacchi austriaci costellano la notte.

Entra nell'edificio e si sistema in una galleria che domina il paesaggio.

Potersi fermare a lungo qui! Ma il lavoro non è finito.

Sente le voci dei granatieri che hanno invaso il convento e si fanno servire da bere dai monaci.

Gli uomini hanno bisogno di quegli istanti di allegria che lui invece non si concede. Legge i dispacci in arrivo da Parigi.

Ha un moto di disprezzo scorrendo la lettera servile di Talleyrand. "In soli tredici giorni di assenza, Vostra Maestà ha aggiunto sei vittorie alla meravigliosa storia delle sue precedenti campagne" scrive il principe di Benevento.

"Io sono il vincitore. Non sono morto. I cortigiani si inginocchiano."

"La vostra gloria, Sire, è il motivo del nostro orgoglio, ma la vostra vita è il motivo della nostra esistenza" scrive ancora Talleyrand.

Parlando fra sé, senza preoccuparsi se i marescialli lo possono sentire, Napoleone esclama:

— L'ho coperto di onori, di ricchezze, di diamanti, e ha usato tutto questo contro di me. Mi ha tradito ogni volta che ha potuto, alla prima occasione che gli si presentava.

Getta sul tavolo la lettera di Talleyrand.

Anche Giuseppina gli scrive, preoccupata per la ferita. Appoggiandosi su un angolo del tavolo, le risponde:

Il proiettile che mi ha colpito non mi ha ferito, ha appena sfiorato il tendine d'Achille. La mia salute è ottima, non hai motivo di preoccuparti. Qui le cose vanno per il meglio.

Un abbraccio alla cara Ortensia e al duca di Berg.

Tuo Napoleone

Eppure deve abbandonare le parole tenere, le immagini di pace. Deve fare il suo mestiere.

Si avvicina al balcone che corre lungo la galleria. Vuole sapere quali sono le truppe austriache che bivaccano dall'altra parte del fiume. Quelle del generale Hiller o quelle dell'arciduca Carlo? È necessario che un ufficiale approfitti del buio per catturare un austriaco da interrogare. Lannes ha pensato al capitano Marbot, suo aiutante di campo.

— Vi prego di notare che non vi sto impartendo un ordine — dice Napoleone a Marbot. — È solo un desiderio che esprimo. Riconosco che l'impresa è estremamente rischiosa, ma voi potete rifiutare senza paura di offendermi. Andate nella stanza accanto, pensateci qualche minuto e tornate a riferirmi francamente le vostre decisioni.

Marbot accetterà, lo sa bene. Questi uomini non sono dei cortigiani, ma soldati, come lui.

"È proprio del mio genio saper comandare questi uomini."

Pizzica l'orecchio di Marbot, che parte subito verso il fiume, senza esitazioni.

Si tratta proprio delle truppe del generale Hiller. Quindi si può marciare su Vienna.

Arriva a Sankt Pölten. Il tempo è bello, i soldati lo acclamano. Finalmente è riuscito a dormire qualche ora.

Annota per Giuseppina:

Cara amica,
    ti scrivo da Sankt Pölten. Domani sarò alle porte di Vienna, un mese esatto dopo che gli austriaci hanno oltrepassato l'Inn violando la pace.
    La mia salute è buona. Il tempo è superbo, e i soldati molto allegri. Qui hanno vino.
    Stai bene.

Tuo Napoleone

Il 10 maggio 1809, un mercoledì, passeggia di nuovo nei giardini del castello reale di Schönbrunn.

I suoi muscoli si rilassano. Ritrova i salotti, le dorature. Rimane assorto qualche minuto. Ritorna con la memoria al suo primo soggiorno qui. Era il 13 novembre 1805, prima di Austerlitz.

Sarà costretto come Sisifo a ricominciare sempre la sua fatica? A spingere il masso della guerra fin sulla vetta, aspettare che rotoli di nuovo giù ed essere costretto a ritrovare gli stessi luoghi, Donauwörth, Schönbrunn? E domani? Varsavia? Eylau?

È stanco, nervoso.

Gli comunicano che gli austriaci hanno ferito i plenipotenziari che esigevano la resa di Vienna. Impartisce l'ordine di bombardare la città finché non capitolerà.

Ogni volta che ci si prova, l'ascesa verso la vetta è più difficile.

Vienna combatte. In Prussia un ufficiale degli ussari, il maggiore Schill, con poche centinaia di uomini ha massacrato i soldati francesi. Nel Tirolo continua l'insurrezione. In Spagna e in Portogallo le sue truppe non riescono a vincere. Al contrario.

Monta a cavallo, galoppa, e di colpo sente che l'animale si accascia, cade sul fianco.

Tutto è così buio...

Riapre gli occhi. Lo stanno trasportando a braccia. Si divincola, si guarda intorno. Vede le facce spaventate di Lannes, degli aiutanti di campo e dei cacciatori della Guardia. È proprio svenuto. Rimprovera Lannes che gli consiglia di non risalire a cavallo. Bisogna dimenticare questo incidente. Gli uomini credono troppo ai presagi.

Nel vasto cortile del castello di Schönbrunn raduna tutti i testimoni, marescialli, ufficiali e soldati. Vuole che formino un cerchio intorno a lui. Passa lentamente davanti a tutti.

Deve rimanere un segreto, dice. Non è accaduto niente.

Si trattiene parecchi minuti al centro del cerchio, nel silenzio più totale.

Gli uomini taceranno.

Rientra al castello.

Sabato 13 maggio 1809, alle due di notte, Vienna capitola.

Napoleone è in piedi, al centro dell'ampio salotto dei ricevimenti del castello. Ammira gli immensi quadri che decorano la stanza.

— Vivrei sempre qui — mormora — in mezzo ai ricordi della grande Maria Teresa.

Poi, senza concedersi un attimo di riposo, raggiunge Vienna. Attraversa lentamente la città circondato dalla sua scorta. Le strade sono deserte. Dov'è la curiosità festosa di una volta?

Al ritorno detta un proclama per l'esercito francese.

"Soldati, il popolo di Vienna, abbandonato, vedovo, ha diritto a tutte le vostre attenzioni. Prendo gli abitanti sotto la mia personale protezione."

Vorrebbe la pace. Non deve cantare vittoria. D'altronde, la guerra non è affatto terminata. Le truppe dell'arciduca Carlo non sono ancora state annientate.

"Siate buoni con i poveri contadini e con questa brava gente che ha tutto il diritto alla nostra stima" detta. "Non dobbiamo essere orgogliosi dei nostri successi: vediamo in essi una prova di quella giustizia divina che punisce l'ingrato e lo spergiuro."

Ordina che siano arrestati i saccheggiatori e quelli che si attardano. Non vuole che l'Austria e la Germania diventino un'altra Spagna.

Occorre mantenere o ristabilire la disciplina.

La sera del 13 maggio, un sabato, mentre cala la nebbia, decide di fare la ronda delle sentinelle disposte intorno al castello di Schönbrunn.

Si fa riconoscere. Passa.

Un soldato ripete l'intimazione, poi urla nella nebbia:

— Se avanzi ancora un passo, ti infilzo la baionetta nella pancia!

Napoleone si ferma: è un uomo come tutti gli altri, un uomo che può essere ucciso. Riprende ad avanzare. Il granatiere lo riconosce e gli presenta le armi.

"Il destino non ha ancora deciso di tagliare il filo della mia vita."

Napoleone vuole conoscere il nome del granatiere (Coluche), gli fa i suoi complimenti, gli pizzica l'orecchio e poi si allontana lentamente.

Rientrato in camera, scrive due righe a Giuseppina:

> Sono padrone di Vienna, qui va tutto per il meglio. La mia salute è molto buona.
>
> *Napoleone*

25

L'aria è mite nei giardini del castello di Schönbrunn. È la metà di maggio del 1809. Napoleone fa qualche passo nei viali dopo aver ispezionato i reggimenti della Guardia. Ma si ferma subito. Non può abbandonarsi alla primavera, godere la tranquillità di quel giardino reale. Deve concludere la campagna, farla finita con questa guerra. Rientra, consulta le mappe, i rapporti delle pattuglie che ha inviato oltre Vienna, lungo il Danubio.

Convoca Bacler d'Albe. Puntano insieme gli spilli sulla mappa.

Il Danubio è largo almeno un chilometro. Al centro del suo letto vi sono numerose isole che possono servire come punti di appoggio per costruire dei ponti che uniscano la riva destra alla sinistra. Infatti, è indispensabile attraversare il fiume, visto che le truppe dell'arciduca Carlo si trovano sulla riva sinistra. Sono concentrate laggiù, spiega a Bacler d'Albe, tra i villaggi di Aspern ed Essling, e un po' più a nord sul pianoro di Wagram.

Napoleone è preoccupato. Dall'inizio di questa guerra, che non avrebbe voluto, lotta contro l'impressione che i cattivi presagi si moltiplichino. Spesso la sensazione che il violento dolore che sente al piede destro sia come un'avvisaglia delle minacce che pesano su di lui. È stato ferito. Il suo cavallo è caduto e lui è svenuto. Ieri, ancora, mentre camminava sulle riva del Danubio con Lannes, questi è inciampato cadendo nelle acque gelide del fiume, tumultuose come quelle dei torrenti alpini ingrossati dallo sciogliersi delle nevi. È dovuto entrare in acqua fino alla cintola per tendere la mano al duca di Montebello. Nessuno dei due ha riso. Ma si sono fissati a lungo, con la stessa inquietudine.

Comunque, è indispensabile che le truppe passino da una riva all'altra, e quindi bisogna costruire dei ponti a valle di Vienna. L'isola di Lobau, che secondo i dati di Bacler d'Albe misura quattro chilometri per sei, sarà il perno su cui poggeranno un grande ponte che servirà a scavalcare il braccio del Danubio dalla riva destra, e uno più piccolo, di duecento metri, la metà del precedente, che collegherà l'isola con la riva sinistra.

Senza esitare, prende la decisione di far cominciare il lavoro dei genieri. Prima di tutto si occuperà l'isola di Lobau; poi si raduneranno corde, legname, ferro, casse di proiettili che serviranno da ancoraggio. I pontieri del generale Bertrand fisseranno gli elementi dei ponti. Napoleone convoca Bertrand. I suoi uomini hanno una notte per svolgere il lavoro.

Mercoledì 17 maggio. Domani Napoleone lascerà Schönbrunn per Ebersdorf, il villaggio sulla riva destra del Danubio di fronte all'isola di Lobau.

Esamina gli ultimi dispacci. In Spagna è la cancrena, un rosario di disfatte e di piccole vittorie che non portano a nulla. In Italia le truppe di Eugenio avanzano verso Vienna. Da Roma, però, il papa tenta di sollevare i cattolici contro l'"Anticristo".

"Io! E questo anatema funziona in Spagna e nel Tirolo! Posso forse accettare una cosa del genere?"

Comincia a dettare senza nemmeno riprendere fiato.

Decreto:
    Io, Napoleone, Imperatore dei Francesi, re d'Italia, protettore della Confederazione del Reno;
    considerando che Carlo Magno, Imperatore dei Francesi e nostro augusto predecessore, facendo donazione di numerose contee ai vescovi di Roma, le donò solo a titolo di feudo e per il bene dei suoi Stati, ma con quelle donazioni Roma non cessò di appartenere al suo Impero;
    considerando che tutte le nostre proposte per conciliare la sicurezza delle nostre armate, la tranquillità e il benessere dei nostri popoli, la

dignità del nostro Impero con le pretese temporali dei papi non si sono potute realizzare;

abbiamo decretato e decretiamo quanto segue:

gli Stati del papa sono annessi all'Impero francese.

"Così deve essere. Mi combatte? Mi scomunica? Io lo spezzo. Dovrei porgere l'altra guancia? Sono un imperatore, non un santo. Su di me pesa il destino dei miei popoli e dei miei soldati, che si fanno uccidere a un mio ordine. E io uccido, se è necessario."

Con la stessa voce, riprende a dettare:

"Ogni ritardatario che, con il pretesto della stanchezza, si allontani dalla propria unità per rubare, sarà arrestato, giudicato da una commissione militare e giustiziato all'istante."

"Non è con la compassione che si fa la guerra. Io non l'ho voluta, ma adesso che c'è, la faccio."

Non riesce più ad aspettare. Il ponte verso l'isola di Lobau non è ancora terminato, ma Napoleone attraversa il Danubio in barca e si installa con il maresciallo Lannes nell'unica casa dell'isola.

Dalla finestra aperta sente le risate degli aiutanti di campo distesi sull'erba intorno alla casa. Esce. La luna piena illumina l'isola, il fiume e la riva sinistra, dove s'innalza il fumo dei bivacchi austriaci. Per un momento si ferma ad ascoltare. Quei giovani, molti dei quali potrebbero morire domani, cantano con voce allegra, scanzonata:

> Voi mi lasciate per raggiungere la gloria,
> il mio tenero cuore seguirà ovunque i vostri passi...
> L'astro delle notti con la sua delicata luce,
> illuminava le tende della Francia.

Sa che nell'esercito corre voce che quelle parole siano state scritte da Ortensia, regina d'Olanda. A questo pensiero rivede davanti a sé quell'immagine di pace, il figlio di Ortensia, Napoleone Carlo, mentre giocava sulla terrazza delle Tuileries. Il fanciullo è morto. E lui vuole un figlio. Anche per questo deve vincere.

Domenica 21 maggio raggiunge le truppe di Masséna e Lannes che, dopo aver attraversato il grande ponte, l'isola di Lobau e il piccolo ponte, si sono attestate sulla riva sinistra e stanno già combattendo nei villaggi di Aspern ed Essling.

Rimane immobile sul cavallo tra le rovine di una fornace situata su una collinetta. Deve tenere con forza le redini, perché intorno piovono proiettili e palle di cannone. Vede le linee austriache partire all'attacco di Aspern e di Essling come enormi ondate bianche, poi rifluire. Allora avanzano altre ondate, scure, che si precipitano in avanti. Il terreno è disseminato di macchie bianche e blu, le uniformi dei soldati uccisi e feriti.

Una carneficina.

Le palle di centinaia di cannoni austriaci decimano le linee francesi, facendo cadere a ogni colpo numerosi uomini. Napoleone volta la testa solo quando l'aiutante di campo gli consegna un messaggio. Aspern ed Essling sono state riconquistate agli austriaci per la sesta volta. D'improvviso, rischia di perdere l'equilibrio. Sente un gran calore alla gamba sinistra. Rimane in sella. Una pallottola ha colpito di striscio lo stivale bruciandogli la pelle.

Un altro presagio.

Scaccia l'inquietudine. Un aiutante di campo gli annuncia che il ponte grande è stato travolto dall'urto dei tronchi trasportati dalle acque torrenziali del fiume. Sta per impartire l'ordine di ripiegare, di abbandonare Aspern ed Essling che sono già costate tanto sangue.

Una voce grida che il ponte è stato rimesso in funzione, e i convogli di munizioni e le truppe fresche possono di nuovo raggiungere l'isola di Lobau e la riva sinistra.

D'improvviso il sibilo di una cannonata. Il cavallo fa uno scarto e rovina al suolo colpito al fianco.

Napoleone si issa su un altro cavallo. Ma i granatieri lo circondano e cominciano a gridare:

— Gettiamo le armi se l'imperatore resta qui! Gettiamo le armi!

Se quella palla di cannone avesse colpito un metro più in alto, ora sarebbe uno di quei corpi che vede distesi sull'erba, tra le macerie di muri abbattuti.

Qualcuno afferra il cavallo per il morso e urla:

— Imperatore, mettetevi al riparo o vi faccio portare via dai miei granatieri!

"È il generale Walter, quel vecchio luterano, figlio di un pastore. Lo conosco fin dall'Italia. È stato ferito ad Austerlitz. L'ho nominato comandante dei granatieri a cavallo della Guardia. Ha guidato tante di quelle cariche, a Eylau, che lo abbiamo dato più volte per morto. È lui che tira il mio cavallo.

"Non vogliono che muoia."

Fa dietrofront e attraversa al passo il piccolo ponte. Risale le colonne dei giovani coscritti che sollevano in alto i fucili gridando: — Viva l'imperatore!

Poco a poco la nebbia ricopre il fiume, e insieme alla notte cala il silenzio.

Si siede davanti alla piccola casa nell'isola di Lobau. Detta un dispaccio per Davout:

> Il nemico ci ha attaccato con tutte le sue forze, e noi disponevamo solo di 20.000 uomini sulla riva sinistra. È stata durissima. Il campo di battaglia è rimasto nelle nostre mani. Dovete inviarci subito qui tutto il vostro parco d'artiglieria e quante più munizioni possibili. Mandate anche tutte le truppe che potete, tenendo solo quelle necessarie per difendere Vienna. E inviateci anche dei viveri.

Chiude gli occhi. Deve dormire qualche minuto. È indispensabile.

Una fitta nebbia avvolge tutto quando Napoleone si sveglia, il 22 maggio 1809, un lunedì.

Sente il passo pesante degli uomini e lo stridore dei carri di munizioni che attraversano l'isola dirigendosi sulla riva sinistra. Se questi convogli e rinforzi passano, la battaglia può essere vinta. Ma se i ponti non reggono, decine di migliaia di uomini corrono il rischio di rimanere presi in trappola.

Indica un pino. Vuole che i carpentieri costruiscano una vedetta da cui potrà osservare il campo di battaglia. Si spazientisce, mentre la nebbia si alza e il cannone ricomincia a tuonare. Alla fine si arrampica in cima all'albero. Aspern ed Essling resistono. Dunque può ordinare la carica dei cavalieri di Lannes al centro, per colpire al cuore l'armata austriaca.

Scende a terra. Vuole essere sulla riva sinistra prima dell'assalto.

Avanza lungo la riva fino alle posizioni tenute da un battaglione della Guardia i cui cannoni sparano a ripetizione sugli austriaci che, per l'ennesima volta, partono all'assalto. D'improvviso una voce accanto a lui, quella del generale Bertrand.

Il generale del genio è livido. Il ponte grande è stato travolto dalle acque. Per ristabilirlo ci vorranno almeno due giorni. Non può più passare nulla. Munizioni, rinforzi, viveri...

Napoleone si allontana da Bertrand. Convoca subito gli aiutanti di campo. Ordina di avvertire i marescialli Lannes e Masséna, i comandanti dei corpi, di ripiegare combattendo e di attraversare in buon ordine il piccolo ponte per attestarsi sull'isola di Lobau.

Mentre si dirige verso l'isoletta, guarda i cadaveri distesi. Almeno 20.000 uomini caduti intorno a Essling e Aspern. E, sicuramente, molti più austriaci.

All'imbocco del piccolo ponte incontra alcuni granatieri che trasportano una barella coperta di rami. Riconosce l'aiutante di campo di Lannes, il capitano Marbot, che tiene la mano a un uomo disteso, ferito. Lannes.

Napoleone ha voglia di gridare. Si precipita. Lannes, Lannes! Scosta Marbot. Le gambe di Lannes sono una massa sanguinolenta. È indispensabile operarlo subito. Amputare.

A fatica si stacca da lui, risale a cavallo. Non ne può più. Si distende sulla criniera del cavallo, si lascia portare, scuotere. Il gusto amaro che ha sulle labbra, il bruciore negli occhi, sono le sue lacrime.

Poi si rialza. Impartisce ordini. Occorre resistere a Essling a ogni costo, per proteggere il ripiegamento delle truppe impegnate sulle riva sinistra. Non riesce a restare immobile, galoppa di nuovo fino al piccolo ponte. Vuole sapere. Scorge Lannes con la gamba sinistra amputata. Un'emozione violentissima lo sconvolge. Non riesce a reprimerla. Non vuole credere... si inginocchia. Lo abbraccia. Respira l'odore del suo sangue. Stringe a sé il corpo di Lannes. Il sangue macchia il suo gilet bianco.

Lannes si aggrappa a lui, lo trattiene.

— Vivrai, caro amico, vivrai!

"Mi implora, come se avessi il potere di salvarlo, come se fossi la sua Provvidenza. Voglio che viva. Ma sento che sta per morire."

Napoleone si allontana.

Le truppe sono sconvolte dalla stanchezza ma avanzano, attraversano il piccolo ponte, allestiscono il bivacco nell'isola di Lobau, sulla quale cominciano a piovere le cannonate austriache.

Bisogna assolutamente mantenere quell'avamposto, distruggere il piccolo ponte dopo il passaggio delle ultime unità. E, appena riparato il ponte grande, lasciare sull'isola solo le batterie dei cannoni e gli uomini necessari a difenderle.

Ritorna al villaggio di Ebersdorf, sulla riva destra. Non ha vinto la battaglia di Essling, ma non l'ha nemmeno persa. Però 20.000 uomini sono morti.

"E diranno dappertutto che sono indietreggiato. Quindi bisogna vincere ancora. Malgrado i morti. Malgrado le pene di Lannes."

Il maresciallo agonizza nel calore soffocante di quegli ultimi giorni di maggio.

"Il suo corpo è roso dall'infezione, dalla cancrena. Lotta. Ha bisogno della mia presenza. M'inginocchio accanto a lui. Gli parlo. Vorrei restare con lui, ma mi tirano per il braccio."

Finalmente l'Armata d'Italia si è riunita all'Armata del Reno. Occorre salutare questo evento.

"Soldati dell'Armata d'Italia, avete gloriosamente raggiunto l'obiettivo che vi avevo assegnato. Siate i benvenuti! Sono contento di voi."

"Quante volte ho pronunciato queste parole, e quante volte siamo stati costretti a ricominciare a combattere.

"È la legge della mia vita."

Detta: "Soldati, l'esercito austriaco voleva spezzare la mia corona di ferro. Battuto, disperso, annientato grazie a voi, sarà un esempio della verità di questo motto: *Dio me l'ha data, guai a chi me la tocca!*".

Si siede nella casa di Ebersdorf che gli serve da quartier generale. Hanno chiuso le persiane tanto fa caldo.

La cancrena probabilmente ha attaccato tutto il corpo di Lannes. Non deve pensarci.

Scrive a Giuseppina:

Cara amica,
   ti scrivo per comunicarti che Eugenio mi ha raggiunto con tutta la sua armata. Ha assolto perfettamente il compito che gli avevo assegnato... Ti invio il mio proclama all'Armata d'Italia, che ti farà capire tutto quanto.
   Io sto molto bene.

Tuo Napoleone

P.S. Puoi far stampare questo proclama a Strasburgo e farlo tradurre in francese e in tedesco affinché venga diffuso in tutta la Germania. Consegna una copia del proclama al paggio che va a Parigi.

Rimane nella penombra della casa di Ebersdorf. È un momento di calma tra due tempeste. Diverse volte al giorno si incontra con Berthier: è necessario prepararsi per la prossima battaglia, ricostruire i ponti, riempire i magazzini di viveri e munizioni, radunare tutti i corpi d'armata, trasportare i feriti negli ospedali di Vienna.

Esce ogni mattina e ogni sera per recarsi al capezzale di Lannes, sistemato in una casa vicina.

"Lannes sta per morire.

"Mercoledì 31 maggio, l'aiutante di campo Marbot, sulla porta della casa, allarga le braccia per impedirmi di passare.

"Lannes è morto. Il lezzo del cadavere ha invaso la stanza. Entrarvi è pericoloso. I miasmi fetidi... ripete Marbot."

Napoleone lo sposta. S'inginocchia, stringe Lannes al petto.

— Che perdita per la Francia e per me! — mormora.

Non ce la fa più. Piange.

Vorrebbe continuare a tenere stretto a sé quel corpo. Riscaldarlo.

Lo tirano per le braccia. Lo obbligano a rialzarsi. È Berthier. Il generale Bertrand e gli ufficiali del genio aspettano i suoi ordini, spiega.

Napoleone si allontana, fa qualche passo, poi ritorna indietro:

— Bisogna che il corpo di Lannes sia imbalsamato e portato in Francia.

Si volta verso Bertrand.

— I ponti... — comincia.

Nella stanza scura della casa di Ebersdorf scrive alla moglie di Lannes, duchessa di Montebello:

Mia cara amica,
il maresciallo è morto stamattina per le ferite ricevute sul campo dell'onore. Il mio dolore è grande quanto il vostro. Io perdo il più insigne generale delle mie armate, il mio compagno d'armi da sedici anni, quello che consideravo il mio migliore amico.
La sua famiglia e i suoi figli godranno sempre del diritto particolare

alla mia protezione. È per darvene l'assoluta certezza che ho voluto scrivervi questa lettera, perché sento che niente può alleviare il dolore che provate.

Resta a lungo con il capo reclinato sul petto. È così stanco! Ma deve domandare a Giuseppina di cercare di consolare la duchessa di Montebello. Scrive:

"La perdita del duca di Montebello, che è morto stamattina, mi ha fortemente addolorato. Così tutto finisce!"

26

Napoleone è seduto nel suo studio. Ammira i giardini che circondano il castello di Schönbrunn. Le finestre sono spalancate. Queste mattine degli inizi di giugno del 1809 sono miti. Se ci fosse la pace! Immagina per qualche istante la sua vita qui, con Maria Walewska. Le lettere che la giovane gli ha scritto dalla Polonia sono ancora là, sul tavolo. Ricorda le lunghe giornate trascorse nel castello di Finkenstein, dopo la battaglia di Eylau, prima della vittoria di Friedland. Allora si era illuso di aver creato un sistema di alleanze con lo zar che avrebbe impedito che riesplodesse la guerra. Niente è andato come aveva sperato. Ed è successo tutto quel che temeva.

E l'armata dell'arciduca Carlo è sempre attestata sulla riva sinistra del Danubio, sul pianoro di Wagram.

Alzano palizzate, costruiscono ridotte, installano posti di artiglieria fissi per impedire ogni tentativo di attraversamento del fiume.

Deve annientarli. Deve superare il Danubio.

"Posso contare solo sulle mie forze. Lo zar si limita a effettuare manovre con le sue truppe, ma più per impedire ai polacchi di Poniatowski di vincere e ricostituire un regno di Polonia che per minacciare gli austriaci. Bell'alleato, quell'Alessandro I!"

Napoleone si alza. Chiama il generale Savary. Vuole sapere quali reggimenti parteciperanno, quella mattina, alla parata, i marescial-

298

li e i generali che saranno presenti. Deve distribuire croci d'onore, elevare alcuni granatieri alla dignità di cavalieri dell'Impero.

Vuole infondere nuovo vigore nelle truppe malmenate a Essling. Cancellare dalla loro memoria il ricordo dei compagni morti e feriti, quasi 20.000! Vuole che dimentichino che sono dovuti ripiegare. Devono essere pronti a battersi di nuovo, appena i ponti saranno ricostruiti e una volta arrivati i rinforzi.

Aspetta dalla Francia 20.000 fanti, 10.000 cavalieri e 6000 granatieri della Guardia, oltre a pezzi d'artiglieria. Così disporrà di 170.000 uomini e di 488 cannoni da opporre ai 125.000 uomini dell'arciduca Carlo.

Si accosta alla finestra.

Purtroppo, c'è quel fiume da attraversare. E i soldati dell'armata dell'arciduca Giovanni, il fratello di Carlo, che sono stati battuti in Italia ma si sono riorganizzati in Ungheria, rappresentano una forza di oltre 30.000 uomini.

Napoleone si rivolge a Savary. Vuole recarsi ogni mattina sull'isola di Lobau, che è sempre di più il perno del suo dispositivo. Da lì potrà osservare gli austriaci, valutare lo stato dei lavori per ristabilire i ponti, e scegliere il momento in cui le truppe raggiungeranno l'isola dalla riva destra per passare poi sulla sinistra.

Deve farcela. Non c'è un solo sovrano in tutta Europa che non attenda la sua sconfitta per precipitarglisi contro.

"Il re di Prussia e quel bell'alleato di Alessandro spiano qualche segno di debolezza da parte mia."

— Si sono dati tutti appuntamento sulla mia tomba — confida a Savary — ma non osano ancora riunirsi.

Congeda Savary e resta solo. Ascolta il passo dei reggimenti che prendono posizione nel cortile d'onore. La parata comincerà alle dieci, come ogni mattina.

Ha bisogno di questa organizzazione precisa del tempo.

Dopo il tumulto della battaglia, l'imprevisto e la morte che a ogni istante sconvolgono l'andamento della partita, esige che qui a Schönbrunn regni l'ordine e si rispetti la più rigorosa etichetta. Riesce a lavorare con efficienza soltanto nella routine delle abitudini. Allora la mente è libera. Allora può immaginare la battaglia imminente, i ponti, i movimenti delle truppe che spazzeranno il pianoro di Wagram dopo aver raggiunto la riva sinistra, nel punto dove l'arciduca Carlo non li aspetta, a valle di Aspern ed Essling.

È un breve momento di gioia. Ha come la visione degli spostamenti delle truppe. Ricorrerà in modo massiccio all'artiglieria, come non è mai stato fatto prima di lui in battaglia. Ingannerà l'arciduca Carlo facendogli credere che scatenerà l'assalto a Essling, e invece lo aggirerà.

Torna al tavolo dove sono dispiegate le mappe. Punta il dito su Gross-Enzersdorf. È là che darà battaglia.

Fa qualche passo nello studio. Non riesce a pensare ad altro, se non allo scontro imminente, di cui deve tentare di prevedere lo svolgimento.

Dopo, una volta conquistata la vittoria, forse verrà la pace. La desidera. Ha bisogno di vivere in modo diverso, di fermare questa corsa indemoniata che non riesce a interrompere.

Dal tavolino sistemato accanto al grande tavolo su cui sono distese le mappe, prende le lettere di Maria Walewska.

Scrive qualche riga. Vorrebbe che lei venisse a raggiungerlo qui, come ha fatto al castello di Finkenstein.

Le tue lettere mi hanno fatto un gran piacere, come sempre. Non approvo che tu abbia seguito l'armata a Cracovia, ma non posso rimproverartelo. I destini della Polonia sono stati ristabiliti, e capisco le ansie che hai provato. Come vedi, ho agito, era meglio che prodigarti frasi consolatorie. Non devi ringraziarmi. Amo il tuo paese e apprezzo nel giusto valore i meriti di un gran numero di tuoi compatrioti.

Ci vuole molto più della conquista di Vienna per arrivare alla fine della campagna.

Quando avrò finito, farò in modo di avvicinarmi a te, dolce amica. Ho fretta di rivederti. Se sarà a Schönbrunn, godremo insieme l'incanto dei suoi bei giardini e dimenticheremo tutti questi orribili giorni.

Porta pazienza e abbi fiducia in me.

N.

"Non ho mai avuto nessuno, io, a cui rivolgermi per chiedergli di rassicurarmi.

"È in me, in me solo che devo trovare tutte le energie e la fiducia che mi sono necessarie.

"Dio? È silenzioso. E il papa, che pretende di essere il suo rappresentante, mi scomunica!"

— Basta con le attenzioni per questo papa. È un pazzo furioso, e bisogna rinchiuderlo.

"A che mi serve essere prudente con dei nemici che mi destinano all'inferno?

"Devo tenere duro su tutti i fronti, vincere qui e regnare dappertutto. A Roma come a Parigi."

Scrive a Fouché. Il duca d'Otranto deve assumere tutti i poteri che deteneva il ministro dell'Interno, Cretet, malato di superlavoro.

"Ma io avrò mai il diritto di essere malato?"

Si volta verso il suo segretario.

— Un uomo che ho fatto ministro — commenta — non deve neanche più poter pisciare dopo quattro anni!

"Questo è il potere, darsi anima e corpo fino allo stremo delle forze. O lasciare. Fouché è un uomo d'acciaio, terrà in pugno il paese.

"E poi la vittoria metterà a tacere i critici, dissiperà le inquietudini. Per il momento, finché le armi non avranno detto l'ultima parola, è necessario che Fouché controlli saldamente la polizia generale e il ministero dell'Interno."

"Sono tranquillo, posso fidarmi di voi" detta. "Tutto cambierà nel giro di un mese."

"Quando avrò sconfitto l'arciduca Carlo."

Di conseguenza, parate, riviste, ispezioni.

Ogni giorno raggiunge l'isola di Lobau. Cammina con le mani dietro la schiena per sette, otto ore. Si ferma davanti a ognuno dei cento cannoni che ha fatto piazzare sull'isola. Interroga il maresciallo Charles d'Escorches de Sainte-Croix. Apprezza molto quel giovane ufficiale di appena trent'anni. È figlio di un ambasciatore di Luigi XVI. Desidera che l'ufficiale sia presente ogni mattina all'alba a Schönbrunn, al suo risveglio, per riferirgli quello che è successo durante la notte sull'isola di Lobau.

"Sainte-Croix intuisce la mia preoccupazione? Si rende conto che ogni notte temo un attacco dell'arciduca Carlo all'isola?

"Ma, per fortuna, gli austriaci pensano solo a fortificarsi!"

Napoleone sale su un'immensa scala doppia, la cui cima supera gli alberi più alti, che Sainte-Croix ha fatto collocare su una collinetta dell'isola in modo che, dagli ultimi pioli, si possa scorgere tutta la riva sinistra del Danubio.

Napoleone resta molto tempo aggrappato alla scala. Vede le ridotte nemiche lungo la riva sinistra, ma verso Essling e Aspern. Le truppe francesi, dal canto loro, attraverseranno il Danubio verso Enzersdorf, come lui ha previsto.

Al di là del fiume si estendono i campi di grano maturo che il vento fa fremere e che nessun contadino viene a tagliare. I fanti e i cavalieri dovranno avanzare in mezzo alle spighe.

Napoleone scende dalla scala. Convoca il maresciallo Masséna. Vuole vedere il nemico ancora più da vicino. L'imperatore indossa, come Masséna, una giacca da sergente. Il colonnello di Sainte-Croix si veste come un soldato semplice. Napoleone avanza in testa, scende verso la riva dell'isola. Gli austriaci sono dall'altra parte del fiume. I soldati, in questo periodo di tregua, si tengono d'occhio. Il colonnello si spoglia. È solo un soldato che vuole bagnarsi. Napoleone e Masséna si siedono sui sassi del greto, come due sergenti in riposo. Le sentinelle austriache sbirciano, scherzano. Una specie di tregua si è instaurata in quel tratto di fiume riservato ai bagnanti.

Napoleone ha visto tutto. Risale verso il centro dell'isola. Non modificherà il suo piano. Basta aspettare che i ponti siano costruiti e pronti per essere gettati sul fiume. Quattro ponti tra l'isola di Lobau e la riva sinistra, e altri tre da quella destra all'isola.

Percorre un'altra volta l'isola. Le truppe adesso sono talmente numerose che alcuni granatieri della Guardia devono organizzare la circolazione dei carriaggi e dei cannoni che si stanno ammassando in attesa di passare sulla riva sinistra.

D'improvviso il cavallo di Masséna inciampa e cade in un buco nascosto dalle erbacce. Napoleone salta a terra. Un altro di quei cattivi presagi che hanno preceduto la battaglia di Essling?

Ha bisogno di Masséna, questo orfano senza mezzi che ha lavorato come mozzo, prima di scalare, sotto l'Ancien Régime, tutti i gradini da caporale ad aiutante maggiore, per diventare generale di brigata nel 1793, grazie al suo talento e al suo coraggio.

Masséna ha riportato una profonda ferita alla coscia. Non può né montare a cavallo né camminare. Ma le sue truppe sono il perno della battaglia. Napoleone ha previsto che si tengano sull'ala sinistra del dispositivo, per ricevere in pieno l'urto dell'attacco austriaco che si scatenerà appena le truppe francesi saranno sbarcate sulla riva sinistra. Gli uomini di Masséna dovranno tener duro finché l'arciduca Carlo non sarà stato aggirato.

Napoleone osserva Masséna, si china a controllare la ferita. Perderà anche quell'ufficiale? Il guerriero avido di denaro, avaro, ma "figlio prediletto della Vittoria" che lui ha nominato duca di Rivoli?

Masséna si rialza. Fa smorfie di dolore. Ciononostante comanderà le sue truppe in calesse, dichiara, con un medico accanto.

Venerdì 30 giugno, nel castello di Schönbrunn, Napoleone ha invitato a cena Eugenio Beauharnais e i marescialli Davout e Bernadotte. È molto affezionato a Eugenio, coraggioso, fedele. Quasi un figlio. Apprezza Davout, duca di Auerstadt, un vecchio cadetto-gentiluomo della Scuola militare di Parigi, come lui. Un uomo che ha fatto sparare contro Dumouriez nel 1793, quando il famoso generale ha tradito la Repubblica. Un generale che non è mai stato sconfitto.

Napoleone parla senza guardare Bernadotte. Diffida di quel vecchio rivale, marito di Désirée Clary. Quella storia è ormai lontana, ma com'è tenace la gelosia!

"Bernadotte ha frenato le sue truppe ad Austerlitz e a Jena. Ha anche cospirato contro di me. Si è rifiutato di impegnarsi il 18 brumaio. Adesso comanda le divisioni sassoni. Posso contare su di lui?"

Alle ventidue un aiutante di campo di Masséna annuncia che le truppe hanno cominciato a trasferirsi sulla riva sinistra, costituendo verso Essling una testa di ponte incaricata di bloccare il nemico.

Inizia la partita.

Napoleone, senza cambiare tono di voce, conclude la frase che stava dicendo sul teatro:

— Se Corneille fosse vivo, lo nominerei principe.

Poi si alza, si rivolge a Montesquiou, il gran ciambellano:

— A che ora fa giorno?

— Alle quattro, Sire.

— Benissimo. Domattina partiremo per l'isola di Lobau alle quattro.

303

Alle tre è già in piedi. Come si può dormire in simili circostanze? Arriva sull'isola Lobau alle cinque di sabato 1° luglio 1809.

Osserva le truppe che attraversano i ponti della riva destra diretti sull'isola e faticano a trovare posto su quel terreno, dove già si ammassano carri con l'artiglieria, cavalli, decine di migliaia di uomini. Eppure, devono trovarvi posto tutti, aspettare lì, perché il giorno dell'attacco una valanga francese possa abbattersi sulla riva sinistra.

Napoleone dorme quando può, un'ora, due, durante il giorno o la notte. Entra nella sua tenda, allestita accanto al ponte grande. Studia le mappe. Esce per una nuova ispezione. Interroga una spia che, da vari giorni, si è infiltrata sull'isola e ogni notte attraversa il Danubio per riferire le sue informazioni agli austriaci. L'uomo piange, supplica. Propone di passare di nuovo il fiume per comunicare false informazioni all'arciduca. È nato a Parigi, spiega, si è rovinato al gioco. Se n'è andato per sfuggire ai debitori. Aveva bisogno di denaro...

Napoleone gli volta le spalle. Che sia fucilato.

Martedì 4. Il caldo è soffocante, il cielo coperto. È durante la notte che le truppe devono attraversare il Danubio e portarsi dove l'arciduca austriaco non le aspetta, a Enzersdorf. Alle nove di sera scoppia il temporale.

Napoleone esce dalla tenda. Rovesci d'acqua si abbattono sull'isola e sul fiume. Il vento piega gli alberi. Le acque del Danubio sono agitate da onde che si infrangono contro i ponti.

Resta sotto la pioggia, con le braccia conserte. Vede Berthier che si precipita verso di lui. Occorre rinviare l'attacco, dichiara il maresciallo.

— No — replica l'imperatore senza esitazione. — Ventiquattr'ore di ritardo e avremo addosso l'arciduca Giovanni.

Ordina di aprire il fuoco su Aspern ed Essling, perché l'arciduca Carlo si convinca che è là, sulla sinistra, che si scatenerà l'attacco.

Alza il viso verso il cielo, sotto la pioggia. L'acqua tiepida gli bagna il volto, cancella la fatica.

Raggiunge Masséna, seduto nel suo calesse. I quattro cavalli bianchi del tiro, che scalpitano a ogni tuono o cannonata, gli sembrano un felice presagio.

— Sono entusiasta di questo temporale — urla a Masséna.

Ha parlato forte perché lo sentano anche gli aiutanti di campo che caracollano intorno al calesse.

— Che bella notte per noi! Così gli austriaci non possono vedere i nostri preparativi di trasferimento a Enzersdorf, e lo scopriranno solo quando avremo preso possesso di quella postazione essenziale, quando i nostri ponti saranno gettati e parte delle mie truppe schierate sulla riva che loro pretendono di difendere.

È mercoledì 5 luglio 1809. Fa ancora buio. L'imperatore è passato sulla riva sinistra insieme alle prime truppe che attaccano Enzersdorf. Quando il villaggio è conquistato, monta a cavallo e comincia a percorrere le linee che inseguono gli austriaci.

L'alba che sta spuntando è radiosa, il cielo è stato ripulito dal temporale notturno. Fa un caldo intenso. L'imperatore impartisce l'ordine di sparare con tutti i pezzi d'artiglieria. E qua e là il grano che il sole ha già asciugato comincia a prendere fuoco. Con il suo piccolo binocolo portatile vede uomini che sfuggono all'incendio, altri che cadono tra le fiamme.

Va da una postazione all'altra. A nord della piana, al confine del pianoro di Wagram, le truppe di Davout hanno superato il ruscello di Russbach che vede scintillare al sole.

Ora ripiegano per circondare il villaggio di Wagram. D'improvviso un aiutante di campo coperto di sangue viene ad annunciare che i sassoni di Bernadotte si sono sbandati, hanno scambiato colpi d'arma da fuoco con le truppe francesi di Macdonald, confondendo probabilmente le uniformi sassoni con quelle austriache.

Non deve lasciar esplodere la sua collera contro Bernadotte, che per l'ennesima volta non fa la sua parte. Ma neppure dimenticare.

Napoleone cammina davanti alla sua tenda mentre cade la notte e i combattimenti si spengono. Sente le grida dei feriti. Gli incendi continuano ad avvampare qua e là nei campi di grano. Aleggia un odore di carne bruciata.

Si siede, allunga le gambe, lascia cadere la testa sul petto. È l'una di notte. Dormirà per tre ore. Ha deciso così.

Si sveglia come aveva previsto. Un corpo, una testa, sono meccanismi che occorre saper dominare.

Vuole percorrere subito il campo di battaglia.

Oggi, giovedì 6 luglio 1809, sarà il giorno decisivo. Fa già un caldo soffocante. Le palle di cannone cominciano a piovere intorno a lui. Una esplode davanti al suo cavallo grigio-bianco, scelto proprio perché tutti lo vedano e sappiano che lui, l'imperatore, si espone al fuoco come qualsiasi altro soldato.

— Sire! — grida un aiutante di campo. — Sparano sullo stato maggiore!

"Chi è quell'ingenuo?"

Napoleone replica, spronando il cavallo:

— In guerra tutti gli incidenti sono possibili!

L'arciduca Carlo ha scatenato l'attacco contro le truppe di Masséna, perno della manovra francese.

Masséna deve resistere. Napoleone galoppa nella sua direzione, scorge sulla linea del fronte il calesse tirato dai quattro cavalli bianchi. Quello è un uomo. Salta a terra. Le cannonate austriache inquadrano il calesse, feriscono gli aiutanti di campo che lo fiancheggiano. Napoleone sale sulla vettura. Bisogna resistere a ogni costo, esclama.

In piedi, scruta con il suo binocolo la linea dell'orizzonte. Le truppe dell'arciduca Carlo avanzano. A ovest, nel cielo chiaro, si vedono le prime case di Vienna e le migliaia di fazzoletti bianchi che gli abitanti della capitale agitano dai tetti e dalle finestre per salutare l'avanzata delle truppe dell'arciduca.

Gliela farà vedere lui!

Risale a cavallo. Ordina alle batterie d'artiglieria concentrate sull'isola di Lobau di aprire il fuoco.

Come aveva previsto, le linee austriache vengono spazzate via.

Scorge l'aiutante di campo Marbot.

— Correte a dire a Masséna di precipitarsi con i suoi uomini sugli austriaci che si trova davanti, e la battaglia è vinta! — urla.

Adesso bisogna sferrare l'offensiva finale.

— Prendete cento pezzi d'artiglieria! — grida al generale Lauriston. — I sessanta della mia Guardia e altri quaranta, e andate a spazzare via le truppe nemiche!

Raggiunge Lauriston nel momento in cui il generale si precipita a impartire gli ordini. Vuole, precisa l'imperatore, che i cannoni aprano il fuoco solo quando saranno a trecento metri dagli austriaci.

Vede gli artiglieri francesi avanzare sotto le pallottole e le cannonate, sistemare i pezzi ruota contro ruota e scatenare il loro fuoco quando gli austriaci sembrano a pochi metri di distanza.

Le linee austriache sono sventrate. I cadaveri si accumulano, i campi di grano prendono fuoco, le casse di polvere saltano. Vede gli uomini scagliati in aria con le giberne in fiamme.

— La battaglia è vinta! — esclama.

Ma l'arciduca Carlo si ritira con 80.000 uomini e si dirige verso Znaim.

Napoleone dorme due ore. Alle tre di notte di venerdì 7 luglio è di nuovo in piedi.

Cavalca nei campi di grano calpestati e bruciati. Alcuni feriti urlano mentre si fa giorno.

Dà ordine che distaccamenti di cavalleria con qualche carro al seguito percorrano tutta la piana per soccorrere gli uomini nascosti dalle spighe di grano, che rischiano di marcire nel caldo soffocante.

Sarà per quelle grida, per l'odore dei cadaveri o il caldo già intenso: di colpo sente un'immensa stanchezza. Gli viene la nausea.

Appena installato al castello di Wolkersdorf, comincia a valutare le cifre delle perdite. Quanti morti e feriti? 50.000? Almeno altrettanti, di certo, fra gli austriaci. Ha visto il maresciallo Bessières disteso a terra. Non si è voluto avvicinare. Non c'è tempo per piangere, durante una battaglia. Cinque marescialli sono stati uccisi, trentasette feriti.

Ascolta Savary che gli parla di Bernadotte. La sera del 5 luglio Bernadotte ha criticato l'imperatore, dichiarando che, se avesse comandato lui, con un'"astuta manovra e quasi senza combattere avrebbe costretto il principe Carlo della necessità di rendere le armi". Bernadotte ha inoltre pubblicato un ordine del giorno in onore dei suoi sassoni.

— Allontanatelo subito da me! Che lasci la Grande Armata entro ventiquattr'ore! — urla Napoleone.

È tutto sudato, ha la bocca piena di una saliva amara. Alcuni muoiono, come Lannes o il generale Lasalle, ucciso da una pallottola in piena fronte a trent'anni, altri sono feriti e soffrono, come Bessières. E Bernadotte si pavoneggia!

Il suo corpo è tutto dolorante.

Esce nella notte fresca. La luna illumina i giardini del castello. Vomita. La pelle del suo volto è bruciata dal sole. Rientra lentamente nel castello. Ha lo stomaco attanagliato da una fitta.

Chiama Rustam. Vuole del latte.

È costretto a distendersi. Ma subito si rialza. La campagna non è finita.

L'arciduca Carlo dispone sempre di truppe organizzate. Bisogna dirigersi subito verso la città di Znaim, dare ancora battaglia.

Ma vomita di nuovo.

Il suo corpo lo abbandona.

Chiude gli occhi.

Malato? Che cosa vuole dire quella parola? È uno stato accettabile? Lui lavora lo stesso. Sonnecchia, si risveglia di soprassalto, detta. Domenica 9 luglio si sente meglio. Alle due di notte scrive a Giuseppina:

> Tutto va secondo i miei desideri, cara amica. I miei nemici sono sconfitti, battuti, completamente in rotta. Erano numerosi, ma li ho schiacciati. Ho subito forti perdite. Bessières è stato colpito di striscio da una cannonata alla coscia, la ferita è leggera. Lasalle è rimasto ucciso.
> La mia salute oggi è buona. Ieri sono stato un po' male per un eccesso di bile, provocato da tanta stanchezza, ma mi ha fatto molto bene.
> Addio cara amica, io sto bene.
>
> *Napoleone*

Il 10, lunedì, lascia il castello di Wolkersdorf e galoppa in direzione di Znaim. Conosce quel paesaggio. In lontananza scorge i pendii dell'altopiano di Pratzen. Ricorda il 2 dicembre del 1805: Austerlitz. La vigilia dello scontro, le migliaia di torce accese con cui i suoi soldati, aspettando la battaglia, celebravano l'anniversario dell'incoronazione.

Non ha mai smesso di essere alla testa di un'armata. Deve combattere di nuovo quelli che ha già sconfitto!

Impartisce l'ordine di attaccare le truppe dell'arciduca Carlo, le cui retroguardie sono schierate per proteggere la ritirata del grosso dell'esercito.

Deve vincere.

Entra nella tenda che è stata montata in un campo coperto di erbacce. D'improvviso scoppia un uragano, ma si sente ancora, inframmezzato ai tuoni, il rombo delle cannonate.

Martedì 11 luglio 1809, ore diciassette. Un cavaliere austriaco preceduto da una scorta francese avanza verso l'imperatore. È il principe di Liechtenstein che viene a chiedere una tregua d'armi.

Napoleone è in piedi nella sua tenda. I marescialli sono tutti intorno a lui. Davout ripete che bisogna farla finita con gli Asburgo, con quegli austriaci che ricevono soldi dagli inglesi. Oudinot, Masséna e Macdonald approvano.

Napoleone esce dalla tenda. Ha smesso di piovere. Il cannone tuona sempre. In una striscia di cielo azzurro che taglia l'orizzonte, scorge di nuovo l'altopiano di Pratzen.

— È stato versato fin troppo sangue — afferma.

E con un cenno indica al maresciallo Berthier che deve accordare la tregua d'armi.

Rientrerà a Schönbrunn. Forse Maria Walewska lo sta già aspettando. Forse si avrà la pace.

Scarabocchia qualche parola per Giuseppina.

> Ti invio il testo della tregua d'armi che ho concluso ieri con il generale austriaco. Eugenio è in Ungheria e sta bene. Spedisci una copia della tregua a Cambacérès, nel caso non l'abbia ancora ricevuta.
> Ti abbraccio e ti comunico che sto decisamente bene.
>
> *Napoleone*
>
> Puoi far pubblicare a Nancy il testo di questa tregua d'armi.

Giuseppina è a Plombières. Fa la cura delle acque termali, vecchia donna che si difende, che vuol continuare a ingannare, a lottare contro il tempo.

Tutto è guerra.

Parte settima

Bisogna fare la pace
14 luglio - 26 ottobre 1809

27

È il 15 agosto 1809, Napoleone ha quarant'anni. Passeggia in compagnia di Duroc nell'ampio viale dei giardini di Schönbrunn. Sono appena le sette e mezza di mattina. Il sole nascente, all'orizzonte, illumina i tetti di Vienna. Napoleone si volta. Intravede dietro gli alberi, che formano una siepe naturale intorno ai giardini, la facciata bianca della casa dove risiede Maria Walewska. È arrivata verso la metà di luglio.

Si ferma a osservare, sulla sinistra del viale, le rovine romane, l'obelisco e la fontana che aveva già visto nel 1805, in occasione del suo primo soggiorno a Schönbrunn. Sono già passati quattro anni! E lui adesso ne ha quaranta.

Si massaggia con le dita la base della nuca. La pelle è gonfia, screpolata. Lo infastidisce. Ha la sensazione che un dolore diffuso, partendo da quell'infiammazione, raggiunga le spalle e il cranio.

Ma deve stare ad ascoltare le proteste del suo corpo? Continua a vivere. Ogni notte si incontra con Maria Walewska. L'ama con foga. Anche questa notte, prima di rientrare al castello per accogliere i dignitari che, alle sette, sono venuti a complimentarsi con lui il 15 agosto, in occasione del suo compleanno.

Quella notte, disteso accanto a Maria, si è sentito finalmente in pace. I dolori che gli irrigidiscono la schiena e lo attanagliano allo stomaco sono scomparsi. E ha dimenticato anche l'irritazione della pelle sul collo.

Maria non esige mai niente. È discreta. Non assiste nemmeno agli spettacoli che vengono dati al teatro di Schönbrunn. Lo aspetta nella casa di Meidling vicino al castello. È liscia, tranquilla e fresca come l'acqua di una fontana. Non ha nessuna di quelle ipocrisie, abilità e furbizie delle donne che lui ha conosciuto. Ha le forme tonde e sode della giovinezza. Si accalora solo quando parla della sua Polonia. Ma capisce e accetta quello che lui le dice.

Si rivolge a Duroc mentre ricomincia a camminare, dirigendosi verso la Glorietta, la piccola collina su cui si innalza un portico, il belvedere che domina i giardini e tutti i paesi del circondario. Vienna è laggiù, lontana, nell'incendio dell'alba.

La Polonia è sempre il tema su cui si sono interrotti tutti i negoziati con i russi.

— Si fa solo quello che si può — esordisce. — Se fossi imperatore di Russia, non accetterei il benché minimo ingrandimento del ducato di Varsavia. Così come io mi farei ammazzare, e con me con dieci armate, per difendere il Belgio. E non basta, organizzerei un'undicesima armata di bambini e di donne per combattere e difendere la Francia contro tutto quello che fosse nocivo per lei. Conferire l'indipendenza alla Polonia in questo momento è impossibile per la Francia. Non voglio muovere guerra alla Russia.

Scuote la testa. E sente di nuovo quel bruciore alla base della nuca.

Ha già consultato il dottor Yvan, che ha curato la sua ferita a Ratisbona e, in qualità di chirurgo personale dell'imperatore, non lo lascia mai da molti anni.

Yvan però non è certo un genio. Anche il dottor Frank, il più celebre medico di Vienna, è venuto a esaminare il collo di Napoleone. Ha assunto l'espressione grave dello scienziato che scopre una malattia incurabile.

Napoleone si massaggia la nuca. Deve fidarsi di quel medico austriaco? Lo ha ascoltato parlare di artrosi, di trattamenti vescicatori, di medicamenti e unguenti.

— Il dottor Corvisart è arrivato da Parigi stanotte — dice Duroc.

Il gran maresciallo di palazzo si giustifica. Ha deciso di convocare Corvisart a Schönbrunn dopo la diagnosi del dottor Frank.

Napoleone alza le spalle. Al ricordo della notte appena trascorsa con Maria, non crede che il suo corpo sia colpito in modo grave. Forse sono solo le preoccupazioni, le fatiche della guerra e le crudeltà cui ha assistito. Tutti quegli uomini morti, Lannes, Lasalle e più di 50.000 altri. E quel lezzo di carne bruciata che incombeva sull'altopiano di Wagram.

A Parigi, dice, la notizia della partenza del medico di Vostra Maestà, del grande Corvisart, probabilmente ha suscitato le ipotesi più fantasiose.

"Si riparlerà della mia successione."

— Ho quarant'anni, Duroc, se morissi...

Si interrompe, fiuta una presa di tabacco, poi scosta il colletto della redingote che gli irrita la pelle.

Vuole un figlio. Deve divorziare. È il momento, a quarant'anni o mai più.

Rientra al castello e convoca Méneval, comincia a leggere i dispacci. Dopo qualche minuto alza la testa.

Quella notte Maria gli ha annunciato che crede di essere incinta. Lui le ha posato le mani sul ventre. Un figlio! Una nuova prova della sua capacità di procreare. Deve divorziare. Appena avrà concluso la pace con Vienna, rientrerà a Parigi e taglierà di netto. Un solo colpo brutale, come si amputa un membro sul campo di battaglia.

Ma quando potrà lasciare Schönbrunn? Gli austriaci conducono con abilità i negoziati, rifiutano la transazione da lui proposta: l'abdicazione dell'imperatore Francesco I, responsabile della guerra, in cambio di garanzie sull'integrità territoriale.

"Cosa sperano, tirandola tanto per le lunghe? Che abbia successo lo sbarco effettuato dagli inglesi nell'isola di Walcheren, senza dubbio con l'intenzione di marciare su Anversa e sull'Olanda? Che io entri in guerra con la Russia a causa della Polonia? Oppure che tutti i cattolici d'Europa insorgano contro di me perché ho fatto arrestare il papa?"

Convoca Champagny, il ministro degli Esteri. Quest'uomo non ha nessuna delle grandi qualità di Talleyrand, ma è un onesto esecutore.

— Sono molto irritato per l'arresto del papa — esordisce Napoleone. — È una vera e propria follia.

Annusa una presa di tabacco. Cammina avanti e indietro. In effetti aveva parlato della possibilità di arrestare il sovrano pontefice. Ma, e pesta il piede per terra, lui non ha mai impartito quell'ordine, non ha mai desiderato cacciare Pio VII da Roma per rinchiuderlo a Savona! Voleva annettere Roma, ecco tutto.

— È una vera e propria follia — riprende — ma ormai non c'è più rimedio, quel che è fatto è fatto.

Si arrabbia. La nuca gli brucia. E più alza la voce, più il fastidio e il dolore aumentano.

Sono così rari quelli che lo capiscono. Sono così rari quelli che lo aiutano efficacemente. Sono così rari, infine, quelli che non lo deludono!

Come suo fratello Gerolamo, che ha fatto diventare re! Gerolamo immagina di poter condurre la guerra come un satrapo, tenendosi lontano dagli scontri.

Comincia a dettare.

"Occorre essere un soldato, poi un soldato e ancora un soldato; occorre bivaccare negli avamposti, stare a cavallo giorno e notte, marciare con l'avanguardia per avere notizie, oppure rimanere nel proprio serraglio. Fratello, voi fate la guerra come un satrapo."

Del resto il ministro della Guerra, Clarke, non vale molto di più. Non ha adottato alcun provvedimento per impedire lo sbarco degli inglesi nell'isola di Walcheren. Vuole farsi catturare dagli inglesi nel suo letto? Quanto a Giuseppe, in Spagna, continua a voler imitare Carlo V e lascia che gli inglesi di Wellesley lo sconfiggano a Talavera! E Wellesley è stato nominato duca di Wellington!

— In Spagna — continua alzando la voce — ho aperto una scuola per i soldati inglesi, è in quella penisola che si forma l'esercito inglese!

"E intanto Fouché nomina Bernadotte, che io ho allontanato dalla mia armata, comandante in capo della Guardia nazionale! Bernadotte, scaltro, geloso, incapace. Deve essere destituito!

"Ecco gli uomini che pretendono di servirmi!"

Ha la bocca piena di bile e la pelle irritata. È nervoso. Deve ancora rispondere a Giuseppina, le cui ultime lettere traboccano dei sottintesi di una donna gelosa.

"Qualche anima buona deve averle già annunciato la presenza al mio fianco di Maria Walewska a Schönbrunn.

"Mi scrive come se fossi colpevole! È solo in nome del passato che la rispetto ancora."

> Ricevo la tua lettera dalla Malmaison. Mi hanno riferito che eri grassa, fresca e in gran forma. Ti assicuro che Vienna non è una città divertente. Vorrei tanto essere già ripartito.
> Arrivederci, cara amica. Vado due volte la settimana a vedere i buffoni. Sono assai mediocri, ma servono a movimentare le serate. Ci sono cinquanta o sessanta donne a Vienna, ma nel parterre, e non mi sono mai state presentate.
>
> *Napoleone*

È il momento di assistere alla solenne parata nel cortile d'onore del castello. Esce. La luce è accecante.

Dietro un cordone di gendarmi e granatieri, scorge il maresciallo Berthier. Gli si avvicina.

— Da oggi, siete il principe di Wagram — gli comunica.

Poi si dirige verso il maresciallo Masséna:

— E voi siete il principe di Essling.

Ama molto il momento in cui ricompensa gli uomini che hanno combattuto con coraggio, che hanno servito con devozione. Dice a Macdonald, Marmont e Oudinot: — Voi siete marescialli dell'Impero. — E a Davout: — Ecco il principe di Eckmühl.

I tamburi rullano. La parata comincia. Dal cortile d'onore non vede la casa dove è alloggiata Maria Walewska.

Rientra al castello e ride incontrando il dottor Corvisart, il cui volto esprime il più vivo stupore. Gli si avvicina. Ha grande stima di quell'uomo dall'atteggiamento amabile, che vede quasi ogni giorno a Parigi, un medico dalla diagnosi sicura. Corvisart probabilmente lo credeva a letto, in fin di vita.

— Allora, Corvisart, notizie? Che si dice a Parigi? Sapete che qui sostengono che sono gravemente malato? Per una piccola eruzione sulla pelle e un leggero mal di testa.

Si volta, mostra la nuca, mentre libera il collo dalla cravatta.

— Il dottor Frank pretende che soffro di un'artrosi che esige cure lunghe e impegnative. Cosa ne pensate?

"Ho quarant'anni. Adesso la morte può cogliermi in qualsiasi momento."

Corvisart ride.

— Ah, Sire, convocarmi da così lontano per un medicamento che anche l'ultimo medico avrebbe potuto applicare bene quanto me! Frank dà i numeri. Quel piccolo disturbo è un'eruzione cutanea malcurata, e non resisterà quattro giorni al medicamento. Voi state meravigliosamente bene.

Avrà ragione Corvisart? La domanda gli sorge spesso, in quelle settimane dell'estate del 1809. Certi giorni sente una stanchezza che lo abbatte. Gli altri giorni, al contrario, è animato da un'energia indomabile.

Il 15 agosto 1809 decide di recarsi a Vienna in incognito, in compagnia del maresciallo Berthier, per assistere ai fuochi d'artificio in occasione della festa di mezza estate.

Intuisce l'inquietudine di Berthier, che lancia sguardi angosciati alla folla dei passanti. Se riconoscessero l'imperatore...

— Confido nella mia buona stella — dice Napoleone. — Sono troppo fatalista per pensare a come proteggermi da un assassino.

Tutta quella gente che lo urta senza riconoscerlo lo fa divertire. Si sente allegro, giovanile. Passerà il resto della notte con Maria Walewska.

— La mia salute è buona — confida a Berthier, rientrando al castello di Schönbrunn. — Non so che cosa raccontano in giro. Non mi sono mai sentito meglio da un sacco di anni. Corvisart non mi è stato di alcuna utilità.

Va da Maria Walewska. La ritrova con gioia, così rosea, un corpo così in fiore.

"Porta in grembo un figlio mio. Sono la sua giovinezza e la sua fecondità le vere sorgenti della mia salute."

Deve assolutamente divorziare per sposare una donna degna di un imperatore. Una donna che gli dia quello che la dolce Maria gli ha già offerto.

28

Arriva l'autunno. Come, di già? È possibile? Napoleone ha contratto le sue abitudini, qui a Schön-brunn. Percorre la campagna a cavallo, attraversa lentamente i villaggi dove si è combattuto e dove i contadini stanno ricostruen-do le loro case. Le messi, nella piana di Essling e sull'altopiano di Wagram, sono state raccolte. Le piogge dei mesi di settembre e ot-tobre hanno cominciato a scavare solchi nella terra. La notte in-terrompe brutalmente i crepuscoli.

I soldati acquartierati a Nikolsburg o a Krems, a Brünn o a Go-ding, nei pressi della frontiera ungherese, accolgono l'imperatore con i loro evviva. Lui li passa in rivista, dispone lo svolgimento di manovre.

Un sabato di settembre del 1809, il 17, prende la strada di Ol-mütz. Monta un cavallo bianco pieno di vigore che salta i fossi e le siepi, e in questo modo arriva prima dello stato maggiore e del-la scorta sul campo di battaglia di Austerlitz. Le truppe del 3° cor-po, vedendolo arrivare, gridano: — Viva l'imperatore! — Cara-colla davanti a loro. E si lascia andare ai ricordi.

I principi Dietrichstein lo attendono nel loro castello. Gli offrono noci e vino bianco di Bisamberg. Riparte per Brünn, dove decide di passare la notte nel palazzo del governo. Ha la sensazione di essere dovunque a casa sua. E dovrà essere così da un capo dell'Europa all'altro. Gli inglesi, gli ha appena annunciato il generale Clarke, si preparano a reimbarcarsi e ad abbandonare l'isola di Walcheren. Il loro tentativo di invasione è fallito. Riuscirà a pacificare l'Europa, dal Tirolo alla Spagna?

Rientra a Schönbrunn. Va a trovare Maria Walewska, poi si reca a teatro, dove quasi ogni sera ci sono balletti, recite, canti per lui. Si complimenta con gli artisti italiani che hanno appena interpretato *Il Barbiere di Siviglia*.

Dopo lo spettacolo, Champagny gli riferisce circa lo stato dei negoziati con gli austriaci in vista del trattato di pace. Diventa subito di cattivo umore. Che commedia recita questo Metternich? Napoleone vuole dirigere personalmente i colloqui, qui, a Schönbrunn.

Vuole riuscire a ogni costo. Di colpo si fa pensieroso, cammina avanti e indietro nella sua camera. Sono quasi sei mesi che ha lasciato Parigi, il 13 aprile, e siamo già a metà ottobre. Maria Walewska tornerà nel castello di Walewice perché il bambino nasca in seno alla sua famiglia. E lui dovrà rientrare a Parigi, per affrontare Giuseppina.

A questa idea, si turba. Immagina. Ha saputo disarmarlo tante volte, quando gli era infedele e lui aveva deciso, di ritorno dall'Egitto, di rompere con lei. Quella donna è talmente abile, e condivide con lui tanti ricordi. Se non sta attento, Giuseppina è capace di prendere d'assedio la sua camera, poi entrerà torcendosi le mani, singhiozzando. Lo supplicherà.

Ma lui non intende più cedere.

Convoca Méneval in piena notte e gli detta una lettera per l'architetto che incarica di seguire i lavori di restauro del castello di Fontainebleau, dove conta di soggiornare al suo ritorno. Desidera che muri la galleria che fa da collegamento tra il suo appartamento e quello dell'imperatrice.

Così le sue intenzioni saranno chiare. Lei capirà, e tutti vedranno. Questa volta lui non cederà. Non può più cedere.

Giovedì, 12 ottobre 1809. A mezzogiorno attraversa il cortile d'onore del castello di Schönbrunn per assistere alla parata. A poche decine di metri, la folla si accalca dietro i gendarmi. Napoleone si mette tra il maresciallo Berthier e il generale Rapp, suo aiutante di campo, il quale, dopo pochi minuti, si allontana dirigendosi verso gli spettatori e i gendarmi che li trattengono. L'imperatore apprezza l'intelligenza e la devozione di quell'alsaziano di Colmar, che gli è prezioso sul campo di battaglia per la sua conoscenza del tedesco. Può interrogare i prigionieri, i contadini, condurre un negoziato. Ed è anche un uomo coraggioso: a Essling ha caricato alla testa dei fucilieri della Guardia.

Dopo la parata, Rapp si avvicina a Napoleone e sollecita un colloquio. L'imperatore lo scruta. Perché quella faccia così seria? Rapp gli mostra un oggetto avvolto in un giornale.

"Vedo un coltello lungo un piede e mezzo, affilato su entrambi i lati, la punta acuminata."

Napoleone fa un passo indietro. Ascolta il racconto di Rapp. Il generale è rimasto colpito da un giovanotto che indossava una redingote color oliva, un cappello nero e stivali, e insisteva per consegnare di persona una petizione all'imperatore. Cercando di respingerlo, Rapp ha avuto la sensazione che l'uomo nascondesse qualcosa sotto l'abito.

— Era questo coltello, Sire.

Il giovane, che ha dichiarato di chiamarsi Friedrich Staps, aveva intenzione di uccidere l'imperatore con quell'arma. E accetta di dare spiegazioni solo in presenza di Napoleone.

Bisogna sempre vedere in faccia il proprio destino. Napoleone decide di convocare Staps e rientra nello studio, dove lo attende Champagny.

— Monsieur Champagny — esordisce — i plenipotenziari austriaci non vi hanno mai parlato di progetti di assassinio rivolti contro la mia persona?

Champagny non sembra sorpreso dalla domanda.

— Sì, Sire, mi hanno detto di aver ricevuto più volte proposte in tal senso e di averle sempre respinte con orrore.

— Ebbene, hanno appena tentato di assassinarmi. Seguitemi.

Spalanca le porte del salotto.

"E così, è quel ragazzo in piedi accanto al generale Rapp che voleva uccidermi. Ha un viso paffuto, dolce e ingenuo. Voglio sapere. Rapp tradurrà le mie domande."

Friedrich Staps risponde con calma, e la sua tranquillità sconcerta. Questo figlio di un pastore protestante è un pazzo, un malato o un illuminato? Si può, a diciassette anni, voler uccidere un uomo senza ragioni personali?

— Perché volevate uccidermi?

— Perché fate l'infelicità del mio paese.

— A voi ho fatto qualcosa di male?

— Come a tutti i tedeschi.

"Si può credergli quando afferma di aver agito di sua spontanea iniziativa, di non avere né ispiratori né complici? Eppure, so bene che mi odiano alla corte di Berlino come a Weimar, come a Vienna. La regina Luisa di Prussia, ferita nella sua vanità, è donna capacissima da farmi assassinare da un fanatico, come questo ragazzo dal volto angelico e la mente di un folle."

— Voi siete un esaltato. Rovinerete la vostra famiglia. Vi lascerò in vita se chiederete perdono per il delitto che volevate commettere e di cui dovreste vergognarvi.

"Lo osservo. Ha solo un leggero tremolio delle labbra prima di parlare."

— Non voglio perdono. Provo un vivissimo rammarico per non esserci riuscito.

— Diavolo! A quanto pare un delitto non significa niente per voi!

— Uccidere voi non è un delitto, ma un dovere.

"Quanto odio determinato e convinto nei miei confronti!"

Napoleone osserva Rapp, Savary, Champagny, Berthier e Duroc, che circondano Friedrich Staps. Sembrano tutti affascinati.

— Ma alla fine — riprende Napoleone — se vi concedessi la grazia, me ne sareste almeno grato?

— Alla prima occasione vi ucciderei comunque.

Napoleone lascia la stanza.

"Questo odio, questa determinazione, sono forse quelli di tutto il popolo tedesco? e di tutte le popolazioni spagnole e dei tirolesi che continuano a combattere le mie armate?"

Convoca il generale Rapp. L'interrogatorio di Friedrich Staps deve essere seguito da Schulmeister. È un uomo particolarmente abile e forse saprà fargli confessare il nome dei suoi ispiratori e dei suoi complici.

Rapp insiste nel ritenere che Staps abbia agito da solo.

Napoleone scuote la testa.

— Non c'è un solo caso di un giovanotto di quell'età, tedesco, protestante e di buona famiglia, che abbia voluto commettere un simile delitto.

Annusa diverse prese di tabacco camminando avanti e indietro nel suo studio.

"Se quest'odio è quello dei popoli, se i sovrani di Prussia, d'Austria, d'Inghilterra, il bell'alleato di Russia e il papa, sono riusciti a dirigere contro di me l'incendio che dovrebbe invece minacciare loro; se i popoli preferiscono il fanatismo alla ragione, le tradizioni e le religioni al codice civile e ai Lumi, allora mi conviene trattare più in fretta possibile, firmare la pace con Vienna a qualsiasi costo.

"E devo anche unirmi a una di quelle dinastie, come già pensavo, dal momento che i popoli continuano a difenderle.

"Chi sposerò? Una principessa d'Asburgo o una granduchessa di Russia?"

Ma, prima di tutto, è indispensabile che non trapeli nulla di questo attentato. Gli assassini hanno sempre degli imitatori.

Avverte Fouché:

Un giovane di diciassette anni, figlio di un pastore luterano di Erfurt, durante la parata di oggi ha cercato di avvicinarsi a me. È stato bloccato dagli ufficiali e, visto che quest'uomo così giovane era molto turbato, sono nati dei sospetti. È stato perquisito e gli hanno trovato addosso un pugnale. Ho convocato quel piccolo miserabile, che mi è parso abbastanza istruito, e mi ha detto che voleva assassinarmi per liberare l'Austria dalla presenza dei francesi.

Altrettanto importanti del fatto in sé sono le conclusioni che se ne possono trarre.

"Ho voluto informarvi di questo avvenimento" riprende Napoleone "perché non voglio che diventi più importante di quanto sia. Spero che non si venga a sapere in giro, in caso contrario, si dovrà far passare questo individuo per pazzo. Tenete per voi questa notizia, se non se ne dovesse parlare. Durante la parata, il fatto non ha provocato scalpore; io stesso non me ne sono nemmeno accorto."

È necessario insistere ancora.

"Vi ripeto, e voi lo capite bene, che è necessario non fare parola di questo avvenimento."

Rimane solo. Non teme la morte. Si avvicina al tavolo su cui è posato il lungo coltello affilato di Friedrich Staps.

"La mia ora non è ancora venuta. Fin dalla mia prima battaglia ho capito che era inutile cercare di salvarsi dai proiettili. Mi sono abbandonato al mio destino. Essere imperatore significa vivere senza sosta su un campo di battaglia. Pace o guerra, per me non cambia nulla. In tempo di pace, le cospirazioni sono come i proiettili."

Ma occorre agire. Il destino è un grande fiume su cui l'uomo deve navigare, sfruttando la corrente e cercando di evitare i gorghi.

Convoca il ministro degli Esteri.

— Monsieur Champagny, è necessario fare la pace. So che state negoziando con i plenipotenziari austriaci per ottenere 150 milioni di tributi bellici. Dimezzate la cifra. Vi autorizzo ad accettare 75 milioni, se non riuscite a ottenere di più. Per il resto mi affido a voi; fate del vostro meglio perché la pace sia firmata entro ventiquattr'ore.

Non dorme. Immagina. Pensa a Friedrich Staps.

"Se quel giovane fanatico esprime i sentimenti dei tedeschi, allora è la Germania che devo sedurre, perché è lei il cuore dell'Impero. È con la dinastia degli Asburgo che devo stipulare l'unione familiare che forse disarmerà altri Staps. D'altronde, la sorella maggiore dello zar, il mio bell'alleato, si è sposata il 3 agosto con il duca di Oldenburg, forse per non dover correre il rischio di sposarsi con me. Quanto a sua sorella Anna, mi dicono che è troppo giovane."

Sonnecchia, legge, detta. Maria Walewska è partita. Le notti sono lunghe e fresche.

Alle sei, si presenta Champagny. Che sia venuto ad annunciare la pace?

— Avete firmato il trattato?

— Sì, Sire, eccolo.

È come se il suo stomaco, così spesso contratto e dolorante, si afflosciasse di colpo.

Ascolta. L'Austria perde qualsiasi sbocco sull'Adriatico e tre milioni e mezzo di sudditi. Quei territori diventano il Governatorato generale delle Province illiriche, dipendente dalla Francia. La Galizia è divisa tra il granducato di Varsavia e la Russia. Il Tirolo viene assegnato alla Baviera.

— Molto bene, è un ottimo trattato — conclude.

Annusa una presa di tabacco, tossisce.

Ma chi rispetta i trattati? È indispensabile che il matrimonio tra lui e una principessa d'Asburgo leghi le due dinastie rendendo inalterabile il trattato. A meno che il bell'alleato di Pietroburgo non acconsenta a concedergli la sua giovane sorella. In tal caso l'Austria sarebbe presa come in una morsa, costretta per forza a rispettare il trattato.

Champagny, che era rimasto in silenzio, riprende a parlare: ha ottenuto un tributo di 85 milioni invece dei 75 fissati dall'imperatore.

— Davvero ammirevole! Se Talleyrand fosse stato al vostro posto, mi avrebbe consegnato i miei 75 milioni, ma si sarebbe intascato gli altri 10!

Domenica 15 ottobre, dice, una volta che il trattato sarà stato ratificato, per celebrare l'evento bisognerà far sparare i cannoni a salve al Prater.

Per tutta la giornata della domenica sente, portati dal vento, i canti e le acclamazioni dei viennesi che celebrano la pace.

Il giorno dopo, 16 ottobre 1809, al momento di lasciare il castello di Schönbrunn, si volta verso il generale Rapp.

— Informatemi su come è morto — dice.

Staps è stato condannato alla pena capitale per spionaggio, e la sentenza deve essere eseguita quel lunedì stesso.

L'autunno è bello, sulle strade di Germania.

Il 21 ottobre, un sabato, arriva a Monaco.

Va a caccia nelle foreste nei dintorni della città. Gli zoccoli dei cavalli sono come soffocati dallo spesso tappeto di foglie morte. Non insegue le prede, le lascia fuggire, indifferente ai latrati dei cani e alle grida dei battitori.

Ha una sola cosa in testa, il rapporto di Rapp.

— Staps ha rifiutato il pasto che gli offrivano — ha raccontato Rapp — dicendo che gli restavano forze sufficienti per camminare fino al patibolo. Ha avuto un sussulto quando gli hanno annunciato che la pace era siglata. Ha affermato: "Oh Dio mio, ti ringrazio. La pace è fatta, finalmente, e io non sono un assassino".

Alle quattro di mattina di domenica 22 ottobre 1809, Napoleone scrive una breve lettera a Giuseppina: "Cara amica, parto tra un'ora e gioisco già all'idea di rivederti. Aspetto quel momento con impazienza. Arriverò a Fontainebleau il 26 o il 27. Tu puoi già andarci con qualche damigella di compagnia. Napoleone".

Quando le parlerà?

Parte ottava

La politica non ha cuore, ha solo testa
27 ottobre 1809 - 20 marzo 1811

29

Dov'è? Napoleone cerca Giuseppina con gli occhi. Scende dalla berlina, rimane un istante ai piedi della scalinata del castello di Fontainebleau. Il gran maresciallo di palazzo, Duroc, che ha lasciato Schönbrunn qualche ora prima di lui, gli viene incontro. È attorniato dagli aiutanti di campo e da vari ufficiali. Ma lei dov'è? Le aveva chiesto di essere presente con le damigelle di corte, ma lei ha preferito le sue comodità. Come al solito.

È vero che incomincia appena a far giorno, quel giovedì 26 ottobre 1809.

Napoleone scorge l'arcicancelliere Cambacérès e lo invita a seguirlo nel suo studio. Si complimenta con lui per la sua puntualità e comincia a interrogarlo. Che dice l'opinione pubblica? Perché si è tardato tanto a respingere lo sbarco inglese nell'isola di Walcheren? È una follia aver osato nominare Bernadotte alla testa della Guardia nazionale incaricata di quella missione!

Bernadotte è un incapace, si preoccupa solo dei suoi meschini intrighi, è malato di gelosia e di ambizione. Chi lo ha designato? Fouché, scommetto! Cosa si sa, a Parigi, del giovane Friedrich Staps? Di quel fanatico, di quel pazzo che voleva pugnalarmi?

Napoleone si ferma davanti a Cambacérès, in piedi al centro dello studio.

Lui non teme la morte, afferma. I pugnali, le pallottole o il veleno sono impotenti contro di lui. Perché ha un destino da compiere.

Si siede. Osserva a lungo Cambacérès. Quell'uomo accorto e prudente è abituato a rimanere in silenzio. Ha sempre sostenuto Giuseppina. Ogni volta che si diffondevano pettegolezzi, si è sempre mostrato contrario al divorzio. È l'avversario di Fouché.

Teme una reazione dell'opinione pubblica se l'imperatore sposa una discendente della dinastia degli Asburgo, un'austriaca. O un'erede della dinastia dei Romanov.

— Dov'è l'imperatrice? — domanda di nuovo Napoleone.

"I sovrani corrono da me, gli eserciti e le piazzeforti si arrendono, i marescialli e i ministri mi attendono all'alba, e quella vecchia non è neanche capace di ricevermi dopo mesi di assenza! Cosa crede? Ha paura? Eppure dovrà accettare la mia decisione."

Si alza e comincia a camminare. Annusa una presa tabacco. Non si preoccupa più di Cambacérès. D'altronde, non si aspetta niente dall'arcicancelliere. Solo che ascolti quel che deve dirgli.

Ha deciso di divorziare, dichiara subito, e sarà meglio che avvenga quanto prima. Cambacérès, però, deve mantenere il segreto. Prima di tutto, occorre parlare con Giuseppina e farle spiegare le ragioni di questa decisione da Eugenio Beauharnais o da Ortensia. Ma preferisce il viceré d'Italia alla regina d'Olanda. Eugenio è come un figlio per lui. Si preoccupa degli interessi della dinastia. Darà certo buoni consigli alla madre.

— Ho amato davvero Giuseppina — conclude Napoleone.

È pensoso, si allontana da Cambacérès, poi ritorna verso l'arcicancelliere.

— Ma non la stimo. È troppo falsa.

Cambacérès continua a tacere.

— Ha un certo non so che che piace — riprende l'imperatore. — È una vera donna.

Ride, mormora come fra sé:

— Ha il più bel culetto che ci sia al mondo.

Il volto paonazzo di Cambacérès lo fa divertire. Quell'uomo non saprà mai che cos'è una donna, poiché i suoi gusti sono di natura diversa.

— Giuseppina è buona — aggiunge Napoleone — nel senso che invita tutti a pranzo. Ma si priverebbe forse di qualcosa per regalarla? No!

D'improvviso si arrabbia.

Dov'è? A Saint-Cloud, mentre io sono qui, e lei si sarebbe dovuta trovare qui per accogliermi!

Congeda Cambacérès, detta una lettera per Eugenio e poi comincia a lavorare, esaminando i dispacci.

La Spagna, sempre la Spagna. La guerra si prolunga. Legge e rilegge la lettera che il generale Kellermann ha fatto arrivare a Berthier.

"Invano tagliamo le teste dell'Idra" scrive il figlio dell'eroe di Valmy, oggi vecchio maresciallo. "Rinascono subito da un'altra parte, e senza una rivoluzione negli animi non riuscirete per molto tempo a sottomettere questa vasta penisola. Assorbirà la popolazione e i tesori della Francia."

"La Spagna mi rovina. Giuseppe è incapace di controllare il paese. I marescialli Soult o Mortier, che combattono, conquistano vittorie che non sono mai decisive. Dovrò riprendere personalmente il comando delle armate di Spagna?"

"Intendo dire" scrive il generale Kellermann "che ci vogliono la testa e le braccia di Ercole. Lui solo, con la sua forza e la sua intelligenza, può chiudere questa grande questione. Sempre che si possa portarla a buon fine."

Berthier dovrà recarsi in Spagna per preparare il mio arrivo. Ercole! Napoleone sorride. Ercole colpirà più tardi, quando avrà chiuso la storia con Giuseppina.

Un rumore di passi e di voci nelle gallerie del castello, poi nell'anticamera annunciano con sicurezza l'arrivo di Giuseppina a Fontainebleau. Era ora!

Napoleone si dirige verso la biblioteca con passo rapido. Vi si richiude, comincia a scrivere. Ce l'ha con lei per quel malessere che prova, per l'impossibilità in sui si sente di parlarle chiaro già quella sera stessa.

Giuseppina entra.

Lui non vuole alzare la testa. Lei non apre bocca. Non si vedono da più di sette mesi. Perché non è venuta come le aveva chiesto? Che trucco ha pensato di mettere in atto? Forse crede che lui sia impaziente?

Solleva la testa. Lei piange in silenzio.

— Ah, eccovi finalmente, madame. Avete fatto bene ad arriva-re, perché stavo partendo per Saint-Cloud.

Giuseppina balbetta, si scusa. Ma non è questo che lui vuole! Vuole che lei comprenda a che punto sono arrivati della loro vita. Che gli renda il compito facile. Che accetti!

L'abbraccia. Prova soltanto fastidio.

Odia questa situazione. Non riesce a parlarle, ma sa che deve far-lo. Non sopporta che gli si presenti davanti con quella faccia grigia, gli occhi pieni di lacrime, quello sguardo da animale braccato.

Nei giorni seguenti, appena può lascia il castello.

Va a caccia quasi con rabbia, in quell'autunno radioso dell'Île-de-France. Percorre a cavallo la foresta di Fontainebleau, i boschi di Boulogne o Versailles, i dintorni di Melun e Vincennes.

Quando rientra al castello di Fontainebleau e scorge Giuseppina in mezzo a un circolo di amici che fa salotto, le lancia un'occhiata distratta. Finché non le avrà parlato, finché lei non avrà accettato, non si sente di frequentarla. Perché non lo aiuta lei? Perché non ha la dignità di sottomettersi alla legge del destino che esige per lui un "ventre" fecondo, un ventre giovane, il ventre di una donna uscita da una famiglia all'altezza di quello che ormai lui è diventato?

Convoca Champagny, il ministro degli Esteri.

Deve esigere dall'ambasciatore francese presso lo zar che ricordi all'imperatore di Russia il loro incontro di Erfurt, dove si era parla-to di divorzio, e Alessandro aveva suggerito la possibilità di un ma-trimonio con la più giovane delle sue sorelle, Anna. Caulaincourt deve sapere che "l'imperatore, spinto da tutta la Francia, sta per di-vorziare". Che si sappia, una buona volta, su chi si può contare, e quali sono le intenzioni del nostro bell'alleato del Nord!

Ma che fiducia si può avere in Alessandro? Il consigliere del-l'ambasciata austriaca a Parigi, il cavalier Floret, fa capire, al con-trario, che Metternich e l'imperatore Francesco I sarebbero disposti a "cedere" a Napoleone l'arciduchessa Maria Luisa, una ragazza di diciotto anni...

Una Asburgo! Napoleone riflette. Un'austriaca come Maria Antonietta! Ricorda le giornate rivoluzionarie di cui era stato testimone, nei mesi di giugno e agosto del 1792, quelle grida che sente risuonare ancora nella testa, urlate nei giardini delle Tuileries: — A morte l'austriaca!

Cammina avanti e indietro nello studio. Un'austriaca, come Maria Antonietta. Ma lui non è Luigi XVI.

Se lo zar si sottraesse, cosa che teme e di cui ha il presentimento, l'Austria potrebbe diventare l'alleato necessario.

E quella Maria Luisa ha diciotto anni. È la discendente di Carlo V e di Luigi XIV.

"Io sono diventato io. Ho diritto a lei, se voglio."

Riceve alle Tuileries i re di Baviera, di Sassonia, del Württemberg, Murat re di Napoli, Gerolamo re di Vestfalia e Luigi re d'Olanda.

Presiede le parate della nuova Grande Armata che si svolgono intorno all'arco di trionfo del Carrousel. E sente le esclamazioni della folla: — Viva l'imperatore! Viva il vincitore di Wagram! Viva la pace di Vienna!

Tiene con la punta delle dita la mano di Giuseppina che, a volte, deve apparire in pubblico al suo fianco. Ma non riesce a guardarla. Lei cerca ancora di commuoverlo.

"Ma io sono fedele solo al mio destino."

Piuttosto che sedersi accanto a lei, preferisce il calesse di Paolina, principessa Borghese, sorella confidente, da sempre favorevole al divorzio. Sorella complice, che si allontana quando entra una delle sue damigelle d'onore, una piccola piemontese sfrontata, bionda e allegra, che non abbassa gli occhi.

Stanotte Napoleone raggiungerà Christine, la piemontese. Domani parlerà a Giuseppina.

"Io sono l'Imperatore dei Re. Nessuno potrà mai opporsi al mio destino."

Giovedì 30 novembre 1809. Pranza da solo con Giuseppina. Non parla. Non può farlo. Quando alza la testa, vede solo il grande cappello che la donna porta per nascondere gli occhi arrossati e il viso scavato.

Non riesce a ingoiare un boccone. Fa tintinnare il cristallo dei bicchieri con il coltello. Si alza e domanda: — Che tempo fa? — Poi passa nel salotto vicino.

Quando un paggio porta il caffè, Giuseppina fa il gesto di riempire la tazza dell'imperatore. Lui l'anticipa e si serve da solo. Con un cenno, ordina al cameriere di uscire e di chiudere la porta.

E già Giuseppina singhiozza, si torce le mani.

— Non cercate di commuovermi — esordisce lui in tono brusco, voltandole le spalle. — Vi amo sempre, ma la politica non ha cuore, ha solo testa.

Si gira verso di lei.

— Volete con le buone o con le cattive? Io sono deciso.

Giuseppina pare come fulminata dallo stupore.

— Vi assegnerò cinque milioni l'anno e la sovranità di Roma.

Lei grida, poi mormora: — Non sopravviverò! — Cade sul tappeto, geme. Poi sembra svenire.

Napoleone apre la porta e fa entrare il prefetto di palazzo, Beausset. È un uomo corpulento, impacciato dalla spada.

— Siete abbastanza forte per sollevare Giuseppina e portarla nella sua camera dalla scala interna, affinché le prestino delle cure? — domanda, afferrando la torcia per illuminare la scala interna.

Non sa che pensare.

Sulla scala, Beausset inciampa. Napoleone, che lo precede, si volta. Sente Giuseppina sussurrare all'orecchio di Beausset: — Mi stringete troppo forte!

È mai svenuta davvero?

Si ritira e, dopo pochi passi, si sente come oppresso. Soffoca. Rientra nel suo appartamento. Ordina che mandino nella camera dell'imperatrice sua figlia Ortensia e il dottor Corvisart.

Si siede. Giuseppina ha sicuramente esagerato il suo dolore, ha simulato lo svenimento perché è una bugiarda. Ma deve soffrire, e questo lo addolora. È uno strazio anche per lui. È una parte della sua vita che si chiude. Il dolore lo soffoca.

Sente dei passi. È Ortensia.

Le si fa incontro.

— Avete visto vostra madre? Vi ha parlato?

Ortensia si esprime con durezza. Lui pure, cercando di non far trasparire lo smarrimento da cui si sente invadere. Sarebbe così semplice non dover mai decidere, non dover mai scegliere, non doversi sottomettere alla legge del proprio destino!

— La mia decisione è presa — riprende — ed è irrevocabile. Tutta la Francia vuole questo divorzio. Lo chiede ad alta voce. Non posso oppormi alla sua volontà.

Volta le spalle a Ortensia. Non riesce a guardarla.

— Niente mi farà cambiare idea, né lacrime né preghiere. Niente — martella.

Ascolta, immobile, la voce chiara e calma di Ortensia. Ricorda di quando l'ha conosciuta, bambina di appena tredici anni, della tenerezza che aveva per lei. Dell'affetto che continua a provare per questa donna, moglie di Luigi e sorella di Eugenio, l'uomo che considera un figlio, e che aveva solo quindici anni al momento del loro primo incontro. Questa è la sua seconda famiglia, da molti anni.

— Voi siete padrone di fare tutto quello che vi piacerà, Sire — dice Ortensia. — Non sarete ostacolato da nessuno. Se la vostra felicità lo esige, questo basta. Noi sapremo sacrificarci. Non siate sorpreso dalle lacrime di mia madre. Dovreste esserlo, al contrario, se dopo quindici anni di matrimonio non ne versasse.

Gli tornano alla mente tanti ricordi. Sente le lacrime agli occhi.

— Mia madre si sottometterà — aggiunge Ortensia. — Ne sono sicura, e noi ce ne andremo tutti, portando con noi il ricordo della vostra benevolenza.

Ma lui non può separarsi da loro. Vuole solo aggiungere qualcosa alla sua vita: una sposa regale, un erede del suo sangue. Però non vuole perdere né Ortensia né Eugenio né i loro figli né la loro fedeltà politica. E non vuol perdere nemmeno Giuseppina.

Sente le lacrime invadergli gli occhi, ha il singhiozzo in gola. Perché non capiscono la durezza delle scelte che si impone? Lo sforzo che deve fare per troncare? Perché gli rendono così difficile il compimento del suo destino? Perché non lo aiutano?

— Come, mi lascerete tutti? Mi abbandonerete così? — esclama. — Allora non mi amate più?

Non è possibile. Questo lui non lo accetta. Non è della sua felicità personale che si tratta, ma del suo destino e di quello della Francia.

— Compiangetemi, compiangetemi, piuttosto, poiché sono costretto a rinunciare ai miei affetti più cari — ripete.

Continua a singhiozzare. Percepisce l'emozione di Ortensia. Né lei né Eugenio si allontaneranno da lui.

Non si abbandona l'Imperatore dei Re. Lui impone le sue scelte.

30

C'è anche Giuseppina. Napoleone ha voluto che fosse presente, che avanzasse accanto a lui nella navata di Notre-Dame, quella domenica 3 dicembre 1809. Lei è ancora l'imperatrice.

Le campane risuonano sotto le volte. I cannoni tuonano. Il *Te Deum* celebra la vittoria di Wagram e la pace di Vienna.

"I miei re, i miei marescialli, i miei generali e i miei ministri sono tutti radunati intorno a me. Sento le acclamazioni della folla. Tra poco vedrò le truppe schierate davanti alla cattedrale e salirò sulla carrozza, quella dell'incoronazione."

Giuseppina è accanto a lui. Come in passato. Come nel giorno dell'incoronazione. Si sforza di sorridere. Affronta tutti quegli sguardi. Ormai tutti sanno. Fouché ha fatto diffondere la notizia nei salotti, nelle taverne, dappertutto, per preparare l'opinione pubblica: l'imperatore divorzia. L'imperatore vuole sposare un ventre. L'imperatore vuole un figlio.

"Conosco la crudeltà, la bassezza, la vigliaccheria di quegli sguardi. Giuseppina nasconde sotto il velo le palpebre gonfie e gli occhi arrossati. E tutti quanti godono della sua sofferenza.

"Però la sua tristezza e la sua disperazione mi risultano insopportabili. È come se fossero il prezzo della mia vittoria. Quando la vedo, il dolore mi opprime. Mi vengono le lacrime agli occhi. Deve sempre morire qualcuno perché io trionfi?"

Pensa al corpo straziato del maresciallo Lannes sul campo di battaglia di Essling. Guarda Giuseppina. L'imperatrice è come un soldato che affronta coraggiosamente il suo dovere.

È seduta vicino a lui nell'ampia sala delle Vittorie dell'hotel de Ville, durante il banchetto in onore dei re. È nel palco del Corpo legislativo quando, martedì 5 dicembre, l'imperatore sale sulla tribuna. Comincia a parlare. Le parole lo trascinano, e non la vede più:

Francesi,
   voi avete la forza e l'energia dell'Ercole degli antichi! In tre mesi si è vista nascere e tramontare questa quarta guerra punica... Quando mi affaccerò al di là dei Pirenei, il leopardo si spaventerà e cercherà di raggiungere l'Oceano per evitare la vergogna, la disfatta e la morte. Il trionfo delle mie armate sarà il trionfo del genio del bene su quello del male; della moderazione, dell'ordine, della morale sulla guerra civile, l'anarchia e le passioni malvagie.

Tutti lo acclamano.
Prende la mano di Giuseppina. Dopo la luce del trionfo, il dolore della ferita. Lei ritornerà alla Malmaison. Prima di lasciarla, lui le sussurra:
— Desidero saperti allegra. Verrò a trovarti in settimana.

Lei non è più con lui, e Napoleone già soffre per la sua assenza. Era nella sua vita da tanto di quel tempo!
Lavora per scacciarla dalla mente. Adesso che il divorzio è deciso, che sa che il futuro gli porterà un figlio...
Si interrompe. Maria Walewska gli ha scritto dal castello di Walewice. La gravidanza prosegue. Il figlio nascerà in primavera, in aprile o in maggio. Lo sente già muoversi, dice. Ed è sicura che sarà un maschio.
Un figlio...
Quando avrà finalmente un figlio legittimo, l'Impero che gli lascerà dovrà appartenere a uno solo.
— Voglio annettere l'Olanda, voglio che diventi francese — decide. — Parigi sarà la capitale spirituale dell'Impero, la capitale del figlio che mi nascerà. Roma sarà la seconda città dell'Impero,

città francese, e mio figlio sarà re di Roma. Tutte le istituzioni della Chiesa e i suoi archivi, tutto verrà trasferito a Parigi. E il papa sarà spogliato del potere temporale.

Vede già questo grande Impero che si estende dall'Olanda alla Catalogna. — Tra poco scenderò in Spagna — confida a Berthier.

E non sarà certo per Giuseppe che combatterà, ma per se stesso, per quel figlio che dovrà regnare anche a nord dell'Ebro, come regnerà a Roma. E intorno all'Impero, come un'immensa fascia protettiva, verranno ad agglomerarsi gli Stati della Confederazione del Reno, i regni di Napoli, di Spagna e, più a est, il Granducato di Varsavia.

Le ore passano. Cammina nello studio, detta il decreto dell'annessione di Roma alla Francia, scrive ai generali che comandano le truppe in Spagna.

Ha bisogno di quel figlio perché, una buona volta, tutti gli sforzi compiuti, tutte le vittorie riportate abbiano un senso e cambino i destini dell'Europa.

Quel figlio sarà, con lui, e grazie a lui, la pietra angolare di un Impero d'Occidente.

"Dopo di me, tutto dipenderà da cosa sarà lui, quel figlio di cui non conosco ancora la madre. Ma sarà lui a coronare questo romanzo che è la mia vita. Io prenderò il mio posto in una lunga catena di cui sono l'ultimo anello prima di lui, il figlio che mi deve nascere.

"Penso alla lunga serie di re e di imperatori che lo hanno preceduto."

— Io mi sento solidale con tutti — dice. — Da Clodoveo al Comitato di salute pubblica.

"E non voglio che questa catena si spezzi dopo di me. Divorzio per poterla prolungare."

È nervoso, esaltato. Questi sogni a occhi aperti lo ossessionano. Non vuole passare il resto della notte da solo.

Ordina a Constant di andare a cercare, a casa della principessa Borghese, quella damigella d'onore piemontese bionda e allegra, piccola e grassottella, madame Christine de Mathis.

Si sveglia di colpo. Esce da un sogno e dalla notte. Tutto è stato detto, ma niente è stato sistemato. Né il divorzio né il matrimonio. È come una battaglia iniziata, nella quale non si è concluso ancora nulla.

Forse Giuseppina spera ancora? Gli lancia a volte degli sguardi insistenti in cui si legge una sorta di attesa, come se l'imperatrice si aspettasse un gesto, una parola che potesse dissipare il suo incubo. E lui si trattiene dal mostrarle testimonianze di affetto, perché sente che Giuseppina si aggrappa a lui per farlo ripiombare nel loro passato, nei ricordi comuni.

E questo lui proprio non lo vuole. Ma, a ogni istante, deve lottare contro se stesso, controllare le proprie emozioni quando riceve Eugenio, appena arrivato dall'Italia. Ama i figli di Ortensia. E ama Eugenio. Lo ha visto diventare uomo, soldato, in Egitto, in Italia, in Germania. Lo ascolta dire:

— Per noi è meglio lasciare tutto. Avremmo sempre una posizione falsa a corte, e mia madre finirebbe probabilmente per infastidirvi. Designate per noi un posto dove possiamo, lontani dalla corte e dagli intrighi, aiutare nostra madre a sopportare il suo dolore.

Napoleone scuote la testa. Lo ha già detto a Ortensia, non può accettare una cosa simile. Non sopporterebbe questa ferita. Non ne vede la necessità.

"Non possono aiutarmi in questo compito?"

Si avvicina a Eugenio. Ha fatto di questo ragazzo di quindici anni un viceré d'Italia.

— Eugenio — gli dice — se vi sono stato d'aiuto nella vita, se vi ho fatto da padre, non abbandonatemi. Ho bisogno di voi. Vostra sorella non può lasciarmi. Ha dei doveri nei confronti dei suoi figli, i miei nipoti. Neanche vostra madre desidera una cosa del genere.

Afferra Eugenio per le spalle. Deve convincerlo.

— Con tutte le vostre idee esagerate mi renderete infelice. Dirò di più, dovete pensare alla posterità. Restate a corte se non volete che si dica: l'imperatrice fu ripudiata, abbandonata. Probabilmente lo meritava.

Sente che Eugenio è scosso. Anche nelle tempeste di emozioni occorre lottare per vincere.

— Non è ancora un bel ruolo quello che vostra madre può svolgere al mio fianco? — riprende Napoleone. — Che possa conservare il suo rango e la sua dignità, dimostrare che si tratta di una separazione esclusivamente di carattere politico, che è stata lei a volerla? Di conquistare così nuovi titoli per godere della stima, del rispetto e dell'amore della nazione per la quale si sacrifica?

Ha vinto. Stringe al petto Eugenio, vuole che si rechi da sua madre, le faccia intendere ragione e la convinca ad acconsentire alla separazione.

Venerdì 18 dicembre. Durante la mattinata, sono riuniti tutti e tre. Giuseppina, in presenza del figlio, parla con calma. Napoleone la osserva. Lei ha ritrovato quell'espressione astuta in cui si mescolano desiderio e avidità. Napoleone sta in guardia.

— La felicità della Francia mi è troppo cara perché non mi senta in dovere di sacrificarmi — dice Giuseppina.

La vede prendere la mano di Eugenio.

Lei vuole, continua con voce improvvisamente tagliente, che Napoleone trasmetta la corona d'Italia a Eugenio.

"È questo il prezzo che vuol farmi pagare? Anche nel dolore resta quella che è sempre stata: una furba, un'avida."

Eugenio si alza di scatto.

— Vostro figlio non ne vuol sapere di una corona acquistata al prezzo della vostra separazione — grida rivolgendosi a Giuseppina.

"Il figlio è molto meglio della madre."

Napoleone lo abbraccia.

— Riconosco il buon cuore di Eugenio — dice. — Ha ragione ad appellarsi alla mia tenerezza.

"Ma sarà il figlio che deve ancora nascermi a diventare re di Roma, l'ho già deciso."

Alla fine Giuseppina ha accettato.

Adesso bisogna battersi sull'altro fronte e scegliere la sposa. Convoca Champagny, il ministro degli Esteri. È urgente sapere quali sono le vere intenzioni dello zar Alessandro. Intende concedergli la mano di sua sorella Anna o no? O continua a tergiversare? Occorre una risposta rapida. Quando vedrà lo zar, l'ambasciatore Caulaincourt dovrà fargli capire che a Parigi non si attribuisce alcuna importanza alle condizioni, nemmeno a quelle religiose. Sono dei figli che si vogliono, dunque, un ventre fecondo. E una risposta senza tergiversamenti. In caso contrario, ci si rivolgerà altrove, forse a Vienna.

È felice del movimento che comincia. Ha dato finalmente il via.

Si reca alla grande festa offerta dal maresciallo Berthier nel suo castello di Grosbois. Va a caccia in compagnia dei "suoi" re, quelli di Napoli, del Württemberg, di Sassonia. Lui è l'imperatore di tutti loro. Alcuni sono suoi fratelli di sangue, il re d'Olanda e quello di Vestfalia. È lui che ha reso possibile tutto ciò. E presto potrà fare ancora di più per suo figlio.

D'improvviso vede avanzare Giuseppina. Non era attesa. Si siede nella sala dove gli attori si preparano a recitare *Cadet Rousselle*, la commedia che trionfa a Parigi.

Napoleone non la conosce. Ascolta e guarda distrattamente la scena quando, di colpo, alcune battute lo fanno sussultare. L'attore ripete:

"Bisogna divorziare per avere dei discendenti o degli antenati."

Chi ha scelto lo spettacolo? Napoleone segue con attenzione quella commedia piena di allusioni. Sente freddo e vergogna.

Alla fine della rappresentazione si avvicina a Giuseppina, le porge il braccio, cammina a passi lenti con lei in mezzo agli invitati. Si ferma davanti a Ortensia e a Eugenio. Li abbraccia e fa abbassare gli occhi ai dignitari che li circondano. Accompagna personalmente l'imperatrice alla sua carrozza.

Non intende più sopportare questa situazione falsa. Non vuole infliggere a se stesso e provocare agli altri sofferenze e umiliazioni inutili.

Adesso che Giuseppina ha accettato, è indispensabile troncare di netto e pubblicamente. Niente cancrena, ma una decisa amputazione.

Incontra il prudente Cambacérès, esperto giurista e devoto servitore. Domani, 15 dicembre, un senatoconsulto promulgherà lo scioglimento del matrimonio. L'imperatrice conserverà i titoli e il rango di imperatrice madre, e la sua dotazione sarà fissata in una rendita annuale di due milioni di franchi che verranno pagati dal tesoro di Stato.

Napoleone fissa Cambacérès. Con un cenno lo invita a non esprimere giudizi.

Naturalmente, lascerà a Giuseppina la Malmaison. Le accorderà anche un altro castello, lontano da Parigi, dal momento che lei non può restare all'Eliseo. La sua presenza potrebbe essere imbarazzante per entrambi. Perché non il castello di Navarra, nei pressi di Évreux?

"Cambacérès tace. Che pensa? In ogni caso non mi importa."

Occorre poi aggiungere che gli eventuali provvedimenti dell'imperatore a favore dell'imperatrice Giuseppina, detratti dal fondo a sua disposizione, saranno obbligatori per i suoi successori.

Non sono generoso?

Non vuole risposte. Vuole che oggi stesso, giovedì 14 dicembre, alle nove di sera, la famiglia imperiale si riunisca qui, nello studio dell'imperatore, per prendere conoscenza delle decisioni dei due sposi e del provvedimento del senatoconsulto.

China il capo. D'improvviso è preso dall'inquietudine. Sta per varcare senza possibilità di ritorno la frontiera tra due parti della sua vita. Vuole questo passaggio, ma si sente nervoso.

Rimane solo per gran parte della giornata. Va a caccia nel bosco di Vincennes, galoppa finché il suo fisico non cede.

Quando rientra, scorge nella sala del trono i re e le regine, i marescialli e i dignitari nei loro abbigliamenti di gala. Le donne portano collane e diademi, i sovrani grandi cordoni dei vari ordini.

C'è anche sua madre, *madame Mère*, scura e magra, che non può dissimulare la sua gioia, come del resto le sue figlie, *le mie care sorelline*. Finalmente hanno avuto quel che volevano da tanto tempo, il divorzio. Non hanno mai accettato Giuseppina, l'hanno sempre attaccata, criticata, perseguitata, derisa.

Rientrato nei suoi appartamenti, si fa vestire in fretta da Constant con l'uniforme di colonnello della Guardia; poi passa nello studio, si siede allo scrittoio e fa aprire le porte.

Vede avanzare per prima Giuseppina. Indossa un vestito bianco. Non ha gioielli. È commovente come una vittima pronta per il sacrificio.

Non la guarda, si alza nel momento in cui entrano a loro volta, dopo i membri della famiglia imperiale, Cambacérès e Regnaud de Saint-Jean-d'Angély, segretario della casa imperiale.

Napoleone comincia a leggere il testo che lui stesso ha dettato, dopo aver respinto il discorso ufficiale preparato dal suo capo di gabinetto, Maret.

"La politica della mia monarchia, gli interessi e le esigenze dei miei popoli, che hanno costantemente guidato tutte le mie azioni, vogliono che, dopo di me, io lasci a dei figli che ereditino il mio amore per i miei popoli questo trono su cui mi ha posto la Provvidenza."

Solleva la testa e osserva Giuseppina, il cui volto sembra ancora più bianco del vestito.

— Tuttavia, da parecchi anni ho perso la speranza di avere dei figli dal matrimonio con la mia amatissima sposa, l'imperatrice Giuseppina.

Emette un lungo sospiro, poi conclude con voce sorda:

— Ciò mi spinge a sacrificare gli affetti più dolci del mio cuore, ad ascoltare soltanto il bene dello Stato e a volere lo scioglimento del nostro matrimonio.

Finalmente ha pronunciato le parole decisive. La sua voce si rafforza. Fissa, gli uni dopo gli altri, sua madre, le sue sorelle, i suoi dignitari.

— Arrivato all'età di quarant'anni, posso concepire la speranza di vivere abbastanza a lungo per allevare, secondo il mio modo di vedere e le mie concezioni, i figli che alla Provvidenza piacerà donarmi. Dio sa quanto sia costata al mio cuore una decisione del genere, ma non c'è sacrificio che sia al di sopra del mio coraggio, quando mi viene dimostrato che serve per il bene della Francia.

Si volta verso Giuseppina. Lei non deve dubitare dei suoi sentimenti, afferma.

— Non posso che lodare l'attaccamento e la tenerezza della mia amata sposa... e voglio che mi consideri sempre il suo migliore e più caro amico.

Amico. Questa parola è come una pugnalata che dà a se stesso e, contemporaneamente, a Giuseppina.

Amico: ecco che cos'è diventato.

Si ricorda delle lettere che scriveva a Giuseppina durante la campagna d'Italia. Non la guarda più.

Lei comincia una frase, poi i singhiozzi la soffocano, ed è Regnaud a leggere il suo consenso al divorzio.

Napoleone solleva il capo solo quando gli presentano il documento. Calca la penna, sottolinea la sua firma con un lungo tratto. E vede la mano di Giuseppina scrivere sotto quel tratto, lentamente, il suo nome, a piccoli caratteri infantili. Volta la testa. Sente lo scricchiolio della penna. Quando cala il silenzio nella stanza, si avvicina a Giuseppina, l'abbraccia, la bacia e la riaccompagna con Ortensia ed Eugenio verso i suoi appartamenti.

Finalmente è tutto finito. Non assiste al Consiglio che approverà il testo del senatoconsulto che sarà votato dal Senato. Poi basterà far dichiarare la nullità del vincolo religioso da una commissione ecclesiastica i cui membri verranno scelti accuratamente e si sottometteranno ai voleri del sovrano. È sicuro, quel 14 dicembre 1809, di ottenere quel che vuole, anche se qualcuno contesterà la legalità della procedura.

Ce l'ha fatta. Si è separato da ciò che lo legava ancora al passato, agli esordi della sua ascesa.

Si siede sul letto. Ha reciso tutti i legami con la sua giovinezza. È una cosa che ha desiderato. Ma non prova alcuna gioia. Questo divorzio lo ha voluto per restare fedele al suo destino. Ma è ancora fedele alle sue origini?

Si corica. La porta si apre. Entra Giuseppina. Avanza lenta verso il letto. Lui la stringe al petto.

— Coraggio, coraggio — mormora.

La tiene contro di sé mentre lei piange; poi chiama Constant perché la riaccompagni.

Triste notte.

La mattina dopo, quando si alza, si sente privo di energia. Si lascia vestire sollevando lentamente le braccia. Il corpo è tutto dolorante. In bocca ha quel sapore acre di bile. Gli fa male lo stomaco.

Chiama Méneval, ma non riesce a dettare. È spossato. Si lascia cadere su un divanetto. Ha l'impressione che il suo corpo sia pesante. Resta immobile, la testa appoggiata alla mano, la fronte madida di sudore.

Si alza di scatto quando un aiutante di campo gli annuncia che le carrozze dell'imperatrice sono pronte per partire alla volta della Malmaison.

È l'ultima prova.

Scende in fretta per la scaletta buia. E la vede, sconvolta. La stringe a sé, l'abbraccia, poi sente che gli si abbandona tra le braccia. È svenuta. La porta fino a un divano.

Lei apre gli occhi, tende le braccia. Ma lui si allontana. Cos'altro può dire? Cosa può fare? Ormai ha scelto.

Chiama il gran ciambellano. Non intende più restare alle Tuileries. Per qualche giorno si trasferirà al Trianon.

Deve vivere.

Sale sulla sua carrozza. Ordina di comunicare alla principessa Borghese di raggiungerlo con la sua damigella d'onore, Christine de Mathis.

Vivere è anche una scelta della volontà.

31

È passato solo un giorno da quando è al Trianon, e già la solitudine gli pesa. Quel mese di dicembre e quell'anno 1809 non finiscono mai.

Sente le risate di Paolina Borghese e delle sue damigelle d'onore. Non le sopporta. Esce nel parco. Gli sembra di non riuscire più a ritrovare la sua energia.

Rimanda indietro Méneval e gli aiutanti di campo. Fa sellare il suo cavallo. Vuole andare a caccia. Percorre i boschi di Versailles, la piana di Satory. Rientra bagnato fradicio per la pioggia battente, ma si sente meglio. Incontra Christine de Mathis. Cenerà con lei. Ma, appena seduto di fronte a quella giovane donna ciarliera che fa la vezzosa, si immalinconisce. Si ricorda di Giuseppina, della complicità che li univa. Si alza. Lascia Christine de Mathis.

E se, separandosi da Giuseppina, avesse attirato su di sé la cattiva sorte? Forse era lei la donna che gli permetteva di andare sempre avanti. Sarà tranquillo solo quando saprà che vive tranquillamente, quasi allegramente, quel divorzio.

Vuole rivederla. Sono solo poche ore che se ne è andata, e già ha bisogno di lei. Deve persuadersi che è viva. Di colpo ha paura che non sopporti la separazione, che ne possa morire.

Si reca alla Malmaison e la vede: cammina sola nel parco. Giuseppina si volta, lo vede, corre verso di lui come una donna smarrita. La sorregge, l'accompagna nei viali. Lei finalmente si calma.

No, non può rimpiangere quel divorzio. Giuseppina è il suo passato. E il passato è dietro di lui. Non si piange sul passato. Non si cerca di farlo rivivere.

L'abbraccia e rientra al Trianon. E l'inquietudine lo riassale. È necessario che Giuseppina superi la prova. Che ferita per lui, e che smacco politico se lei dovesse soccombere! "L'imperatore egoista! L'imperatore ha ripudiato la sua vecchia sposa, che è deperita e poi è morta" diranno.

Le scrive:

Amica mia,

oggi ti ho trovato più debole di quanto dovresti essere... Non devi lasciarti andare a funeste malinconie, occorre che tu sia contenta e, soprattutto, che curi la tua salute, che per me è così preziosa. Se mi sei affezionata e se mi ami, devi essere forte e stare contenta. Non puoi mettere in dubbio la mia costante e tenera amicizia. Conosceresti assai male tutti i sentimenti che nutro per te, se supponessi che io potrei essere felice se tu non lo sei, e contento se tu non ti tranquillizzi.

Addio, amica mia, pensa che io lo voglio.

Napoleone

"Devo infonderle coraggio. Se va a fondo, vado a fondo anch'io. Il mio matrimonio sarebbe compromesso dallo scandalo e dall'eco della sua morte o anche semplicemente della sua disperazione.

"Non può, non deve lasciarsi andare. Ho bisogno della sua vita, ho bisogno che sia felice."

Ripete fra sé la frase che lei gli ha mormorato con voce calma nel parco della Malmaison.

"A volte mi sembra di essere morta, e che mi resti solo una specie di vaga facoltà di sentire che non ci sono più."

Riceve da lei lettere che esalano tutte la stessa disperazione e la stessa prostrazione.

Non può volergliene. Si è sottomessa. L'irritazione però comincia a roderlo. Non le ha imposto quella sofferenza per niente.

Convoca Champagny. Abbiamo una risposta dello zar?

"Vuole che sposi sua sorella Anna o no? Le sue scuse non valgono niente! La madre di Anna sarebbe reticente? Pretesti, solo pretesti. Allora bisogna rivolgersi all'Austria. Champagny deve discuterne con il nuovo ambasciatore di Vienna a Parigi, il principe Karl Schwarzenberg, un condottiero di valore che ha salvato i suoi uomini a Ulma e ha combattuto a Wagram. È necessario sapere se Francesco I è disposto a cedere sua figlia Maria Luisa. A me, il corso, l'Attila, l'Anticristo: non è così che mi chiamano le giovani duchesse a Vienna?"

Si spazientisce. Deve avere una risposta immediata, annodare in fretta il legame di un matrimonio. Chi può essere sicuro del futuro?

Pensa a Giuseppina. L'inquietudine, d'improvviso, è talmente forte che abbandona tutto e va a caccia di cervi, lanciandosi al galoppo finché il cavallo è spossato. Rientra di notte, ma il Trianon, malgrado la presenza degli ufficiali della sua corte e dei domestici, è freddo e gli sembra deserto.

Convoca il generale Savary. Gli ordina di recarsi alla Malmaison, di farsi ricevere da Giuseppina e di tornare subito a riferire dello stato di salute dell'imperatrice.

Savary è tornato con una lettera di Giuseppina. L'imperatrice è abbattuta, esordisce. Napoleone lo ascolta con impazienza, legge la lettera, poi incomincia a scriverle:

Cara amica,
  ho ricevuto la tua lettera. Savary mi dice che piangi in continuazione: così non va affatto bene... Verrò a visitarti quando mi diranno che sei ragionevole, che il tuo coraggio ha preso il sopravvento.
  Domani, per tutta la giornata, ho qui i ministri.
  Addio, cara amica, anch'io oggi sono triste. Ho bisogno di sapere che sei calma e che ti stai riprendendo. Dormi bene.

                                                              Napoleone

Cosa può fare per costringerla a vivere, a risollevarsi? Vederla!

"Ho voglia di vederti, ma devo essere sicuro che sei forte e non debole; io sono così poco forte, e questo mi fa un male spaventoso."

Lunedì 25 dicembre la invita a pranzo al Trianon, ma appena la vede entrare, già rimpiange di averlo fatto. Giuseppina ha sempre quell'aria abbattuta da vittima che lui non sopporta più. Si sente incapace di parlare, seduto di fronte a lei, con alla destra la regina Ortensia e Carolina, regina di Napoli.

In certi momenti china il capo perché le lacrime gli inumidiscono gli occhi.

È stato lui a volerlo. È stato lui a scegliere.

Non ci saranno altri pranzi con Giuseppina.

Il giorno dopo lascia il Trianon per rientrare alle Tuileries. Percorre le gallerie, attraversa il salotto dove si riuniva la cerchia dell'imperatrice.

Quel palazzo, senza sposa, senza donne, è morto.

Si sente isolato. Non riesce a trattenersi dallo scriverle ancora:

> Mi sono sentito molto a disagio tornando alle Tuileries. Eugenio mi ha detto che ieri sei stata triste tutto il giorno: così non va, cara amica, è il contrario di quello che mi avevi promesso.
>
> Stasera cenerò da solo.
>
> Addio, cara amica e cerca di stare bene.

L'ultimo giorno dell'anno 1809 è una domenica. L'imperatore si reca all'arco di trionfo del Carrousel per assistere alla parata della Vecchia Guardia, che sfila acclamata dalla folla.

Alle tre del pomeriggio rientra alle Tuileries. Il sole di quel 31 dicembre illumina le stanze.

Si siede al suo tavolo di lavoro. Scriverà ad Alessandro di Russia.

"Bisogna assolutamente che nei prossimi giorni io sappia quale ventre, austriaco o russo, porterà mio figlio."

Detta la lettera con voce secca:

"Lascio a Vostra Maestà giudicare chi usa maggiormente il linguaggio dell'alleanza e dell'amicizia tra Voi e me. Cominciare a defilarsi significa aver già dimenticato Erfurt e Tilsit."

La frase è dura. Ma non intende cambiarla. Una confidenza riuscirà forse ad ammorbidire quell'asprezza.

"Mi sono un po' isolato" riprende Napoleone. "Sono davvero afflitto da ciò che gli interessi della mia dinastia mi hanno costretto a fare. Vostra Maestà conosce il profondo affetto che provo per l'imperatrice."

Firma.

"L'anno che sta per cominciare deve essere quello di un'altra vita, di un'altra donna, della mia massima gloria. Avrò quarantun'anni."

32

Napoleone legge la lettera che gli ha appena inviato Giuseppina. La sua ex moglie si sta riprendendo, checché ne dica. Non è più il divorzio a preoccuparla, ma lo stato dei suoi beni!

Annusa una presa di tabacco, cammina fino alla finestra. Da qualche giorno si sente meglio. L'inverno del 1810 è rigido, ma il cielo è luminoso. I giorni hanno già cominciato ad allungarsi.

Riprende la lettera di Giuseppina, la rilegge, si china e le scrive a sua volta qualche frase.

> Tu non hai fiducia in me. Tutte le chiacchiere che mettono in giro ti sconvolgono. Preferisci ascoltare le malelingue di una grande città piuttosto che quello che ti dico io. Non devi permettere che ti raccontino storie campate in aria per affliggerti.
>
> Ce l'ho con te, e se non mi comunicano che sei allegra e contenta, sarò costretto a rimproverarti con forza.
>
> Addio, cara amica.
>
> *Napoleone*

Giuseppina è diventata di nuovo quella che non aveva mai smesso di essere. Una donna che spende e canta come una cicala, ma che ha l'avidità prudente di una formica. E adesso che ha accettato il divorzio, è preoccupata solo di quanto contiene la sua cassa personale. Esaminiamola.

Oggi ho ricevuto Estève, il tesoriere principale della corona. Ho destinato 100.000 franchi per le spese straordinarie della Malmaison. Puoi quindi far piantare tutto quello che vorrai; utilizza la somma come meglio preferisci. Ho incaricato Estève di consegnarti altri 200.000 franchi. Ho dato disposizioni affinché sia pagata la tua parure di rubini che sarà valutata dall'intendenza, perché non voglio essere derubato dai gioiellieri. E così, i tuoi gioielli mi costano altri 400.000 franchi.

Ho ordinato che il milione che le casse statali ti devono per il 1810 sia a disposizione del tuo incaricato d'affari, per pagare i tuoi debiti.

Inoltre dovresti trovare nell'armadio della Malmaison 5-600.000 franchi. Prendili per rifarti l'argenteria e la biancheria con il tuo nome.

Ho anche disposto che ti preparino un bellissimo servizio di porcellana. Si atterranno ai tuoi ordini perché riesca molto bello.

Napoleone

Rilegge questa lettera infarcita di conti. È come l'articolo di un trattato di pace. La battaglia ormai si è svolta. Ora si tratta di stabilire i tributi. Ma qui è il vincitore che paga quelli del vinto.

"È il prezzo della mia libertà e della mia tranquillità. Ho fatto quel che dovevo. Per lei, per me."

Si siede allo scrittoio. I bollettini di polizia che Fouché gli comunica ripetono instancabilmente lo stesso ritornello: quello che cantano le persone che appartengono al "partito di quelli che hanno votato la morte del re". Li conosce bene. Fouché, Cambacérès e, dietro a loro, tutti quelli che sono usciti dai ranghi della Rivoluzione, Murat e parecchi marescialli.

"Sono stati regicidi. Hanno visto la testa di Luigi XVI rotolare nella segatura. Non vogliono che sposi un'austriaca, nipote di Maria Antonietta, che farebbe di me il nipote acquisito di Luigi Capeto!

"Luigi XVI, mio zio!"

Legge il bollettino di polizia: "Mentre tutte le fazioni sono impegnate nelle faccende politiche e negli intrighi, la popolazione di Parigi si preoccupa solo dell'aumento dei prezzi; comunque, manifesta una forte prevenzione contro la principessa austriaca".

"Ho forse altra scelta?

"Secondo Caulaincourt, lo zar si sottrae. Mentre Metternich a Vienna e l'ambasciatore Schwarzenberg a Parigi parlano chiaro.

"Posso aspettare il beneplacito dello zar? E del resto, che fiducia si può avere in una corte dove un figlio fa strangolare il padre e dove un cambio di sovrano comporta un rovesciamento delle alleanze? Mentre a Vienna gli imperatori passano, ma la politica del governo rimane sempre la stessa."

Esita. È come all'inizio di una battaglia, quando bisogna scegliere se lanciare gli squadroni sull'ala sinistra o sull'ala destra.

Lunedì 29 gennaio Napoleone decide di riunire alle Tuileries un Consiglio privato.

Prende posto sulla pedana di fronte a quell'assemblea variopinta. Alla sua sinistra ci sono i presidenti del Senato e del Corpo legislativo, i ministri, suo zio il cardinale Fesch, arcivescovo di Parigi, i grandi ufficiali dell'Impero, e alla sua destra i re e le regine. Murat è in prima fila, seduto accanto a Eugenio. Fouché si è seduto lontano da Talleyrand, "il Livido".

"Prima ancora che parlino, intuisco già le loro opinioni."

— Posso sposare una principessa russa, austriaca, della Sassonia, di una delle case regnanti della Germania, o anche una francese — esordisce Napoleone.

"Sono tutti attenti, le facce rivolte verso di me."

— Spetta solo a me designare quella che passerà per prima sotto l'arco di trionfo per entrare a Parigi — aggiunge.

Fa un gesto con la mano. Che ciascuno esprima il proprio parere.

È Lebrun che osa parlare per primo. L'arcitesoriere, comunque, ha scelto la prudenza. Lui preferirebbe una principessa sassone. Murat, furibondo, dice quello che l'imperatore si aspettava che dicesse: l'austriaca ricorderebbe Maria Antonietta, la nazione la detestava, un riavvicinamento con l'Ancien Régime allontanerebbe coloro che sono fedeli all'Impero senza conquistare i nobili del faubourg Saint-Germain. In conclusione, secondo Murat deve sposare una principessa russa.

Murat ha parlato chiaro. Eugenio, invece, è favorevole all'austriaca. Ed ecco Talleyrand il venale, il "Livido", che approva Eugenio con la sua voce calma: — Per assolvere la Francia agli occhi dell'Europa e ai suoi propri occhi di un delitto che non era davvero suo e che appartiene a una sola fazione — afferma — bisogna sposare un'Asburgo. — E Fontanes, il rettore dell'università, rincara: — L'unione di Vostra Maestà con una figlia della casa d'Austria sarà un atto espiatorio da parte della Francia.

"Che parlino. Immaginino pure che la Francia deve espiare, se ciò mi permetterà di far accettare finalmente il mio Impero, la mia dinastia, la mia nobiltà imperiale a coloro che continuano a influenzare una parte dell'Europa.

"Ho la missione di governare l'Occidente, l'ho scritto a quel papa che è dominato dall'orgoglio e dai fasti del mondo, e se per compiere il mio destino devo sposare un'austriaca, diventando il nipote di Luigi XVI, perché no?

"Una Asburgo nel mio letto, una discendente di Carlo V e di Luigi XIV, quale miglior ventre per mio figlio? Una garanzia per il futuro! Quanto a me, io so bene che niente mi cambierà. Io non sarò mai un Luigi XVI."

Napoleone si china, sussurra qualcosa a Cambacérès, seduto accanto a lui in qualità di arcicancelliere:

— Sono tutti felici del mio matrimonio, a quanto pare! Capisco... credono che il vecchio leone si addormenterà? Be', si sbagliano.

Scuote la testa.

Il sonno, riprende, mi sarebbe altrettanto gradito come a chiunque altro! Ma non vedete che, benché in apparenza io attacchi in continuazione, in realtà sono sempre impegnato a difendermi?

Di colpo, scorge Fouché che si allontana senza aver preso la parola. Prudente e abile Fouché. Partigiano, come tutti i regicidi, del matrimonio con una russa. Ma preferisce non aprire bocca. Eppure, dovrebbe sapere che in lizza resta solo l'austriaca.

Napoleone conclude: è necessario che Eugenio si incontri con il principe Karl Schwarzenberg e ottenga così da lui una risposta immediata riguardo a quella giovane arciduchessa diciottenne, Maria Luisa.

Per la prima volta, Napoleone si interroga: è bella?

Finora gli hanno parlato soltanto della sua età e della sua educazione. Adesso vuole saperne di più.

La seduta del Consiglio privato si conclude. Sente Lacuée, il ministro della Guerra, dire ad alta voce:

— L'Austria non è più una grande potenza.

Napoleone si alza.

— Si vede, monsieur, che non eravate a Wagram! — dichiara sprezzante.

"Cosa sanno delle realtà del mondo? Del gioco che devo condurre? Lo zar tergiversa perché non osa rifiutarmi apertamente sua sorella. Io scelgo Maria Luisa, ma non intendo rompere con Alessandro I. Come prima cosa, occorre almeno essere sicuri della risposta austriaca. Non è detto che Schwarzenberg disponga di pieni poteri per impegnare Vienna senza consultare il suo imperatore e Metternich!"

Martedì 6 febbraio Eugenio ritorna dall'ambasciata austriaca.

Napoleone lo scruta. Eugenio non lascia trasparire niente della risposta di Schwarzenberg. Napoleone interrompe il lungo racconto del colloquio con l'ambasciatore. Sì o no? domanda.

Sì, dice Eugenio.

Allora è fatta. Napoleone gesticola. Scoppia a ridere. Cammina avanti e indietro a grandi passi nello studio. Stringe i pugni.

"Li ho tutti in pugno. Mi hanno dato la loro arciduchessa. Adesso è mia."

Convoca Berthier e Champagny. Il contratto di matrimonio deve essere stilato subito. È assolutamente indispensabile che tutto sia sistemato in pochi giorni. Verranno firmati un contratto qui, a Parigi, e un altro a Vienna, dove si celebrerà un matrimonio per procura. Berthier rappresenterà l'imperatore.

Voglio che lei sia qui prima della fine di marzo, e il matrimonio ufficiale sarà celebrato nei primi giorni di aprile.

Si rivolge a Champagny.

— Presentatevi domani, al mio risveglio. Portatemi il contratto di matrimonio di Luigi XVI e la cronistoria dell'evento.

Lui si situa nella continuità dei regni, da Clodoveo al Comitato di salute pubblica. È il nipote di Luigi XVI.

— Scrivete questa sera stessa al principe Schwarzenberg, fissando un appuntamento per domani a mezzogiorno.

Trattiene Champagny nel momento in cui il ministro sta per allontanarsi. Adesso che si è sicuri del matrimonio austriaco, bisogna liberarsi dall'impegno con Alessandro I.

Napoleone annusa una presa di tabacco. Gioisce. Bella manovra in due tempi, come una trappola tesa al nemico sul campo di battaglia. Fingerà di arrendersi agli argomenti sollevati dallo zar.

Non ha sostenuto che sua sorella Anna è troppo giovane? Bene, diamogli ragione.

Napoleone detta la lettera che Champagny invierà a Caulaincourt per Sua Maestà l'imperatore del Nord:

"La principessa Anna non ha ancora le mestruazioni, e siccome le ragazze possono restare fra i due e tre anni tra i primi segni della fine della pubertà e la maturità, per più di tre anni potrebbe non essere feconda."

È un periodo di tempo troppo lungo. E poi, come sottolinea lo zar, rimarrebbe l'ostacolo della questione religiosa.

Questa prima lettera ad Alessandro deve partire subito.

— Domani sera — conclude Napoleone — quando avrete apposto la vostra firma accanto a quella del principe Schwarzenberg, manderete un secondo corriere per comunicare allo zar che ho deciso di sposare l'austriaca.

Vuole, deve, vedere tutto, controllare tutto.

— Spediremo da Parigi il corredo e i regali di nozze. È inutile che facciano qualcosa a Vienna — dice all'ambasciatore francese in Austria, Otto.

Vuole vedere gli scialli, i mantelli di corte, le vestaglie, i berretti da notte, gli abiti, i gioielli, una vistosa parure di diamanti e numerosi brillanti.

Convoca gli artisti. Indica perfino come dovranno essere le scarpette dell'arciduchessa Maria Luisa.

Esige che Ortensia gli impartisca lezioni di ballo.

— È ora che diventi più mondano. La mia aria seria e severa non sarebbe certo gradita a una giovane fanciulla. Deve amare i piaceri della sua età. Andiamo, Ortensia, voi che siete la nostra Tersicore, insegnatemi a ballare il valzer.

Si sforza. Ma si sente maldestro, ridicolo. Abbandona il salotto.

— Lasciamo a ciascuna età quel che le spetta. Sono troppo vecchio. Del resto, non è certo nella danza che devo brillare.

La mattina si guarda a lungo allo specchio mentre Constant e Rustam si danno da fare intorno a lui. Ha già un po' di pancetta. I capelli sono diventati radi. Convoca Corvisart e, appena il medico varca la soglia, lo interroga senza neanche guardarlo.

Fino a che età un uomo può conservare la sua capacità di diventare padre? Sessanta, settant'anni?

È possibile, risponde prudentemente Corvisart.

Sarà così. Ma com'è questa austriaca? Possiede solo alcuni medaglioni e un disegno che raffigurano Maria Luisa. Desidera parlare agli ufficiali che l'hanno vista alla corte di Vienna. Le misure? La carnagione? Il colore dei capelli?

— Faccio fatica a strappar loro qualche parola — confida a Corvisart. — Ho la netta sensazione che mia moglie sia brutta, dato che tutti quei diavoli di giovanotti non sono stati capaci di dirmi che è graziosa. Qui sul disegno vedo che ha il labbro austriaco. Be', l'importante è che sia buona e mi faccia dei figli robusti...

Con un tratto di penna sottolinea i nomi di coloro che sono chiamati a costituire il seguito della futura imperatrice. Ci vuole gente della buona e vecchia nobiltà, e una casa sul modello di quella di Maria Antonietta.

"È così. Fouché può brontolare quanto vuole. Il tempo dei regicidi è finito. Io intendo riannodare tutti i fili."

Il 16 febbraio 1810, a Vienna, viene ratificato il contratto provvisorio di matrimonio. La cerimonia del matrimonio per procura si svolgerà, sempre a Vienna, l'11 marzo. Due giorni dopo Maria Luisa partirà. E il matrimonio sarà celebrato a Parigi il 1° aprile.

"Sono diventato il nipote di Luigi XVI, ma resto me stesso.

"Mio figlio nascerà dall'unione di tutte le dinastie, e io sono l'imperatore d'Occidente."

Tutto ormai è avviato. Pensa a Giuseppina. Ha fatto tutto quello che doveva per lei, ma non può permettere che la sua presenza sia come un'ombra troppo ingombrante. È necessario che si allontani da Parigi. Ordina di attrezzare con urgenza il castello di Navarra, vicino a Évreux. È lì che dovrà recarsi l'ex imperatrice. La Normandia non è un esilio.

Le scrive:

Cara amica,
spero che tu sia contenta di quello che ho fatto per il castello di Navarra. Così avrai una nuova testimonianza del desiderio che ho di esserti gradito.

Manda i tuoi a prendere possesso del castello. Potrai andarci il 25 marzo e trascorrervi il mese di aprile.

Addio cara amica.

Napoleone

"Aprile, il mese in cui si svolgerà il mio matrimonio. Giuseppina capirà."

Si chiude nello studio di Rambouillet. Intende scrivere la sua prima lettera a Maria Luisa. Fa preparare le penne e la carta da Méneval, poi incomincia. Strappa il foglio dopo poche righe. Deve stare attento alla grafia, renderla leggibile.

Prende il piccolo ritratto che vuole mandare all'arciduchessa. Glielo consegnerà Berthier.

Ricomincia a scrivere: "Amica mia, le brillanti qualità che distinguono la vostra persona ci hanno ispirato il desiderio di servirvi e di onorarvi".

Si interrompe. Ha la tentazione di rinunciare. Preferisce il passo di carica a questo balletto. Però riprende:

Rambouillet, 23 febbraio 1810

Rivolgendoci all'imperatore vostro padre, per pregarlo di affidarci la felicità di Vostra Altezza imperiale, possiamo sperare che gradirete i sentimenti che ci spingono a questo passo? Possiamo lusingarci che non vi siate spinta esclusivamente dal dovere dell'obbedienza ai vostri genitori? Per quanta poca parzialità i sentimenti di Vostra Altezza imperiale possano avere per noi, vogliamo coltivarli con così grande cura e prendere un così costante impegno di compiacervi in tutto, che ci lusinghiamo di riuscire un giorno a esservi graditi. È questo lo scopo al quale vogliamo arrivare e per il quale preghiamo Vostra Altezza di esserci favorevole.

E con questo, noi preghiamo Dio che vi abbia nella Sua santa e degna protezione.

Il vostro buon cugino

Napoleone

È questo che vuole. Non solo ottenerla perché è costretta a sottomettersi alla volontà del padre.

A lui è sempre piaciuto unicamente quello che ha preso, che ha conquistato.

33

Napoleone canticchia. È una domenica mattina, il 25 febbraio 1810. Tira l'orecchio a Constant che lo veste, poi scosta il cameriere. Si mette di fronte allo specchio per l'ennesima volta.

E così è entrato nel suo quarantunesimo anno! Ebbene, comincia soltanto adesso a vivere! Non si è mai sentito così libero, così sicuro di sé, così giovane. Ha finalmente concluso la scalata di quella scogliera ripida che è stata la sua vita fino a oggi. Le ultime settimane di dicembre sono state senza alcun dubbio le più tristi. Ha avuto la sensazione che non sarebbe mai riuscito a strapparsi al suo passato, che qualcosa si aggrappasse a lui per impedirgli di raggiungere la cima. E invece c'è arrivato. Non si volta indietro. Aspetta l'arrivo di questa Asburgo diciottenne, questa pulzella feconda nelle cui vene scorre il sangue delle antiche dinastie. Tra poco sarà nel suo letto.

Si sposta nello studio. Si siede. Se non si controllasse, le scriverebbe a ogni istante della giornata.

"Tutte le lettere che arrivano da Vienna" scrive lentamente controllando la mano per migliorare la calligrafia "parlano con grande ammirazione delle vostre qualità. La mia impazienza di essere vicino a Vostra Maestà è estrema. Se prestassi ascolto a me stesso, partirei a briglia sciolta e sarei ai vostri piedi prima ancora che si sapesse che ho lasciato Parigi."

Canta. Sogna. Potrebbe davvero galoppare fino a Vienna, sorprendere la corte d'Austria.

Riprende a scrivere:

Ma purtroppo non lo posso fare. Il maresciallo Berthier, principe di Neuchâtel, sarà ai vostri ordini durante il viaggio... Ho un solo pensiero, di sapere tutto quello che può riuscirvi gradito. La preoccupazione di piacervi, madame, sarà il più costante e il più dolce impegno della mia vita.

Napoleone

"È questo che non ho ancora conosciuto. Forse l'unica cosa che mi resta da scoprire. Una donna nuova, per la quale sarò il primo uomo. Una principessa figlia di imperatori. Una vergine che diventerà la madre di mio figlio.

"Quanta strada da quella *creatura* del Palais-Royal, quando non sapevo niente del corpo di una donna. Le altre, tutte quante, erano già esperte, scaltre. Una sola dolce, tranquillizzante: Maria. Ma anche lei era già stata tra le braccia di un uomo prima di me.

"Adesso aspetto una sposa per l'imperatore. Una donna del mio rango, che sarà solo mia, e porterà in grembo mio figlio, il futuro della mia dinastia.

"Presto scoprirò tutto questo."

Quando? Quando? Mette fretta a Constant. Perché occorre aspettare ancora un mese?

Sente di avere tanta energia, che a volte si stupisce della furia che lo spinge ad andare a caccia ogni giorno, a correre da un palazzo all'altro, dalle Tuileries a Saint-Cloud, da Compiègne a Rambouillet o a Fontainebleau.

Percorre a passo di carica le stanze. Si ferma. Via, bisogna togliere quei quadri che ricordano una disfatta austriaca. Gli appartamenti devono essere tappezzati con cachemire delle Indie. I mobili, tutti i mobili, verranno cambiati. Niente deve ricordare che qui è vissuta un'altra donna. Tutto deve essere nuovo per lei che è nuova.

Tenta di immaginare la loro vita in comune. Intende instaurare un'etichetta altrettanto rigida di quella della corte di Luigi XIV. Si volta verso il gran ciambellano, il conte di Montesquiou-Fezensac. Quattro donne, di nobili natali, monteranno la guardia intorno all'imperatrice. Non ci potrà mai essere un incontro riservato tra un uomo, chiunque esso sia, e Sua Maestà.

Si allontana borbottando.

— L'adulterio è una faccenda di divani — dice.

Sa cosa pensare della fedeltà. Togliamo gli uomini e i divani, e le spose resteranno fedeli!

Ma si conserva un posto solo se si convincono i suoi abitanti che si è il miglior principe. È necessario che Maria Luisa si affezioni a lui. È necessario che l'amore che deve avere per lui sia tale da farle provare solo il desiderio di vedere lui. Deve essere solo lui a occupare i suoi pensieri.

"Bisogna che il suo cuore sia pronto ad accogliermi, che sia già sottomesso."

Le scrive di continuo per agire su di lei, perché è tutto quel che può fare, per il momento, pur sapendo che si è già messa in viaggio, dopo il matrimonio per procura e le feste date in suo onore a Vienna. Ma quel corteo di cento carrozze impiegherà più di dieci giorni per arrivare a Parigi.

E sapere che lei si avvicina mentre lui sta ad aspettarla è ancora più insopportabile.

Le scrive:

10 marzo 1810

Spero che Vostra Maestà riceva questa lettera a Brunau e anche oltre. Conto i minuti, le giornate mi sembrano lunghe; sarà così fino al giorno in cui avrò la gioia di ricevervi... Credetemi, non c'è nessuno sulla terra che vi sia affezionato e voglia amarvi come me.

Napoleone

Di tanto in tanto scorge lo stupore sui volti dei suoi aiutanti di campo, del suo segretario, delle sue sorelle. Potrebbe accontentarsi, pensano certo tutti, essere soddisfatto di questo matrimonio politico. Ormai si è alleato con gli Asburgo. Come un Borbone. Questa unione rinsalda la rete che ha voluto tessere tra i membri della sua famiglia e le dinastie regnanti, quella del Württemberg per Gerolamo, della Baviera per Eugenio, di Paolina con il principe Borghese. È diventato il "fratello", il "cugino" di tutti quelli che siedono su un trono in Europa.

— Sono il nipote di Luigi XVI, il mio povero zio — mormora davanti al ministro degli Esteri, Champagny.

— Il principale mezzo di cui si servivano gli inglesi per riaccendere la guerra sul continente — prosegue — era di far credere che io avessi l'intenzione di detronizzare tutte le dinastie regnanti.

Annusa una presa di tabacco. Fa una smorfia di disgusto. Bisogna essere ciechi per pensare una cosa simile. Quello che lui ha sempre voluto era calmare quel mare agitato dalla Rivoluzione, di domarlo conservando quel che aveva fatto nascere, i suoi princìpi nuovi e, soprattutto, il codice civile. Ma bisogna anche contenerlo con i princìpi monarchici, l'Impero o questa alleanza con le dinastie.

— Domandare in matrimonio una duchessa d'Austria mi è parso il modo più saggio per calmare le inquietudini — riprende Napoleone. — Mai — insiste — siamo stati così vicini alla pace.

Con un gesto rapido allontana i dispacci che si sono accumulati sul suo scrittoio. Rimane la Spagna. Ma conta di andarci di persona, appena concluso il matrimonio. L'Italia, invece, è calma; il papa domato, ridotto a quello che deve essere, un vescovo spogliato di qualsiasi potere temporale. "Il suo regno non è di questo mondo." E per quanto riguarda la Chiesa di Francia, sarà gallicana, come sotto Luigi XIV.

Fa qualche passo, il viso gli si oscura d'improvviso. Resta il problema del bell'alleato del Nord, Alessandro I.

"Lo zar è caduto nella trappola che mi aveva voluto tendere."

Napoleone prende l'ultimo dispaccio di Caulaincourt. L'ambasciatore, mestamente, chiede di essere richiamato in Francia. Riferisce del malcontento alla corte russa.

— Trovo ridicole le lagnanze della Russia! — esclama Napoleone. — L'imperatore mi fa un torto se ritiene che vi sia stato un negoziato su due tavoli; sono troppo forte per una cosa del genere! Solo quando mi è apparso chiaro che l'imperatore non era padrone nella sua famiglia, che non si preoccupava delle promesse fatte a Erfurt, sono iniziati i negoziati con l'Austria. Negoziati che sono durati in tutto ventiquattr'ore, perché l'Austria aveva inviato tutte le autorizzazioni necessarie al proprio ministro affinché se ne servisse all'occasione.

Gli hanno consegnato Maria Luisa senza esitare.

Ma lui non si accontenta del corpo di una fanciulla. Vuole la sua mente, il suo cuore. E ha bisogno, per se stesso, di passione.

"Come si può vivere senza dedicarsi completamente, con slancio totale, a un progetto? Come fanno gli altri a non vivere nell'assoluto di un sogno?"

Pensa a queste cose mentre affatica il suo fisico nelle battute di caccia o partecipando alle feste.

Entra nel magnifico palazzo del conte Marescalchi, ambasciatore del re d'Italia, *io, Napoleone*, presso l'imperatore, *sempre io, Napoleone.*

Palazzo Marescalchi si trova all'angolo di avenue Montaigne con l'avenue des Champs-Elysées. È occupato da una folla di invitati in costume e in maschera. Tutti si scrutano per cercare di riconoscersi.

Napoleone si appoggia al braccio di Duroc. Di colpo, una sensazione strana, si sente soffocare. Si ritira in un salottino dove riconosce un ufficiale, il comandante di squadrone Marbot. Presto, dell'acqua fredda, domanda. Sta per svenire. Si bagna la fronte e la nuca. Una donna entra e si rivolge a Marbot.

— Bisogna proprio che parli all'imperatore. Deve assolutamente raddoppiare la mia pensione. So che cercano di rovinarmi raccontando che in gioventù ho avuto degli amanti! Perbacco! Basta ascoltare i discorsi di là tra un ballo e l'altro per capire che non c'è una coppia regolare, sono tutti con le loro amanti! D'altronde, le sorelle dell'imperatore non hanno i loro bravi amanti? E non ha delle amanti anche lui? Cosa viene a fare qui, se non per intrattenersi più liberamente con qualche bella donna?

Napoleone si alza. Passa davanti alla donna mascherata da pastorella, con una treccia bionda che le arriva fino ai talloni. Farà in modo che quella malalingua insolente venga allontanata da Parigi! Ci sono almeno una decina di bisbetiche nella capitale che continuano a spargere il loro veleno.

È vero che è venuto a palazzo Marescalchi anche perché sapeva che c'era Christine de Mathis. Ma questo genere di vita deve essere subito cancellato. Maria Luisa deve essere tenuta all'oscuro di tutti quei fatti. Non deve neanche pensare che è stato sposato con un'altra prima di lei.

Convoca Fouché.

"Monsieur il regicida fa la faccia triste. Secondo i suoi rapporti di polizia, il popolo continuerebbe a mormorare contro l'austriaca. E i suoi sbirri fanno sequestrare le opere che esaltano il ricordo di Maria Antonietta e della famiglia reale. Sono stato costretto a imporgli la creazione di sei prigioni di Stato. Ha mugugnato: Bastiglia! Detenzione arbitraria! Ma non devo forse difendermi contro gli assassini, gli avversari risoluti, decisi a tutto, anche ad assassinarmi?

"E adesso lui, proprio lui, che è stato un partigiano deciso del divorzio, permette che i giornali continuino a parlare di Giuseppina."

— Vi avevo detto di fare in modo che i giornali non parlassero più dell'imperatrice Giuseppina, e invece non fanno altro — esclama Napoleone afferrando il giornale aperto sullo scrittoio. — Anche oggi "Le Publiciste" parla solo di lei.

Volta le spalle a Fouché, un modo per congedarlo.

— Fate in modo che domani i giornali non riferiscano le notizie di "Le Publiciste".

Aspetta con impazienza che Fouché esca dallo studio. Rilegge i dispacci trasmessi dal telegrafo di Strasburgo. Annunciano che le cento carrozze e i quattrocentocinquanta cavalli che compongono il seguito di Maria Luisa sono arrivati a Sankt Pölten. La carrozza di Maria Luisa è tirata da otto cavalli bianchi. Carolina viaggia accanto alla nuova cognata.

A Vienna si sono verificati dei tumulti poco dopo la partenza di Maria Luisa, allorché è giunta la notizia dell'esecuzione di Andreas Hofer, il capo dell'insurrezione tirolese, da parte dei francesi.

Napoleone accartoccia il dispaccio. Desidera la pace, ma nessuno riuscirà a piegarlo. Niente però deve oscurare il suo matrimonio, compromettere le relazioni che vuole annodare con sua moglie.

Le scrive.

15 marzo 1810

A quest'ora siete partita da Vienna. Mi dispiace per i rimpianti che provate. Tutte le vostre pene sono anche le mie. Penso spesso a voi. Vorrei indovinare quello che può esservi gradito e conquistare il vostro cuore. Permettetemi, madame, di sperare che mi aiuterete a conquistarlo, ma tutto intero. Questa speranza mi è necessaria e mi rende felice.

Napoleone

Non può più aspettare. Cosa fa ancora alle Tuileries mentre dovrebbe essere accanto a Maria Luisa, visto che il matrimonio per procura è stato stipulato? Lei dovrebbe già trovarsi nel suo letto.

Il 20, un martedì, decide di lasciare Parigi per recarsi al castello di Compiègne. È là che Luigi XVI ha accolto Maria Antonietta.

"E io riceverò da imperatore Maria Luisa."

Vuole che tutta la corte sia a Compiègne con lui e che Ortensia e Paolina Borghese siano al suo fianco.

"Voglio che Paolina venga accompagnata da una damigella d'onore, Christine de Mathis. Perché no? Sono ancora solo, per il momento."

Ma stare a Compiègne non lo placa affatto.

Appena arriva Murat, lo trascina in lunghe battute di caccia. Sperona a sangue il suo cavallo. Vuole essere il primo nella corsa. La sua energia è inesauribile. Mette il piede a terra, mira, spara. D'improvviso si annoia, rientra al castello e scrive a Maria Luisa.

"Vengo da una bellissima battuta di caccia, eppure mi è parsa insipida. Tutto quello che non è voi non mi interessa più. Sento che non mi mancherà più niente quando vi avrò qui."

Vuole prenderla tutta, completamente. Che niente di lei, né il corpo, né la mente, né i sogni possa sfuggirgli.

Ha appena finito di scrivere a Maria Luisa, quel venerdì 23 marzo, che subito comincia un'altra lettera per lei. "L'imperatore non può essere contento e felice che per la felicità della sua Luisa" scrive.

Ha da poco finito anche questa lettera quando arriva un nuovo dispaccio. E lui si affretta a scrivere:

Il telegrafo mi dice che avete preso il raffreddore. Vi scongiuro, curatevi. Stamattina sono stato a caccia: vi mando i quattro primi fagiani che ho ucciso quale segno di omaggio dovuto alla sovrana di tutti i miei più segreti pensieri. Visto che non sono al posto del paggio a prestare il giuramento d'onore e fedeltà, con il ginocchio a terra, le mie mani nelle vostre, almeno ricevetelo in pensiero. E sempre in pensiero copro di baci le vostre belle mani.

Maria Luisa si avvicina. Martedì 27 marzo è attesa a Soissons. Aspettare oltre è una vera pazzia. Impossibile pazientare ancora. Chiama Constant. Sul suo abito da colonnello dei cacciatori della

Guardia, vuole mettere la redingote che indossava a Wagram. È con la vittoria di quella giornata che ha conquistato Maria Luisa.

Convoca Murat, la cui sposa, Carolina, è in compagnia di Maria Luisa. Si parte subito. Un calesse è pronto. I cavalli si lanciano al galoppo.

Sprona i cocchieri. Alle stazioni di cambio dei cavalli, sotto una pioggia battente, scende dalla carrozza per incitare i postiglioni ad affrettarsi. All'ingresso del villaggio di Courcelles, una ruota del calesse si spezza. Corre sotto l'acquazzone fino al portico della chiesa.

Gode di quegli imprevisti, della pioggia e del vento che deve affrontare. Di questo incontro che manderà all'aria il protocollo, sorprenderà Murat e i soldati della scorta.

Cammina avanti e indietro sul bordo della strada, spiando l'arrivo del corteo. Ma cosa immaginavano che fosse, lui, Napoleone? Un Luigi XVI che aspettava saggiamente sul suo trono a Compiègne? Lui è Napoleone.

Vede avvicinarsi i cavalli bianchi della vettura di Maria Luisa. Si mette in mezzo alla strada e si avvicina alla carrozza che si sta fermando. Uno scudiero abbassa il predellino. Lui si precipita dentro. Riconosce Carolina Murat, che mormora:

— Madame, è l'imperatore.

Eccola finalmente, Maria Luisa. È profumata, rosa, così giovane! Le prende le mani, le bacia. Così fresca! L'imperatore ride. L'ammira a lungo. Sente contro di sé quel petto pieno, quelle anche tornite, quel corpo flessuoso. Un corpo da prendere. La carnagione è colorita, i capelli di un biondo cenere. Non se l'immaginava così piena, così forte. Ha voglia di stringerla a sé come un bottino di carne. Riconosce i lineamenti che l'avevano colpito nei ritratti di lei che aveva visto, quel grosso labbro austriaco. Maria Luisa è una buona terra, grassa, feconda. Ne è sicuro. Ha voglia di palpeggiarla, di ridere.

Ordina che si salti la tappa di Soissons. Tanto peggio per il banchetto, per i notabili che si scorgono schierati sotto i tendoni, in attesa della sovrana per pronunciare le loro congratulazioni. Ride. Quello che vuole è un letto, quanto prima possibile.

La notte comincia a calare. Lui l'abbraccia, la vezzeggia. Maria Luisa è intimidita, poi Napoleone sente che comincia ad abbandonarsi. Anche lei ride.

Un letto, presto!

Sono le dieci di sera quando la carrozza arriva a Compiègne. Vede tutta la corte che si accalca ai piedi della scalinata, apprestandosi a circondarli per soffocarli di complimenti e riverenze. Fa un gesto, attraversa la folla, raggiunge una piccola sala da pranzo e cena solo con Carolina e Maria Luisa.

È ancora più bella di quanto immaginasse. La bellezza del diavolo! Ma sana, tonda, rosea, fresca, nuova come una sorgente appena sprizzata dalla roccia.

Una Asburgo di diciotto anni, ecco che cos'è!

La vuole subito, questa notte.

— Che istruzioni avete ricevuto da parte dei vostri genitori? — le domanda.

Gli piace quello sguardo candido, la sua ingenuità.

— Di essere completamente vostra e di obbedirvi sempre in ogni cosa — mormora lei nel suo francese dall'accento ruvido.

Questa obbedienza lo eccita.

"A me questa donna, a me, subito!"

Chinando il capo, Maria Luisa dice che però il matrimonio religioso non è ancora stato celebrato. L'imperatore convoca il cardinale Fesch, che la rassicura, la persuade che tutto è in ordine.

Napoleone la porta verso il palazzo della Cancelleria, vicino al castello. È lì che lui avrebbe dovuto dormire, da solo. Con Maria Luisa a poche centinaia di metri? Non è uomo che cede a imposizioni.

La lascia sola qualche minuto con Carolina. Maria Luisa è vergine. Non sa niente. Gli hanno addirittura assicurato che per tutta la sua vita sono stati tenuti lontani da lei gli animali maschi.

"Sono il suo primo maschio."

Entra nella camera.

"È mia, come desidero."

La lascia dormire nella luce del giorno che nasce.

Vorrebbe gridare vittoria, celebrare il suo trionfo. Esce dalla camera.

Si avvicina a Savary, suo aiutante di campo, che vigila nel salotto accanto alla camera.

Gli pizzica l'orecchio, ride.

— Caro mio — gli dice — sposate una tedesca, sono le donne migliori del mondo, dolci, buone, ingenue e fresche come rose.

L'imperatore trascorre le giornate di mercoledì 28 e giovedì 29 marzo del 1810 accanto alla moglie, nel castello di Compiègne. Si fa servire la colazione in camera.

Sente gli sguardi curiosi quando si presenta con lei al concerto organizzato nell'ampia sala del castello. Bisogna pur presentarla alla corte. Ma ha fretta di averla di nuovo tutta solo per sé, di stupirla ancora, di farla gridare e ridere. Di farle scoprire il corpo a corpo dell'amore. Già l'ha sentita, dopo qualche momento di sorpresa e di dolore, felice di quello che aveva provato.

Lui non ha mai vissuto una cosa simile. È il maestro che insegna. Non ha più fretta. Legge sul volto di Paolina Borghese uno stupore un po' sarcastico. Due giorni senza lasciare Maria Luisa! Alza le spalle.

— Mi vedo arrivare una donna giovane, bella, gradevole. Non mi è dunque permesso testimoniare la mia gioia? Non posso, senza incorrere nelle critiche, dedicarle un po' di tempo?

Si volta verso Paolina, proprio lei, la cui vita tumultuosa è un seguito di piaceri.

— Non è dunque consentito anche a me di abbandonarmi a qualche istante di felicità?

Prima di rientrare nella camera di Maria Luisa, detta rapidamente poche righe per Francesco I, imperatore d'Austria.

Monsieur, fratello e suocero,
   la figlia di Vostra Maestà è qui da due giorni. Ella appaga tutte le mie speranze, e in questi due giorni non ho smesso di darle, e di ricevere da lei, prova dei teneri sentimenti che ci uniscono. Noi siamo fatti l'uno per l'altra.
   Io farò la sua felicità, e sarò debitore a Vostra Maestà della mia.
   Partiremo domani per Saint-Cloud, e il 2 aprile celebreremo la cerimonia delle nostre nozze alle Tuileries.

34

Ha voluto che al suo arrivo al ca-
stello di Saint-Cloud con Maria Luisa, il 30 marzo 1810, un venerdì, poco dopo le cinque del pomeriggio, l'artiglieria sparasse a
salve e le fanfare militari suonassero.

La osserva. Dopo che alla porta Maillot tutta la cavalleria della
Guardia ha circondato la loro vettura, Maria Luisa ha quell'e-
spressione stupita in cui si mescolano timore ed estasi. Gli piace
sorprenderla.

A Stains, quando sono entrati nel dipartimento della Senna,
c'era una vera folla ad accoglierli: cortigiani, damigelle di palazzo,
curiosi. Il prefetto Frochot voleva leggere un discorso di benvenuto. Napoleone lo ha interrotto impartendo l'ordine di ripartire subito. Maria Luisa ha spalancato gli occhi come un bambino che
ha assistito a un trucco di magia. Ecco, lui vuole essere per lei
l'uomo che dispone di ogni potere. Il mago che le offre tutti i piaceri, e la introduce in un mondo sconosciuto di cui detiene tutte le
chiavi.

Le prende la mano e l'aiuta a scendere dalla carrozza. I cannoni
tuonano. I tamburi rullano. Passa lentamente con lei davanti ai
vecchi granatieri. È la sua più bella vittoria. Ha conquistato la
giovane figlia dell'imperatore nemico, del capo sconfitto. Maria
Luisa è il bottino di Wagram. Ed è giusto che la vedano.

Però ha fretta di ritrovarsi solo con lei. È la quarta notte che comincia, ma lui è sempre rapito. Lei si trasforma sotto le sue carezze. La fa nascere donna. È sorpreso dalle sue curiosità, dalle sue audaci ingenuità. Non pensa più a niente. A volte, in un lampo, si ricorda che in precedenza, anche con una donna desiderata, anche con Giuseppina l'esperta, che gli ha fatto scoprire cosa può fare una donna quando tutto il suo corpo diventa labbra, lui continuava a pensare.

"Io lavoro sempre" le diceva. "Nulla può impedirmi di meditare. Lavoro mentre mangio, a teatro, di notte mi sveglio per lavorare... Lavoro anche mentre faccio l'amore."

Adesso, invece, non ha più niente in testa quando Maria Luisa è abbracciata a lui, con quel corpo sottomesso e generoso, ampio e morbido come quello di una giovane giumenta che lui vuol domare. E nessun altro pensiero lo ossessiona se non essere il domatore del maneggio.

Ha fretta di farla finita con quelle giornate di cerimonie, ma nello stesso tempo vuole quel trionfo, affinché Maria Luisa sappia che lui è l'Imperatore dei Re, e che i fasti di Parigi, la sua capitale, superano di gran lunga tutto ciò che lei ha visto o ha potuto immaginare. E poi, bisogna che la vedano tutti, lei, così giovane, la sposa dell'imperatore.

Il 1° aprile, domenica, verso le due del pomeriggio l'accompagna di persona verso le poltrone sistemate su una pedana, sotto un grande baldacchino, all'inizio dell'ampia galleria del castello di Saint-Cloud.

Tutta la corte si accalca per vederli. Stringe la mano di Maria Luisa quando la donna risponde, dopo di lui: sì, vuole essere la sposa di Napoleone.

— In nome dell'imperatore e della legge, vi dichiaro uniti... — esordisce Cambacérès.

I cannoni piazzati sulle torri del castello cominciano a sparare, e alle detonazioni si mescolano le grida della folla.

La notte, la spinge verso la finestra che a lei piace tenere spalancata. Il parco del castello è illuminato, la folla ancora numerosa.

La nasconde dietro le tende. Non vuole che li vedano. Di notte Maria Luisa è solo per lui.

Lunedì 22 aprile la vuole già con la corona sul capo e il mantello dell'imperatrice. Avanza verso di lei mentre le sue sorelle sollevano i lembi di quel mantello che in passato era stato indossato da Giuseppina.

"Ma è oggi la mia vera consacrazione. Con questa unione entro nella famiglia dei re. E sono il primo di tutti."

Osserva Maria Luisa. Non si distoglie un momento dai suoi occhi spalancati. Un cordone di truppe fiancheggia la strada che dalla porta Maillot arriva alle Tuileries. I cavalieri della Guardia caracollano. Dovunque un'immensa folla. Sulla spianata di Chaillot gli ospiti sono sistemati in due vasti anfiteatri. Le salve d'artiglieria ritmano l'avanzata del corteo. Napoleone si china verso Maria Luisa per meglio cogliere la sua sorpresa davanti all'arco di trionfo dell'Étoile, quando vi passeranno sotto. Ha voluto che il monumento, appena cominciato, venisse completato in modo provvisorio con strutture di legno e stoffe, perché l'illusione fosse perfetta. È fiero di sé. Quella è la capitale di cui è lui il padrone.

Lei non ha mai visto le Tuileries, il Louvre. Il sole illumina le vetrate, rischiara le gallerie dove si accalcano più di 10.000 persone. Riconosce il principe Kurakin, l'ambasciatore russo, che si sforza di apparire cortese e rilassato. Ecco Metternich, trionfante.

"E tutte queste donne che si accalcano intorno a noi per vedere quella che tengo per mano, l'imperatrice, l'arciduchessa d'Austria. Che ha solo diciott'anni."

Entra nel salotto trasformato in cappella. Comincia ad aver caldo sotto la toga di velluto nero, il mantello e i pantaloni di satin bianco. Si sente impacciato in tutti quegli abiti cosparsi di diamanti. Vede che Maria Luisa, con il volto rosso sotto la corona, è quasi sul punto di svenire. Presto, che il cardinale Fesch cominci, in modo che la cerimonia religiosa sia il più breve possibile. Ha fretta di farla finita. Si accorge che alcune poltrone sono vuote, quelle dei vescovi che, per fedeltà al papa e per protestare contro i provvedimenti presi nei suoi confronti, si sono rifiutati di assistere alla cerimonia. Si sente invadere dalla collera.

Vuole che Bigot di Préameneu, ministro dei Culti, convochi questi cardinali, che li accusi di aver offeso gravemente l'imperatore, che vieti loro qualsiasi segno esteriore di dignità episcopale, che diventino dei "cardinali neri". Come corvi.

— Sono soltanto io nel mio Impero a designare i vescovi... Non è il papa a essere Cesare, sono io! I papi hanno commesso troppe stupidaggini per credersi infallibili. Non accetterò queste pretese, il secolo in cui viviamo non le accetterà mai più! Il papa non è il grande lama. Il regime della Chiesa non è arbitrario. Se il papa vuol essere il grande lama, in tal caso io non sono più della sua religione.

Percorre con il volto scuro la galleria e sente intorno a sé la sorpresa che suscita il suo volto corrucciato.

Si spalancano le porte che danno sul giardino. Finalmente un po' d'aria fresca! La Guardia sfila. I granatieri agitano i colbacchi sollevati in aria sulla punta delle sciabole. Gridano: — Viva l'imperatrice! Viva l'imperatore!

Stringe i pugni.

— Manderò 100.000 uomini a Roma, se necessario — sibila.

Accompagna Maria Luisa, che si è finalmente sbarazzata del mantello e della corona, verso la sala degli spettacoli dove si terrà il banchetto.

"Ancora poche ore e sarò di nuovo solo con lei."

Ma prima deve ancora sedersi sul podio, al tavolo apparecchiato sotto il baldacchino, poi presentarsi al balcone, assistere ai fuochi d'artificio, rispondere alle acclamazioni della folla. Deve accontentarsi di guardarla, mentre i grandi elemosinieri di Francia e d'Italia benedicono il letto.

Alla fine Napoleone non può trattenersi dal congedarli con un gesto di stizza.

Le porte sono chiuse. Finalmente!

Maria Luisa è stravolta. E lui si sente vigoroso, giovane, conquistatore.

È il suo imperatore, il suo padrone.

Dimentica tutto ciò che non è quella camera, quella giovane donna.

Vuole provare la gioia di trascorrere con lei tutta la giornata. Non ha mai vissuto un'esperienza simile. È come se il tempo avesse cambiato ritmo. Decide di lasciare le Tuileries per Compiègne. Lì potrà godere meglio di lei. Allontana gli aiutanti di campo che portano dei dispacci. Fa aspettare qualche giorno Murat, il quale sollecita invano un'udienza. Dà una rapida occhiata solo alle notizie provenienti dalla Spagna. Giuseppe si dispera. Il generale Suchet non è riuscito a conquistare Valencia. Berthier insiste: quando si deciderà, l'imperatore, a prendere la testa delle sue armate per farla finita con quel "cancro della guerra di Spagna"?

Ma lui non vuole lasciare Maria Luisa. Convoca Masséna, gli affida il comando dell'armata. Non è forse il "Figlio prediletto della Vittoria"? Masséna deve riuscire a ributtare in mare i 30.000 inglesi di Wellington e i 50.000 portoghesi addestrati dal generale inglese.

Vede allontanarsi Masséna. Osserva nel parco del castello Maria Luisa che, circondata dalle damigelle d'onore, cerca di montare a cavallo. Ride della sua goffaggine. Poi si precipita. Si sente leggero, incosciente. Non ha mai conosciuto prima quella sensazione di non aver alcun dovere, se non quello di divertirsi, di dare e prendere piacere. Forse è questa, la vita!

E bisogna che la divori, questa vita. Come ha inghiottito l'altra, quella di prima di Maria Luisa. Solleva la moglie, la mette in sella. Tiene il cavallo per le briglie, gli corre al fianco. Ride quando lei grida di spavento. Si fa portare un cavallo e lo monta senza stivali. È libero. Felice. Non si ricorda di aver mai provato una tale sensazione di spensieratezza, tranne forse sui moli di Ajaccio, quando era bambino.

Lei è una bambina che non sa niente, e lui ha voglia di lasciarsi trascinare da lei in quel gioco a mosca cieca che le piace tanto. Resta a tavola a lungo, perché gli piace vederla mangiare. Non ha più voglia di rinchiudersi nel suo studio dopo aver assaggiato qualche boccone da diversi piatti. Vorrebbe allungare le gambe, infilare la mano sinistra sotto il gilet. Sta ingrassando. Fa modificare i vestiti per nascondere la pancia. Annusa meno tabacco. Si profuma con acqua di colonia. E aspetta l'arrivo della notte.

La mattina fa venire il dottor Corvisart che lo visita con attenzione. Qualche foruncolo qua e là, battito del cuore irregolare, una tosse tenace. Congeda il medico. Lui si sente benissimo. Stanchezza? Ma neanche per sogno! Quarantun'anni? Si ha l'età dei propri desideri! Notti da giovanotto? E perché no, se ce la fa!

"Corvisart non si è ancora reso conto che sono un uomo fuori del comune?

"Del resto lo dimenticano anche quelli che mi sono stati vicini. Ognuno giudica l'altro su se stesso! Come Giuseppina! Le lettere che mi scrive dal castello di Navarra sono una lunga litania di lamenti e rimproveri. Ma chi crede che io sia?"

Napoleone passa nello studio. Quelle lettere di Giuseppina lo irritano, sono inopportune perché gli ricordano il tempo passato.

"Mia cara amica, ricevo la tua lettera del 19 aprile. Devo dire che manca davvero di stile. Io sono sempre lo stesso, quelli come me non cambiano mai."

"Devono capirlo, devono mettersi bene in testa che anche nel letto di una Asburgo di diciotto anni io non fingo di essere un altro, è solo una parte di me finora soffocata che esce alla luce del sole. Ma sono tutti così semplici, quelli che mi circondano, che non possono nemmeno immaginare quante diverse persone io sia!"

Continua la lettera per Giuseppina:

Non so che cosa Eugenio abbia potuto dirti. Non ti ho scritto perché tu non lo hai fatto. Comunque, desidero tutto ciò che può esserti gradito.

Vedo con piacere che vai alla Malmaison e che sei contenta. Sarei lieto di ricevere tue notizie e di dartene di mie. Non dico di più fino a quando tu non abbia confrontato questa lettera con la tua, dopodiché, lascio che sia tu a giudicare chi si comporta meglio e più amichevolmente tra me e te.

Addio amica mia, stammi bene e sii giusta nei tuoi confronti e nei miei.

Napoleone

"Ma chi è giusto verso di me?

"Mio fratello Luigi, dopo che l'ho fatto re d'Olanda, adesso vuole giocare la sua partita e rifiuta di abdicare affinché l'Olanda diventi francese. Cerca addirittura di indurre gli olandesi a ribellarsi contro di me. Tratta con gli inglesi, i rapporti di polizia sono precisi su questo punto. Si è alleato a Fouché e a Ouvrard, il fornitore dell'esercito, e insieme lavorano per una pace con l'Inghilterra senza consultarmi.

"E lo zar? Non è riuscito a imbrogliarmi. Ricostituisce il suo esercito, lo fa avanzare lentamente verso ovest, minaccia il granducato di Varsavia, cerca di appoggiarsi alla Danimarca, invia emissari a Vienna e riannoda i rapporti con Londra, come se meditasse di muovere guerra contro di me!

"Ma io voglio la pace! Voglio che la Russia resti mia alleata! Non sono forse diventato il cugino, il fratello, il nipote di tutti quei sovrani?

"Non sono il marito di una di loro?

"Occorre che lo sappiano dappertutto, occorre che capiscano che ormai non ci sono più ragioni per opporsi a me.

"Se sono fedeli ai loro antichi sovrani, pensino alla donna che ho sposato. E se credono ai nuovi valori, si ricordino che io sono l'imperatore che ha promulgato il codice civile!"

"Lo sapranno, se ci vedono insieme."

Domenica 27 aprile 1810, alle sette di mattina, lascia Compiègne in compagnia di Maria Luisa. Ride, la conforta. Lei è ancora assonnata, sente ancora la fatica per quel cambiamento di vita. A lui piace che lo guardi con quegli occhi spalancati che dicono: ma chi è quest'uomo instancabile? Vuole mostrarla ai paesi del Nord del suo Impero, che sono rimasti a lungo sotto il dominio austriaco. Vedranno un'arciduchessa d'Asburgo accanto al loro imperatore.

Dà il segnale della partenza ai seicento cavalieri della Guardia che formeranno la scorta della lunga carovana di carrozze del seguito, su cui ha voluto che prendessero posto Eugenio, i ministri, il re Gerolamo e la regina di Vestfalia.

Piove. Le strade sono fangose. Le feste di accoglienza ad Anversa, Brema, Bergen op Zoom, Middelburg, Gand, Bruges, Ostenda, Dunkerque, Lilla, Le Havre, Rouen sono interminabili.

Osserva Maria Luisa. Non sa sorridere a quelli che pronunciano i discorsi di benvenuto, né lusingare i notabili che attendono un segno di attenzione da conservare come ricordo perpetuo per la vita. Giuseppina invece... Si ricorda del talento dell'ex imperatrice nel sedurre tutti quelli che l'avvicinavano. Quel ricordo lo irrita. Si arrabbia con Luigi, quando lo incontra ad Anversa e questi gli riferisce, con un misto di ingenuità e di sufficienza, dei negoziati avviati insieme a Fouché e Ouvrard con l'Inghilterra.

Napoleone urla. Chi gliene ha dato il diritto?

Per fortuna ci sono le notti, le passeggiate in riva al mare, l'allegria di Maria Luisa alla vista delle ondate che si abbattono sulla spiaggia. C'è la gioia che infiamma Napoleone quando, per qualche giorno, sembra che Maria Luisa sia incinta.

Al ritorno a Parigi, però, venerdì 1° giugno, la vede avvicinarsi pallida, imbronciata. Scuote la testa. Non avrà figli, per questa volta!

Napoleone si isola. È deluso. Come se, risvegliandosi, scoprisse che si era trattato solo di un sogno.

Sul tavolo riconosce una lettera di Giuseppina, lamentosa, umile, la lettera di una donna vecchia e malata. Deve risponderle.

Cara amica,
ricevo la tua lettera, Eugenio ti darà notizie del mio viaggio e dell'imperatrice. Sono assolutamente d'accordo che tu vada a fare la cura delle acque. Spero che ti facciano bene.
Desidero vederti. Se sei alla Malmaison, a fine mese verrò a trovarti. Conto di installarmi a Saint-Cloud.
Io sto molto bene, mi manca solo di saperti contenta e in buona salute.
Non dubitare mai dei miei sentimenti per te, dureranno quanto me, e saresti molto ingiusta se ne dubitassi.

Napoleone

Si fa consegnare gli altri dispacci, convoca Cambacérès. Legge, ascolta. È furibondo. Non sono passati neanche due mesi da quando ha allentato un po' le redini, due mesi dedicati a se stesso: era troppo? Ha l'impressione che tutte le risorse dell'Impero si siano affievolite.

"Caulaincourt, a Pietroburgo, piagnucola come se avesse smesso di essere ambasciatore dell'Impero francese per diventare un suddito innamorato di Alessandro! Giuseppe, al quale ho regalato il trono di Spagna, scrive alla moglie, e la polizia intercetta le sue lettere.

Il possesso di due regni mi basta e avanza. Voglio vivere tranquillo, comprare un bel terreno in Francia... Desidero quindi che tu prepari i mezzi affinché possiamo vivere indipendenti in pensione, e possiamo essere riconoscenti verso quelli che ci hanno servito fedelmente.

"E queste sarebbero le parole di un re? È questo il carattere del fratello maggiore dell'imperatore?

"E Luigi che complotta con Fouché per negoziare un trattato senza il mio consenso!"

Ha deciso. Domani si terrà una riunione del Consiglio dei ministri al castello di Saint-Cloud.

Sabato, 2 aprile, li vede entrare e prendere posto come studenti che non hanno la coscienza a posto. Tutti, a eccezione di Fouché, che è solo un po' più pallido del solito. Quello sì che ha carattere. Ma chi può aver fiducia in lui?

— Allora, monsieur duca d'Otranto — lo stuzzica Napoleone. — Siete voi adesso che fate la pace e la guerra?

Poi si alza, cammina davanti ai ministri senza guardarli. Fouché, intanto, con voce calma giustifica il proprio atteggiamento e scarica su Ouvrard la responsabilità dell'iniziativa del negoziato con Londra.

— È il più inaudito dei tradimenti! Permettersi di negoziare con un paese nemico all'insaputa del proprio sovrano, a condizioni che lui ignora e che probabilmente non accetterebbe mai — lo interrompe Napoleone — è un tradimento che neppure il governo più debole del mondo potrebbe tollerare!

Fouché cerca di rispondere.

— Dovreste portare la vostra testa sul patibolo! — urla Napoleone.

"Non voglio quell'uomo alla mia corte. Diranno che l'ho allontanato perché ha votato la morte di Luigi XVI, e ora io sono diventato il nipote del re. In realtà non accetto un ministro della Polizia generale che segue una sua politica. Voglio un esecutore, devoto anima e corpo. Qualcuno che incuta terrore senza nemmeno dover agire."

Pensa al generale Savary, duca di Rovigo, un uomo che era stato aiutante di campo di Desaix, il colonnello al comando della gendarmeria d'élite, la sua Guardia personale. L'uomo che, dopo aver arrestato il duca d'Enghien, ne aveva predisposto l'esecuzione.

— Il duca di Rovigo è astuto — confida Napoleone a Cambacérès. — Risoluto, ma non cattivo. Tutti ne avranno paura, e perciò sarà facile per lui essere più moderato di un altro.

Convoca Savary a Saint-Cloud, scruta quell'uomo dal viso rude, che ha combattuto eroicamente a Marengo, Austerlitz, Eylau.

Lo prende per il braccio, lo conduce nel parco.

— Per comandare bene la polizia — esordisce — bisogna essere spassionati. Diffidate degli odi, ascoltate tutto e non pronunciatevi mai senza aver concesso alla ragione il tempo di lavorare. Non lasciatevi guidare dai vostri uffici; ascoltateli, ma loro devono ascoltare voi e seguire le vostre direttive.

Si interrompe, fa qualche passo da solo.

— Trattate bene gli uomini di lettere, li hanno montati contro di me dicendo loro che non mi piacevano. C'era un secondo fine. Se non fossi così impegnato, li incontrerei più spesso. Sono uomini utili, che bisogna sempre onorare perché fanno onore alla Francia.

"Chissà se Savary è in grado di capire. Fouché lo ha già beffato bruciando tutti i documenti del suo ministero e facendo sparire la corrispondenza che ho avuto con lui. È indispensabile che Fouché si allontani il più presto possibile da Parigi. Si metta in viaggio, oppure si ritiri nelle sue terre di Aix."

— Ho sostituito Fouché perché, in fondo, non potevo contare su di lui — spiega Napoleone. — Dissentiva da me anche quando non gli comandavo niente, e si faceva una reputazione a mie spese.

E poi Fouché incarnava una fazione, il partito dei regicidi.

— Io non ho sposato altro partito al di fuori della massa — martella Napoleone. — Quindi, impegnatevi solo a creare unione. La mia politica è di completare la fusione. Devo governare con tutti, senza guardare a quel che ha fatto ciascuno di loro. Si sono uniti a me per godere della sicurezza. Mi abbandonerebbero tutti domani stesso, se le cose venissero rimesse in discussione.

Scorge Maria Luisa che, sulla scalinata, circondata dalle sue damigelle, sembra attenderlo. Abbandona Savary e va verso di lei con passo rapido.

L'imperatrice vuole giocare a biliardo.

35

Sventola la lettera. Ha una gran voglia di lanciare un grido. Si avvicina a Méneval, gli dà qualche pacca sulla spalla, poi gli pizzica l'orecchio. Vuole vedere subito il gran maresciallo di palazzo, Duroc. Quando è solo, si avvicina alla finestra, la spalanca e, di colpo, la dolcezza di quella mattina di giugno e gli odori che salgono dalla foresta di Saint-Cloud lo commuovono. Sente Méneval entrare in compagnia di Duroc, ma non riesce a muoversi. Rimane affacciato alla finestra. Stringe la lettera in pugno.

L'ha letta una sola volta, ma la conosce parola per parola. Sono frasi che hanno la dolcezza della voce di Maria Walewska. Lei gli confida che suo figlio è nato il 4 maggio nel castello di Walewice. È stato battezzato con il nome di Alexandre Florian Joseph Colonna. Ha la forma del viso di suo padre, la sua fronte, la sua bocca; i capelli sono neri come il carbone. Lei non chiede niente. È felice. Aspetta. Nutre speranze per suo figlio Alexandre.

Napoleone vorrebbe stringerla al petto, proclamare la sua gioia, presentarla a tutti, anche a Maria Luisa. Che male ci sarebbe? Ci sono tante vite nella sua vita, e lui può viverle tutte, proteggendo quelli che lo hanno amato e che lui ha amato. Si volta verso Duroc. Ride. È Duroc che gli ha presentato Maria Walewska, quindi sarà lui il depositario di quel segreto.

Si avvicina al gran maresciallo di palazzo.

— Ho un figlio! — dice con voce forte.

Vuole che Duroc predisponga il trasferimento di Maria Walewska e Alexandre a Parigi. Fisserà per suo figlio una dotazione più elevata di quella assegnata al conte Léon, il primo dei suoi figli. Ma poteva essere completamente sicuro di Louise Éléonore Denuelle de La Plaigne? E anche la piccola Émilie, nata da madame Pellapra, potrebbe non essere sua.

— Due figli — mormora, e ride di nuovo.

Appena Maria si sarà installata a Parigi, nel palazzo di rue de la Victoire, verrà presentata a corte quale discendente di una di quelle illustri famiglie polacche da sempre alleate della Francia. Il dottor Corvisart veglierà su di lei e sul bambino.

Cammina avanti e indietro nello studio. Quante vite nella sua vita! Si sente mutilato per il fatto di doverne nascondere alcune. Perché? Lui è come un grande fiume che scorre attraversando paesaggi diversi, che sfiora rive placide o scoscese. Ma è pur sempre lo stesso fiume, dalla sorgente alla foce.

Esce con passo rapido. Se Maria Walewska fosse a Parigi, andrebbe a trovarla regolarmente come un'amica, come la madre di suo figlio. Cosa cambierebbe, questo, nella vita di Maria Luisa?

Vuole l'unità di tutte le sue vite. Non può vivere come se il suo destino fosse esploso in tanti frammenti separati. Lui è uno.

Cavalca in compagnia di un aiutante di campo fino alla Malmaison. Ritrova commosso il profumo dei fiori. Tutto è pervaso da una calma piatta che lo preoccupa. Interpella un valletto che si spaventa riconoscendolo. Lo prende per il braccio, lo scuote.

— Dov'è Giuseppina? Non è ancora alzata?

È impaziente di vederla, inquieto.

— Sire, è laggiù che passeggia nel giardino.

Scorge la sagoma bianca nel vestito leggero, i capelli rialzati sulla nuca. Ha voglia di prenderla tra le braccia.

Corre verso di lei, la stringe a sé e la bacia.

Lui ha numerose vite.

E le conserva tutte, sempre all'erta.

Impartisce ordini, presiede ogni giorno il Consiglio dei ministri.

Dove lo porterebbero, se si lasciasse condurre da quella gente?

"Il ministro di Polizia, Savary, non ha né l'abilità né la duttilità di Fouché. Vede complotti giacobini dappertutto e li smantella. Ma, anche se ho sposato una Asburgo, non è il passato che cerco di favorire. Io sono il fondatore di una nuova nobiltà e di una nuova dinastia e non un ramo innestato sul vecchio tronco dell'Ancien Régime. Io prendo la linfa degli alberi secolari per far crescere il mio albero."

Convoca Cambacérès.

— Non voglio altri duchi oltre a quelli che ho creato e che potrò creare io personalmente, fissando la dotazione che sarà loro accordata. Se faccio qualche eccezione nei confronti dell'antica nobiltà, queste eccezioni devono essere molto limitate e si applicheranno solo a qualche nome carico di storia che è utile conservare.

"Cambacérès mi ascolta, ma avrà capito?"

— Offrire sostegni all'attuale dinastia e far dimenticare l'antica nobiltà, ecco lo scopo che intendo raggiungere.

Scende a passeggiare nei giardini del Trianon. Durante questo periodo di afa estiva, è la residenza più piacevole.

Partecipa ai giochi di società che piacciono tanto a Maria Luisa. Lei però si stanca in fretta, si lascia cadere in una delle poltrone sistemate all'ombra degli alberi. È una giovane donna dal corpo vigoroso, eppure manca di energia. In occasione del fastoso ricevimento all'hotel de Ville, con fuochi d'artificio e balli, gli è parsa quasi subito stanca. Poi a Neuilly, nel palazzo di Paolina Borghese, ha avuto l'impressione che si annoiasse, mentre la festa era al culmine. Oltretutto, per compiacerla, Paolina aveva fatto dipingere nel suo giardino un trompe-l'oeil che ricreava la prospettiva di Schönbrunn. Lo stesso atteggiamento quando si è recata all'Opéra o durante le parate della Guardia.

Che sia ancora impressionata dalla festa tragica del 1° luglio, quella data dal principe Schwarzenberg all'ambasciata d'Austria? Un incendio è divampato improvviso nell'ampia sala da ballo realizzata in legno e tele verniciate, decorata di tulle, taffettà e ghirlande di fiori di carta, che è stata subito distrutta dalle fiamme. Mille e più candele alimentavano l'incendio, e gli invitati si calpestavano per fuggire dall'unica uscita che non era sbarrata dal fuoco.

Napoleone ha avuto giusto il tempo di uscire con Maria Luisa per condurla fino agli Champs-Elysées, poi è tornato all'ambasciata. Era come un campo di battaglia, lo stesso lezzo di carne bruciata di Wagram, i cadaveri ammucchiati uno sull'altro e, tra questi, la cognata del principe Schwarzenberg.

Napoleone ha visto i corpi nudi, già spogliati dai saccheggiatori che avevano strappato anelli, collane, orecchini, senza esitare di fronte alle mutilazioni.

Orribile festa.

Ogni volta che ci pensa si ricorda delle maledizioni, dei presagi evocati tante volte nella sua infanzia.

Si sforza di allontanare quei pensieri. Raggiunge Maria Luisa, rossa, sudata, in mezzo agli allegri girotondi dove ci si fa beffe del principe di Borghese e ci si rincorre nei boschetti del Trianon.

È l'inizio di agosto. Stasera, come ogni sera, ci sarà spettacolo. Giovedì 9 si metterà in scena *Les Femmes savantes* di Molière. Si china verso Maria Luisa. Lei preferisce i numeri del circo. Distende il braccio e le mostra l'anfiteatro in costruzione nel giardino del Piccolo Trianon. Sono i fratelli Franconi, famosi artisti italiani, che presenteranno uno spettacolo domani.

Lei è radiosa. Lo bacia. Scherza. Ripete più volte:

— Può darsi.

Lui le prende la mano, la stringe. Questa volta ne è sicuro. E sarà un maschio.

Perché lui ha molte vite.

Si alza, cammina nei viali. Ha molte vite. E questa comincia con la giovane donna che ha messo incinta.

Ritorna da lei. Non deve più montare a cavallo. Non deve più ballare né partecipare a feste sfibranti. Basta anche con i viaggi estenuanti. D'ora in poi una vita di corte, calma, placida, qui al Trianon, a Rambouillet, a Fontainebleau o a Saint-Cloud. L'accarezza come una bambina. Spettacoli, concerti, i giochi che lei preferisce, ecco cosa ci vuole.

Lei gli prende le mani. Desidera che le resti vicino, sempre.

Lui la rassicura. Non la lascerà mai.

Però ha bisogno di provare l'ebbrezza del vento nelle corse a cavallo, di sentire l'odore dell'erba bagnata.

Va a caccia di cervi nei boschi di Meudon, nelle foreste di Rambouillet o di Fontainebleau. Più volte la settimana fa battute a cavallo, alla testa di un gruppo che carica come uno squadrone di dragoni nel sottobosco. Si lancia a mezzogiorno e rientra alle sei, dopo aver cambiato sei cavalli.

Fa un bagno e poi scende a trovare Maria Luisa, incinta. La tocca. È un'altra vita, per lui, quella che sta vivendo accanto alla donna che porta un figlio suo nel ventre. È allegro.

Scrive a Francesco I, imperatore d'Austria:

> Non so se l'imperatrice vi ha fatto sapere che le speranza che nutriamo per la sua gravidanza aumentano ogni giorno, e abbiamo tutte le certezze che si possono avere a due mesi e mezzo. Vostra Maestà capirà facilmente tutto ciò che questo fatto aggiunge ai sentimenti che mi ispira vostra figlia, e quanto questi nuovi legami rendano più vivo il mio desiderio di esservi gradito.

La riempie di regali, di attenzioni, di gentilezze. Lei porta l'avvenire. Vuole essere sicuro di renderla felice. Convoca Metternich che, in quei giorni, soggiorna a Parigi. Apprezza molto quell'uomo intelligente che determina la politica di Vienna. Sa che è stato l'ardente partigiano del suo matrimonio con Maria Luisa. Sollecita un incontro fra Metternich e l'imperatrice. Ride. È un'eccezione straordinaria, vero, perché l'imperatrice non può incontrare nessun uomo se non in presenza di un'altra persona.

Aspetta pazientemente e, quando Metternich esce dal colloquio, gli si fa incontro.

— Ebbene, avete conversato a lungo... L'imperatrice vi ha parlato male di me? — domanda ansioso. — Ha riso o pianto?

Fa un gesto di indifferenza.

— Non vi chiedo un rendiconto, sono segreti fra voi due, che non riguardano un terzo, anche se questo terzo è il marito...

Poi accompagna Metternich nel suo studio.

— Non litigherò mai con mia moglie. Anche se fosse infinitamente meno nobile di quanto non lo sia sotto tutti gli aspetti. Perché un'alleanza di famiglia conta molto.

Prende dal tavolo un portadocumenti e lo mostra a Metternich.

— Non attribuisco più alcun valore all'applicazione degli articoli segreti del trattato di Vienna relativi all'esercito austriaco — dichiara. — Desidero solo compiacere l'imperatore Francesco I e dargli nuove prove della mia stima e della mia alta considerazione.

"L'imperatore d'Austria sarà il nonno di mio figlio. E il riavvicinamento con l'Austria potrebbe essere la chiave di volta della mia politica. L'alleanza con la Russia?"

— Dalla Russia ricevo soltanto continue lamentele e sospetti offensivi.

"Alessandro I teme che io intenda ristabilire l'indipendenza della Polonia. Se avessi voluto farlo, lo avrei dichiarato e non avrei ritirato le mie truppe dalla Germania. La Russia vuole forse prepararmi alla sua defezione? Io le muoverò guerra il giorno in cui firmerà la pace con l'Inghilterra."

La sua voce diventa dura.

— Non intendo restaurare la Polonia. Non voglio finire i miei giorni nelle sabbie delle sue lande deserte. Ma non voglio nemmeno disonorarmi dichiarando che il regno di Polonia non sarà mai ricostituito.

Pensa a Maria Walewska e a suo figlio Alessandro. Figlio di una nobile patriota polacca e dell'imperatore.

"Ho molte vite."

— No — ricomincia. — Non posso prendere l'impegno di armarmi contro persone che mi hanno testimoniato una costante benevolenza e una sincera devozione. Dato il mio interesse per loro e per la Russia, li esorto alla calma e alla sottomissione, ma non mi dichiarerò mai loro nemico e non dirò ai francesi: "È necessario che il vostro sangue scorra per sottomettere la Polonia al giogo della Russia".

Martella con il pugno sullo scrittoio.

— Niente al mondo può indurmi a sottoscrivere un atto così disonorevole, firmare le parole: "La Polonia non sarà restaurata!". Il mio carattere non sopporterebbe una simile vergogna.

Si allontana dal tavolo.

— Bisognerebbe che fossi Dio per decidere che non esisterà mai una Polonia! Io prometto solo quel che posso mantenere.

Torna verso Metternich. Sembra esitare prima di parlare. Sono mesi che non ha più pronunciato le parole "guerra", "armata".

— E non credano, a Pietroburgo, che non sia in grado di fare di nuovo la guerra sul continente. Ho 300.000 uomini in Spagna, ma 400.000 in Francia e negli altri paesi. L'Armata d'Italia è ancora intatta. Nel momento in cui dovesse scoppiare la guerra, sarei in grado di presentarmi sul Niemen con un'armata molto più forte di quella schierata a Friedland.

Sorride a Metternich. Lui non desidera la guerra. Per questo può contare su Vienna? Non aspetta neanche la risposta di Metternich. Lo prende per il braccio e lo riaccompagna fuori.

— L'imperatrice vi avrà detto che è felice con me, e che non ha nulla di cui lamentarsi.

Trattiene Metternich sulla soglia.

— Spero che lo direte al vostro imperatore, a voi crederà più che a chiunque altro.

Rimane solo, pensieroso.

"Di nuovo l'eventualità di una guerra, nel cuore di questa estate del 1810, mentre aspetto un figlio. Che cosa erediterà da me, lui che sarà il discendente di Carlo V e di Napoleone?

"È per lui che devo rendere inattaccabile il mio Impero. Chi non sa prevedere, è sconfitto in partenza.

"Domani l'Inghilterra e la Russia potrebbero allearsi contro di me. E su chi posso contare? I re che ho creato non valgono niente. Luigi ha finalmente deciso di abdicare dal trono d'Olanda, ma senza mettersi d'accordo con me. Ed è scappato all'estero, come un vigliacco, abbandonando Ortensia e i suoi figli."

Scrive a Ortensia: "Figlia cara, non abbiamo alcuna notizia del re, non sappiamo dove si sia ritirato, e non riusciamo a capire perché abbia concepito una simile follia".

"Quell'uomo, mio fratello, mi oltraggia.

"Un uomo al quale ho fatto da padre. L'ho allevato con le povere risorse del mio stipendio di tenente d'artiglieria, ho diviso con lui il mio pane e il materasso del mio letto... Dove va a rifugiarsi? Fra stranieri, in Boemia, sotto falso nome, per far credere di non essere più al sicuro in Francia."

Napoleone scrive alla madre: "Il comportamento di Luigi è talmente incredibile che può essere spiegato solo con la sua malattia".

"Ho intenzione di governare personalmente l'Olanda.

"Cos'è diventato quel paese? Un magazzino per le merci inglesi di contrabbando."

"E se gli olandesi mi prendono per un ospite? Farò tutto quello che è giusto per il bene del mio Impero, senza badare al clamore di uomini insensati che vogliono sapere meglio di me cosa conviene fare. Quella gente mi ispira solo disprezzo."

"Disprezzo Luciano, mio fratello, che è fuggito da Roma perché ho decretato che ormai è una città francese, la seconda città dell'Impero. Così come ho decretato che Amsterdam sarà la terza. E mio fratello vuole fuggire negli Stati Uniti e cadere nelle mani degli inglesi!

"Quanto a Giuseppe, è incapace di condurre una guerra ma non di vessare i miei marescialli, che non riescono ad avanzare e si fanno battere dalle truppe di Wellington!

"Re d'occasione come Murat, che tenta di sbarcare in Sicilia senza avvertirmi, perché la regina di Sicilia è la nonna di Maria Luisa e teme che io vieti a lui, il re di Napoli, di conquistare l'isola. Quando l'ho incitato più volte a farlo!

"Tutti mediocri. E quelli che hanno qualche talento mi sono ostili. Talleyrand, le spie della polizia ne sono persuase, ha appena chiesto ad Alessandro I il prestito di un milione e mezzo di franchi, il prezzo delle informazioni che fornisce all'ambasciata russa. Quanto a Bernadotte, si è appena fatto eleggere principe ereditario di Svezia. Posso solo sperare che non mi muoverà guerra, visto che non gli ho impedito di diventare svedese! Ma sotto le sue dichiarazioni di fedeltà sento che è talmente fiero di essere re, da essere pronto a tutto per rimanerlo, lui, il marito di Désirée Clary.

"Quante vite nella mia vita!"

Riceve Metternich, preoccupato per quell'ascesa di un maresciallo francese alla dignità di re di Svezia, per i sospetti che nasceranno a Pietroburgo.

Napoleone mostra a Metternich la sua corrispondenza con Carlo XIII, re di Svezia, e con Bernadotte.

Lui non c'entra con l'ascesa di Bernadotte. L'ha solo tollerata.

— Non chiedevo altro che di vederlo lontano dalla Francia. È uno di quei vecchi giacobini dalla testa balzana. Ma voi avete ragione, non dovevo assegnare un trono a Murat e nemmeno ai miei fratelli. Purtroppo si diventa saggi solo invecchiando.

Incrocia le braccia.

— Io sono salito su un trono che ho ricreato, non l'ho ricevuto in eredità da qualcun altro. Ho preso quel che non apparteneva a nessuno. Dovevo fermarmi lì e nominare solo governatori generali o viceré. Del resto, se considerate il comportamento del re d'Olanda non faticherete a convincervi che i parenti spesso sono tutt'altro che amici. Quanto ai marescialli...

Scuote la testa, alza le spalle.

— Avete più che mai ragione: già in tanti hanno sognato grandezza e indipendenza.

Tocca a lui, e solo a lui, preparare il futuro, vigilare sull'Impero.

Vede nel giardino del Trianon Maria Luisa che, circondata dalle sue damigelle, applaude un giocoliere.

D'improvviso gli viene in mente Maria Antonietta, la zia dell'imperatrice: anche lei aveva vissuto qui. Davanti a lui ci sono dei rapporti di polizia che segnalano discorsi ostili alla "nuova austriaca". Molti hanno commentato l'incendio scoppiato alla festa dell'ambasciata d'Austria come un presagio della maledizione che le donne di Vienna e l'alleanza con gli Asburgo portano sempre con sé in Francia. Maria Luisa è giudicata rigida, fredda, altezzosa.

"Perché non ne hanno mai condiviso il letto!

"Ha tanto di quel calore dentro, che riesce a dormire solo con la finestra aperta, mentre io detesto l'aria fredda della notte."

Rilegge i rapporti.

Occorre diffidare dei pregiudizi della gente. E non vuole che i giornali pubblichino particolari ridicoli. Vuole vedere Savary, ministro di Polizia, e il conte di Montalivet, ministro dell'Interno. È indispensabile che impediscano di "pubblicare tutto ciò che viene scritto su di me nelle corrispondenze estere. I tedeschi sono così ingenui che si sono spinti a dire che mi portavo alla bocca la pantofola di Maria Luisa quando non la conoscevo neanche! Sono pettegolezzi che brillano per la loro estrema idiozia. Sono i giornali di Parigi che devono dire all'Europa quel che faccio, e non le gazzette di Vienna!".

Interroga il conte di Montalivet. Lo ha conosciuto a Valenza, è un ex consigliere del parlamento di Grenoble.

"Durante una delle mie vite, quando ero tenente d'artiglieria."

— Dormirò tranquillo solo quando mi avrete garantito che vi

siete fatto un punto d'onore di verificare che l'approvvigionamento di grano a Parigi sia assicurato. Non c'è misura più suscettibile di influenzare la felicità dei popoli e la tranquillità dell'amministrazione della certezza di un buon approvvigionamento.

"Come me, anche Montalivet ha vissuto il 1789. Bisogna dare pane al popolo, se non si vuole che arrivi in corteo fino al Trianon a reclamare il panettiere e la panettiera."

E ci vuole anche molto denaro in cassa, molto lavoro per le manifatture.

A Saint-Cloud, al Trianon o a Fontainebleau, detta decreti perché il contrabbando delle merci inglesi venga perseguito dappertutto. Poi decreta che l'importazione sia gravata con una tassa del 50 per cento sul valore delle mercanzie importate. Altrettanto denaro che sfuggirà a chi non rispetta il blocco continentale.

Dice a Eugenio, che tenta di difendere gli interessi italiani, così come Luigi aveva voluto proteggere i commercianti olandesi:

— Il mio principio è "la Francia prima di tutto". Voi non dovete mai perdere di vista il fatto che, se il commercio inglese trionfa sui mari, è perché gli inglesi sono i più forti; è quindi logico che, siccome la Francia è più forte sulla terra, io faccia trionfare in tal modo il suo commercio; senza questo, tutto è perduto... L'Inghilterra versa davvero in estreme difficoltà, e io mi libero di mercanzie la cui esportazione mi è necessaria e mi fornisce derrate coloniali a loro spese.

Per riuscirci, però, è utile bloccare tutte le coste in modo ancora più completo. Bisogna sequestrare e bruciare a Francoforte, Amburgo, Amsterdam e Lubecca tutte le merci di contrabbando.

A Davout, che comanda le truppe in Germania, impone:

— Avete molti ufficiali di stato maggiore. Bene, fateli correre. Vi incarico di impedire in modo assoluto agli inglesi il contrabbando e la navigazione dall'Olanda fino alla Pomerania svedese. È il vostro compito principale.

Sa bene, tuttavia, che Davout non può fare l'impossibile. Dall'inizio del mese di ottobre del 1810 ben 1200 navi inglesi veleggiano nel Baltico, cariche di merci.

"Bernadotte ha chiuso agli inglesi i porti svedesi. Ma rimangono i porti russi. Che farà Alessandro? E se li accoglie, come devo comportarmi?"

Scende nell'ampia sala dove ha fatto sistemare lo scultore veneziano Canova, che ha convocato alle Tuileries. Conosce l'artista fin dal suo primo soggiorno in Italia. In realtà non gli è piaciuto molto il modo in cui il Canova lo ha rappresentato, nudo, con in mano una piccola vittoria. Ma Canova è l'artista più acclamato. Deve realizzare un busto di Maria Luisa, e Napoleone assiste alle sedute di posa.

Si siede. Maria Luisa si agita, si spazientisce.

— È Parigi la capitale del mondo — dice Napoleone a Canova. — Dovete restare qui.

Apprezza il movimento delle dita di Canova, le sue risposte prive di servilismo.

— Perché Vostra Maestà non si riconcilia con il papa? — vuole sapere Canova.

— I papi hanno sempre impedito che la nazione italiana si risollevasse. È la spada che vi ci vuole!

Maria Luisa tossisce. Canova parla di imprudenza, dal momento che l'imperatrice è incinta.

— Lo vedete da solo com'è — dice Napoleone. — Le donne vogliono che tutto succeda secondo i loro desideri... Io le dico in continuazione di aver riguardo. E voi, siete sposato?

Ascolta distrattamente Canova che parla della sua libertà.

— Ah, le donne, le donne... — ripete Napoleone.

Maria Luisa lo sorprende, come lo hanno sorpreso, ciascuna a modo suo, Giuseppina e Maria Walewska.

Riceve Ortensia, che è venuta a parlargli di sua madre. Giuseppina teme di essere condannata all'esilio, non solo lontano da Parigi, ma fuori della Francia.

Lui questo non lo vuole. Ha parecchie vite che devono correre l'una accanto all'altra, mescolarsi. Maria Luisa però non può capire questo desiderio.

— Io devo innanzi tutto pensare alla felicità di mia moglie — confida a Ortensia. — Le cose non si sono sistemate come speravo. Mia moglie è spaventata dalle doti di vostra madre e dall'influenza che tutti le attribuiscono su di me. Lo so con certezza.

Interrompe la passeggiata. È autunno. Nel parco di Saint-Cloud i giardinieri ammucchiano qua e là le foglie morte. Esili fili di fumo si alzano ai bordi della foresta dai colori rossastri. Hanno cominciato a bruciare le foglie cadute.

— Ultimamente volevo passeggiare con lei alla Malmaison — riprende l'imperatore. — Ignoro se Maria Luisa credeva che ci fosse anche vostra madre, ma si è messa a piangere e sono stato costretto a cambiare direzione.

"Eppure mi sembra così naturale e semplice far incrociare le mie diverse vite. Quando verrà il tempo in cui gli uomini e le donne non saranno più prigionieri dei loro pregiudizi?"

— Comunque sia, non contrarierò in nulla l'imperatrice Giuseppina. Ricorderò sempre il sacrificio che ha compiuto per me. Se desidera trasferirsi a Roma, la nominerò governatrice della città. A Bruxelles, per esempio, potrebbe circondarsi di una corte superba e fare del bene al paese. Vicino a suo figlio e ai suoi nipotini, sarebbe ancora meglio e anche più giusto. Ma...

Allarga le mani. Sa bene che lei non vuole niente di tutto ciò!

— Scrivetele che, se preferisce vivere alla Malmaison, non mi opporrò.

Rientrato al castello, scrive in fretta poche righe per Giuseppina.

> La mia opinione personale è che puoi trascorrere l'inverno nel migliore dei modi a Milano o in Navarra, dopodiché, approvo tutto quello che farai, perché non ti voglio costringere a niente.
> Addio, cara amica. L'imperatrice è incinta di quattro mesi, e nomino madame Montesquiou governante dei figli della Francia. Sii contenta e non ti mettere idee strane in testa. Non dubitare mai dei miei sentimenti.

> *Napoleone*

Conserva il suo affetto per Giuseppina ed è legato a Maria Luisa, che lo commuove.

La segue nella lunga galleria del castello di Saint-Cloud. Ha un incedere pesante. Esclama:

— Guardate come si è ingrossata!

Avanza accanto a lei tra la folla dei dignitari radunati nella cappella del castello di Saint-Cloud. La osserva mentre distribuisce medaglie tempestate di diamanti alle madri dei bambini che saranno battezzati domenica 4 novembre 1810. Ci sono ventisei bambini, fra cui il figlio di Luigi e Ortensia, Carlo Luigi Napoleone, e quello di Berthier, tutti figli di principi e di re, che saranno tenuti alla fonte battesimale dall'imperatrice e dall'imperatore.

"Il figlio* di Ortensia, nipote di Giuseppina, diventa il figlioccio della mia seconda sposa per la quale ho ripudiato Giuseppina!

"E io sarò padre di un figlio nato da una Asburgo."

Annuncia alla folla degli invitati la gravidanza di Maria Luisa. Lo acclamano.

Detta una lettera all'imperatore d'Austria per comunicargli ufficialmente la notizia:

Invio uno dei miei scudieri per portare a Vostra Maestà la notizia della gravidanza dell'imperatrice vostra figlia. È ormai di quasi cinque mesi. L'imperatrice sta bene e non prova alcuno dei fastidi tipici del suo stato. Conoscendo il grande interesse che Vostra Maestà nutre per noi, sappiamo che questo evento vi farà molto piacere. È impossibile essere più perfette della donna che avete voluto concedermi. Quindi prego Vostra Maestà di essere persuaso che Maria Luisa e io vi siamo egualmente affezionati.

Si interrompe. Ascolta la penna del segretario correre sulla carta.
Méneval gli presenta la lettera da firmare.
Traccia con gesto imperioso il suo nome.
"Che romanzo la mia vita!"

* Carlo Luigi Napoleone, il futuro Napoleone III.

36

Napoleone attraversa con il gran maresciallo di palazzo le stanze vuote dagli alti soffitti. Duroc spalanca le porte dorate a due battenti. Napoleone lo raggiunge con andatura vivace e gli pizzica l'orecchio.

"Il gran maresciallo abitava in queste stanze, in quest'ala delle Tuileries le cui finestre danno sul Carrousel. Ma è qui che vivrà mio figlio, il re di Roma."

Convoca gli architetti. Tutto deve essere ridipinto. Vuole che si applichi alle pareti una fascia imbottita alta tre piedi, affinché il bambino non possa ferirsi cadendo.

Napoleone si avvicina a una finestra. Il sole di novembre, freddo, illumina le statue dorate dell'arco di trionfo del Carrousel.

"Sono io che l'ho fatto costruire. Per la gloria del mio esercito."

Immagina lo sguardo del bambino che scoprirà i simboli della grandezza e della vittoria. Al momento di aprire gli occhi, il re di Roma saprà di essere figlio e nipote di imperatori.

Mentre si dirige verso il suo studio, Napoleone comincia a dettare. Fissa la lista del corredo del bambino, i nomi dei dignitari che devono essere convocati quando l'imperatrice comincerà ad avere le prime doglie, poi stabilisce la successione delle cerimonie che seguiranno la nascita: cento e una cannonate, la sfilata dei granatieri della Guardia. Si volta verso Duroc, il quale ha mormorato una domanda che lui ha intuito, più che sentito. Ventun cannonate se si tratta di una femmina, risponde a mezza voce l'imperatore, ma sarà un figlio. I testimoni della nascita saranno Eugenio, viceré d'Italia, e il granduca di Würzburg.

Entra nello studio. Vuole che ogni dettaglio sia sottoposto alla sua approvazione, dagli schizzi di Prud'hon per la culla in argento dorato di suo figlio alla lista dei medici che assisteranno l'imperatrice. Tutto quanto.

Tre mesi. Sono appena sufficienti per immaginare, prevedere, convocare.

Il tempo manca sempre, afferma. E il 1811, l'anno in arrivo, è il suo quarantaduesimo. Tutto quello che ha fatto finora, ne è convinto, è solo la preparazione del periodo del suo destino in cui sta per entrare.

Comincia la sua vera vita da imperatore. Dispone della potenza delle armi, dell'obbedienza dei popoli, dell'esperienza e, ancora, della forza della giovinezza.

Può andare a caccia per ore e ore, ieri nella piana di Rozoy, oggi alla Croix de Saint-Hérem. Ed è stato lui a stanare il cervo. Perché è il più rapido fra i cavalieri.

E nel letto di Maria Luisa, o in quello di questa brunetta vivace, la figlia del maggiore Lebel, il vicegovernatore di Saint-Cloud, che gli si è offerta e che ha preso per qualche notte, perché non si rifiuta nulla di quello che la vita offre, Napoleone è più gagliardo del sottotenente di un tempo, che era, se ne ricorda ancora, maldestro, quasi timido, troppo brusco e troppo frettoloso.

Adesso è nel pieno della sua vita.

Tutti quei re sono stati costretti a riconoscere la sua dinastia, ad ammetterlo tra loro. Ha conquistato il suo trono, e un'imperatrice di vent'anni sta per dargli un figlio.

Nessuno potrà oscurare questo mezzogiorno del suo destino. Non lo tollererà.

Si siede, esamina i bollettini di polizia, i dispacci, i rapporti ordinati nei diversi contenitori sul tavolo. Vorrebbe non dover tuffare le mani in quei documenti. La sua vita è diventata così piena senza di loro!

Maria Luisa reclama la sua presenza in continuazione. A lui

piacciono i loro incontri intimi, la sua ingenuità, soprattutto la sua pelle, e quel corpo che cambia con la maternità. È tutto così nuovo per lui, mentre qui, nello studio, è la grigia routine, la brutalità e le manovre sordide, quella realtà nella quale naviga dalla sua infanzia, senza illusioni.

Legge il primo rapporto di polizia: "Le persone più addentro agli affari sono spaventate dal futuro. C'è una tale crisi che, ogni giorno, se un banchiere arriva alle quattro senza catastrofi esclama: anche oggi è andata!".

"Addio spensieratezza, addio sogni a occhi aperti. Tuffiamoci nel fango!"

Gli affari vanno male perché il contrabbando inglese imperversa, ed è impossibile esportare i prodotti francesi. L'Europa è piena di merci provenienti dall'Inghilterra e dalle sue colonie. La falla del blocco continentale è a nord.

Convoca Champagny. Cosa vogliono i russi? Cosa dice il nostro ambasciatore? Napoleone fa una smorfia di disprezzo. Ormai Caulaincourt è diventato un cortigiano di Alessandro. È più russo che francese.

— Io so...

Mostra i rapporti delle spie che gli ha inviato Davout, il comandante in capo in Germania.

— So che le duecento navi scortate dagli inglesi con venti vascelli da guerra, che erano state mascherate sotto bandiere svedesi, portoghesi, spagnole e americane, hanno scaricato parte della loro mercanzia in Russia.

Picchia il pugno sul tavolo.

— La pace o la guerra sono nelle mani dei russi.

Anche se forse loro non lo sanno.

— È possibile che la Russia provochi la guerra senza desiderarlo — riprende l'imperatore. — È tipico delle nazioni commettere simili stupidaggini.

"Ma io devo tenerne conto. Devo pensare alla guerra."

Alessandro I sta creando nuovi reggimenti. Ha già ammassato 300.000 uomini alla frontiera del granducato di Varsavia. Ha perfino pensato di affidare il comando di una delle sue armate al generale Moreau, a quanto si dice.

"Moreau, che io mi sono limitato a esiliare! Moreau, pazzo di gelosia già dieci anni fa, quando si era rifugiato negli Stati Uniti. E come potrei avere fiducia in Bernadotte, che riceve gli inviati russi e protegge il suo avvenire di principe ereditario di Svezia?"

Concede udienza a uno degli aiutanti di campo francesi di Bernadotte, il comandante di squadrone Genty de Saint-Alphonse, un ufficiale devoto al suo maresciallo, che è inutile cercare di scuotere.

— Credete che ignori — esordisce Napoleone — che il maresciallo Bernadotte ha detto a chi voleva sentire: "Grazie a Dio non sono più ai suoi ordini" e mille stravaganze che non voglio ripetere?

"Bernadotte, come premio della sua fedeltà, pretende la Norvegia, che appartiene alla Danimarca. E se anche gliela concedessi, che sicurezza avrei?

"Gli uomini avidi e gelosi tradiscono. Bourrienne, il mio vecchio condiscepolo di Brienne, mio segretario per ben sette anni, il venale Bourrienne che ho cacciato ad Amburgo, accumula milioni (sei, sette, otto?) vendendo permessi d'importazione per le merci inglesi. Che gliene importa a lui della salvezza dell'Impero?

"Ancora una volta, posso confidare solo in me stesso."

Medita a lungo, da solo. Non può chiedere consiglio a nessuno. Chi sa meglio di lui che cosa è necessario per l'Impero? Che cosa è necessario per l'avvenire della dinastia? La pace? I suoi servizi hanno appena scoperto che il conte Černičev, inviato di Alessandro I a Parigi, personaggio tronfio e mellifluo, gran seduttore e frequentatore dei salotti parigini, si dedica allo spionaggio. I poliziotti di Savary hanno trovato nelle ceneri del suo camino documenti mezzo bruciacchiati provenienti dallo stato maggiore del maresciallo Berthier, dove Černičev paga una spia che gli comunica la situazione delle forze francesi in Germania. Ed è per preparare la pace che Alessandro I grava le merci francesi che entrano in Russia con tasse proibitive?

"Non dovrei difendermi?

"Posso tollerare che le merci inglesi invadano l'Europa?"

Napoleone detta un senatoconsulto che annette all'Impero francese le città anseatiche del nord della Germania e del Baltico, come pure il ducato di Oldenburg, che appartiene al cognato di Alessandro.

"Il mio bell'alleato del Nord si inalbera? E chi è stato il primo a stracciare lo spirito di Tilsit? Occorre parlare chiaro all'imperatore di Russia."

Napoleone scrive ad Alessandro:

I miei sentimenti per Vostra Maestà non muteranno mai, per quanto non possa nascondermi che Vostra Maestà non nutre più amicizia per me. Ormai l'Inghilterra e l'Europa ritengono che la nostra alleanza non esista più: se fosse altrettanto integra nel cuore di Vostra Maestà quanto nel mio, questa opinione generale sarebbe comunque un grande male.

"Ma Alessandro lo capirà? Saprà frenare i cavalli della guerra?"

"Io sono rimasto lo stesso di una volta nei vostri confronti" riprende Napoleone "ma sono colpito dall'evidenza di questi fatti e dal pensiero che Vostra Maestà è ormai incline, appena le circostanze lo consentiranno, ad accordarsi con l'Inghilterra, il che equivale a scatenare la guerra tra i nostri due Imperi."

Firma la lettera, poi con il dorso della mano spazza via i dispacci inviati da Caulaincourt.

— Quell'uomo non ha spirito, non sa neanche scrivere, è un eccellente capo di scuderia e nient'altro! — dice brutalmente.

Deve essere richiamato in Francia, visto che non vuole o non può assolvere il suo compito. Al suo posto sarà nominato il generale Lauriston, il mio aiutante di campo a Marengo!

"Ma cosa valgono tutti gli uomini che mi stanno intorno? Anche un consigliere di Stato come Joseph-Marie Portalis, il figlio dell'antico ministro dei Culti, si è fatto complice di una manovra del papa contro di me per rimettere in discussione l'autorità dell'arcivescovo di Parigi, Maury, nominato da me personalmente."

Il papa e parecchi ecclesiastici complottano, come questo abate Astros, che portava nascosti nel cappello i messaggi di Pio VII contro l'arcivescovo Maury! Richiudete Astros nel castello di Vincennes! E sorvegliate quel papa che "al più perfido comportamento aggiunge la più grande ipocrisia". Siano rinforzate le truppe che lo sorvegliano a Savona.

"Perché tutte queste critiche nei miei confronti? Non ho ristabilito la religione? Ho forse provocato uno scisma come hanno fatto gli inglesi o i russi?"

Napoleone è in piedi davanti alla finestra del suo studio. Volta le spalle a Cambacérès e Savary. Quest'ultimo gli ha portato il discorso che Chateaubriand ha intenzione di pronunciare all'Académie Française, dove è appena stato eletto al posto del regicida Chénier. Quel discorso riapre vecchie ferite!

— Mi sono circondato di uomini di tutti i partiti — esordisce Napoleone. — Ho accolto intorno a me perfino degli emigrati, dei soldati dell'esercito di Condé.

Si avvicina a Cambacérès, gli mostra il testo del discorso di Chateaubriand.

— Se fosse qui davanti a me, direi allo scrittore: non siete di questo paese, monsieur. La vostra ammirazione e i vostri desideri sono rivolti altrove. Voi non capite né le mie intenzioni né i miei atti.

Alza le braccia, torna verso la finestra.

— Quindi, se vi trovate così male in Francia, lasciatela, andatevene, monsieur, perché non riusciremo mai a intenderci, e qui sono io il padrone. Voi non apprezzate il mio lavoro e fareste di tutto per rovinarlo se vi lasciassi fare. Andatevene, monsieur, passate la frontiera e lasciate la Francia in pace e unita, sotto un potere di cui ha tanto bisogno.

Quel potere, è lui a tenerlo in pugno. Si ferma davanti alla carta geografica che lui stesso ha fatto appendere. Rappresenta le nuove frontiere dell'Impero: centotrenta dipartimenti, da Amburgo all'Adriatico, da Amsterdam a Roma. Lui regna su quarantaquattro milioni di abitanti.

"Ecco che cosa erediterà mio figlio, e forse di più ancora, perché sarà re di Roma e un giorno potrà governare la penisola, quando il regno d'Italia di cui io sono il sovrano gli spetterà di diritto, e forse potrà annettere il regno di Napoli.

"E chissà, perché no? potrebbe estendere il suo Impero ancora più lontano, sulla Confederazione del Reno, e avrà per alleato il granducato di Varsavia, di cui forse un giorno sarà sovrano un altro dei miei figli."

Pensa spesso ad Alessandro Walewski.

Si reca sovente di nascosto, in compagnia di Duroc, nella casa di rue de la Victoire. Ha voluto che Maria Walewska fosse presentata alla corte, addirittura a Maria Luisa. Perché ci teneva, benché solo per lui e per qualche persona al corrente del segreto, che le sue vite fossero così riunite.

"Maria Luisa però deve ignorare tutto quanto. Non è proprio il caso di scioccarla mentre porta nel ventre mio figlio."

Lei vuole che le stia vicino in ogni istante. E lui accetta.

Il clima, in quei primi mesi del 1811, è freddo e piovoso. Napoleone non lascia quasi mai le Tuileries. Gli piace cedere ai capricci di Maria Luisa, sorprenderla con qualche regalo, collane, gioielli. La sente spaventata all'idea del parto. La rassicura, la circonda spesso con le braccia, malgrado l'etichetta.

La sera, durante gli spettacoli teatrali organizzati nei piccoli appartamenti, la vede sonnecchiare, il corpo appesantito.

È commosso. È la prima volta che vive accanto a una donna incinta di lui.

Martedì 19 marzo, verso le otto di sera, aspetta con la corte nella sala dello spettacolo delle Tuileries. Ha caldo. Si avvicina al granduca di Würzburg e al principe Eugenio, da poco arrivati a Parigi per essere i testimoni della nascita.

Si spazientisce di colpo quando entra la duchessa di Montebello, vedova del maresciallo Lannes, damigella d'onore di Maria Luisa. È una donna che non gli piace. L'ha nominata solo in ricordo di Lannes, ma ogni giorno scopre che tenta di seminare discordia intorno a Maria Luisa. È una donna avida, gelosa e ostile, però Maria Luisa le si è affezionata.

Madame Montebello annuncia con solennità che Maria Luisa ha le sue prime doglie.

L'imperatore ordina agli uomini presenti di indossare le loro uniformi. È necessario che quella nascita si svolga conformemente all'etichetta che lui ha previsto. In pochi minuti, i salotti sono affollati da oltre duecento ospiti.

Entra nella camera invasa da sei medici. Non ha mai provato un sentimento simile, quella sconfinata tenerezza per una donna che soffre per la vita che porta dentro di sé. Le prende il braccio, la sostiene, cammina a piccoli passi accanto a lei. Sente che a poco a poco si calma. L'aiuta a distendersi e a prendere sonno.

Attraversa i salotti dove i dignitari sonnecchiano, ordina di servire una cena. Ha caldo. Fa un bagno. Vorrebbe agire, e l'impotenza alla quale è costretto lo irrita. Detta tutta la notte.

Alle otto, quando ormai si è fatto chiaro, il dottor Dubois si precipita, stravolto, pallido.

Napoleone prova un colpo al cuore.

— Cosa succede, è morta? — domanda. — Se è morta, la seppelliremo.

Non sente niente. È un blocco di pietra. È abituato all'imprevedibile e alla morte.

Dubois balbetta. Il bambino fatica a uscire. Hanno già mandato qualcuno a chiamare Corvisart. Il dottore vorrebbe che l'imperatore scendesse nella stanza dell'imperatrice.

— Perché volete che scenda? C'è pericolo?

Osserva Dubois, il quale sembra aver perso il controllo di se stesso. Dubois mormora che bisognerà utilizzare i ferri, che ha già liberato delle donne i cui bambini si presentavano di traverso.

— Ebbene, come avete fatto le altre volte? Io non c'ero. Fate come avete fatto le altre volte. Prendete il coraggio a due mani.

Dà una manata sulla spalla di Dubois e lo spinge fuori dello studio.

— E pensate che non state facendo partorire l'imperatrice, ma una qualsiasi borghese di rue Saint-Denis.

Prima di rientrare nella camera dell'imperatrice, Dubois si volta.

— Dato che Vostra Maestà mi autorizza, lo farò — dice.

Il medico esita, poi mormora che forse bisognerà scegliere tra la madre e il figlio.

— La madre, è il suo diritto — risponde Napoleone.

Così, forse non avrà quel figlio tanto desiderato. Entra, stringe la mano di Maria Luisa. L'imperatrice geme, si torce. Arrivano i dottori Corvisart, Yvan, Bourdier. Lei urla mentre Dubois prepara i ferri.

Non vuole rimanere così, spettatore impotente.

Sente il sudore che gli cola sulla fronte, giù per il collo. Stringe i pugni. In bocca ha un gusto amaro. Vorrebbe urlare di rabbia.

Si chiude nel bagno dello studio. Sente le urla di Maria Luisa. Poi, finalmente, la porta si apre. Cerca di leggere la notizia sul viso del dottor Yvan. Il medico mormora che l'imperatrice è sgravata.

Vede sul tappeto della camera il corpo del bambino che giace inerte. Morto.

Afferra la mano di Maria Luisa, la bacia. Non guarda più. È finita così.

Non avrà figli.

Rimane immobile accarezzando il volto di Maria Luisa. Ha gli occhi fissi.

D'improvviso, dei vagiti.

Si rialza.

Il neonato è avvolto in panni caldi, sulle ginocchia di madame Montesquiou che continua a frizionarlo, poi gli introduce in bocca qualche goccia di acquavite.

Il bambino grida di nuovo.

Napoleone lo prende in mano, lo solleva. È come il sole che sorge in una mattina di vittoria.

Ha un figlio.

Sono le nove di mattina di mercoledì 20 marzo 1811.

Sente le cannonate, poi le grida che salgono da place du Carrousel.

Non ce la fa a parlare. Firma l'atto di nascita di Napoleone, Francesco, Giuseppe, Carlo, poi va verso la finestra. Dall'alto scorge i cortei che convergono. Vede mani che si agitano.

Nasconde il viso dietro la tenda. Piange.

Vuole mostrare il bambino alla folla e ai suoi soldati. Quel re di Roma, quel bambino fra le braccia di madame Montesquiou, disteso su un cuscino di satin bianco tutto ricamato, sarà il loro sovrano.

Attendendo il battesimo senza cerimonia religiosa che verrà celebrato la sera stessa, detta una lettera per l'imperatore d'Austria.

L'imperatrice, benché fortemente indebolita dalle sofferenze, ha mostrato fino alla fine il coraggio di cui aveva già dato prova... Il bambino è in perfetta salute. L'imperatrice sta bene, tenuto conto del suo stato, ha già riposato un po' e ha anche mangiato qualcosa. Questa sera, alle otto, il bambino sarà battezzato. Avendo stabilito che il battesimo con tutti i crismi sarà solo tra sei settimane, incarico il conte Nikolaj, il ciambellano che porterà questa lettera a Vostra Maestà, di consegnarvene un'altra in cui vi prego di essere il padrino di vostro nipote.

Vostra Maestà può star certo che la soddisfazione che provo per questo evento è accresciuta considerevolmente dall'idea di veder perpetuare i legami che ci uniscono.

Prende un secondo foglio e scrive di suo pugno qualche riga per Giuseppina.

"Mio figlio è bello grosso e in perfetta salute. Spero che crescerà bene. Ha il mio torace, la mia bocca e i miei occhi.

"Spero che seguirà il suo destino."

Parte nona

E così ci sarà la guerra: malgrado me, malgrado lui
21 marzo 1811 - 21 giugno 1812

37

Si china sulla culla. Non si stanca mai di guardare il bambino. Lo tocca, gli parla, lo accarezza, lo stringe qualche minuto tra le braccia prima che madame Montesquiou venga a prenderlo per allontanarsi insieme a lui.

Ha un figlio.

Lo presenta con fierezza ai senatori, ai consiglieri di Stato che, uno dopo l'altro, entrano nella stanza del bambino.

— Ho desiderato ardentemente quel che la Provvidenza infine mi ha accordato — dice. — Mio figlio vivrà per la felicità e la gloria della Francia, e i suoi grandi destini si compiranno. Grazie all'amore dei francesi, tutto gli riuscirà facile.

"Mio figlio": queste parole gli riempiono la bocca. Le ripete. Ha l'impressione, quando le pronuncia, che il petto gli si allarghi. Eppure, dopo poche settimane si stupisce: la sua gioia diventa ogni giorno più evanescente. Sente una stanchezza che lo appesantisce. Le sue gambe si gonfiano. Non riesce a prendere sonno. Dorme di nuovo da solo e mangia con la fretta di una volta.

Va a trovare ogni giorno Maria Luisa, ma l'imperatrice rimane coricata, spossata dal parto. Quasi sempre sonnecchia, si fa portare il figlio solo qualche minuto ogni giorno, se ne occupa poco e lo affida a madame Montesquiou. Un'abitudine da arciduchessa che fu allontanata dalla madre subito dopo la nascita.

Quando lascia la moglie per tornare nei suoi appartamenti, Napoleone cammina a lungo nelle gallerie del castello di Saint-Cloud; una volta rientrato, si attarda in bagno. È pensoso. Tutto è cambiato nel suo destino, ha finalmente l'erede nel quale riponeva tante speranze, eppure niente si è trasformato.

Quando esce dal bagno, dopo che Rustam lo ha asciugato, si siede su un divano. Vi si trattiene a lungo per riflettere.

Malgrado la nascita del re di Roma, percepisce intorno a sé inquietudine e stanchezza. Gli obbediscono, ma con maggiore lentezza.

Si è irritato con Clarke, il ministro della Guerra, perché le unità che devono convergere verso il nord della Germania per affrontare la minaccia russa, partendo dalla Francia, dall'Italia e dalla Vestfalia, continuano a perdere tempo. Intanto Alessandro spinge le sue armate verso il granducato di Varsavia.

— Bisogna sempre eseguire un ordine — dice a Clarke. — Quando non succede, vuol dire che c'è colpa, e il colpevole deve essere punito.

Si indigna per queste inadempienze. Non riesce più a dormire. Detta ordini per notti intere, in quei primi giorni di aprile del 1811, perché vuole di nuovo imporre il pugno di ferro. Non può accettare che l'Impero gli sfugga di mano proprio nel momento in cui la nascita di suo figlio è arrivata ad assicurargli il futuro.

Dovrà combattere di nuovo? Combatterà. Contro i marescialli incapaci di domare gli spagnoli in Spagna. Ney rifiuta di obbedire a Masséna, e Junot è costretto a evacuare il Portogallo. Masséna indietreggia, e Wellington avanza. Non è possibile! Destituisce Masséna.

A nord, tutte le informazioni confermano, lungo le frontiere del granducato di Varsavia, la presenza delle truppe russe.

Lunedì 15 aprile 1811, mentre si celebra la festa di Pasqua, assilla i suoi ministri. Di tanto in tanto esce dallo studio per accogliere le delegazioni che vengono a felicitarsi con lui per la nascita del re di Roma. Ascolta i complimenti, i discorsi. Accompagna l'imperatrice, che esce sulla terrazza delle Tuileries per la sua prima passeggiata. La folla li acclama.

Ma a cosa servirebbero tutti quegli omaggi, che senso avrebbe quel figlio, se l'Impero sprofondasse?

Combattere, dunque.

Rientra nello studio. Vi trascorre intere notti. È persuaso che le truppe russe possano attaccare da un giorno all'altro. Riceve Champagny. Il ministro gli appare disorientato. Incapace di affrontare la situazione. È un uomo fedele, ma non ha saputo prevedere quei rischi di guerra.

— L'imperatore Alessandro è ormai ben lontano dallo spirito di Tilsit. Tutte le idee di guerra vengono dalla Russia. Se Alessandro I non blocca prontamente questa tendenza, vi sarà trascinato il prossimo anno, che lo voglia o no, e così scoppierà la guerra, malgrado me, malgrado lui, malgrado gli interessi della Francia e quelli della Russia.

Fa qualche passo, fissa Champagny.

— Ho già visto queste cose tanto spesso, che è la mia esperienza del passato a svelarmi il futuro.

Alza il tono della voce e si agita tutto come per manifestare la sua collera.

— Questa è una scena d'opera, e sono gli inglesi a manovrare dietro le quinte.

Champagny non ha capito niente delle manovre degli inglesi. Bisogna sostituirlo.

— Monsieur duca del Cadore — dice avvicinandosi a Champagny — non posso che elogiarvi per i servigi che mi avete sempre reso nei vari ministeri che vi ho affidato, ma gli affari esteri sono in una tale situazione, che credo necessario per il bene del mio servizio utilizzarvi in altri incarichi.

Champagny china il capo.

"Non voglio umiliare nessuno, ma è mio dovere scegliere gli uomini capaci e destituire gli incompetenti.

"Sarà Maret, il duca di Bassano, che lavora con me ogni giorno, a sostituire Champagny."

L'imperatore è nervoso, molto teso. Va a trovare Maria Luisa nei giardini del Trianon o nei parchi del castello di Rambouillet o di Compiègne. Lei gli fa molta tenerezza, ma da quando è nato il re di Roma è come se una parentesi di felicità e spensieratezza si fosse chiusa.

Si piega di nuovo alla dura disciplina del lavoro. A volte, anche nel cuore della notte, si interrompe e constata di non aver mai dedicato tante ore come in quel periodo ad amministrare l'Impero, a dettare. Poco a poco ha la sensazione che la macchina, che negli ultimi tempi aveva rallentato, si rimetta in funzione. Ne prova come una sorta di esaltazione. La posta è ancora più importante di una volta. Adesso ha un figlio. Ha in mano tutte le carte dell'Europa con tre sole eccezioni: la Spagna, che è una piaga aperta, l'Inghilterra, soffocata dalla crisi economica, e la Russia, che deve sottomettere.

Sarà necessario muoverle guerra?

— Non voglio la guerra — dice a Maret — ma avrò almeno il diritto di esigere che i russi restino fedeli all'alleanza.

Studia i registri delle sue armate. Ci vogliono nuovi reggimenti. Occorre reclutare nuove leve, ricostituire la cavalleria e l'artiglieria. Far avanzare le truppe attraverso la Germania senza attirare l'attenzione.

— Preferisco avere dei nemici, piuttosto che amici insicuri — afferma. — Sarebbe decisamente più vantaggioso.

Spesso, dopo un'intera notte di lavoro, ha l'impressione che il suo corpo cada a pezzi. Ha bisogno di movimento. Va a caccia nella foresta di Saint-Cloud o di Saint-Germain. Si lancia in galoppate sfrenate, sempre in testa al gruppetto dei generali o degli aiutanti di campo che lo accompagnano.

Nello sforzo fisico dimentica i problemi che lo assillano.

"Giuseppe si lamenta, insiste che è malato, vuole lasciare Madrid. Murat, a Napoli, agisce come gli aggrada, come un sovrano che non mi dovesse il suo trono e non fosse tenuto a eseguire i miei ordini."

— Se Murat crede di regnare a Napoli per altri motivi che non siano il bene generale dell'Impero — dice a Maret — si sbaglia di grosso. Se non cambia metodi, annetterò il suo regno e ne affiderò il governo a un viceré d'Italia.

Rientra. Vede Maria Luisa seduta nel parco. Sembra stanca. Ha parlato con Corvisart, il quale ha sconsigliato vivamente una seconda gravidanza. Ma è possibile che una donna così giovane, così robusta, sia a tal punto provata da un parto? Si siede accanto a lei, la coccola. Madame Montesquiou si avvicina con il "piccolo re".

"Mio figlio."

Lo prende in braccio, gioca con lui qualche minuto, gli fa bere poche gocce di Chambertin, ride alle sue smorfie. E mentre gioca, d'improvviso pensa a tutti gli anni che lo separano dal momento in cui suo figlio sarà in grado di regnare.

Restituisce il bambino a madame Montesquiou.

"Devo proteggere l'Impero che mio figlio erediterà. È questo il mio compito."

Parla sottovoce a Maria Luisa. L'imperatrice deve capire che anche lei ha dei doveri; deve (e può farlo, visto che lo deve) accompagnarlo nel viaggio che intende compiere nell'ovest della Francia per ispezionare il porto di Cherbourg, per verificare che la flotta che ha ordinato di ricostruire sia, in tempi abbastanza rapidi, in grado di affrontare quella inglese.

Non ascolta le lamentele di Maria Luisa. Si rifiuta di prendere atto della sua stanchezza. La coppia imperiale lascerà Rambouillet mercoledì, il 22 maggio, alle cinque di mattina, le comunica. Anche questo fa parte del mestiere di sovrano.

Lui il suo lavoro lo fa. Lei è l'imperatrice. Quindi, anche lei deve accettare di piegarsi ai suoi doveri. Quando vede il suo volto imbronciato, si ricorda di Giuseppina, che sapeva ascoltare i complimenti dei notabili, sorridere e ripartire nella sua berlina per un nuovo viaggio di ore e ore.

Il primo giorno viaggiano per quasi diciannove ore. Le tappe successive sono di dodici ore. Si attraversano Houdan, Falaise e Caen. Il primo soggiorno è a Cherbourg. Napoleone intende ispezionare le navi. A bordo del *Courageux*, mentre Maria Luisa si riposa, Napoleone fa aprire il fuoco con tutti i cannoni della fregata. Poi accompagna la moglie a un portello della murata e le domanda ridendo:

— Vuoi che ti butti in mare?

Gli ufficiali lo guardano stupefatti.

Lei è solo una giovane donna, la sua sposa, e deve seguire il marito, accettare il ritmo che lui le impone.

L'imperatore è in piedi di fronte al mare, contempla il porto che ha fatto scavare affinché la sua flotta possa venire a mettersi al riparo dopo aver affrontato le navi inglesi. Cherbourg, infatti, sarà la punta più avanzata del continente contro l'eterno nemico, l'Inghilterra.

Si reca al castello di Querqueville, lo ispeziona da cima a fondo mentre Maria Luisa lo segue lentamente, spossata. Qui installerà uno dei suoi quartieri generali. Poi riparte per Saint-Cloud, dove arriva martedì 4 giugno, all'una del pomeriggio.

Osserva Maria Luisa allontanarsi verso i suoi appartamenti. Adesso lui deve presiedere un Consiglio dei ministri. Domani riceverà Caulaincourt, che arriva da Pietroburgo.

Resta qualche minuto fermo nella galleria, seguendo con gli occhi la sagoma di Maria Luisa che si allontana. Si sente pieno di energie.

A Caen, mentre lei si riposava dal viaggio, ha trovato il tempo di incontrarsi con madame Pellapra, un'amante di ieri che gli si offre ancora. La donna gli ha parlato di Émilie, la bambina di cui lui sarebbe il padre.

Non si rifiuta niente alla vita.

Lui è sposo e padre. Amante. Conquistatore sempre. Imperatore.

Alle undici di mattina di mercoledì 5 giugno, fa entrare nello studio di Saint-Cloud Caulaincourt, il duca di Vicenza. Ha forti dubbi su quell'uomo. Alessandro I lo ha troppo coccolato. Per di più, Caulaincourt è amico di Talleyrand. È un grande scudiero devoto, buon conoscitore di cavalli, ma ambasciatore troppo influenzabile.

Lo fissa con severità. L'uomo però ha il coraggio di sostenere le sue convinzioni.

— I russi vogliono muovermi guerra, intendono costringermi a evacuare Danzica. Credono di potermi manovrare come il loro re di Polonia!

Napoleone pesta il piede per terra.

— Ma io non sono Luigi XV, e il popolo francese non sopporterà questa umiliazione.

Ascolta Caulaincourt che difende Alessandro.

— Vi siete innamorato di Alessandro!

— No, Sire, però sono innamorato della pace!

— Anch'io — replica Napoleone. — La Russia però ha rotto l'alleanza perché il sistema continentale le dà fastidio. Siete succube dei ragionamenti di Alessandro perché lui li sa condire di elogi.

Sorride.

— Ma io sono una vecchia volpe, conosco i miei polli.

Si avvicina a Caulaincourt.

— Da che parte state?

— Sono per il mantenimento dell'alleanza, Sire! Il partito della prudenza e della pace.

"Come fa Caulaincourt a non vedere che è stato proprio lo zar a rompere lo spirito di Tilsit?"

— Voi parlate in continuazione della pace! — esclama Napoleone. — La pace ha senso quando è durevole e onorevole. Non voglio una pace che rovina il mio commercio come ha fatto quella di Amiens. Perché la pace sia possibile e durevole, bisogna che l'Inghilterra sia persuasa che non troverà più alleati sul continente. È necessario dunque che il colosso russo e le sue orde non possano più minacciare d'irrompere nel Centroeuropa!

"Caulaincourt mi parla ancora della Polonia che, secondo lui, avrei intenzione di ricostituire!"

— Ho detto che non voglio la guerra! Non voglio la Polonia, ma desidero che l'alleanza mi sia utile, e non lo è più da quando accoglie i paesi neutrali.

Napoleone si allontana. Caulaincourt ripete le frasi dello zar Alessandro: — Il nostro clima e il nostro inverno combatteranno la guerra per noi — ha dichiarato lo zar. — Da voi i prodigi avvengono solo dove si trova l'imperatore, e lui non può essere dappertutto, come non può stare anni lontano da Parigi.

Napoleone pensa ai pantani della Polonia, alla battaglia di Eylau, alla neve e al fango.

"Non voglio la guerra."

— Alessandro è falso e debole — replica Napoleone. — Ha il carattere dei greci. È ambizioso. E vuole la guerra, visto che rifiuta tutti i compromessi che gli propongo.

Si interrompe.

— È il matrimonio con l'Austria che ci ha fatto litigare.

Caulaincourt scuote la testa.

— La guerra e la pace sono nelle vostre mani, Sire. Supplico Vostra Maestà di riflettere, per la sua felicità e per quella della Francia, nel momento di scegliere tra gli inconvenienti della prima e i vantaggi sicuri della seconda.

— Parlate come un russo, monsieur duca di Vicenza.

Napoleone volta le spalle a Caulaincourt.

"Chi può impedire il concatenarsi degli eventi?"

Pochi giorni dopo, il 9 giugno, una domenica, Napoleone si sta ponendo queste domande quando sente le salve dell'artiglieria che salutano la partenza del corteo imperiale diretto a Notre-Dame.

Pensa ai cannoni che in quel momento avanzano sulle strade della Germania per rafforzare le sue truppe. Si siede accanto a Maria Luisa nella carrozza che aveva già utilizzato per l'incoronazione. Nel momento in cui la vettura si muove, vede su un'altra carrozza madame Montesquiou con il re di Roma sulle ginocchia.

Osserva la folla silenziosa, enorme, che si accalca dietro le truppe schierate. È preoccupato. Nessuno applaude, come se la folla fosse schiacciata dallo splendore del corteo che accompagna il re di Roma verso il fonte battesimale.

"Forse il popolo ha come me il presagio della guerra imminente?"

Napoleone avanza lentamente nella navata dove si accalcano i dignitari. Quando suo figlio passa davanti a lui, fa fermare madame Montesquiou, prende il neonato, lo bacia tre volte e lo solleva a braccia tese sopra la testa.

Allora le acclamazioni si scatenano: — Viva l'imperatore! Viva il re di Roma!

Per qualche istante gioisce.

Ma dopo il battesimo, nella carrozza che lo conduce da Notre-Dame all'hotel de Ville, ritrova la stessa inquietudine di prima.

I cavalli che trainano la carrozza scalpitano, nitriscono, sono difficili da controllare.

D'improvviso, un colpo. Il tiro si è rotto.

Gli scudieri si precipitano a ripararlo.

L'imperatore scende dalla carrozza.

Deve attendere con pazienza.

Non gli piace questo incidente, questo presagio.

38

Il caldo soffocante di quella domenica 23 giugno 1811 rende nervoso l'imperatore. È seduto sotto una tenda, nel giardino del castello di Saint-Cloud. Si volta a guardare Maria Luisa. Gocce di sudore colano lungo il volto dell'imperatrice. I riccioli sono incollati alla fronte e alle tempie. Respira rumorosamente, come qualcuno che sta per assopirsi. La osserva. Non si è ancora rimessa dalle fatiche del parto. Ha perso anche molti capelli, il suo corpo si è come rilassato. Il viaggio a Cherbourg l'ha spossata del tutto. E dal ritorno a Saint-Cloud le feste si succedono una dopo l'altra. Sono necessarie.

Napoleone sente le grida della folla radunata nel parco che comincia a illuminarsi, mentre la notte scende senza portare un po' di frescura. Ha voluto che fossero preparati dei rinfreschi per la gente accorsa in massa. Da molte fontane sgorga vino. Più lontano, nel Bois de Boulogne, banchettano i granatieri della Guardia imperiale. E adesso cominciano per tutti dei grandiosi fuochi d'artificio.

Prende la mano di Maria Luisa. È madida. Già i primi botti risuonano nel cielo basso, le scintille colorate illuminano le nuvole. D'improvviso, una raffica di vento gelido, poi si scatena una bufera.

Lui rimane immobile. Vede i dignitari che non osano lasciare i giardini sferzati dai rovesci d'acqua. Gli abiti si incollano al corpo, le vesti variopinte sono tutte inzuppate.

— Ecco un bel mucchio di ordinativi per le manifatture dell'Impero — mormora Napoleone rivolgendosi al sindaco di Lione, che è seduto dietro di lui nella tenda.

I fuochi d'artificio vengono interrotti. Le raffiche di pioggia continuano ad abbattersi, scacciando la folla dal parco.

Le sue feste più importanti devono ormai concludersi sempre sotto un uragano?

Rientra nello studio. Si accovaccia sul tappeto dove, la mattina, aveva disposto tanti piccoli pezzi di legno che, a seconda della lunghezza e del colore, rappresentano divisioni, reggimenti e battaglioni. Li ricolloca, compone un nuovo ordine di battaglia.

Ieri, nel pomeriggio, la governante è venuta nello studio con il "piccolo re". Il bambino ha giocato con i pezzi di legno e lui lo ha lasciato fare. Adesso che è solo, in silenzio, senza le risatine e le grida di suo figlio, rivive la scena. A un certo punto ha cercato di togliere al bambino uno dei pezzi. Il piccolo si è opposto, ha respinto quello che gli offriva in cambio. È testardo, "fiero e sensibile come piace a me!" ha detto Napoleone a madame Montesquiou.

"Mio figlio. Che uomo sarà? Cosa siamo noi?"

Ha discusso, qualche giorno prima, con gli scienziati dell'Istituto, Monge, Berthollet, Laplace.

"Sono tre veri atei. Hanno ragione? A volte, come loro, credo che *l'uomo sia il prodotto del fango della terra, riscaldato dal sole e vivificato da fluidi elettrici.* Ma credo al destino. Quale sarà il destino di mio figlio?"

"Povero bambino, quante faccende da sbrogliare ti lascerò!

"Comunque, credo all'utilità della religione."

Si rialza.

"I preti, come i miei prefetti e i miei gendarmi, devono garantire la pace nel mio Impero. Devono obbedire."

Non riesce a dormire. Il tempo è pessimo. Il temporale sta per scatenarsi di nuovo, come durante la grande festa.

Napoleone deve controllare tutti gli ingranaggi dell'Impero. Intende incontrare già l'indomani mattina il ministro dei Culti, Bigot de Préameneu. È un consigliere di Stato, membro dell'Académie Française, giurista esperto. Un servitore fedele che lui ha voluto conte dell'Impero.

È incaricato di riunire i vescovi dell'Impero in un Concilio nazionale per ricordare loro il dovere d'obbedienza all'imperatore, sottometterli e sottrarli all'autorità temporale del papa.

"Quel Pio VII che continua a fare la fronda contro di me. Il sovrano pontefice ha cercato in ogni modo di indurre i miei popoli e le mie armate ad abbandonarmi."

E adesso anche i vescovi resistono.

Dirà a Bigot de Préameneu di ricordare al papa che, se non la smette di opporsi all'imperatore, quest'ultimo potrebbe dichiarare decaduto il Concordato con la Chiesa.

Napoleone si alza, cammina avanti e indietro nel suo studio per buona parte della notte.

"Se necessario darò un esempio, decreterò l'arresto di qualche vescovo, così gli altri si sottometteranno. Conosco gli uomini. Sono dominati dalla paura. I vescovi si piegheranno come chiunque altro. Ordinerò al ministro di Polizia di sorvegliare la loro corrispondenza, di spiare i loro incontri. Dirò a quei signori: sta a voi stabilire se volete essere principi della Chiesa o semplici scaccini.

"Cederanno."

Non riesce a star fermo. I giorni e le notti di quell'estate del 1811 sono terribilmente afosi. A volte galoppa per ore e ore nelle foreste di Saint-Germain o di Marly. Quando rientra e vede il re di Roma, si precipita, lo solleva in alto, gioca un po', prende sottobraccio Maria Luisa e la costringe a passeggiare con lui nei viali. È priva di energie, mentre dopo pochi minuti lui è di nuovo impaziente, avido di movimento, di attività. Dovrebbe essere dappertutto. In Spagna, dove i suoi marescialli non riescono a porre fine all'insurrezione e all'avanzata delle truppe di Wellington. E, soprattutto, nel nord dell'Europa, dove le navi inglesi continuano a penetrare nel Baltico con la complicità di Bernadotte, che dirige sempre più da sovrano indipendente la politica della Svezia.

"Sono ancora francesi, questi uomini che sono diventati quel che sono grazie a me?

"Pensano solo a durare dopo di me. Non si preoccupano certo di mio figlio. Pensano ai loro regni. Murat ha addirittura sostituito dappertutto il vessillo imperiale con la bandiera di Napoli!"

Detta in tono aspro una lettera a Murat:

"Tutti i cittadini francesi sono cittadini del regno delle Due Sicilie... Voi siete attorniato da uomini che odiano la Francia e che vogliono la vostra rovina... Vedrò dal vostro modo di agire se il vostro cuore è ancora francese."

"Quegli uomini non sospettano nemmeno l'energia che ho in me. Compio quarantadue anni il 15 agosto 1811, ma mi sento capace di spezzare tutti i miei nemici."

Vuole ricevere Caulaincourt, ridiventato gran scudiero, affinché prepari un viaggio d'ispezione nei porti del Belgio e dell'Olanda, allo scopo di valutare, dopo la visita a Cherbourg, lo stato delle difese contro l'Inghilterra e i mezzi per allestire una flotta e attaccare l'eterno nemico.

Quanto alla Russia, che stia in guardia!

Venerdì 14 agosto, a mezzogiorno, avanza nella sala del trono delle Tuileries. I cannoni sparano qualche colpo a salve. Passa lentamente in mezzo alla corte, poi, con un cenno, indica al gran ciambellano che può far entrare i membri del Corpo diplomatico. Aspetta che gli ambasciatori siano sistemati in semicerchio. Poi si dirige subito verso il principe Kurakin, ambasciatore di Russia, che si trova accanto al principe Schwarzenberg, ambasciatore d'Austria, e a quello di Spagna.

Occorre saper incalzare l'avversario, costringerlo a smascherarsi. Napoleone è calmo, padrone di sé, ma la collera è un'arma che sa e vuole usare.

— Avete notizie per noi, principe? — domanda.

Il caldo è soffocante. Kurakin sta sudando nella sua uniforme di parata cosparsa d'oro e di diamanti.

— Ho saputo che siete stati battuti dai turchi — continua Napoleone. — Avete perso perché non avevate truppe sufficienti, e non avevate truppe sufficienti perché avete mandato cinque divisioni dell'Armata del Danubio presso quella di Polonia. Per minacciarmi.

Kurakin arrossisce, sembra soffocare.

"Io parlo chiaro. La mia forza sta nel fatto che mi rifiuto di utilizzare la lingua morta dei diplomatici. Io so che centocinquanta navi inglesi sono state accolte nei porti russi per scaricare le loro merci che invaderanno l'Impero."

— Sono un uomo semplice, quel che non comprendo eccita la mia diffidenza — continua.

Alza la voce.

"Bisogna che tutti, la corte e gli ambasciatori, capiscano l'avvertimento. La mia collera è un atto pubblico."

— Non sono così stupido da credere che sia il ducato di Oldenburg a preoccuparvi. Comincio a pensare che vogliate impadronirvi della Polonia.

Kurakin balbetta frasi incomprensibili, il volto sempre più infiammato.

— Quand'anche le vostre armate fossero accampate sulle colline di Montmartre — continua Napoleone — non cederei un pollice del territorio di Varsavia di cui ho garantito personalmente l'integrità. Se mi costringete alla guerra, mi servirò della Polonia contro di voi.

Si allontana di qualche passo.

— Vi dichiaro che non voglio la guerra — martella. — E non la farò quest'anno, a meno che non mi attacchiate. Non mi piace proprio combattere nel Nord, ma, se la crisi non è superata entro il mese di novembre, recluterò altri 120.000 uomini. Continuerò così per due o tre anni e, se dovessi constatare che questo sistema è più faticoso della guerra, allora la farò contro di voi, così perderete tutte le vostre province polacche.

Si avvicina a Kurakin e, cambiando improvvisamente tono, gli parla con dolcezza e voce tranquilla.

— Sia per fortuna sia per il valore delle mie truppe, e anche perché me ne intendo un po' del mestiere, io ho sempre riportato delle vittorie, e spero di riportarne ancora se mi costringete a fare la guerra. Voi sapete che ho denaro e uomini. Sapete che ho 800.000 uomini, che ogni anno la coscrizione mette a mia disposizione altri 250.000 giovani, e che di conseguenza posso aumentare il mio esercito in tre anni di 700.000 uomini, che basteranno per continuare la guerra in Spagna e per farla contemporaneamente a voi. Non so se vi sconfiggerò, ma ci batteremo…

Ascolta le proteste di amicizia e di alleanza di Kurakin. Il principe è caduto nella trappola. Napoleone l'interrompe.

— Se si tratta di sistemare le cose, io sono pronto. Avete i poteri necessari per trattare? Se sì, autorizzo subito l'apertura di un negoziato.

— Fa molto caldo qui a palazzo — dice Kurakin, asciugandosi la fronte.

Non può rispondere. Non dispone di alcun potere per negoziare.

— Voi fate come la lepre colpita da una pallottola. Si alza sulle zampe e si agita, terrorizzata, esponendosi così a ricevere in pieno una nuova scarica — dice Napoleone allontanandosi. — Quando due gentiluomini litigano, quando per esempio uno ha dato uno schiaffo all'altro, si battono e poi si riconciliano. Anche i governi dovrebbero agire così, fare in modo deciso o la guerra o la pace.

Scorge Caulaincourt in mezzo alla folla dei dignitari. Il gran scudiero si tiene in disparte, accanto a una finestra. Napoleone tende il braccio verso di lui.

— Checché ne dica monsieur Caulaincourt, l'imperatore Alessandro intende attaccarmi. Ma monsieur Caulaincourt ormai è diventato russo. Gli elogi dell'imperatore Alessandro lo hanno conquistato.

Caulaincourt protesta. Io sono un buon francese, dice. Un fedele servitore. Napoleone sorride.

— So che siete una brava persona, ma le lodi dell'imperatore Alessandro vi hanno dato alla testa, e così siete diventato russo.

Lascia la sala del trono. È il 15 agosto 1811, il giorno del suo quarantaduesimo compleanno. Adesso deve assistere alla messa.

Rientra al castello di Saint-Cloud alle dieci di sera. Fa un bagno, cerca di dormire, ma la sua testa continua a lavorare senza sosta, i fatti si ordinano nella sua mente, iniziano a delinearsi. Vuole vedere Maret domani mattina, sabato. Di buon'ora. Il ministro degli Esteri deve portare con sé tutta la corrispondenza intercorsa con la Russia dopo l'incontro con Alessandro a Tilsit. Vuole studiare tutto il dossier. Quest'anno ormai è tardi per aprire le ostilità contro la Russia. Ma è possibile prevederle per il mese di giugno dell'anno prossimo.

Desidera consultare anche tutti i libri disponibili in francese sulla campagna condotta in Russia e in Polonia dal re di Svezia Carlo XII. La guerra non si improvvisa.

Il futuro si delinea a poco a poco. E a poco a poco Napoleone sente che si sta sbarazzando dei legami che lo ostacolavano.

Riceve Lacuée de Cessac, il ministro della Guerra. Nutre profonda fiducia in quest'uomo lucido di sessant'anni, che è stato deputato dell'Assemblea legislativa dopo aver ricoperto l'incarico di consigliere di Stato e di governatore del Politecnico.

— Andiamo a fare due passi — gli dice.

Lo precede sulla terrazza che domina il parco di Saint-Cloud, poi si ferma. Qui nessuno può sentire, ed è possibile vedere se arriva qualche importuno.

— Ho bisogno di voi per una cosa di cui non ho parlato con nessuno, nemmeno con i ministri, che oltre tutto non c'entrano niente — esordisce Napoleone.

Si appoggia alla balaustra.

— Sono deciso a organizzare una grande spedizione. Mi occorrono equipaggiamenti e mezzi di trasporto considerevoli. Quanto agli uomini, non ho problemi. La cosa più difficile è attrezzarsi per i trasporti.

Fissa a lungo Lacuée de Cessac.

— Mi servono mezzi di trasporti immensi — riprende — perché il punto di partenza sarà il Niemen. Intendo agire su grandi distanze e in diverse direzioni. È per questo che ho bisogno di voi e del vostro segreto.

Ascolta Lacuée, il quale parla prima delle spese necessarie e poi, dopo una breve esitazione, mormora di non essere favorevole a una guerra contro la Russia.

Napoleone lo interrompe. È lui che sa qual è il bene dell'Impero. Quanto alle spese, aggiunge seccamente:

— Venite alle Tuileries la prima volta che ci sarò. Vi mostrerò 400 milioni in oro. Perciò non fermatevi al problema delle spese, faremo fronte a tutte quelle necessarie.

Poi ritorna verso il castello.

— Ci vuole una pace generale — conclude. — Perciò è indispensabile sferrare quest'ultimo colpo.

China il capo, le labbra serrate, e aggiunge con voce ferma:

— In seguito avremo anni di riposo e di prosperità per noi e per i nostri figli. Dopo tanti anni di fatica e di disagi. Ma anche di gloria

Sulla porta dello studio aggiunge:

— Quando avremo finito con la guerra, e Dio voglia che sia il più presto possibile, dovremo impegnarci nel vero lavoro, perché quello che abbiamo fatto finora è solo un lavoro provvisorio.

Adesso può partire, percorrere le strade polverose del Nord, ispezionare di nuovo Boulogne, Dunkerque, visitare le fortificazioni, montare a bordo dello *Charlemagne* in rada a Flessinga, trascorrere molti giorni in mare a causa della tempesta che si è scatenata martedì 24 settembre e si protrae mandando alla deriva le navi.

È solo. È la prima volta che lascia Maria Luisa dal loro primo incontro. Lei ha pianto e si è aggrappata al suo collo, come una bambina. Ha detto alla duchessa di Montebello, e lui l'ha sentita: — Mi abbandona! — Deve raggiungerlo ad Anversa, da dove continueranno insieme il viaggio fino ad Amsterdam. Vuole che gli olandesi, che ormai sono cittadini dell'Impero, vedano i loro sovrani.

Le scrive ogni giorno. Da Boulogne: "Cara Luisa, ho dovuto sopportare un caldo spaventoso e nuvole di polvere... Spero che tu sia stata brava e che a quest'ora stia dormendo. È mezzanotte, vado a riposare anch'io. Addio mia cara amica, un tenero bacio. N.".

E sempre da Boulogne: "Ti prego di stare attenta alla tua salute. Sai che la polvere e il caldo ti fanno male. Ho costretto le vedette inglesi a tenersi quattro leghe al largo. Addio Luisa, hai ragione di pensare a colui che spera solo in te. N.".

Traccia queste poche righe in fretta. Ormai lei ha imparato a leggere la sua scrittura nervosa. È necessario che pensi a lui ogni giorno. Deve essere presente ogni giorno. Perché lui fa il suo mestiere di soldato e di imperatore. "Sai quanto ti amo" le ripete "e hai torto se pensi che le altre occupazioni possano sminuire i sentimenti che ho per te."

Visita le fortificazioni. Ispeziona le imbarcazioni e le squadre navali, "vascello dopo vascello". Vuole vedere tutto. Bisogna che gli inglesi, se lui è impegnato a nord contro i russi, non possano sbarcare qui, come hanno già tentato di fare.

Fa il suo dovere di imperatore e le scrive ogni giorno, perché è il suo dovere di "sposo fedele".

Perché lui è uno sposo fedele.

Si ricorda delle lettere che scriveva a Giuseppina.

Non può, non vuole scrivere a Maria Luisa frasi appassionate e languide come quelle scriveva dall'Italia a Giuseppina.

Scrive: "Abbi cura di te e cerca di stare bene. Non dubitare dei sentimenti del tuo fedele sposo".

E siccome desidera ricevere ogni giorno notizie del re di Roma, è lui che scrive alla madre: "Il piccolo re sta bene".

Poi aggiunge: "Non sono mai arrabbiato con te, perché tu sei buona e perfetta e io ti amo. Le stelle brillano. Passerò una bella giornata a bordo delle mie navi".

Ritrova Maria Luisa ad Anversa, affaticata dal viaggio. Durante la notte, ama la sua stanchezza accondiscendente.

La mattina la osserva dormire qualche istante, poi corre a visitare i cantieri navali o ad assistere alle manovre delle truppe, ad Amsterdam o a Utrecht.

L'imperatrice sonnecchia in teatro e durante i ricevimenti quotidiani. Manifesta la sua allegria e la sua gioia solo quando passeggiano da soli, la scorta a una certa distanza.

Ma il tempo dell'ozio è finito. Lui deve fare il suo mestiere. E anche le festività rappresentano degli impegni. È indispensabile che lei faccia il suo dovere, come lui, accanto a lui. Bisogna che risponda alle acclamazioni della folla che li attende ad Amsterdam.

Poi bisogna mettersi di nuovo in strada, perché sono arrivati dei dispacci da Parigi, e occorre rientrare bruciando le tappe. Quando Maria Luisa chiede di fermarsi per pranzare o per fare una sosta, Napoleone si irrita, ma poi cede abbracciandola.

Ma si riparte subito all'alba per arrivare a Saint-Cloud l'11 novembre 1811, un lunedì, alle sei di sera.

Napoleone ignora i dignitari, i ministri, gli ufficiali in attesa sull'ampia scalinata. Si precipita. All'ingresso del grande vestibolo ha visto la governante che tiene in braccio suo figlio. Sono quasi due mesi che non lo abbraccia.

Lo prende, se lo stringe al petto.

Maria Luisa scende lentamente dalla carrozza.

39

S i alza. È notte fonda. Il fuoco del camino rischiara la stanza. Napoleone sveglia Rustam, si sposta nello studio, si mette allo scrittoio e comincia a leggere la tabella che il maresciallo Berthier gli consegna ogni giorno, dove sono annotate le distanze percorse delle truppe in marcia verso il Niemen.

Segue con il dito le colonne dove sono indicati i diversi corpi, la cavalleria, l'artiglieria, i carriaggi. Non riesce a staccarsi dallo scrittoio, malgrado la stanchezza crescente. Si sente le gambe pesanti. Ha mal di pancia. Prova fitte dolorose allo stomaco. Ma può fermarsi per simili stupidaggini? per queste bizze del corpo?

Adesso lui deve controllare tutto, prevedere tutto. Un milione di stai di avena per i cavalli, quattro milioni di razioni di gallette per 400.000 uomini. Ci vogliono pontieri e strutture per attraversare il Niemen e gli altri fiumi.

Raggiunge la biblioteca. Deve leggere i resoconti delle campagne dei vari eserciti che hanno invaso la Russia. E meditarli. Come riuscire a prendere sonno? Ha bisogno di parlare.

All'alba convoca nel suo studio il conte di Narbonne. Si tratta di un ex ministro di Luigi XVI al momento della dichiarazione di guerra del 1792 che lui ha nominato suo aiutante di campo.

"Narbonne è un abile negoziatore, un uomo di grande esperienza. Deve capirmi. Ho bisogno di spiegarmi con lui, perché solo così il mio animo si calmerà."

— Non siete ancora convinto — esordisce Napoleone — voi che conoscete bene la storia, che fu lo sterminio dei cimbri il primo titolo della fondazione dell'Impero romano? Ed è sempre nel sangue che l'Impero romano si è ritemprato ogni volta, sotto Traiano, Aurelio, Teodosio.

I cimbri di oggi sono i russi.

— Sono motivi politici che mi spingono a questa guerra avventurosa. È la forza delle cose che lo esige. Ricordatevi di Suvarov e dei suoi tartari in Italia. L'unica risposta è di respingerli oltre Mosca. E quando sarà in grado di farlo l'Europa, se non in un momento favorevole come questo?

Si siede. A volte la tensione in lui è così forte, che ne rimane quasi stordito. Gli manca il respiro. Sente tutta la pesantezza del suo corpo. Ci vuole un grande sforzo di volontà, un colpo di sperone, per risollevarsi. Che fine ha fatto il suo corpo nervoso, flessibile, tagliente come una lama che solca l'aria?

Continua a parlare con lentezza:

— Contro Alessandro condurrò una guerra con mezzi leali, con 2000 bocche da fuoco e 500.000 soldati, ma senza insurrezioni. La guerra, nelle mie mani, è sempre stata l'antidoto all'anarchia. E adesso che voglio servirmene ancora per garantire l'indipendenza dell'Occidente, non deve ridestare quel che ha soffocato, lo spirito della libertà rivoluzionaria.

Si rannicchia su un divano.

In quei giorni si sono verificate sommosse sui mercati di Caen, nei dipartimenti di Eure-et-Loire e Bouches-du-Rhône. Ha dovuto impartire ordini severissimi. La Guardia è intervenuta sul mercato di Caen procedendo all'arresto di uomini e donne. Alcuni sono stati condannati a morte e fucilati. Non può correre il rischio che il paese si sollevi. Occorre fissare il prezzo del pane.

— Quello che desidero è che il popolo abbia sempre pane, e intendo dire molto pane. Pane buono e a buon mercato.

"Ho bisogno che i popoli siano tranquilli. E invece li sento di nuovo in agitazione. L'incendio spagnolo si propaga in Germania. Il maresciallo Davout, il generale Rapp e mio fratello Gerolamo sono molto preoccupati.

"Tutti si scatenerebbero contro di noi" sostiene Rapp, governatore di Danzica "se dovessimo subire una sconfitta."

"Che cosa me ne faccio, di simili scempiaggini? Come se ignorassi che chi è vinto e ferito non è mai finito, e che la debolezza invita i popoli a insorgere! Ma io non sarò mai vinto. Perché devo leggere rapporti del genere?"

— Il mio tempo è troppo prezioso per perderlo occupandomi di queste sciocchezze... Tutto ciò serve solo a confondere i miei pensieri con scenari e supposizioni assurde...

Osserva Narbonne.

— Voi mi ritenete senz'altro un imprudente — riprende Napoleone. — Ma non capite che anche la mia temerarietà è un calcolo, come deve essere per il capo di un Impero. Colpisco lontano per conservare il controllo di ciò che ho vicino, e per quanto riguarda le imprese straordinarie, intendo tentare solo ciò che è utile e inevitabile.

Si avvicina a Narbonne.

— Dopo tutto, mio caro, la strada per Mosca è la strada per l'India — mormora. — Basterebbe toccare il Gange con una spada francese per far cadere tutta l'India, quella gigantesca impresa mercantile... Come vedete, dunque, il certo e l'incerto, la politica e il futuro spalancato davanti a noi, tutto ci spinge sulla grande strada per Mosca, e non ci consente di fermarci a bivaccare in Polonia.

Comincia a camminare avanti e indietro.

— Perciò, ecco la nostra prima mossa: tutto il grosso del continente europeo e dell'Occidente confederati, volenti o nolenti, sotto le nostre aquile, forniranno 400.000 uomini che penetreranno in Russia e marceranno dritti su Mosca, che verrà conquistata.

Prende le tabelle di marcia delle diverse armate. Si stanno avvicinando all'Oder, mentre le avanguardie stanno già raggiungendo la Vistola.

— Quindi, caro Narbonne, come potete vedere tutto è stato attentamente combinato e previsto, salvo la mano di Dio, che bisogna sempre tenere di riserva e che, penso, non mancherà di aiutarci.

E aggiunge in tono grave:

— Io ho pacificato il popolo armandolo e ho ristabilito il maggiorasco, l'aristocrazia e la nobiltà ereditaria all'ombra delle schiere della Guardia imperiale, composta da figli di contadini, piccoli risparmiatori o semplici proletari.

Poi, con voce ferma, dopo aver invitato Narbonne a recarsi a Mosca dallo zar per un ultimo tentativo di negoziato, aggiunge:

— E non dimenticate, io sono un imperatore romano. Appartengo alla razza dei Cesari. Quella dei fondatori di Imperi.

Resta solo, e la stanchezza lo riassale insieme alle preoccupazioni. È necessario che non trapeli nulla delle sue intenzioni a corte, fra il popolo, gli ambasciatori. Cacciare l'angoscia che sente in lui e intorno a lui con balli e feste.

Giovedì 6 febbraio 1812 dà un ballo in costume alle Tuileries. Ha stilato di persona l'elenco degli invitati, e passeggia tra la folla dei novecento ospiti al braccio dell'imperatrice. Eppure, malgrado la bellezza degli abiti, delle donne e dei travestimenti, malgrado la grazia di Paolina o di Carolina, le sue sorelle, non riesce a provare gioia. Assaggia appena i piatti della sontuosa cena servita nella galleria di Diana, all'una e mezza di mattina. E rientra nei suoi appartamenti senza recarsi nemmeno nella camera di Maria Luisa.

Queste feste per lui sono un dovere, come la rigida etichetta che impone alla corte. Perché è in questo modo che si ribadisce la propria autorità, e lui ama l'ordine e la gerarchia. Ma tutto gli appare gelido. Decide di trasferirsi nel palazzo dell'Eliseo, che Giuseppina gli ha ceduto.

Però prende il raffreddore, e così è ancora alle Tuileries che l'11 febbraio, martedì grasso, dà un nuovo ballo in maschera. Senza troppo entusiasmo indossa un domino blu e una maschera grigia. Quando entra nella sala da ballo riconosce subito l'imperatrice, mascherata da contadinella di Caux.

"Gli invitati danzano allegramente la quadriglia, come se la mia assenza li rendesse liberi."

Non si trattiene a lungo. Torna nel suo studio. Solo il lavoro, in quei momenti, un lavoro ininterrotto, riesce a calmarlo.

Certi giorni, d'improvviso, si sente soffocare. Ordina che venga sellato in pochi minuti un cavallo. Galoppa nella foresta di Saint-Germain o di Raincy, o nel Bois de Boulogne. Non gli importa che ci sia selvaggina da inseguire o da catturare. Ha bisogno solo dello sforzo fisico. Gli piace stringere i cavalli tra le cosce, sfiancarli, anche se sono animali che provengono dalla Persia, dalla Spagna, dall'Arabia, perfino dall'America del Sud. Vuole essere più resistente di loro. Li fa scoppiare. In questo modo si sente come rassicurato di riuscire ancora a vincere la stanchezza e di ritrovare il vigore del suo corpo, come in passato.

A volte, all'alba, fa svegliare l'imperatrice perché lo accompagni o lo segua in calesse. Sa di essere l'unico ad avere quell'energia inesauribile, è il suo orgoglio, ma al tempo stesso vorrebbe che chi gli sta vicino fosse come lui.

Osserva il figlio giocare, cavalcare un grosso montone di lana dotato di ruote, far tintinnare i campanelli appesi al collo dell'animale. Gli fa ripetere rapito le prime parole, "papà", "mamma". Gli conta i denti, ne studia i lineamenti del volto. Si guarda in uno specchio con il bambino in braccio. La somiglianza gli sembra assoluta. Nello stesso tempo, quel bambino è sensibile, troppo tenero. Alla sua età lui era molto più intraprendente, più vivace!

Si allontana. Ha subìto tante delusioni dai fratelli e dalle sorelle, e vorrebbe tanto che questo figlio rispondesse alle sue speranze, che è come sconvolto ogni volta che lo vede. Deve separarsene per non lasciarsi travolgere dall'emozione.

Lascia il palazzo dell'Eliseo.

È un bel pomeriggio di marzo del 1812, martedì 24. Va a passeggio per le strade di Parigi. Osserva la folla sui boulevard, poi attraversa il ponte di Austerlitz e percorre i quai sulla riva sinistra della Senna.

L'aria è fresca, sugli alberi incominciano a spuntare le prime gemme. Ma lui non sente la primavera germogliare dentro di sé, come se persistesse ancora il grigiore invernale.

Ha saputo che Giuseppina ha ordinato un ritratto del re di Roma e ha fatto collocare il quadro nella sua stanza. Naturalmente, si è fatta derubare! E lui ha dovuto pagare i suoi debiti.

Le scrive:

Metti ordine nei tuoi affari, spendi solo 1.500.000 franchi e risparmia altrettanto ogni anno. Così potrai costituire una bella riserva di 15.000.000 di franchi in dieci anni per i tuoi nipoti: è così bello poter regalare qualcosa o essere utile. Invece, tu non fai altro che coprirti di

424

debiti. Occupati di più dei tuoi affari e non dare la tua roba al primo venuto. Se vuoi che sia contento, fa che io sappia che hai un vero tesoro da parte. Pensa alla pessima opinione che avrei di te se ti sapessi indebitata con una rendita annua di 3.000.000 di franchi.

Addio, cara amica, e stai bene.

Napoleone

— Non può più contare su di me per pagare i suoi debiti — dice al ministro del Tesoro Mollien. — Non bisogna che i destini della sua famiglia dipendano solo da me... Io sono mortale, più di chiunque altro.

Eppure non riesce a prendersela con Giuseppina. Sa che ha ricevuto alla Malmaison Maria Walewska e Alessandro Walewski.

"Mio figlio.

"Le mie vite si ricongiungono al di fuori di me.

"Che cosa diventeranno dopo di me?"

È immerso in questi pensieri mentre, seduto in prima fila accanto a Maria Luisa, assiste a uno spettacolo nella sala del teatro di corte alle Tuileries. Non ascolta nemmeno le battute degli attori della Comédie-Française che recitano *Andromaca*. Ha l'impressione che il suo volto sprofondi, che tutto il peso del corpo gli gravi sulle palpebre.

Si sveglia di soprassalto, lancia qualche occhiata intorno. Lo avranno visto addormentarsi?

Si alza appena cala il sipario. Non assisterà agli altri atti.

Il lavoro scaccerà il sonno. L'indomani, lunedì 27 aprile 1812, riceve il principe Kurakin, latore di un messaggio dell'imperatore Alessandro.

Legge una copia del messaggio durante la notte. Alessandro esige che tutte le truppe francesi in Prussia siano ritirate al di qua dell'Elba. Intende avere la libertà di commerciare come vuole e con chi vuole.

È un ultimatum.

Napoleone accoglie Kurakin nel salotto del castello di Saint-Cloud. Chissà se l'ambasciatore si ricorda dei discorsi che gli ha fatto il 15 agosto 1811?

Napoleone gli si avvicina.

— È questo secondo voi il modo di sistemare le cose con me?

Parla ad alta voce, a scatti.

— Una simile richiesta è un oltraggio. Significa mettermi il coltello alla gola. Il mio onore non mi consente di piegarmi. Voi siete un gentiluomo, come osate farmi una tale proposta? Dove hanno la testa a Pietroburgo?

Kurakin trema.

Di colpo, Napoleone cambia tono.

"Non devo essere io a rompere. Devo avere il tempo di mettermi alla testa delle mie truppe."

Sorride al principe Kurakin.

— Perché non decidere la neutralità di tutto il territorio compreso tra il Niemen e il Passarge?

Kurakin è entusiasta.

"Questo mi concede qualche giorno."

Deve lasciare Parigi nella discrezione più assoluta per sorprendere i russi e, al tempo stesso, lasciare aperte le porte ai negoziati. Essere pronto a fare la guerra e ad accogliere la pace.

Ma sarà possibile la pace? L'Inghilterra non ha nemmeno risposto alle sue offerte di pace, e Alessandro intende imporre la propria legge.

"Quindi ci sarà la guerra."

Lascerà Saint-Cloud sabato 9 maggio 1812 per dirigersi a Dresda. Con l'imperatrice.

"La sua presenza mi garantirà la fedeltà dei prìncipi tedeschi e dell'imperatore d'Austria."

Martedì 5 maggio 1812 si reca all'Opéra in compagnia di Maria Luisa. Gli spettatori li acclamano.

Quando rivedrà i parigini?

Sussurra al prefetto Pasquier, accanto a lui:

— Quella che mi accingo a compiere è l'impresa più grande e più difficile che abbia mai tentato; ma è necessario finire una buona volta quel che si è cominciato.

40

Napoleone tace. Maria Luisa sonnecchia accanto a lui nella carrozza. Hanno già superato Meaux e Château-Thierry. Al tramonto devono arrivare a Châlons. Ripartiranno alle quattro di mattina. Si sente il galoppo dei cavalli della scorta. Quando la berlina si ferma alla stazione di posta, Napoleone scende. Tutta la strada è occupata dalle vetture del corteo. Parte per la guerra, e mai partenza è sembrata, come questa, il viaggio di un sovrano che si reca in visita negli Stati dei suoi alleati.

Osserva Maria Luisa. Ha il volto disteso della donna stanca ma felice, perché è la prima volta, dal matrimonio, che incontrerà i suoi a Dresda. Intuisce che per lui, in fondo al viaggio, c'è la guerra? Pensa a Giuseppina che, quando è andato a trovarla segretamente, la settimana prima, si è avvinghiata a lui piangendo, inquieta, sempre in preda, come gli ha confessato, a incubi e tristi presagi. L'ha abbracciata, rassicurata. Ma quando l'ha lasciata era commosso.

Risale in carrozza. Apre un portadocumenti. Comincia a leggere una copia del "Moniteur" di quel giorno, sabato 9 maggio 1812. Il giornale annuncia, come lui ha voluto, che l'imperatore ha lasciato Parigi per ispezionare la Grande Armata radunata sulle rive della Vistola. D'improvviso, ha un fremito di sorpresa e di collera. Il giornale pubblica il primo di una serie di articoli intitolati *Ricerche sui luoghi dove perì Varo con le sue legioni*. Varo, il generale romano di Augusto che fu sconfitto dal tedesco Arminio. Sconfitta che costrinse Augusto ad abbandonare la Germania e la frontiera dell'Elba, e a fare del Reno il *limes* dell'Impero. Cattivo presagio o intenzione di nuocere?

Su chi può realmente contare?

Scorge sui bordi delle strade i contadini radunati per vederlo passare. Sono silenziosi, come le popolazioni di Magonza, Francoforte e Bayreuth, che osservano il corteo senza entusiasmo.

"Credono che io voglia la guerra?"

Durante la sosta a Magonza interroga Caulaincourt.

— È indubbio che Vostra Maestà non vuole muovere guerra alla Russia solo per la Polonia — dice il grande scudiero — ma per non avere più concorrenti in Europa, per avere solo vassalli. E anche per soddisfare la sua passione più cara.

— E quale sarebbe questa passione?

— La guerra, Sire.

Caulaincourt è audace e stupido. Napoleone gli pizzica l'orecchio, gli dà una leggera pacca sulla nuca.

— Ho sempre condotto solo guerre politiche — spiega Napoleone — e nell'interesse della Francia. Il nostro paese non può continuare a essere un grande Stato se l'Inghilterra conserva le sue pretese e usurpa i diritti marittimi.

È di questo che vuole convincere i principi, i re e l'imperatore d'Austria che incontrerà a Dresda.

Caulaincourt ripete che i sovrani sono preoccupati. Non vogliono essere privati dei loro diritti. Sarà difficile convincerli a intervenire al fianco dell'imperatore.

Napoleone alza le spalle.

— Quando ho bisogno di qualcuno, non sto a guardare tanto per il sottile, gli bacerei anche il culo!

"Cosa immagina Caulaincourt?

"A Tilsit e a Erfurt non mi sono forse sforzato di sedurre Alessandro? Be', ricomincerò a Dresda con i re e l'imperatore d'Austria.

"Ho bisogno di alleati per combattere i russi.

"Gli austriaci mi forniranno 30.000 uomini al comando del principe Schwarzenberg. Non possono rifiutarmi questo contributo, dato che sono il marito della figlia dell'imperatore Francesco I. Mi serve la pace in Germania e in Prussia. E mi servono contingenti di venti nazioni, croati, olandesi, italiani, bavaresi, spagnoli, württemburghesi."

La carrozza corre tutta la notte. I falò che sono stati accesi lungo i bordi della strada per illuminarla fanno uscire dall'ombra il volto di Maria Luisa. La sveglia quando la berlina rallenta alle porte di Dresda.

Esplodono salve di artiglieria che coprono il suono delle campane. I corazzieri, con i loro immensi elmi e le uniformi bianche, formano un cordone fino a palazzo reale e reggono grandi torce. Il re e la regina di Sassonia li aspettano davanti al castello.

Napoleone scende dalla carrozza. Gradisce molto quell'accoglienza maestosa. In occasione del *Te Deum* che viene celebrato domenica 17 maggio 1812, alla presenza dei principi tedeschi e degli ambasciatori, ritrova l'atmosfera che aveva assaporato a Tilsit e a Erfurt, quando i re e i principi erano suoi cortigiani.

Ma ora deve sedurli. Lunedì 18 maggio accoglie rispettosamente l'imperatore d'Austria Francesco I e la regina Maria Ludovica. Si reca di persona in visita dal re di Prussia, Federico Guglielmo III.

Loro sanno che, malgrado la sua benevolenza, è lui l'imperatore di tutti quei re.

È lui che, ogni sera, al momento della cena, guida il corteo avanzando da solo, con il suo copricapo in testa. Pochi passi dietro di lui lo segue l'imperatore d'Austria, che porge il braccio a sua figlia Maria Luisa. L'imperatore austriaco è a capo scoperto. Seguono gli altri re e i principi, con i cappelli in mano.

È Napoleone che presiede a tavola. Racconta. Sorride. Seduce. Evoca i suoi ricordi della Rivoluzione. Misura l'intensità del silenzio. Gode di questa situazione straordinaria. Lui, un tenente dell'esercito della Rivoluzione, seduto tra tutti quei re, marito di una Asburgo. Afferma che gli eventi di quegli anni feroci avrebbero avuto un diverso esito se "il mio povero zio avesse mostrato maggiore fermezza".

Perché lui adesso è il nipote di Luigi XVI!

Di cosa è maggiormente fiero? Del matrimonio che ha fatto di lui il parente di tutti quei sovrani? O del destino che ha incarnato e che ha fatto di lui un uomo di ben altra tempra rispetto a tutti quegli eredi? Lui è un Cesare, il fondatore di un Impero.

La sera attraversa i salotti parlando con tutti quanti; poi trascina in disparte l'imperatore Francesco e continua il soliloquio. Il "debole Francesco" non ha niente da dire!

A teatro, prima che lo spettacolo abbia inizio, appare un'enorme scritta accanto a un sole luminoso: "Meno grande e meno bello di lui". In sala tutti applaudono.

Credono che ci caschi?

Alza le spalle.

— Certa gente forse pensa che io sia proprio uno sciocco — mormora.

Va a caccia di cinghiali nei dintorni di Dresda. Su un cavallo bianco dalla gualdrappa scarlatta ricamata d'oro, percorre le colline che dominano la città in testa al gruppo dei principi e dei dignitari che lo accompagnano e dei corazzieri che lo scortano.

La sera ritrova Maria Luisa felice come non l'ha mai vista. È in mezzo ai suoi ed è sua.

Legge i dispacci in arrivo da Parigi che, ogni giorno, portano le notizie del loro "piccolo re".

Il 26 maggio 1812, un martedì, un aiutante di campo annuncia che il conte di Narbonne è appena arrivato dalla Russia. Si è incontrato con Alessandro I, il quale ha lasciato Pietroburgo per raggiungere le sue truppe al quartier generale di Vilna.

Napoleone riceve Narbonne, lo ascolta camminando a grandi passi avanti e indietro. Poi tace a lungo e d'improvviso esplode con furore:

— Così, qualsiasi possibilità di intendersi diventa impossibile! Lo spirito che domina il governo russo lo spinge a precipizio verso la guerra! In pratica, voi non fate che confermarmi le richieste di Kurakin. È la *conditio sine qua non* della Russia! I principi che si trovano qui me l'avevano detto chiaramente. Non ce n'è uno che non abbia ricevuto comunicazioni in tal senso. Tutti sanno che ci è stato intimato di retrocedere verso il Reno. I russi se ne vantano, e adesso la pubblicità che ne è stata fatta ha raggiunto il culmine dell'insulto.

Si interrompe per un breve istante, poi esclama:

— Non abbiamo più tempo da perdere in negoziati infruttuosi!

Si chiude nel suo studio. Scrive. È indispensabile che nelle retrovie dell'Impero regni la calma. Ordina il trasferimento di papa Pio VII da Savona a Fontainebleau. Il Concordato è rotto.

Poi consulta le mappe, scrive a Davout. "Tutto è subordinato all'arrivo delle strutture dei pontieri, perché il piano generale della mia campagna si basa sull'esistenza di un equipaggiamento di ponti ben costruiti e mobili come un pezzo d'artiglieria."

Nelle ore successive viene a sapere che i russi hanno firmato a Bucarest un trattato di pace con i turchi, contro i quali combattevano da mesi. È un altro segnale. Non potrà più contare sugli attacchi dei turchi per indebolire le truppe di Alessandro. E sia. Scrive anche per designare l'abate Pradt, arcivescovo di Malines, suo rappresentante presso il governo di Varsavia. È indispensabile che i polacchi si impegnino nella guerra contro i russi.

Tutto è in ordine.

Adesso bisogna raggiungere la Grande Armata.

Trascorre la giornata del 28 maggio, un giovedì, in compagnia di Maria Luisa. È commosso dalla sua tristezza, dalle parole che mormora. Si sente infelice, gli confida.

— Cercherò di farmi forza, ma sarò triste fino al momento in cui non vi rivedrò — gli sussurra.

Deve strapparsi a quella tenerezza, a quella dolcezza, al lusso dei palazzi.

Di colpo, si sente stanco.

Bisogna farla finita con quella guerra per ritrovare Maria Luisa, per rivedere il "piccolo re".

Che cosa lo spinge così in avanti, nella tormenta?

Venerdì 29 maggio 1812, alle quattro di mattina, si scioglie dall'abbraccio di Maria Luisa. Si trattiene ancora un po' nella sala delle guardie, la bacia ancora, poi di colpo le volta le spalle.

La berlina corre nell'oscurità Non sono ancora le cinque della mattina.

Alle undici, a Reitenbach Napoleone scrive la sua prima lettera.

Mia buona Luisa,
    mi fermo qualche minuto per fare colazione. Ne approfitto per scriverti e raccomandarti di essere allegra di non lasciarti andare alla tri-

stezza. Tutte le promesse che ti ho fatto saranno mantenute. La nostra separazione sarà molto breve. Sai quanto ti amo, è necessario che io sappia che tu stai bene e sei tranquilla.

Addio, mia dolce amica, mille baci.

N.

Poi riparte.

Viaggia giorno e notte senza scendere dalla vettura. Alle sette di mattina scrive di nuovo: "Sono andato velocissimo, solo un po' di polvere. Parto per arrivare stasera a Posen, dove resterò tutta la giornata di domani, il 31. Spero che tu mi abbia scritto che stai bene, che sei allegra e ragionevole".

"Sono io che li sostengo tutti, il mio dovere è quello di guidare gli altri.

"Io non posso mai deporre le armi, non posso mai lasciarmi andare."

Riprende la penna.

Sarebbe bene che ogni volta che ti invio qualche ufficiale, il gran ciambellano Montesquiou gli facesse dono di un anello di diamanti, più o meno bello a seconda delle notizie che ti porterà.

Probabilmente tuo padre sarà già partito, e ciò avrà accresciuto il tuo senso di solitudine.

Addio mio dolce amore, mille teneri baci.

N.

Sente le grida della folla di Posen che lo saluta come il liberatore della Polonia.

"Non ho altra consolazione al di fuori della gloria."

41

Sono le sette di sera di domenica, 31 maggio 1812. Napoleone si avvicina alla finestra, nella stanza della casa di Posen dove ha trascorso tutta la giornata studiando lo stato degli effettivi, la situazione delle armate. Il sole è ancora alto. Risuonano delle grida. La folla ha circondato la casa al suo arrivo ed è ancora là fuori, entusiasta, corre per le strade imbandierate a festa. Ci sono soldati, contadini dei dintorni, notabili, donne.

Recandosi alla messa, verso la fine della mattinata, ha notato visi e siluette somiglianti a Maria Walewska. Si è commosso, era felice di essere lì, in Polonia, in mezzo a quel popolo. Poi si è chiuso in questa stanza con Méneval, a dettare dispacci e a consultare registri.

Prova un sentimento di orgoglio e di potenza. Mai nessuno ha radunato un esercito simile: 678.080 uomini provenienti da circa venti nazioni, 11.042 ufficiali e 344.871 sottufficiali e soldati francesi, 7998 ufficiali e 284.169 stranieri. *Stranieri!* Non vuole neanche sentire quella parola. Lo ha detto al maresciallo Berthier: quei contingenti vengono dai dipartimenti del Grande Impero, oppure sono degli alleati, non degli "stranieri".

Deve sapere tutto di ciascuna unità. Vorrebbe conoscere ogni uomo. Quella mattina, nelle vicinanze di Posen, ha passato in rivista il 23° corpo dei cacciatori a cavallo. Si è diretto verso il comandante dello squadrone. Ha riconosciuto Marbot, un ufficiale di valore. Lo ha tempestato di domande senza staccargli gli occhi di dosso.

— Quanti moschetti vi sono arrivati da Tulle o da Charleville? Di quanti cavalli normanni disponete? quanti bretoni? quanti tedeschi? Qual è l'età media dei vostri soldati? e degli ufficiali? e dei cavalli? Avete provviste per tutti? per quanti giorni? Tutti i vostri uomini hanno cinque chili di farina nei loro zaini, pane per quattro giorni e gallette per sei giorni, come ho ordinato?

Marbot ha risposto positivamente a tutte le domande. Una guerra si vince soltanto grazie alla combinazione di prodigiose intuizioni strategiche con l'attenzione maniacale ai dettagli.

Si volta verso Méneval e comincia a dettare un ordine del giorno.

"Gli ufficiali effettueranno ogni mattina un'ispezione per assicurarsi che ogni soldato abbia mangiato solo i viveri di quel giorno, e che gli rimanga il cibo per i giorni previsti."

Eugenio deve ritardare l'avanzata della sua armata fino a nuovo ordine. "Perché prima di tutto dovrete disporre di viveri a sufficienza. Fatemi sapere quanto pane avete. Solo allora deciderò quando impartirvi l'ordine di avanzare. In questo paese, il pane è la cosa principale." Poi passa a interrogare il maresciallo Davout:

— Suppongo che vi siate assicurato di disporre dei viveri per venticinque giorni per il vostro corpo d'armata...

Si interrompe. È appena arrivato Maret. Il duca di Bassano, ministro degli Esteri, ha lasciato Dresda da poche ore. Reca con sé alcune lettere dell'imperatrice. Gliele porge. Napoleone le appoggia sul tavolo, poi fa cenno che vuole restare solo. Le legge e comincia a rispondere.

Cara amica,
    ho ricevuto le tue tre lettere. Cominciavano a sembrarmi lunghi due giorni senza tue notizie. Scopro con dolore che sei triste e sono molto grato alla principessa Teresa che ti accompagna a passeggio. Sono stanco per aver lavorato tutto il giorno. Adesso cavalcherò per un'ora. Partirò stanotte per essere domattina a Thorn. Trasmetti i miei omaggi a tua zia, al re e all'intera famiglia di Sassonia.
    Fai bene a pensare a me. Sai che ti amo e soffro per il fatto di non poterti vedere due o tre volte al giorno. Ma penso che fra tre mesi tutto questo sarà finito.
    Addio, mio dolce amore.

                                                                    Tuo N.

Fa rientrare Maret. Lo ascolta mentre gli riferisce i discorsi di Bernadotte, che tergiversa, esita a impegnare la Svezia a fianco della Francia, tiene buoni i russi e, di fatto, lascia passare il tempo per scegliere di schierarsi a fianco del vincitore.

Napoleone dà un calcio alla sedia che cade a terra.

— Miserabile! L'occasione di stroncare la Russia è unica e non gli si ripresenterà mai più! Perché non si vedrà un'altra volta un guerriero come me avanzare con 600.000 soldati contro il formidabile Impero del Nord... Miserabile, fa torto alla sua gloria, alla Svezia, alla sua patria. Non è degno che mi occupi di lui.

Dà un altro calcio alla sedia.

— Non voglio più che se ne parli! Proibisco a chiunque di fargli arrivare una risposta, ufficiale o ufficiosa che sia.

Esce, cavalca per un'ora accompagnato da un'esigua scorta; una volta rientrato, cerca di dormire un po'. Ma alle tre di notte è subito in piedi per impartire il segnale di partenza. Mentre spunta l'alba, osserva le truppe in marcia. Ci sono troppi ritardatari. Bisogna che le unità dei gendarmi li raccolgano per condurli ai rispettivi reggimenti.

Nei pressi di Thorn la carrozza si ferma. Scende. Le strade sono invase dalle truppe di Gerolamo e di Eugenio. Passa in mezzo ai soldati. La maggior parte di loro parlano tedesco o italiano. Nessuno gli presta attenzione. Entra nel convento dove Caulaincourt ha allestito il quartier generale. Le ampie sale a volta rigurgitano di ufficiali alleati, di tedeschi.

— Dite a quei signori di uscire e di non seguirmi così da vicino. Che restino indietro qualche giornata di marcia — comunica.

Poi comincia a lavorare. Dove hanno previsto di installare gli ospedali? Sono già arrivati i pontieri con le loro strutture? Detta, ordina. Passa in rivista la Guardia e l'artiglieria. Esce nel pieno della notte per ispezionare gli accampamenti.

Perché ha bisogno di respirare l'aria fresca della notte, di sentire le voci dei soldati, di ritrovare l'atmosfera della vigilia delle battaglie. Rientra al quartier generale. Non riesce a dormire. Ma si sente bene. Comincia a canticchiare, poi continua sempre più forte, con voce tonante:

435

Da Nord a Sud la tromba guerriera
ha suonato l'ora del combattimento.
Tremate, nemici della Francia.

Si interrompe. Cantare in quel modo è una cosa che lo calma. Gli piace *Le chant du départ*. Mormora pensoso le ultime parole dell'inno:

Re ebbri di sangue e d'orgoglio,
il popolo sovrano avanza,
tiranni, scendete nella tomba.

"Ma io sono il re del popolo."

Si addormenta per un po'. Quando si sveglia, torna subito allo scrittoio e scrive.

Mia buona amica,
    qui fa un gran caldo, come in Italia. Tutto è eccessivo in questo clima. Stamattina alle due ero già a cavallo. Questo mi fa molto bene. Parto tra un'ora per Danzica; la situazione alla frontiera è perfettamente tranquilla. La Guardia che ho passato in rassegna ieri era splendida.
    Mi hanno detto che hai avuto dei conati di vomito. È vero? Un abbraccio affettuoso a tutta la tua famiglia, a tuo padre e all'imperatrice.
    Desidero quanto te vederti e spero che sarà presto: tre mesi di assenza e poi sempre con te.
    Mille baci.

Tuo N.

La notte e, di nuovo, la strada.
"Che Maria Luisa sia di nuovo incinta?"
La polvere, poi le strade lastricate di Danzica, il generale Rapp, governatore della piazzaforte, che si avvicina e inizia a lamentarsi.
Napoleone ascolta il suo vecchio aiutante di campo, il generale valoroso, il compagno di Desaix e di Kléber, l'uomo coperto di ferite, il quale a Danzica si sente come un "bambino sperduto".
— Cosa fanno i vostri mercanti con tutto il loro denaro? — lo interrompe Napoleone. — Con quello che guadagnano e con quello che io spendo per loro?

436

— Sono allo stremo, Sire.

— Cambierà. Ormai è deciso. Terrò il denaro per me.

Passa in rassegna le truppe, incontra Murat e Berthier.

— Cosa avete Murat? Siete giallo, non avete una bella faccia. Nutrite qualche preoccupazione? Non siete più contento di essere re?

— Ah, Sire, non lo sono affatto.

— Ecco come stanno le cose, volete a tutti costi volare con le vostre ali, e così complicate la vostra situazione. Credetemi, lasciate perdere la politica meschina tipica di Napoli, siate prima di tutto francese. Il vostro mestiere di re sarà molto più semplice e molto più facile di quanto non pensiate.

Volta le spalle a Murat, fa qualche passo con Caulaincourt. Murat?

— Un "Pantalone" italiano — mormora. — È di buon cuore, e in fondo ama più me dei suoi *lazzaroni*. Quando mi è vicino mi appartiene, ma lontano da me, come tutte le persone senza carattere, è in potere di chi lo lusinga e lo circuisce. Se fosse venuto a Dresda, la sua vanità e i suoi interessi gli avrebbero fatto commettere mille sciocchezze per farsi bello con gli austriaci.

Fissa a lungo Caulaincourt. Del resto, gli uomini non sono forse tutti così?

È seduto di fronte a Rapp, nell'ampia sala della fortezza di Danzica. Mangia malvolentieri. Osserva Murat e Berthier, seduti rispettivamente alla sua destra e alla sua sinistra.

— Vedo benissimo, signori — esordisce — che non avete più voglia di fare la guerra: il re di Napoli non vuol più uscire dal suo bel regno, Berthier vorrebbe andare a caccia a Grosbois, e Rapp abitare nel suo superbo palazzo a Parigi.

Murat e Berthier abbassano gli occhi.

— Lo ammetto, Sire — risponde Rapp. — Del resto, Vostra Maestà non mi ha mai viziato, e conosco poco i piaceri della capitale.

Deve convincerli. Deve trascinarli ancora. Dimenticare che anche lui vorrebbe sentire accanto a sé il corpo di Maria Luisa e prendere suo figlio tra le braccia.

È incinta per la seconda volta? Nelle ultime lettere non parla più delle sue nausee.

— Stiamo arrivando alla conclusione — riprende guardando

uno dopo l'altro Rapp, Murat e Berthier. — L'Europa potrà respirare soltanto quando avremo risolto definitivamente i problemi della Russia e della Spagna. Solo allora potremo contare su una pace duratura. La rinata Polonia si riaffermerà. L'Austria si occuperà di più del suo Danubio e molto meno dell'Italia. E anche l'Inghilterra si rassegnerà a dividere il commercio mondiale con le navi del continente.

Si alza.

— Mio figlio è giovane — dice — e dobbiamo preparargli un regno tranquillo.

Poi si attarda. Ha bisogno dei suoi generali, dei suoi marescialli. Dice:

— I miei fratelli non mi seguono. Dei principi hanno soltanto la sciocca vanità, ma nessun talento, nessuna energia. Devo governare io per loro. I miei fratelli pensano solo a se stessi.

Alza la voce.

— Io sono il re del popolo perché spendo tutto per incoraggiare le arti, per lasciare ricordi gloriosi e utili per la nazione. Non si potrà dire che gratifico i favoriti e le amanti. Io ricompenso i servigi resi alla patria e niente di più.

Esce con passo frettoloso. Intende vedere le truppe, le fortificazioni, percorrere la rada su un canotto. Poi si richiude nel suo studio per esaminare i dispacci, le mappe, la situazione delle armate.

Si interrompe e si fa portare la penna.

Mia buona Luisa,
    non ho ricevuto tue lettere. Sono a cavallo dalle due di notte, rientro a mezzogiorno, dormo due ore e passo in rassegna le truppe per il resto della giornata. La mia salute è decisamente buona. Il piccolo re sta bene. A giorni verrà svezzato. Spero che anche tu abbia ricevuto sue notizie.

Tutto è molto tranquillo, ha cominciato a cadere qualche goccia, il che è un bene. Domani sarò a Königsberg.

Non vedo l'ora di incontrarti. Malgrado le mie occupazioni e le fatiche, sento che qualcosa mi manca: la dolce abitudine di vederti più volte al giorno. *Addio, mio bene.* Cerca di star bene, sii allegra, contenta, che è l'unico modo per farmi davvero piacere.

Il tuo fedele sposo

N

È così impaziente di riprendere la strada che non aspetta nemmeno che le carrozze siano pronte. Monta a cavallo e parte a spron battuto. Raggiunge Marienburg, poi Königsberg. Riceve Prévôt, segretario dell'ambasciata di Francia a Pietroburgo. Alessandro I, spiega il diplomatico, si è rifiutato di accordare udienza all'ambasciatore francese, il generale Lauriston.

— È fatta — dice Napoleone. — I russi, che noi abbiamo sempre sconfitto, assumono un tono da vincitori e ci provocano, e di ciò avremo modo di ringraziarli. Fermarci su questa strada sarebbe mancare il momento più opportuno che si sia mai presentato.

Rimane silenzioso qualche minuto.

— Accettiamo come un favore l'occasione che fa violenza alla nostra volontà e attraversiamo il Niemen.

Di colpo sente freddo. Esce. La campagna è coperta di neve. Una notte di giugno è bastata a trasformare il paesaggio primaverile in un orizzonte invernale.

Ma il sole sta per alzarsi, e la neve si scioglierà.

Arriva un corriere con alcune lettere di Maria Luisa. Le legge e risponde subito.

Sai quanto ti amo. Voglio sapere che godi di buona salute e sei allegra. Dimmi che non hai più quel brutto raffreddore. Non accettare mai che davanti a te si dica qualcosa di equivoco sulla Francia e sulla sua politica.

Sono di continuo a cavallo, e mi fa bene. Mi dicono sempre belle cose del piccolo re: diventa più grande, comincia a camminare e sta benissimo.

Vedo purtroppo che quello che speravo non è successo. Insomma, occorre rimandare tutto all'autunno. Spero di ricevere tue notizie domani.

Maria Luisa non è incinta per la seconda volta.
E dove sarà lui, in autunno?

Domenica, 21 giugno 1812, arriva a Wilkowyszki. Il paese è invaso dalle truppe del maresciallo Davout. Al di là delle case si scorgono i boschi, le colline sabbiose dietro le quali scorre il Niemen.

Fin dall'alba l'afa è soffocante. La nevicata notturna è svanita come un miraggio.

Nella stanza di una casa con il tetto di paglia, Napoleone comincia a dettare.

È la sorgente degli anni di guerra che riemerge in lui con la stessa forza. E sgorgano le parole, mentre va avanti e indietro sul pavimento di terra battuta, le mani dietro la schiena.

Soldati,
la seconda guerra di Polonia è cominciata, la prima era terminata a Friedland e a Tilsit. A Tilsit la Russia aveva giurato alleanza eterna con la Francia e guerra all'Inghilterra. Oggi viola i suoi giuramenti!
La Russia è travolta dal fato, i suoi destini devono compiersi. Ci crede forse dei degenerati? Non saremmo più i soldati di Austerlitz? La Russia ci impone di scegliere tra il disonore e la guerra: non possiamo avere dubbi.
La seconda guerra polacca sarà gloriosa per le armate francesi come la prima. Marciamo dunque, attraversiamo il Niemen e portiamo la guerra sul suo territorio!

Dorme qualche ora. Quando si sveglia, lunedì 22 giugno 1812, comincia a scrivere:

Mia buona Luisa,
partirò da qui tra un'ora. Il caldo è eccessivo. È una canicola. La mia salute è buona… Fammi sapere quando progetti di ripartire. Abbi cura di viaggiare di notte, perché la polvere e il caldo affaticano molto e potrebbero alterare la tua salute, ma viaggiando di notte sopporterai meglio la strada.
Addio mia dolce amica, sentimenti sinceri d'amore.

N.

Esce dalla stanza. L'aria è immobile. Soffoca. Guarda in lontananza la foresta di pini coperta da una bruma grigiastra.
— A cavallo! — esclama. — Verso il Niemen.

Dopo

I cieli dell'impero

i sinistri bagliori dell'incendio di Mosca,
la disfatta della Grande Armata
e le truppe nemiche sul suolo di Francia
annunciano l'inizio della parabola discendente
dell'Imperatore dei Re.
Dopo la fuga dall'isola d'Elba
e la fatale sconfitta di Waterloo,
Napoleone finirà i suoi giorni
prigioniero degli inglesi
su un'isola sperduta nell'oceano.

A luglio in libreria

L'ultimo immortale

Max Gallo (Nizza 1932), insigne storico, biografo e romanziere, ha lavorato al quotidiano "Le Matin" e collaborato con numerosi altri giornali. Già deputato del Parlamento francese e di quello europeo, ha ricoperto importanti incarichi governativi e istituzionali. Fra le sue opere ricordiamo: *Garibaldi. La forza di un destino* (1982), *Vita di Mussolini* (1983), *Lettera a Robespierre* (1988), *Il giudice e il condottiero* (1994) e, per Mondadori, *I manifesti nella storia e nel costume* (1989).

I Classici del Giallo
Periodico quattordicinale
Direttore responsabile: Stefano Magagnoli
Supplemento al N. 843 - 18 maggio 1999
Pubblicazione registrata presso il Tribunale di Milano
n. 423 del 10 dicembre 1966
Redazione, amministrazione: Arnoldo Mondadori Editore S.p.A.
20090 Segrate, Milano
Sede legale: Arnoldo Mondadori Editore S.p.A.
via Bianca di Savoia 12 - 20122 Milano

Questo volume è stato stampato
nel mese di maggio 1999
presso la Nuova Stampa Mondadori - Cles (TN)
Stampato in Italia - Printed in Italy

I cieli dell'impero
46117
1999